Nathalie Ba...

D0283976

Lever de lune

IAN WATSON

Le Livre de Mana :

IAN WATSON

Le livre de Mana
★★★

Lever de lune

TRADUIT DE L'ANGLAIS
PAR HÉLÈNE DEVAUX-MINIÉ

ÉDITIONS J'AI LU

*Collection créée et dirigée
par Jacques Sadoul*

Titre original :

THE FALLEN MOON
First published by Victor Gollancz Ltd, London

Copyright © Ian Watson 1993 and 1994, originally published as
Book 3 of MANA 1 : LUCKY'S HARVEST and Book 1 of MANA 2 :
THE FALLEN MOON

Pour la traduction française :
© Éditions J'ai lu, 1998

Sommaire

DEUXIÈME PARTIE

LEVER DE LUNE

Résumé du tome 2

LE SEIGNEUR LONGUE-VIE GUNTHER BECK AVAIT COMMANDÉ une nacelle d'hibernation à Elmer Loxmith. Il projetait d'y dormir d'un très long sommeil après avoir absorbé une hormone de serpent. Dans ses rêves profonds, il espérait trouver l'écho de son épouse bien-aimée, Anna Sariola, morte deux siècles plus tôt.

Pendant l'hiver, le statut de Wethead Wex à la cour de la reine s'était dégradé, mais le Terrien s'était pris d'affection pour Menuise Sariola, la lutine petite sœur de Jatta. Au printemps, Jack Démon, qui s'était échappé du nid des serpents étrangers où il avait passé neuf mois, atterrit au palais dans un aéronef volé. Pendant ce temps, il avait poussé très vite et était devenu un bel adolescent.

Après la fonte des glaces, Fortunée convoqua Osmo et Elmer en son palais de Pohjola. Ils devaient parvenir à activer la machine à tout faire. Elmer remporta le concours et la main d'Eva. Pour provoquer Osmo, la reine invita à la noce des mutants du village de Juke Nurmi. Furieux, Osmo partit dans son aéronef et découvrit, en vol, que le père de Vivi, l'un de ses accompagnateurs, avait enlevé Menuise. Juke, embusqué avec des missiles fournis par les Isis de velours, tira sur l'appareil d'Osmo. Touché, l'aéronef piqua du nez et s'écrasa. Seuls Osmo et Menuise survécurent.

En même temps que les mutants, Bertel amena le vaurien Minkie Kennan à la noce à Pohjola. Elmer s'avéra incapable de consommer son mariage. De retour à Loxmithlinna, il se mit à fouetter son épousée chaque nuit. Le neveu de Gunther Beck arriva un jour à la forteresse des Loxmith, sérieusement perturbé. Le fléau du jeune homme intrigua Eva qui voulut le soigner.

La machine à tout faire de la reine se mit à produire

des armes exotiques, parmi lesquelles une sauto armée. Cet engin fut fatal au prince Bertel : Minkie, en selle sur l'appareil, l'abattit et s'enfuit.

Parti à la poursuite de l'assassin en aéronef, Jack Vif-Argent rencontra Juke. Il ramena le proclamateur mutant au palais où la reine pleurait son époux.

Osmo découvrit les qualités de Menuise lorsque les deux rescapés réussirent à traverser le labyrinthe mortel dans les forêts occidentales et atteignirent la tanière de la magicienne isie connue sous le nom de Vipère. Là, Menuise sauva Osmo du viol mental que voulait lui faire subir la magicienne. Osmo s'unirait donc à elle d'égal à égal, dès son retour à Maananfors — où son esclave, Sam Peller, empilait les armes fournies par les Isis tavelés.

Minkie, l'assassin de Bertel, avait disparu au septième ciel, sous le lac de la Création, dans l'Ukko. Il y séduisait des jeunes filles — jusqu'à l'arrivée de Solœil qui souleva les habitants exotiques et partit en guerre contre lui.

Wex se mit en quête de retrouver Menuise, mais il se cassa la jambe et récupéra un compagnon bien malvenu, un coucou empoisonnant.

De retour à Maananfors, Osmo lorgna sur Loxmith-linna comme base stratégique. Là, les tentatives d'Eva pour questionner Cully finirent par le rendre fou. Les Isis lui avaient rempli la tête de faux souvenirs afin qu'il assassine son oncle, le seigneur des rêves, et le jeune homme résistait à l'envoûtement. Angoissé, Cully finit par arracher l'œil d'Eva et s'enfuit pendant la confusion qui s'ensuivit.

La reine Fortunée organisa un mariage entre Jack Démon et la mutante June, espérant que leurs rejetons auraient des pouvoirs utilisables en temps de guerre.

Wex arriva trop tard à la forteresse d'Osmo pour sauver Menuise, qui n'avait aucun désir d'être séparée de son époux.

Goldi, une séduisante créature élevée par les Isis étrangers, arriva à la forteresse d'Elmer. Lorsque le seigneur Loxmith succomba à ses charmes, il apprit son rêve secret : recueillir la semence d'un longue-vie pour guérir Jarl de sa condition de zombie.

Osmo assiégea la forteresse d'Elmer, qui se rendit. Victorieux, le seigneur de Maananfors couronna

Menuise reine rebelle de Kaleva. A la fête du couronnement, Goldi fut présentée à Osmo. Il résista à ses charmes et proclama qu'elle devait errer à la recherche du compagnon doré qui lui apporterait joie et bonheur.

Ce même jour, disparut une lentille remarquable, faite par un chaman pour révéler les phénomènes manéens. Goldi l'avait-elle volée ? Ou bien le voleur était-il Wex ? Lequel avait lui aussi mystérieusement disparu...

PREMIÈRE PARTIE

Manœuvres et massacres

1 — Le palais-chandelle

LE SPLENDIDE PALAIS DE MARBRE BLANC DE MINKIE KENNAN flambait. Ainsi que le village situé à ses pieds. L'édifice dominait toujours le village déserté. Avec éclat !

Le maître de céans n'y était plus. Il regardait le spectacle, entouré de son armée, dans une prairie donnant sur son onirique demeure.

Minkie comprenait l'incendie des blanches maisons en bois. Mais comment le marbre pouvait-il brûler ? Il brûlait pareil à un immense cierge. Chaque fenêtre semblait une mèche dont s'échappaient des nuages d'un feu gazeux et chatoyant. De minces tours s'élevaient telles d'autres chandelles. Leurs oriflammes s'étaient muées en langues de feu écarlates et orange. Le palais luisait, suintait. Il brillait, aussi rose que la face de tous les Snowy couverts d'acné qui formaient ses troupes.

Les maisons éventrées par l'incendie s'écroulaient dans un fatras d'étincelles. Bientôt le village ne serait qu'un vestige carbonisé. Pourtant le palais métamorphosé en édifice de cire semblait prêt à perdurer, lumineux, torche commémorative, fontaine de feu manéen.

La fumée montait voiler d'un écran de poussières noires l'œil-soleil accroché au zénith. Cette sphère de beurre chaud ne glissait jamais de sa position centrale ; lorsque l'après-midi tirait à sa fin, ses paupières de nuages se refermaient sur elle, et, la nuit, elle devenait lune pâle et argentée entourée d'un cercle d'étoiles dansant comme des lucioles. Les fumées qui montaient du palais-chandelle polluaient l'air limpide. Déjà le paysage incurvé des forêts et des lacs à l'infini — toujours plus petits et plus lointains mais sans jamais céder la place à l'horizon — devenait vague et frémissant. Le soir ferait-il place à la nuit noire si le palais continuait à fumer ?

Assis sur sa sauto juttahate à trois roues, atourné de son ensemble de cuir noir à clous dorés, revers trop larges, manchettes et col montant, d'un casque noir orné d'un cimier et d'un plumet de crins noirs, Minkie contemplait l'anéantissement de son paradis secret loin du monde ordinaire et de la fureur de la reine.

Ici aussi le courroux s'était manifesté, chez la poétesse borgne militante. *Résultat : il était expulsé de son palais !* Quelle injustice ! Il n'avait rien fait d'autre que s'amuser, séduire les damoiselles échos pour lesquelles cette satanée Solœil Nurmi ressentait un intérêt obsessionnel de propriétaire.

Sûr qu'il ne se laisserait pas chasser de ce monde interne par une poétesse à qui manquait un œil !

Il mit pied à terre.

Rangés autour de lui, une centaine de Snowy en culotte de cuir rouge armés de longs couteaux, d'arbalètes ou de fusils à lumière. Cinq fois vingt écuyers blonds, bègues, atteints de strabisme, le teint fraise écrasée grâce à leur luxuriante acné. C'était, multiplié par cinq, le nombre des sous-fifres lui ayant à l'origine servi de gardiens du palais, commis, cuisiniers, valets, larbins.

Des nakkis pour la plupart ; des créatures soumises à ses volontés, coulées dans le moule du vrai Snowy qui se trouvait à la forteresse de Niemi et devait réparer les fuites du toit chez sa maman et chez Kyli...

Au fait, la grossesse de Kyli devait arriver à son terme. Snowy lorgnait peut-être déjà sur le berceau en fredonnant, à la grande consternation de Kyli. Notre Minkie était peut-être déjà papa. Toute notion de temps l'avait déserté.

D'où venaient tous ces sosies de Snowy ? Cette surabondance de soldats bègues à trogne rouge ? Les servantes nakkies du palais avaient dû se transformer en autant de Snowy. Il ressentit un pincement de honte, mais oui, en se remémorant ses chevauchées sur ces femelles consentantes avant de porter ses attentions amoureuses sur les sœurs-échos. Une autre affaire, celles-là...

Les Snowy avaient subi des pertes. Ce qui ne signifiait nullement que leurs rangs diminuaient. Quand il semblait y avoir un mort, deux Snowy prenaient la place du disparu. Cela pourrait être une solution pour écraser les partisans de Solœil Nurmi. Le succès résulterait de l'invasion de la place par les Snowy, à moins que notre Minkie ne perde le contrôle de cette multitude.

Multitude d'un même être, multiplié à l'infini.

— Qu-qu-qu'est-ce qu-qu-qu'on fffait après, ch-ch-chef ?

    — Qu-qu-qu'est-ce qu-qu-qu'on fffait après, ch-ch-chef ?

        — Qu-qu-qu'est-ce qu-qu-qu'on fffait après, ch-ch-chef ?

Le palais-chandelle brillait et fumait. Les maisons en flammes se délabraient. Au loin, derrière l'embrasement, les forces de Solœil cabriolaient. Elle commandait à des jongleurs qui lançaient leurs massues aussi haut que des missiles, à des violoneux qui tiraient des flèches avec leurs cordes, à des musiciens de fanfare en uniforme rouge qui soufflaient des traits enflammés d'une trompette ou d'un cor. Les anciens mimes s'étaient mués en bêtes féroces dressées sur leurs pattes arrière. Boucs à poils longs et tarandres couronnées de bois brandissaient faucilles et fusils à lumière. Il y avait même une paire de coucous nakkis de taille humaine dont les grandes serres pourraient éviscérer un Snowy.

Le régiment de Solœil n'avait-il point subi de pertes ? Si ; mais à présent il semblait plus fourni que jamais. Avait-elle cessé les hostilités de façon à réfléchir un instant sur leurs implications pendant que son armée faisait la fête ?

— Ch-ch-chef, qu-qu-qu'est-ce qu-qu-qu'on fffait après... ?

Le bras droit de ce Snowy-ci reposait dans une écharpe maculée de sang.

— D'où viens-tu ? lui demanda Minkie.

— Du pa-pa-pa-PALAIS, ch-ch-chef ! Je viens du palais.

Le Snowy blessé souriait, triomphant.

Du palais. Évidemment ! Et de la tête de Minkie, de sa mémoire.

— Ce que je te demande, c'est si tu étais dans mon palais à l'origine ? *Ou bien étais-tu une servante nakkie ?*

13

T'ai-je passionnément embrassé dans mon lit tendu de soie, avant d'être excédé par la facilité ? Toi et ta larmoyante face rosâtre ?

Le bégaiement du Snowy reprit dans un flot désolé. Une douzaine de gros rochers bloquaient le courant de chaque phrase.

— Jjj'com-com-prends pppas c'que vous-vous vou-voulez dddire, ch-ch-chef.

Il ne comprenait pas, naturellement. C'était le même Snowy que les autres. Excepté par les blessures, comment pouvait-on les différencier ? Il ne fallait même pas essayer, cela risquait de les perturber et de les rendre indociles.

Notre Minkie devait décider d'une conduite. Il fallait les guider. Ne point semer le doute dans leur blonde caboche afin de confirmer son autorité.

Entourées de gardiens Snowy, les deux otages-échos de Minkie protestaient d'une voix aiguë. Minkie se dirigea vers elles pour régler d'abord ce problème.

Difficile de dire laquelle vociférait le plus, Anna à la peau de pêche, aux yeux tristes et aux boucles noires, ou Paula en tout point semblable à Fortunée excepté ses couettes blondes. Anna ressemblait à une mendiante en haillons dans sa robe en dentelle et rubans toute chiffonnée, ses pieds nus pleins de boue. La robe de tulle ruché de Paula était bien plus nette. Elle était modestement embellie d'une constellation de rosettes jaunes tels des narcisses poussant sur sa poitrine et son estomac. Elle portait de délicats mocassins jaunes. Paula n'était pas restée entre les pattes de Minkie aussi longtemps qu'Anna. L'écho de la reine avait été capturé par hasard, au cours de la dernière bagarre.

— Minkie Kennan, j'insiste pour retrouver mes amies ! Je vous croyais un joyeux gentilhomme préoccupé de gaieté et de délices...

— ... et d'Inga, Gerda, Gretel, Maria et Anna, marmonna Minkie, énumérant les divers ébats auxquels Solœil avait mis fin. Et de vous aussi, ma jolie poulette.

Paula constituait son ultime ambition amoureuse, avant que la maudite poétesse mutilée n'apparaisse.

A part sa mirette manquante, et s'il faisait abstraction des austères chausses marron qu'elle portait (ou s'il l'imaginait sans), nul doute qu'elle était encore aussi svelte et jolie que lorsqu'il avait jadis posé les yeux sur elle. Hélas, la proximité de cette poulette-là lui ratatinait la bite et réduisait toute beauté en cendre. (De même, l'hostilité immodérée de Solœil avait mis feu au palais de plaisirs de Minkie !) Il fallait désormais rester éloigné d'elle. Comment l'éviter, quand elle le poursuivait avec autant d'agressivité ? Il n'y avait pas trente-six solutions ; il faudrait que ses Snowy la tuent. Mais peut-être qu'ils ne s'en prendraient qu'à ses troupes...

Comment pouvait-il en venir aux prises avec elle, personnellement ? La solution, c'était un carreau d'arbalète ou une flèche de lumière chaude, qu'il tirerait. Elle ne s'exposait pas inutilement...

Le fait qu'il détienne Anna et aussi Paula risquait de pousser Solœil à une imprudence.

— Ne te plains pas, tu as une copine avec toi, dit-il à l'écho de la reine.

— Il faut nous laisser partir toutes les deux, Minkie Kennan ! insista la blonde à couettes. Nous ne devrions pas être séparées de nos amies...

— Gunther trouvera un moyen de te punir ! Surtout si tu me touches encore. Ou ces horribles dégoûtants. Ils me passeraient des maladies...

— Non.

Anna s'indignait davantage de sa captivité.

— Ils me répugnent !

— Chères damoiselles, supplia Minkie. Mes Snowy ne vous toucheront pas... pas trop... surtout si vous faites ce qu'on vous dit quand on vous le dit.

— Mon Gunther sera furieux.

— Lui ? Je le soufflerai comme une bouffée de fumée.

— Excuse-moi, demanda Paula à sa compagne, mais qui est donc Gunther ?

Paula ne connaissait pas le gros bonhomme, naturellement. Sorti de nulle part, Gunther était apparu nu comme un ver dans la grande chambre du palais au moment où Minkie — pareillement attifé — savourait une Anna en même tenue déshabillée. L'activité de Minkie avait stimulé la matérialisation de l'époux, comme témoin de cette scène lascive, et avait réveillé son souvenir chez Anna.

Ce genre d'interruption vous déstabilisait un beau

petit jeune homme. On ne pouvait pas non plus deviner sur-le-champ que le nu intrus manquait de consistance.

Gunther semblait avoir perdu un poids exceptionnel. Son visage, encadré de folles mèches blondes qui auraient mérité un shampooing, avait un air de chérubin, malgré le regard hallucinant de ses yeux gris. Une chaîne d'argent, où pendait un médaillon, s'accrochait aux anneaux passés dans ses tétons : son unique habit. Il avait dû être considérablement plus volumineux à en juger par ses rouleaux de peau et ses vergetures. Il s'était d'abord goinfré, et maintenant il jeûnait. Mais sa présence était encore substantielle. Pourtant, on pourrait se débarrasser de lui par une parole dure, le renvoyer d'un souffle d'où il venait.

Minkie en déduisit que Gunther avait rêvé son chemin jusqu'à l'écho d'Anna, sur une couche dans le monde ordinaire en dehors du pays des merveilles composé de prairies, de jeunes filles et de nakkis. Jadis il avait épousé Anna. Elle avait vieilli, elle était morte. Anna — de son vivant fille Sariola — lui avait donné longue vie. Lui était resté d'une fanatique fidélité à sa mémoire. Anna l'avait complètement oublié, jusqu'à ce que le flageolet de Minkie résonne et réveille ses souvenirs.

Au moment du fâcheux événement, Minkie s'était creusé les méninges pour identifier l'intrus. Il l'avait déjà vu ; sous un aspect plus solide. Maintenant il se rendait compte que le mari d'Anna... Bock ? Buck ? Beck ? était un seigneur excentrique. Un amateur de rêves, sur qui il avait entendu des potins dans les tavernes, au cours de ses parties de chasse aux Juttahats.

Anna la sensuelle, réveillée de son amnésie par le massage interrompu de Minkie, avait recouvré sa bouillante passion pour son époux absent, même si lui échappaient encore les détails de sa vie avec lui, ou de la situation présente. (Pourtant, elle éclairerait de son mieux sa compagne otage, entourée par les Snowy à trogne rouge et purulente...)

La rencontre dans la chambre avait rapidement été éclipsée par l'attaque du palais, lancée par la poétesse pour récupérer Anna et remettre Minkie à sa place. L'endroit n'était pas, pour elle, un château d'abandons sensuels dominant le hameau. Ses compagnes n'étaient pas des concubines. Dès son retour du domaine nakki où elle s'en était allée errer, Solœil avait entamé le siège, ce qui occupa pleinement l'attention de Minkie. Pendant ce temps, selon le Snowy qui gardait et dégoûtait Anna, Gunther était réapparu deux fois. Ils avaient essayé de s'enlacer. Il avait tenté de l'entraîner avec lui. Au lieu de cela il s'était éloigné en flottant et s'était évaporé. Gunther serait-il en mesure de retrouver Anna maintenant que le palais flambait et que Minkie et ses Snowy en étaient chassés ? Le fantôme onirique de Gunther brûlerait-il comme une chandelle ?

De toute évidence, pendant son absence, Solœil avait acquis des mots puissants, suffisant pour mobiliser des nakkis et enflammer le marbre. Elle était un brin proclamatrice, maintenant, cette poétesse ! Encore loin de la puissance d'un van Maanen qui l'avait contrainte à aller se jeter dans un lac... Dans quelle mesure maîtrisait-elle ses nouveaux pouvoirs ? Son armée folâtrait ; tandis que les Snowy de Minkie tournaient en rond, attendant un ordre. Bénis soient les deux Snowy qui avaient saisi la chance d'enlever Paula lors de la retraite du palais.

— Qu-qu-qu'est-ce qu-qu-qu'on ffFAIT, ch-ch-chef ?

— Ainsi, vois-tu, Paula, tu es en réalité l'écho de ma mère... !

— Comment est-ce possible, sotte ?

— Mon Gunther l'a dit. Je crois l'avoir bien compris. Nous ne sommes pas restés longtemps ensemble, et il essayait de me sauver...

— Ch-ch-CHEF !

Minkie se hâta de remonter sur sa sauto et avança en roues libres vers ses captives.

— On ne peut pas m'arracher d'ici, n'est-ce pas, Paula ? entendit-il. Je suis un écho. Mais toi tu es l'écho de ma mère. Tu es l'écho de la reine, et la reine n'est pas morte. Sa vie est éternelle...

— Nous ne sommes pas mortes, contesta Paula. Nous sommes des échos dans l'esprit de la graine de lune.

— Toi, non, Paula, mais moi je suis morte. Je suis morte il y a des années et des années. J'étais l'épouse de Gunther. Je connais mon nom entier maintenant.

— Tu as trouvé ton autre nom ?

— C'est Beck. Anna Beck. Et toi, tu es Paula Sariola.

— Sotte, ça, je le sais.

— C'est le nom de la reine.

— La reine de quel endroit ? La reine de quoi ?

— De Kaleva ! C'est tout un monde à l'extérieur du nôtre. Remarque, tu es beaucoup plus gentille que ma mère, d'après mes souvenirs. Je ne me rappelle pas bien, je suis encore confuse. Je suis sûre que tu es l'écho d'une reine qui est vivante. (Anna tira sur ses boucles noires comme pour se convaincre.) C'est sans doute pour cela que tes cheveux ne sont pas de la même couleur que les nôtres, Paula.

— Peut-être es-tu la vraie reine ! interrompit Minkie, inspiré. Peut-être que la reine assise sur le trône est un imposteur...

— Tu es au courant de ça, toi ? s'écria Anna.

— Un faux, un simulateur, un double ! Peut-être qu'elle t'a cachée ici, sa jumelle, et qu'elle a dérobé ta mémoire afin de régner à ta place.

La légende de Fortunée Paula Sariola racontait comment elle était entrée dans l'entité spatiale et y avait subi des transformations... On n'y mentionnait pas de jumelle.

— Vous êtes au courant de ça, vous ? fit Paula en écho.

Elle fleurait bon la brioche aux épices, que Minkie espérait dévorer.

— Je sais beaucoup de choses, chère amie.

— Il faut me laisser partir, alors ! Il faut nous laisser partir toutes les deux.

— Et comment feriez-vous pour apprendre ce que je sais ?

— CH-CH-CHEF !

— CH-CH-CHEF !

Des Snowy partout. L'un d'eux éleva haut l'étendard de Minkie. Il l'agitait comme un sémaphore devant les forces opposées. L'emblème du drapeau, que Minkie avait choisi, représentait un Juttahat à peau d'ébène en livrée sable pendu la tête en bas dans un arbre, les entrailles percées d'une flèche.

— CH-CH-CHEF !

— CH-CH-CHEF !

— Attends un peu, Snowy, attendez, vous tous !

Avoir une obligeante reine rivale entre ses griffes, une reine que l'on pouvait présenter aux habitants du monde réel comme une amélioration de Fortunée, une remplaçante à la hauteur... ah ! Il lui faudrait se montrer encore plus charmeur que de coutume, mais ferme dans la négociation.

La possibilité de détourner la revanche de Fortunée par ce tour, à supposer qu'il soit forcé de quitter cet autre monde, le tentait fort. Toujours avoir des cordes supplémentaires à son arc, pas vrai ?

Pendant ce temps...

— Ch-ch-chef... pleurnichait quasiment un Snowy.

— Je peux vous dire tant de choses, Paula Sariola. Peut-être pourrais-je vous sortir d'ici pour vous emmener dans votre vrai royaume.

— Nous ne pouvons quitter notre demeure d'ici, protesta Anna. Mon Gunther a été incapable de m'emporter dans ses bras.

— Peut-être qu'un fantôme onirique ne devrait pas essayer d'enlever un défunt écho. De toute façon, regardez, vos maisonnettes sont parties en fumée.

Il y avait tant de doute dans les yeux de Paula !

— Vous et vos brutes avez tout brûlé !

— Brutes, Majesté ? (Devait-il l'appeler ainsi pour la séduire ? Peut-être cela la rendrait-il hautaine.) Veuillez, je vous prie, tourner vos regards sur les monstres de Solœil, là-bas. Voyez ce qu'elle a fait de vos villageois à force de haine.

Hommes-boucs et hommes-coucous cabriolaient ici et là...

Paula fronçait les sourcils. Il faudrait la persuader — et Minkie s'y entendait dans ce domaine, il lui suffirait de quelques heures de paix au milieu du tumulte, s'il parvenait à les trouver. Pour l'instant, il était vraiment trop près de la prairie par où il était entré dans le domaine. Si ses Snowy et lui se trouvaient acculés dans la prairie au cours d'eau et aux fleurs crème cireuses, à supposer que leur situation semble désespérée et qu'il dirige la sauto dans une certaine direction, il risquait de se retrouver là-haut, sur l'éperon rocheux surplombant le lac de la Création, tout seul. Ou bien dans les eaux du lac, à éclabousser partout tandis que son engin coulerait dans les profondeurs.

Quelque part derrière le cours d'eau devait se trouver une entrée de tunnel. Ragnar, son papa, était entré dans cet autre monde sans le concours d'une sauto. Papa s'était simplement jeté du haut de la falaise. Des ondines nakkies l'avaient tiré le reste du chemin. Pareil pour

Solœil, sûrement. Elle saurait par où poursuivre Minkie. Il ne fallait pas encore qu'il prenne cette direction.

Protégeant ses yeux de l'œil-soleil pâlissant au zénith, Minkie regarda le paysage répétitif et incurvé de forêts et de lacs tandis que montait la fumée de son palais-chandelle. On ne pouvait pas tout voir d'un coup, même au plus profond d'un lac sans fond. Cet endroit était tissé de courants manéens. Peut-être était-il d'un volume relativement modeste. Pourtant plus on s'enfonçait vers l'intérieur et plus on rapetissait, peu à peu le paysage aussi, si bien que ce monde-ci pouvait contenir une multitude d'endroits similaires, en substance sinon en taille. On ne remarquait jamais que l'on était devenu miniature, pas plus gros qu'une punaise, pas plus grand qu'une pensée. L'air faisait loupe et grossissait ce qui semblait éloigné. Cette loupe était en train de se brouiller.

Où était donc allée la poétesse en grimpant la pente du monde intérieur pour devenir si puissante ? (Pas toute-puissante, non, loin de là !)

Si Minkie s'y rendait lui aussi et trouvait ce qu'elle avait trouvé, ne transformerait-il pas son charme ensorcelant en pouvoir de commandement ? Ainsi ses Snowy deviendraient-ils invulnérables, et lui aussi. Il serait protégé de Fortunée quand il choisirait de quitter ce lieu. Oui, il le quitterait avec une blonde consentante jumelle de la reine, qui pourrait remplacer la folle de Pohjola !

Solœil Nurmi ne l'avait pas expulsé. Elle l'avait stimulé ; sauvé des oreillers moelleux et de l'alcool. Le chemin de la sortie était trop près, il était trop tôt. Il y avait des récompenses à saisir. Minkie, le chasseur de Juttahats, était homme à en profiter au maximum.

Il fit vrombir sa sauto.

— Les gars, lança-t-il à ses Snowy, la guerre demande qu'on marche et qu'on établisse des camps. Nous occuperons d'autres villages, nous les pillerons pour vivre et peut-être que nous les brûlerons derrière nous. Oui, nous y mettrons le feu. Notre ennemie nous pourchassera dans la désolation. Elle nous poursuivra parce que nous voulons trouver ce qu'elle a découvert ; et nous aurons avec nous ces invitées (ce qui fit sourire et glousser les Snowy), ses deux amies à elle, dont l'une est d'une importance capitale pour moi. Les deux le

20

sont, bien sûr, ajouta-t-il avec galanterie. Nous les traiterons avec décence et en protecteurs.

— On l'a pas toujours fait, chef ?

— Comment ferai-je pour marcher ? se plaignit Anna. Je n'ai pas de chaussures. Mon Gunther t'étranglera.

Dans des circonstances ordinaires, et s'il n'avait pas autant maigri, son Gunther aurait pu accomplir cette tâche. Si le rêveur reparaissait pendant leur marche et dans leur camp, il ne ferait guère le poids pour perturber Minkie. Aucun lest, rien qu'un sac d'ouate.

— Eh bien, chères amies, c'est un problème. Vous n'allez pas marcher, naturellement. Deux de mes Snowy vous porteront chacune sur leurs épaules.

Cela leur laisserait moins d'occasions de s'échapper.

Horrifiée, Anna regarda un Snowy tout sourires dont le visage rose comme celui d'un cochon suintant, couvert d'acné. Devrait-elle de ses cuisses serrer ces joues ?

— Je préfère marcher !

— Non, tu iras à dos.

Paula sembla pensive. Elle épousseta sa robe ruchée comme si la cendre de l'incendie s'y collait.

— Si je suis importante, je devrais être portée, n'est-ce pas ?

Hé, hé ! détectait-on là un brin de vanité ?

— Les Juttahats portent leur chef-serpent lové autour de leurs épaules, embraya Minkie d'un ton encourageant.

— Que sont des Juttahats ? demanda l'écho de la reine.

Anna non plus ne semblait pas comprendre.

— Eh bien, ce sont les serviteurs des serpents étrangers. Des serpents étrangers géants infestent le monde du dehors.

— Des serpents ? couina Paula. Mon prétendu royaume est plein de serpents géants ? Laissez-moi retourner chez mes amies, même si notre village est anéanti par les flammes !

— Non, non, fit en vitesse Minkie, ils n'infestent pas le monde entier. En fait, ils ne sont pas si nombreux que ça. Une poignée ou deux. A moins de chercher, on n'en voit pratiquement jamais. Ils vivent sous terre et pointent rarement la tête, vrai.

— Vous voulez m'effrayer...

— Non.

— Mieux vaut ces Snowy que je connais plutôt que des Juttahats que je ne connais pas. N'est-ce pas ?

— En fait, on appelle les serpents des Isis. Les rares qui existent. Tu vois tout ce que j'ai à t'apprendre ?

— Est-ce que j'ai envie de savoir tout ça ? Nous étions bien avant votre arrivée...

— Et vous avez continué à bien vous amuser — même plus, grâce à moi — jusqu'à ce que Solœil vienne mettre les pieds dans le plat !

— Elle ne nous a pas fait peur.

— Elle le devrait maintenant.

Minkie désigna les troupes de la poétesse, ces soldats bêtes féroces et coucous.

— J'aurais préféré que Gunther nous raconte tout ça, dit Anna. J'aurais su que c'était vrai.

— Tu es innocente, aussi as-tu besoin de protection, fit Minkie.

Anna lança un regard incendiaire à son ravisseur.

— Nous trouverons probablement d'autres de vos sœurs dans d'autres villages, gentes dames.

— Et vous brûlerez leurs villages ?

Anna rouspétait d'abondance. *Maudit soit cet intrus rêveur.* C'était Gunther Bock, non, Beck, qui méritait d'être étranglé pendant son sommeil dans la forteresse.

Beck ne rêvait-il que la nuit ? « Plus profondément que n'importe qui d'autre », s'était-il vanté quand son fantôme onirique avait violé le nid de plaisirs de Minkie. S'agissait-il d'un sommeil ordinaire ? Ou était-ce une sorte de transe chamanique prolongée qui durait une semaine, une quinzaine, ou même plus ? Ce qui expliquerait la « maigreur » de Beck quand il avait raconté un tas de bobards dans un passé peu lointain. Gunther se nourrissait de sa graisse — il ne jeûnait pas afin de conjurer une vision, il était peut-être aussi incapable de manger. Comme un serpent qui hiberne !

— Comment ton Gunther peut-il rester endormi si longtemps ? demanda Minkie à Anna sur un ton plein de défi.

Peut-être le savait-elle, mais elle ne pipa mot.

— Nnous zallons ma-ma-marcher, ch-ch-chef. Nnous zallons brû-brû-brûler des villages pour toi. Nnous zallons a-a-attirer cccette Solœil au désastre...

Pour leur remonter le moral, il était temps d'accorder des promotions.

— Lequel d'entre vous, les gars, a attrapé la poulette blonde ? lança-t-il.

— Mmmoi ! réussit à dire un des gars vêtus de rouge.

Minkie éleva la voix.

— Tu as bien fait. En récompense, tu seras désormais mon bras droit, Snowy. Reste auprès de moi.

La mine du nakki semblait assurément assez sirupeuse.

Mettant pied à terre, Minkie ôta son casque, libérant ses boucles châtaines. Il en arracha le plumet de crins noirs. Son pas avait du ressort. On rêve parfois que l'on danse, ou qu'on est dans la mélasse. Il lui avait été pénible de porter Anna jusqu'à sa chambre par les escaliers il n'y avait pas si longtemps — fardeau surmontable. Dans le monde ordinaire, il n'y serait pas arrivé.

Minkie passa la tige du plumet dans la boutonnière du revers de Snowy. En décorant ainsi son lieutenant, il s'assurait de pouvoir le distinguer parmi tous les autres. Satisfait, il se recula.

Ce Snowy était-il reconnaissant ? Le nakki couvert d'acné gigota.

— Merci, ch-ch-chef... (Il loucha sur ses pairs, dont certains semblaient ahuris. N'étaient-ils pas tous pareils à lui ?) Est-ce q-que ça veu-veu-veut dire qu-qu'on m'a-m'a-m'appellera « chef » aussi ?

— Toi, c'est Petit Chef, dit Minkie, et moi, Grand Chef.

Il avait à présent un nom spécial pour au moins un Snowy ; voilà qui faciliterait les choses.

— Toi et toi, dit-il à deux autres, baissez-vous pour permettre aux dames de grimper sur vos épaules.

Les porteurs désignés s'accroupirent.

— Venez maintenant, gentes dames, grimpez, et en route.

Anna serra ses rubans roses comme pour se protéger, mais elle obéit. Paula aussi.

Lorsque les Snowy se redressèrent, Anna et Paula s'élevèrent presque aussi haut au-dessus des troupes que le drapeau. Elles seraient facilement visibles par la foule des musiciens et des brutes bestiales. Ce spectacle narguerait la poétesse en chausses marron. Les nakkis de Minkie acclamèrent avec dérision leurs ennemis.

Menés par le grand chef sur sa sauto juttahate noire et le petit chef marchant à ses côtés, les Snowy brandirent leurs arbalètes, leurs fusils, leurs couteaux et s'ébranlèrent en masse désordonnée. Le palais-chandelle continuait à brûler au milieu de multiples flammes sans montrer le moindre signe de liquéfaction ou d'effondrement. Sous des cieux obscurcis par sa fumée il resterait sûrement comme un phare pendant qu'ils graviraient sans peine les pentes du paysage, ou qu'ils rétréciraient, peut-être, sans se sentir diminués.

Au milieu de ses forces caracolantes, Solœil Nurmi semblait se demander s'il fallait leur donner la chasse.

2 — A court de mots

ATROCITÉ-MONSTRUOSITÉ-ITÉ-ITÉ...

Solœil avait déjà entendu ce refrain, la première fois qu'elle était entrée dans ce domaine-ci. Auparavant le bourdonnement des « ité » dans sa tête n'avait guère été qu'une mélodie en mode mineur par rapport à la voix envahissante de la petite lune.

Monstruosité et *atrocité* s'étaient vite retirés, tout comme l'angoisse animale de sa fuite allait s'estomper quand elle aurait rencontré les pucelles de ses rêves dans leur prairie.

Au cours du périple qui l'avait menée de la Vallée des Orateurs au bout du monde, elle avait beaucoup perdu. Elle était sous l'influence du charme puissant du seigneur Osmo, bien sûr, pourtant l'horreur aussi l'avait poussée et lui avait dérobé du vocabulaire. Des mots comme *frère*, comme *amour*...

Maintenant, devant le palais de Minkie en flammes au bord d'un village carbonisé, elle réentendait le bourdonnement dans sa tête : la même folle rengaine que lorsque ses haillons étaient encore trempés après son saut suicidaire.

Agressivité...

    Férocité...

        Monstruosité !

C'étaient d'affreux mots encombrants, impossibles

pour un poème. Ils résonnaient pour applaudir son succès d'avoir chassé Minkie Kennan qui jadis avait tenté
de la violer... Dans un recoin sournois et dépravé de son
être, un certain Juke Nurmi avait aussi rêvé de faire la
même chose.

Solœil n'était plus une poétesse. Il lui manquait trop
de précieux vocabulaire. Pourtant elle s'était engagée
sur ce terrain nouveau à la recherche de mots. Peut-
être était-elle sur le point de réussir — mais son regard
était tombé sur ce salopard fripouillard et vicelard.

Un caprin en kilt marron cabriolait, agitant une faucille. De jubilation ou de frustration il la lança très haut
au-dessus des restes rougeoyants d'une maisonnette
effondrée. Dès que l'outil s'échappa de sa main poilue,
il devint un mortel petit cousin de l'arc brillant sur l'horizon nocturne du pays que Solœil avait quitté, la couronne de débris lunaires de l'astre éclairant jadis la
Kaleva. La faucille tourna. La lame incurvée revenait
des restes calcinés et fumants ; elle fonçait.

Gerda hurla et agrippa sa sœur Maria.

Elles étaient jumelles et l'on ne les distinguait que si
l'on voyait leur âme — comme Solœil, grâce à son œil
interne. L'une était une floricœur, rose, voletant, comme
agitée par la brise. L'autre, un ornithogale violet, vibrant.
Ces fleurs étaient leur cœur, leur essence, perçus dans un
mode de vision différent de l'ordinaire. Les deux fleurs
se jumelèrent en proie à la panique tandis que la faucille
fendait l'air — pour en décapiter une ?

Non, l'arme volait vers la main levée du caprin. Il la
saisit par le manche. Il flaira la lame, y passa un petit
coup de sa langue râpeuse, coupa quelques poils de son
bouc en broussaille. Maria et Gerda se lâchèrent, mais
continuèrent à trembler. Normal, sur un champ de
bataille.

Kennan avait fait la bête à deux dos avec les deux. La
bête à trois dos même. Elles l'avaient avoué sans honte
à Solœil. Les amours de Kennan étaient peut-être un
jeu et non un abus de leur innocence par un gredin
dont la présence corrompait leur monde fermé, engen-
drait des brutes à figure pustuleuse comme autant de
rejetons nakkis ; ce vaurien à qui ses désirs avaient
élevé un palais seigneurial, et décrété un carnaval perpétuel arrosé d'abondance pour ses plaisirs.

Sa fureur ne devait pas rendre Solœil bégueule, n'est-ce pas ? Autrefois Juke était suffisant. Et voyez ce qui se cachait dessous. Entre pureté et formalisme il y a une stricte ligne de partage.

Un trompette, en vermillon et coquine casquette à visière, sonna. De son instrument il souffla malicieusement une flèche enflammée vers le palais en feu. Un arlequin fit un saut périlleux.

Et qui était celui-ci ?

Une bête brune tavelée dressée sur ses pattes arrière, le mufle féroce découvrant ses crocs jaunes !

Des yeux petits, ronds, sauvages. Une queue longue et pelée, un fouet. C'était un homme-verrin.

Il portait un harnais de cuir et un kilt de cuir. Dans ses griffes, il serrait un fusil à lumière. D'où venait-il ? Solœil avait hérité d'un véritable carnaval dédié aux appétits de Kennan, et l'avait transformé. Elle n'avait pas encore vu ce type. L'homme-verrin semblait la quintessence de la sauvagerie. Ses troupes nakkies comptaient d'innombrables monstres.

Non pas qu'elle s'en plaignît, elle, de sang mutant. Ester, sa mère, avait des yeux de chèvre à pupilles rectangulaires. Mais quand même ! Un homme-verrin...

Elle en repéra un autre, armé d'un immense couteau rouillé — ou bien était-ce le sang séché d'un Snowy sur la lame ?

D'où venaient tant de Snowy ? Il en apparaissait toujours plus dans la pâture là-bas.

Tandis que l'homme-verrin avançait vers Solœil, Inga geignit :

— Il ne me plaît pas.

— Il ne te fera aucun mal.

De toutes les filles-échos, Inga ressemblait le plus à Solœil par sa silhouette mince et allongée. Malgré ses cheveux noirs, Inga était criblée de taches de son. Solœil elle-même avait plusieurs grains de beauté chocolat au lait sur les joues et la nuque. Ses blonds cheveux soyeux les recouvraient en partie.

Solœil rassura Inga.

— Il te protégera.

Oui, du harcèlement et du viol.

— Tout est différent et horrible — sauf toi, Solœil. Voilà Paula prisonnière, comme Anna ! Que vont leur faire Minkie et ses Snowy ? Regarde !

Minuscules au loin, des Snowy hissaient au-dessus de la masse une blonde et une brune...

L'homme-verrin gronda. Il aspergea son entourage de postillons.

— Guerrière, on rattaque ? demanda-t-il d'une voix gutturale.

Était-elle donc cela : une guerrière ? Ils avaient dépecé les Snowy mais il s'en relevait toujours de nouveaux. Solœil remarqua un troisième homme-verrin dans la cohue, elle en eut la nausée.

— On les poursuit, guerrière ?

Son interlocuteur dénuda ses crocs jaunes dans un large sourire.

— Non, pas encore...

Son monde risquait de se disloquer dans le conflit si les combattants se multipliaient...

— Le palais arrêtera pas de brûler tant qu'on aura pas mouché tous les Snowy...

Savait-il cela par expérience ? Le feu jaillissait des fenêtres et des pinacles du palais comme jamais elle ne l'avait vu. Le marbre luisait comme de la cire fondue. Comment était-ce possible ?

Un homme-coucou s'approchait d'elle, ses grands yeux jaunes écarquillés et ses oreilles félines aux aguets. A la place du nez : un bec cruel. Un plumage vert terne recouvrait son corps. Une membrane lâche garnie de plumes reliait ses bras à son thorax. Seule sa familiarité avec des mutants bien-aimés tels que Lamma le laineux persuada Solœil de ne pas réagir ; et le fait qu'Inga et ses sœurs comptaient sur elle. Dans sa main griffue, l'homme-coucou tenait un trident.

Les coucous ordinaires étaient les dépositaires des potins — et peut-être de la sagesse ? Qu'avait donc à dire un homme-coucou ?

Pour annoncer sa présence, il croassa :

— Ukko-ukkou !

— Chante-nous une chanson, conte-nous un récit, suggéra-t-elle.

L'homme-coucou cligna des paupières.

— Il va y avoir la guerre dans le monde, déclara-t-il. Reines et seigneurs en conflit, jusqu'à la naissance d'une nouvelle lune dans des douleurs de feu et de sang.

Cette créature était-elle un prophète plutôt qu'un rapporteur d'événements passés, comme les coucous ordinaires ?

— Comment y aurait-il plus d'une reine ? lui demanda-t-elle.

Ce ne pouvait être une allusion à sa position à la tête de sa petite armée... une armée qui pouvait s'agrandir. Le problème, avec le destin, c'est que les gens l'interprètent souvent mal parce que leurs vœux brouillent leur jugement.

— Quelles reines ? insista-t-elle.

— Jusqu'à la naissance de la petite lune, croassa le personnage à plumes vertes. Déracinée dans un schisme fracassant.

— Tu es notre reine, chevrota Inga.

Son ton impliquait que, pour son salut et celui de ses sœurs, il vaudrait mieux que ce soit vrai. Il fallait que Solœil commande à ces hommes-verrins et autres prodiges, sinon qu'adviendrait-il ?

Solœil, reine de nakkis... contre Minkie Kennan, seigneur d'autres nakkis cramoisis d'acné. Il lui faudrait faire attention à ne pas prendre la grosse tête et à ne pas partir sur une fausse route.

— Paula est l'écho de la reine Fortunée, dit-elle à l'homme-coucou.

Kennan retenait Paula prisonnière, portée comme un trophée sur les épaules d'un Snowy.

L'homme-verrin l'interrompit.

— Ennemis s'en aller.

Vrai. La masse des Snowy s'éloignait — et pas dans la direction du tunnel par lequel Solœil était entrée dans le domaine. C'était le meilleur endroit d'où Kennan aurait pu sauter, monté sur son étrange machine, pour retourner sur les falaises surplombant le lac. S'il avait eu l'intention de filer...

Elle avait espéré le voir quitter le domaine. Pourtant, s'il emmenait Paula, ou Anna... Non. Minkie ne pouvait guère les emporter sur sa machine. Il pouvait les forcer ou les charmer pour que l'une d'elles l'accompagne... Il ne le fallait pas.

— Les attaquer maintenant, reine guerrière ?

Reine guerrière ! Comme les yeux de cet homme-verrin luisaient.

Se précipiter à la poursuite de l'ennemi maintenant risquait d'affoler Minkie Kennan. Il risquait d'embarquer une fille sur sa sauto, d'abandonner ses Snowy et de filer là où seule Solœil pourrait le suivre... sans grand effet, à la traîne loin derrière, abandonnant son domaine. Paula ou Anna : pouvaient-elles vraiment sortir de l'enfant lune ? Impossible. Kennan se souciait sans doute peu qu'elles survivent.

— Laisse-les s'enfuir pour le moment, dit-elle à la bête bipède.

— Sinon guerre finir trop vite ?

L'homme-verrin arborait un grand sourire. A supposer qu'il n'existât que par ce combat et seulement le temps des hostilités, souhaiterait-il que le conflit prenne fin rapidement ?

— Et Paula, et Anna... ?

— Inga, écoute-moi : si nous agissons maintenant nous risquons d'effrayer Kennan. Il pourrait emporter l'une de nos amies ailleurs... dans le monde d'où je viens. Nous risquons de perdre à jamais Paula ou Anna.

Inga hocha la tête, mais elle ne croyait pas vraiment à l'existence d'un autre monde, ailleurs.

— La guerre peut finir trop vite, dit Solœil à l'homme-verrin. Il faut d'abord voir où vont nos ennemis et ce qu'ils font avant de les punir.

Les troupes de Kennan se dirigeaient à l'opposé de la voie de sortie de l'enfant lune. Que découvrirait-il sur cet itinéraire qu'il suivait, le cœur plein d'avidité et de dépit ?

— Peux-tu voler ? demanda-t-elle à l'homme-coucou. Peux-tu suivre Minkie Kennan et les Snowy en éclaireur du haut des airs ?

L'homme-coucou battit des bras. Ses membranes garnies de plumes se gonflèrent.

— Pour voir devant, reine guerrière ?

— Loin devant — et peut-être aussi dans l'avenir ? Tu peux voir les deux, homme-coucou ?

La créature réfléchit. Changeant sa prise sur le trident, elle se gratta le croupion avec une dent.

— La guerre ne cessera pas, croassa-t-elle. Le fils recommence les conneries de Ragnar, réfléchies et magnifiées.

Pendant son voyage, Solœil avait entendu parler de ce Ragnar. C'était le seul être jamais entré dans l'enfant lune avant elle. Il avait assouvi ses caprices jusqu'à ce que son mauvais caractère et ses imprudences tournent contre lui les habitants nakkis et qu'ils le chassent.

Jusqu'ici elle ne connaissait pas l'autre nom de Ragnar. Maintenant elle savait. Ragnar était le père de Minkie Kennan ! C'est ainsi que Minkie avait trouvé son chemin jusqu'ici, pour répéter les folies complaisantes de son papa.

Aujourd'hui se déroulait une bataille plus féroce que la bagarre précédente dans la petite lune. L'étincelle en était la rage de Solœil contre Kennan et son libertinage. L'étincelle avait embrasé le palais entier comme une chandelle, une mèche pour la guerre.

Qu'avait dit l'homme-coucou ? Reines et seigneurs en conflit... Une guerre miroir aurait-elle éclaté dans l'autre monde ? Se réfléchissait-elle ici ? Solœil fut lancinée par une prémonition d'impuissance. Cette faiblesse serait sa perte.

La fumée brouillait l'œil-soleil. Les brumes manéennes montaient des lacs situés plus haut, comme s'ils flambaient eux aussi. Comment pouvait-elle deviner le sort de ce pays et le sien propre ?

— Voleras-tu pour espionner ? demanda-t-elle.

Trident dans sa main griffue, l'homme-coucou écarta les bras et ses membranes se tendirent. Il se mit à courir. Il piqua un sprint et fila par bonds désordonnés en battant des bras. On aurait dit qu'il allait trébucher et s'étaler. Oui, mais le poids d'un être est plus léger à l'intérieur du royaume des souhaits de l'enfant lune. L'homme-coucou s'éleva lourdement et s'éloigna de la pâture. Une fois qu'il eut quitté le sol, son agilité aérienne progressa vite et il s'éleva en spirale.

Férocité...

Monstruosité...

Ce n'est pas à la recherche de ces mots qu'elle était partie d'ici peu avant...

La saison que Solœil avait passée en compagnie de Paula et de ses sœurs-échos dans leur village au milieu des prairies avait été agréablement réparatrice. Pourtant cette douceur de vivre ne pouvait durer. Les affectueuses jeunes filles étaient trop rêveuses, elles acceptaient leur félicité, leurs rituels de jeu, danse et admiration sans se poser de questions. Elles pouvaient s'absorber dans la contemplation d'une fleur crème cireuse pendant des heures d'affilée. Ensuite elles s'en allaient en sautillant comme si, après avoir prêté leur âme à ces pétales, elles avaient oublié la chose.

Les jeunes filles-échos ne manquaient pas d'horizons, non. Ils s'élevaient tout autour d'elles, très semblables à leur région de forêts, de prairies et de lochs. Si tout était partout pareil, pourquoi chercher ailleurs ? Un jour, elles avaient sans doute visité d'autres villages peuplés d'autres pucelles et de gentils nakkis. La date importait peu. La date ne faisait jamais problème.

Un beau jour, ses amies prirent plaisir à emmener Solœil dans une maisonnette au toit d'ardoises. Sur la table de la cuisine était ouvert un livre relié de cuir. Le *Livre du Pays des Héros* ! Ce ne pouvait être que l'exemplaire dont Solœil se servait pour tirer ses bonnes aventures ! Cette tache sur le bord des pages, cette égratignure en haut de la reliure...

Une imitation très fidèle de son livre à elle. Solœil était ébahie et ravie. Le livre lui rapporterait-il un précieux vocabulaire ?

— D'où vient-il ?

Eh bien, un nakki avait dit à Gretel qu'elles trouveraient une surprise dans cette maison, sur la table de la cuisine. Solœil avait un peu parlé de livres et de sa connaissance de la lecture. Gretel et ses amies ne se rappelaient pas avoir vu un livre ici auparavant. De toute évidence, il semblait plein de plaisirs.

— Chante-nous une chanson, conte-nous un récit, firent-elles en chœur, comme si Solœil était un oiseau cancanier.

Des semaines d'amusement les attendaient.

Casseroles et poêles de cuivre pendaient à des crochets, ainsi qu'une grande scie. Un baquet à lessive en bois, des pinces, un rouet. Des assiettes crème décorées de pâquerettes sur un vaisselier, un rappel de l'œil presse-papiers en verre que Ruokokoski lui avait jadis fabriqué. La pupille était une pâquerette.

Lorsque Solœil se pencha sur le volume, elle fut stupéfaite de découvrir qu'elle ne comprenait rien aux gribouillis imprimés. Petits serpents, cercles, formes ailées ; chevrons, petits carrés, cercles à queue ou à tige ou barrés. Les signes lui paraissaient parfaitement familiers et pourtant rien n'avait de sens. Elle n'arrivait plus à lire, même en essayant avec son œil intérieur.

— Que se passe-t-il... ?

— La surprise ne te plaît pas... ?

— Tu ne veux pas nous lire quelque chose... ?

Le choc l'avait fait vaciller. Son cœur battait à tout rompre. Elle tourna les pages l'une après l'autre pour voir si cela irait mieux après, mais le volume entier resta incompréhensible. Elle reconnaissait les lettres, c'étaient les lettres habituelles. Cela, elle en était sûre. Leur sens lui échappait.

Elle avait déjà perdu la grâce du vocabulaire, et voilà qu'elle en perdait la vision ! La tragédie l'accabla. Elle avait cru que sa tête allait mieux... Au contraire, elle avait encore perdu des facultés.

— Que se passe-t-il, ma douce amie... ?

Deviendrait-elle comme Paula, Gretel et Inga, oublieuse de son propre destin ? Un écho d'elle-même ? Elle s'étrangla. Pourvu qu'elle ne perde pas aussi l'usage de sa langue !

— Je n'arrive pas à lire !

— Mais tu as dit que tu savais...

— Tu nous faisais marcher ?

— Je ne sais plus lire ! Je suis aveugle devant ce livre !

— C'est l'œil que tu as perdu qui savait lire ? demanda Gretel.

— Non ! avait protesté Solœil avec un gémissement.

Elle avait chancelé et refermé le livre dans la frustration la plus totale. A ce moment-là, écœurée, elle avait entendu dans sa tête la même voix que celle qui lui avait parlé après son suicide. C'était la voix zézayante de l'enfant lune.

Un proclamateur ne doit pas lire, sinon la force des mots faiblit...

C'était parfaitement vrai.

Les proclamateurs ne lisaient pas. Ni les pasteurs manéens. Ils apprenaient les textes par cœur et les récitaient.

Quel rapport avec elle ? Les femmes ne proclamaient pas — certainement pas dans le plein sens du terme ! Les sorcières pouvaient émettre des incantations et des formules magiques. Mais contraindre dans le style d'un van Maanen ou d'un Juke ? Non, pas ça.

Le jour funeste où il lui avait fallu se tenir devant la foule des spectateurs tel un trophée récompensant le vainqueur de la compétition entre son inqualifiable frère et le seigneur Osmo éperdu d'elle, Solœil avait souhaité de tout son cœur pouvoir se contraindre elle-même à quitter la butte au milieu de la Vallée des Orateurs. Son vœu se transforma en délicate pâquerette écrasée sous le pied dans une tache de merde. Son souhait ne fut guère plus puissant que le pet d'un coprophage.

Où voulait en venir la petite lune en la dépouillant de sa faculté de lire, en rendant son esprit aveugle à la signification de l'écrit ?

Peut-être n'avait-elle pas entendu sa voix, peut-être était-elle simplement folle, sa tête une grotte d'échos insensés ricochant contre les parois intérieures qui recelaient son don perdu pour les mots et la beauté. Voilà qu'une nouvelle paroi s'élevait, sur laquelle apparaissait un gribouillis de stupides serpents, cercles et barres, simple caricature de script, mots cherchés dans une boule de cristal déformée.

Que les casseroles brillaient à leur crochet ! Que Maria, Gerda, Gretel, Anna, Paula et Inga étaient déçues d'être privées des histoires qu'elles avaient attendues avec tant d'impatience ! Surtout Inga. On aurait dit la jumelle brune de Solœil. Inga était moins désappointée que mystifiée. Pour qu'elle soit vraiment déçue, il aurait fallu qu'elle sache ce qui était perdu.

— Ne sois pas triste, Solœil, ça n'a pas d'importance.

Inga la caressa avec affection et ferveur. Elle la prit dans ses bras, lui caressa les cheveux, l'embrassa. L'étreinte chaleureuse de cette jumelle brune était agréable et apaisante. Son haleine et sa peau étaient aussi subtilement parfumées que la rosée du matin sur une fleur que le soleil embrasse. Cette douceur incita Solœil à ouvrir une corolle humide nichée en elle, un bouton de fleur serré et meurtri.

Si c'est ton désir, prononça l'enfant lune, *cela peut être ton avenir*.

— Non... avait-elle protesté.

Et elle s'était dégagée des bras d'Inga.

— Mais je t'aime, murmura sa souple et brune pareille.

Solœil avait cherché un oubli amer dans le lac de la Création. Voici que se présentait une alternative : un oubli suave et doux.

Sinon tu peux cheminer jusqu'à l'endroit où je baigne mon nombril. Tu peux venir jusqu'à la mare de mots perdus très loin...

Lui offrait-on vraiment de choisir ? On lui avait pillé son vocabulaire. Si elle choisissait d'aimer Inga, elle en perdrait beaucoup plus qu'elle n'en gagnerait. Elle se prit à penser au Juttahat Tulki-vingt qui aurait été perdu sans la voix qui le guidait à l'intérieur de sa tête. L'enfant lune allait-elle devenir pour elle l'équivalent d'un Isi ? Ou devait-elle rester elle-même, solitaire ? La présence de l'enfant lune lui retournait le cœur.

Devait-elle chercher la source de son malaise ? Une telle entreprise risquait de ressembler à une tentative de retour à la Vallée des Orateurs malgré la proclamation de Lord Osmo. En un sens ce serait la même situation, car dans cette vallée elle avait commencé par perdre ses mots. Allait-elle à présent les retrouver, dans cette étrange mare, ou nombril, où la petite lune flottait à l'intérieur d'elle-même ? Cette perspective soulevait à la fois en Solœil inquiétude et espoir.

Tu peux venir me regarder avec ton œil intérieur...

Si elle ne se trouvait pas dans cette cuisine, dans ce village nakki, ne verrait-elle pas l'enfant lune partout autour d'elle ? Possédait-elle une marionnette spéciale d'elle ?

Solœil se décida.

— Inga, Paula, vous toutes, je pars. Je vous promets de revenir...

Sa randonnée devait lui sembler longue à la fois en distance et en temps. La forêt succéda aux bois ; les lochs aux lacs. Ici elle rencontrait un hameau de joyeuses pucelles et de nakkis hospitaliers. Ailleurs, une maisonnette solitaire dans une clairière ou aux abords d'une prairie. Elle abritait une vieille sorcière ou un bûcheron nakki, qui lui donnaient le gîte puis, au matin, lui indiquaient le chemin. Le panorama incurvé des forêts et des lacs changeait au fur et à mesure de son avancée. Si, au bout d'un moment, elle regardait par-dessus son épaule et vers le haut, elle était presque sûre de voir le village d'Inga (de Paula et d'Anna...) minuscule à l'horizon — au moins pendant un temps. La vue changeait, mais le paysage restait le même.

Devait-elle traverser tout ce domaine pour se retrouver à son point de départ ? Elle ne le croyait pas. En haut, l'horizon semblait tourné vers l'extérieur. Lorsqu'elle se rappela les cavités et les chambres qu'à l'origine elle avait vues grâce à son œil intérieur dans l'enfant lune — des creux d'une taille incertaine qui, un instant, semblaient aussi vastes qu'une vallée et, le suivant, pas plus grands qu'une noix —, il lui vint le sentiment que l'apparente immensité de son environnement était trompeuse. De fait, ce pays, ses habitants et elle devenaient de plus en plus petits à mesure qu'elle avançait. Elle n'était peut-être pas plus grande que l'ongle du pouce, un arbre n'était pas plus haut qu'un doigt. Ensuite l'arbre serait aussi minuscule qu'un ongle et elle serait un insecte marchant en dessous. A l'échelle d'un arbre ou d'un lac — qui ne serait qu'une flaque —, sa taille était constante.

Au début, il lui avait semblé parcourir de nombreuses lieues chaque jour de sa randonnée. Puis, de l'aube au crépuscule, la distance couverte ne dépassa pas la longueur d'une clé en fer pour ouvrir une porte. Le jour d'après, celle d'une clé dorée de petit coffret.

> *Une clé*
> *Glisse dans un vide*
> *De même qu'elle*
> *Et retourne ce vide de l'endroit sur l'envers*

Les mots lui manquaient. Elle glissa un doigt dans son orbite pour y essuyer le fantôme d'une larme.

Elle finit par arriver devant un étang au cœur d'un bois.

Des harpiers au feuillage vert jade le bordaient. Le sous-bois consistait en buissons couverts de baies-nichons et en jismins fleuris.

Solœil ne fit d'abord qu'entrevoir l'étang. Le parfum du jismin était capiteux et sensuel. Les baies étaient des tétins roses. La multitude des cordes entre les branches et les troncs d'arbres fredonnait. Le souvenir de harpiers bêlants tout autour de la crête de la Vallée des Orateurs la tourmenta. Solœil foula doucement le sol pour éviter que ces cordes ne gémissent à son approche.

L'étang était occupé. L'occupante, rebondie et à moitié plongée dans l'eau, était grande et roussâtre. Elle se vautrait comme une énorme truie pleine posée sur sa croupe submergée et tachée de boue rouille...

Elle bougea.

Te voici à mon nombril...

Soloeil eut un haut-le-cœur. Il lui fallut saisir une brindille de jismin et l'écraser sous son nez. Elle cueillit des baies-nichons éclatantes de jus rose et les fourra dans sa bouche. Les cordes des harpiers entonnèrent une monotone mélodie quand elle avança vers la rive.

L'étang n'excédait pas deux fois la taille de sa massive occupante. C'était à la fois une femme obèse, une bête brun-rouille et peut-être encore autre chose. Une étrangère tout à fait différente d'une Juttahate. Elle aurait pu ressembler à un Isi trop grand lové sur lui-même en une grossière tour d'anneaux soudés les uns dans les autres.

Son torse, dans l'eau, faisait une citerne de chair. Sa poitrine et son gros ventre comportaient des trayons. Ses menottes s'agitaient, incapables de rien atteindre. La tête en équilibre sur cette montagne de chair formait un gros globe brun muni d'une fente humide en guise de bouche, d'un rond pour le museau et d'yeux rouges creux. Les oreilles saillaient en anses de jarre. Les cheveux henné s'enroulaient en un nœud si compact qu'il paraissait solide : un vrai bouton. Son énorme corps était recouvert d'un duvet gingembre qui formait un labyrinthe de subtiles arabesques.

La créature pouvait-elle se mettre debout ? Y avait-il des jambes en dessous ? Avait-elle d'immenses pieds palmés ? Il lui manquait certes des bras, mais ses mains se comptaient en grand nombre. A supposer qu'elle puisse hisser sa masse hors de l'eau, elle ne pourrait avancer qu'en roulant.

Comment quitter la demeure liquide qui me porte ?

Ainsi c'était sa résidence permanente...

A elle ? Était-elle du genre féminin ?

La reine Fortunée est une femme, vint en réponse, de façon troublante, *et toutes ses filles le sont aussi*.

Par conséquent cette créature devait revêtir une apparence féminine ?

— Pourquoi avez-vous choisi... ?

Soloeil fut incapable de continuer.

Pourquoi l'enfant lune avait-elle choisi cette forme

grotesque pour se représenter et s'incarner ? Bien sûr ce n'était pas son être tout entier, pas plus que le nombril n'est la totalité d'une personne. Pourquoi pas une apparence gracieuse de sylphide ?

Aussi gracieuse que toi, peut-être ?

Des vagues de nausée montèrent en Solœil, telles qu'elle n'en avait encore jamais ressenti à la vue d'un mutant aimable et familier.

Sybaritisme, voilà quelle devait être la réponse. La toute petite enfant lune avait assouvi ses appétits, elle était malade des émotions de la Kaleva dont elle s'était nourrie — tous les sentiments brutaux, les accès de rage, les jalousies, frénésies, passions érotiques. Comme la reine Fortunée, elle était instable. Elle reposait donc sans jambes dans un étang, se préparait à un spasme violent, à une naissance problématique après une gestation aussi dissolue. Elle était la lune tombée du poème de Solœil : une graine de lune tombée dans un lac pour y grandir et s'y nourrir des sentiments frénétiques qu'elle stimulait — qui à leur tour la dégradaient et la dépravaient, si bien qu'elle était doublement déchue. Elle se relèverait un jour dans un grand fracas — pour parvenir à la santé et à la sérénité ?

Les fines lèvres baveuses s'écartèrent. Bien qu'aucun son n'en sortît pour faire bourdonner les harpiers, Solœil entendit : *Regarde-moi avec ton œil intérieur.*

Craignant d'être attirée dans l'étang quand elle fermerait les yeux (mais comment les menottes l'atteindraient-elles au bout de leur moignon ?), Solœil ferma l'œil droit.

Dans l'eau imaginaire, composée de mots et de flux manéen, liquide créatif, se tenait une sylphide faite d'étoiles. Derrière une oreille d'étoiles, s'ouvrait une fleur crème cireuse, telle une oreille plus grande tendue vers la musique ou les dissonances de la vie.

Voilà que la sylphide scintillante était assise sur un rocher. Le roc était énorme, pourtant il flottait. Elle était une géante. A la base du rocher, des créatures formaient une vague de chairs ondoyantes. Mélange de serpents, d'humains, de pieuvres, de poissons et d'oiseaux. C'était la moisson de l'existence ; et le murmure de la marée, le bourdonnement d'un milliard de récits parlant d'existence passée, présente ou future. Récits aspirés dans les fonds. Ils se perdaient et refaisaient surface, selon que la sylphide trempait ou non ses orteils étoilés dans l'écume.

Tout était contenu à l'intérieur d'une grotte tissée de vide et d'espace, une grande bulle luisante de ses propres reflets ; car elle ne se composait que d'elle-même. La bulle se divisa brièvement en une centaine de bulles transparentes. Puis elle se reforma. La bulle était un œil gigantesque tourné vers l'intérieur (car c'est à l'intérieur que se trouve la perspective) pour se voir en bouton, en fleur épanouie puis fanée et de nouveau en bouton — et aussi en marionnette formée de pétales ivoire flottant sur un étang voilé de brumes manéennes et où brillaient des étoiles...

Viens te baigner avec moi...

Dans l'étang de la monstruosité ? A portée de ses moignons ?

Non, dans l'étang de la sylphide !

Gardant l'œil droit fermé, Solœil se débarrassa de ses mocassins et ôta sa robe. En aveugle, et percevant pourtant la brume, les étoiles et les pétales, elle descendit dans l'eau. Le liquide frais monta sur ses mollets et ses cuisses, baigna son hymen et son nombril. Elle se baissa et l'ichor de l'enfant lune caressa ses ronds tétons. Les cordes des harpiers vibraient et le jismin exhalait son doux parfum.

Elle demanda :

— Où sont mes mots perdus ?

Immerge-toi...

Pas dans ce lac d'eau ferrugineuse ! Pour se noyer à nouveau !

Pourtant son autre alternative était d'ouvrir l'œil sain et de voir à côté d'elle, à deux doigts, l'adipeuse créature brune qui se nourrissait de chimères.

Solœil plongea la tête sous l'eau, ses cheveux flottant en surface comme un voile de soie. Le liquide emplit son orbite vide. Elle retint sa respiration.

Le souffle prononce les mots.

Terrifiée, elle inspira l'ichor lisse, les humeurs corporelles de la monstrueuse créature féminine qu'était l'enfant lune.

Elle entendit :

Dame, qui à mon berceau arrives
Prends chez moi les puissants mots :
Porte un coup d'estoc à la concupiscence,
Enferme ma rage en cage,
Sois maîtresse de mes maux.
Heure fortunée ou diabolique ?
Homme ou magicien ? Guerre à déclarer ?
Vide restera ta page
Si ton âme est sage.
Déflore et dévore :
Je donne pouvoir à l'ajustement.
Sois éloquente
  grandiloquente
    malveillante
      turbulente
        virulente
Prends chez moi ces puissants mots
Dame qui viens lorsque ma fleur se forme...

Toussant, Solœil sortit de l'eau et ouvrit son bon œil.
La monstruosité avait fermé ses yeux. Les menottes
pendouillaient, molles. Sur son horrible corps, les poils
roux se dressaient, ridés et bouclés, en une craquante
couronne.

Pendant son séjour dans l'eau, un nakki avait dû lui
voler sa robe. Elle trouva à la place, sur les buissons
sans fleurs, un chemisier blanc chiffonné, des chausses
de cuir marron avec une ceinture à boucle de cuivre et
un manteau gris. Des bottes l'attendaient aussi. Solœil
foulait de ses orteils nus des baies-nichons tombées et
pourrissantes. Les buissons avaient perdu tous leurs
fruits. Elle aperçut sa robe, presque cachée par une
couche de pétales de jismin en décomposition. Il s'était
écoulé du temps, beaucoup de temps.
  Elle s'habilla à la hâte. Il lui fallut quitter les abords
de l'étang sans regarder en arrière, puis elle s'enfuit à
travers bois.

Que lui avait donné la monstruosité de l'enfant lune ?
Qu'avait-elle voulu dire ? Deux choses contraires à la
fois peut-être. Elle avait semblé supplier Solœil de la
délivrer de frénétiques envies et en même temps elle lui
donnait la capacité d'en exaucer de semblables.

Lorsque enfin Solœil était retournée au village d'Inga (et de Paula et d'Anna !) par le chemin des maisonnettes des sorcières et des hameaux nakkis, elle avait vu le palais de marbre blanc avec ses oriflammes rouge sang dominant le paysage.

Elle n'en croyait pas ses yeux, enfin son œil. Était-elle revenue ailleurs ? Un carnaval endiablé battait son plein. Minkie Kennan s'amusait.

3 — Guerre d'hiver

DES TOURBILLONS DE NEIGE ZÉBRAIENT UN CIEL CENDREUX. Au zénith, le spectre d'un soleil crépusculaire éclairait moins qu'une lune. Ce soir, il disparaîtrait peut-être entièrement derrière les cendres et les flocons. Derrière, à deux fois vingt lieues selon toute apparence, sur un renflement du terrain plongé dans l'obscurité, le minuscule palais-chandelle rayonnait d'une clarté plus vive. Il continuait à brûler sans se consumer, noyau incandescent dispensant sa lumière dans les ténèbres. Fumée et blizzard n'empêchaient jamais totalement de le voir. Sa clarté de chandelle se diffusait à travers ces obstacles comme si tempêtes ou écrans de fumée servaient de lentille manéenne. Parfois l'image semblait plus grande, parfois plus petite. Ni la distance, ni la brume, ni les rafales glaciales ne changeaient son aspect.

Plus que le faible œil-soleil pâlissant, ce repère jetait un éclat livide sur les ruines carbonisées d'un hameau autrefois heureux et sur une couche de neige épaisse. Les courbiers s'inclinaient sous un bonnet blanc. Jamais le blizzard n'avait soufflé à travers ce pays avant la guerre entre Solœil et les Snowy. A présent, les tempêtes de neige frappaient au hasard. Le gel bestial parcourait les forêts pour mordre ses victimes avant de les enrober de blanc. L'air était glacé. Les flocons dansaient toujours la sarabande. Dans un bosquet de musquiers et de jauniers ouatés de pompons de coton tissés par la neige, de petites chandelles semblaient brûler sur les branches, reflétant au centuple la miniature du lointain palais.

Les squelettes noircis des maisonnettes pointaient en l'air, fracturés et cramés. Des nakkis abattus gisaient là. Certains tués proprement par un rayon lumineux, ou un carreau d'arbalète. La plupart étaient mutilés à coups de longs couteaux. Maria et Gerda réconfortaient trois pucelles brunes frissonnant sous des couvertures. Les amies de Solœil s'étaient emmitouflées dans d'épais manteaux de fourrure fauve de verrin, avec toque de fourrure et bottes fourrées. Elle-même avait changé son manteau contre la peau fournie par l'un des hommes-verrins tout sourires.

Inga se serra contre Solœil. Ses taches de son semblaient des taches d'un sang jailli des cadavres.

— Chère Solœil, et si tu n'avais pas...

— Si je n'avais pas quoi ?

Inga chercha le mot. Sa délicieuse ancienne vie s'était changée en vague rêve. La situation présente échappait à sa compréhension.

— Et si tu ne t'étais mêlée de rien ?

Voilà, on y était : le doux reproche, l'allusion que, si elles abandonnaient leur poursuite à travers les bois inhospitaliers, tout redeviendrait comme avant, et l'œil-soleil sourirait de nouveau sur les prairies.

— Tu ne vois pas quelle sorte de personne est Minkie Kennan ? lui demanda Solœil. Un tueur et un ravisseur. Il se fiche de tout ! C'est une brute pleine de faconde au milieu d'un gang de bêtes.

Et elle ?

Inga jeta un coup d'œil sur un homme-verrin qui frottait son long couteau sur son flanc poilu, indifférent aux cadavres de ses semblables nakkis.

— Si je ne garde pas le contrôle, murmura Solœil. Si je ne conduis pas mes troupes...

Inga frissonna et se serra dans ses bras.

— Où est Paula ? demanda-t-elle, soudain en proie à la panique. Où est Anna ?

— Il les a enlevées, tu te souviens ?

— Bien sûr. Les pauvres...

Inga regarda les trois réfugiées abandonnées par Minkie. Solœil les connaissait peu, elles l'avaient divertie un soir, à l'aller de son périple vers l'étang où se vautrait la monstruosité et au retour. Minkie n'avait pas souhaité s'encombrer d'autres captives. Il les avait laissées là, chassées par l'incendie de leur maisonnette, comme un poids pour retarder Solœil.

On ne la retarderait pas indûment.

Elle se dirigea vers les trois malheureuses tandis qu'Inga la suivait comme un petit chien.

— Les filles, soyez courageuses, leur dit-elle, sans que ce soit une proclamation contraignante. Allez vous réchauffer à la flamme de la chandelle qui brûle dans la neige. Elle est là pour ça.

Peut-être que la neige tombait afin que la forêt ne s'embrase pas sous les flèches enflammées et les rayons lumineux des fusils.

Elle fit signe aux deux musiciens d'approcher, leur uniforme écarlate n'était pas sans rappeler celui des Snowy. L'un tenait une trompette qui soufflait des flèches enflammées, l'autre une longue épée qui, par la forme de sa garde, laissait penser que c'était un trombone modifié. Ils saluèrent leur chef, un doigt sur leur casquette à visière.

— Les gars, vous allez escorter ces dames en toute sécurité jusqu'au palais-chandelle, entendu ?

— Pas à l'intérieur ! fit le trompette.

— Bien sûr que non. (Comment aurait-on pu entrer dans cet amas incandescent de marbre fondu ?) Il y a un pain au babeurre et une soupe épaisse qui les attend.

Faites que ce soit ainsi ! Que le palais serve au moins de four et de chaudron pour ceux de l'extérieur. Que la cire fondante devienne pain et soupe.

— Regardez ! dit un homme-verrin en pointant son fusil à lumière.

Battant des ailes à travers les atomes de poussière et les flocons de neige, l'homme-coucou revenait. Au premier abord, il sembla plus grand qu'avant, son envergure correspondant aux ramures qu'il survolait. L'éclaireur sifflait-il pour signaler son retour ?

Il descendit vers les braises et atterrit en vitesse, ses serres rebondissant d'abord sur les cendres, puis sur la neige, laissant une traînée d'empreintes. Un cri aigu l'accompagna, sifflet entre deux brins d'herbe. Alarmé, le caprin laissa échapper un chapelet de crottes de sous son kilt. Avec humeur, il les piétina de ses sabots fendus et hacha l'air de sa faucille.

L'homme-coucou parla :

— Guerrière, j'ai cloué un Snowy au sol avec mon trident ! Je lui ai planté un arbre dessus. (L'homme-coucou montra un trou dans l'une de ses membranes à plumes, origine du sifflement entendu précédemment.) Un carreau d'arbalète m'a traversé l'aile.

Le trou paraissait trop petit pour la chose.

— Je me sentais immense, guerrière. Les Snowy semblaient minuscules au sol.

Logique, vus d'en l'air. Se pouvait-il qu'en vol l'homme-coucou ait gardé en partie sa taille ? Pouvait-il plonger sur Paula ou Anna et les agripper dans ses griffes, les emporter et les ramener en lieu sûr ? Du moins en partie ! Probable que la fille saisie grandirait pendant le vol de retour et deviendrait trop lourde pour la force de ses ailes — à moins qu'il ne ramène une lilliputienne, ce qui serait horrible et pire que de ne point les sauver.

— Va chercher ton cousin coucou, ordonna Solœil à son éclaireur. Vous irez tirer Paula et Anna des griffes de Kennan — à la nuit. (A mesure que l'œil-soleil pâlissait et devenait un disque d'os sec que l'on ne distinguerait bientôt plus, la scène se faisait de plus en plus obscure.) Vous verrez assez à la lueur de la chandelle, n'est-ce pas ?

— Un coucou voit tout, se vanta l'éclaireur à plumes. Mais mon bras me fait mal.

Des bras douloureux ne soulèveraient même pas du sol un poids plume.

— Eh bien, vous irez tôt demain matin !

Très tôt en effet, quand les Snowy seraient encore gelés, sonnés et profil bas. Maintenant que Solœil avait conçu ce plan, il la possédait passionnément. Bien sûr que le plan réussirait. Kennan serait emmitouflé dans des fourrures épaisses. (*Avec qui ?* Question brûlante !) Il serait surpris. Ainsi que ses sentinelles Snowy, qui protégeaient leur trogne boutonneuse du froid réfrigérant.

— Anna...

— Anna...

— Chut, Anna...

Dans l'obscurité glaciale, les courbiers formaient un demi-cercle avec un auvent de feuillage plumeux autour du bivouac des Snowy. L'armée avait débarrassé les branches basses de leur neige avant d'installer les couchages. Il était encore tombé des flocons, qui avaient formé une couche trop peu épaisse pour incliner le dais naturel jusqu'à terre. Anna reposait sur une paillasse de branchages coupés sur les courbiers environnants, enveloppée dans des fourrures que les Snowy avaient dérobées chez un bûcheron nakki. Près d'elle, à sa gauche, sommeillait le Snowy qui la portait sur ses épaules depuis le début de l'expédition. Une longue lanière de cuir reliait leurs poignets. Minkie Kennan dormait dans une petite tente tout seul.

— Chut, Anna, je suis là avec toi.

Une pression sur son flanc droit ; un corps se serre contre le sien. La voix qui la réveille chevrote :

— C'est Gunther, ma poulette adorée.

Claquement de dents.

Les ténèbres étaient profondes sous les courbiers. Un peu de gris révélait un aperçu de ciel. Grâce au repère du palais-chandelle, un capricieux vernis perlé luisait faiblement sur le bonnet neigeux des bois. Un filet de lumière croissait et décroissait au hasard, mais il n'éclairait pas. Au contraire, cette phosphorescence éphémère rendait plus profonde la nuit qui enveloppait le camp de son linceul.

Gunther frissonnait par à-coups. Prenant soin de ne pas remuer indûment et de ne pas tirer sur la lanière de cuir, Anna ouvrit ses fourrures pour le couvrir un peu. La masse nue se serra contre la robe de dentelle reléguée au rang de jupon.

— Je sens ta présence...

Sa présence, oui, sa masse, mais pas sa virilité ! Il avait gagné en substance. Il était devenu plus dense.

Il l'enlaça de son bras.

— Et moi je te sens, après si longtemps ! Mais chut...

De peur que leurs murmures ne réveillent le Snowy qui dormait tout près, ou le porteur endormi près de Paula, ou Minkie Kennan ronflant dans sa tente, ou son lieutenant, Petit Chef, couché dehors. De peur qu'ils ne donnent l'alerte aux sentinelles engourdies montant la garde dehors où la majorité des Snowy étaient étendus dans un état comateux, leur combinaison de cuir couverte de neige.

Frustration des chuchotis ! Joie du toucher, différée pendant des siècles ! Si seulement Gunther n'était pas

44

si vulnérable dans sa nudité totale — à part la chaîne au petit médaillon tendue entre ses tétons. Si seulement il était raisonnablement couvert pour cet hiver inhabituel. Pourtant, s'il en était ainsi, ils ne se seraient pas sentis l'un l'autre avec autant d'efficacité. Ils se marmonnaient des mots doux, ils se frottaient le museau. Il avait si froid, il lui volait sa chaleur. La ferveur bannit un instant les frissons.

Attaché à elle par une lanière de cuir, son porteur Snowy dormait toujours. Si seulement Gunther portait un couteau et une combinaison de cuir !

Son poids semblait celui d'un enfant et non d'un adulte. Il pesait moins qu'elle. Elle comprenait qu'il se soit consumé pendant son héroïque hibernation, rêvant plus profondément que personne afin de la retrouver. Mais quand même !

— Tu es plus léger que moi, mon seigneur, mon amour.

— Je me sens tellement plus présent — plus concentré sur toi, Anna. Si je persiste à te retrouver...

Sa présence atteindrait-elle une plénitude suffisante pour qu'il reste avec elle dans ce domaine ?

— Ah...

Comment pouvait-il rester là quand son corps reposait dans une nacelle à Castlebeck en attendant de se réveiller à une date sûrement proche ? Et puis, il faisait froid et noir ; et il y avait cet étrange palais en flammes ; et elle, captive. Le royaume de son Anna n'était plus un rêve mais un cauchemar !

Le médaillon appuyait contre la poitrine d'Anna. Elle le toucha.

— Je suis vieille ou jeune sur ce portrait ? murmura-t-elle.

Elle était morte de vieillesse — d'une crise cardiaque, un arrêt du cœur —, tandis qu'il était resté aussi jeune que jamais. Jusqu'ici, il lui avait simplement dit qu'elle était dans le médaillon.

— Tu m'as décrite au peintre ou a-t-il fait mon portrait mortuaire ?

— Anna... ne sois pas choquée, je t'en prie. Ce que je garde près de mon cœur, c'est une esquille de ton crâne.

Elle eut presque un mouvement de recul.

— Cet endroit n'est pas réel, insista-t-il.

— Mais si ! Solœil, notre amie, dit qu'elle est arrivée

du monde réel. Nous ne la croyions pas. Nous ne comprenions pas. Maintenant que je me souviens bien de toi, je crois que je comprends.

— Solœil est morte. On lui a dit d'aller se noyer.

— Minkie Kennan a une sauto qui bondit d'un endroit à un autre en un rien de temps. C'est ainsi qu'il est arrivé ici. Si seulement tu pouvais venir en sauto et non en rêve !

Gunther poussa un profond soupir.

— Venir où, Anna ? Où sommes-nous ?

— Solœil et Kennan le savent, eux.

— Il t'a encore harcelée ? Non, je ne veux pas le savoir.

— Non. Il ne le fera pas ! Je me tuerais plutôt.

— Comment le pourrais-tu... ? (Ne pas lui rappeler le fragment de crâne dans le médaillon.) Tu ne dois pas penser à ça.

Il tremblait convulsivement.

Elle le prit dans ses bras.

— Je ne le ferai plus. Et puis, c'est surtout Paula qu'il désire. Il veut qu'elle devienne reine dans le monde du dehors.

— Quoi ? On peut vous ramener dans l'autre monde ? C'est po-po-possible ?

Il claquait des dents, bégayait comme un Snowy. Du coup, elle sursauta.

— Qu-qu-qu'est-ce qu-qu-qui se pa-passe ? (La lanière de cuir tirait sur son poignet. Son gardien s'assit.) Qu-qu-qui est là avec vous, madame ?

Gunther s'écarta d'Anna. Elle s'assit à son tour et déploya son manteau de fourrure comme un grand oiseau ses ailes, pour le cacher. Le froid la surprit et elle se serra à nouveau dans l'épaisse fourrure.

— Il ne se passe rien !

Pourtant on entendait comme un bruissement d'ailes. Deux grandes silhouettes sombres apparurent au-dessus des arbres, entamant leur descente sur le bivouac. Deux hommes-coucous de Solœil envahissaient le camp par les airs.

Quand son gardien se leva, elle dut suivre.

— A-a-atten-ten-tion les zoi-zoi-zoiseaux ! brailla Snowy.

Il entraîna Anna avec lui dans le camp et réveilla des soldats endormis à coups de botte.

Le Snowy de Paula s'était levé. Remarquant le manège de son collègue, il lui emboîta le pas, tirant Paula derrière lui. Arrachée de son sommeil, elle trébucha et hurla. Petit Chef babillait dans la tente de Kennan. Kennan sortit en chancelant, troublé.

Les sentinelles pointaient en l'air leur arbalète et leur fusil à lumière. D'autres Snowy, encore engourdis de sommeil, se cognaient à elles dans l'obscurité. Malgré l'important volume des hommes-coucous, un coup de rayon lumineux partit au hasard. L'aveuglant éclair fendit les ténèbres. Il provoqua un trouble de vision, une image dédoublée de la nuit, puis cela passa.

Comment l'espace aperçu pouvait-il contenir ces hommes-coucous ? On entendit leur battement d'ailes. Les serres plongèrent. Les Snowy se mirent à hurler et à courir partout.

Un souffle enflammé percuta le ventre de l'un des attaquants. Kennan avait tiré une balle explosive. Une boule de plumes dégringola. L'homme-oiseau tomba des airs en poussant des cris d'orfraie et s'écrasa sur les Snowy, en entraînant une demi-douzaine avec lui sur la neige piétinée. Comment pouvait-il être aussi grand ?

L'autre homme-coucou agrippa Paula par les épaules de sa fourrure. Ses ailes se mirent en mouvement, soulevant un gros tourbillon de neige, et il monta, hissant sa proie dans les airs. Cependant, la lanière reliait toujours Paula à son gardien. Le bras du Snowy monta en même temps qu'elle tandis qu'elle avait le bras tiré vers le bas. Son vol suspendu, l'homme-coucou pivota. Tout n'était qu'ombres denses, trouées par l'image rétinienne des rayons lumineux et de l'explosion. Puis l'homme-coucou fit un piqué, les bottes de Paula touchèrent terre, il fendit l'air de son bec. Il l'ouvrit, le referma brusquement et lui donna un mouvement de torsion.

Il reprit de l'altitude, Paula dans ses serres. Sous elle, pendaient une main et une lanière. Le Snowy hurlait, agrippant un moignon qui devait pisser le sang. Puis la main tomba toute seule. Un instant plus tard le Snowy était à genoux. Essayait-il de raccorder sa main à son poignet sectionné ? D'autres Snowy plongeaient leur couteau dans le grand volatile abattu.

— Aaaah ! cria Paula. (Elle montait, toujours plus haut.) Aaaah !

Kennan agitait furieusement une arbalète.

— Reviens ! Reviens !

Petit Chef pointait son fusil à lumière. Grand Chef tapa dans l'arme.

— Laquelle a-t-il prise ? cria-t-il. Laquelle est-ce ? Où est l'autre ?

— Ici, ch-ch-chef !

Le gardien d'Anna la tira de la mêlée pour la montrer à son ravisseur. Dans l'obscurité, Minkie distinguerait-il la couleur des cheveux ou la coiffure ?

— Qui es-tu ? brailla-t-il, frustré. Anna ? C'est ça ? Zut et flûte, c'est bien ça. Cette garce de mutante m'a eu. Tu n'es qu'Anna.

Derrière un courbier noir d'encre apparut un fantôme nu, clopinant.

— Comment oses-tu, gringalet ?

— Non, Gunther, va-t'en ! le supplia Anna.

Et, au moment où Minkie tourna son arbalète vers lui :

— Non, ne lui fais pas de mal !

— Lui faire mal ? Il est à peine là — et c'est encore trop ! Envole-toi dans la brise, emmerdeur !

Gunther frappa ses poings l'un contre l'autre pour y instiller de la vigueur. Il déplia les doigts, se tapa sur les cuisses. La prudence sembla prévaloir, car il recula.

— Écoute-moi, Minkie Kennan, tu ne peux me tuer en rêve. Je te préviens, mon corps en songe est en train de gagner en substance.

Kennan se gratta la tête.

— Ah oui ? Ce cadavre d'homme-oiseau est de belle taille... Il est venu par la voie des airs, oui, pas à pied comme nous. Je le savais : plus nous parcourons de distance et plus nous rapetissons. Alors, je suppose qu'un fantôme onirique peut devenir plus dense... Petit Chef, rends-toi utile. Trouve-moi mon casque.

— Je vous en supplie, jeune homme, dit Gunther, libérez mon Anna.

Minkie rigola.

— Tu n'es pas en état de t'occuper de qui que ce soit. Tu es presque bleu ! Pourquoi ne t'es-tu pas couché habillé ?

Anna éternua fort plusieurs fois.

— Regarde ce que tu as fait, Lord Beck. Tu lui as fait attraper un rhume.

Le seigneur des rêves frissonnait et grelottait. Il allait éternuer lui aussi. Il commença à se gonfler. Il tangua.

— C'est l'au-l'au-l'aube, Gggrand Chef.

Petit Chef tendait son casque à Minkie. Au zénith, on percevait à peine l'œil-soleil, le plus pâle des astres.

Gunther oscillait, devenait flou.

Finalement, il éternua.

Touffeur soudaine, luminosité intense.

Eau chaude. Odeur de jasmin.

Il se serait cru dans un sauna après avoir été exposé au froid. Sa sueur commença par l'aveugler. Il cilla, loucha — et perçut la mare où il baignait, en compagnie d'une monstruosité brun-rouille à la fois femme obèse et truie. Sur son corps, les poils crépitaient sous la lumière.

Menottes et grosses tétines en surnombre. Une taille à lui faire honte du temps de sa gloutonnerie. Et, en équilibre là-dessus : une tête sphérique avec des yeux rouges et porcins.

— Bonne femme de pain d'épice ! s'écria-t-il. Je t'ai trouvée !

[Tu es affamé, seigneur longue-vie. Sustente-toi. Tète à mes mamelles. Je suis gonflée.]

— Quoi ?

[Nourris-toi à mes nichons. Alimente ton corps couché dans sa demeure.]

Était-ce un vrai rêve ou une histoire fabuleuse ? Jusqu'ici il avait, dans un labyrinthe d'épisodes fantastiques, parfois accédé à Anna, reconnaissant aussitôt l'authenticité de l'être retrouvé. A présent il était troublé. Comme il lui semblait loin le temps où il avait murmuré à Alvar son idée d'avaler du jus de glande isie afin de connaître le profond sommeil des magiciens en hibernation et de trouver le bonhomme de pain d'épice niché au cœur des événements — sauf que c'était une bonne femme — et de l'implorer pour que son Anna revive dans son rêve...

Il avait retrouvé son Anna. Il était impuissant à l'aider. Dernièrement, il avait pu la toucher.

Pouvait-il rester là dans ce domaine ? Pouvait-il se matérialiser davantage et rester avec Anna ? A supposer que l'hiver et la guerre cessent, et qu'il la sauve des mains du ravisseur qui la retenait en otage.

Le bonne femme pain d'épice parlait de son corps resté à Castlebeck et qu'il fallait alimenter. Pouvait-il se nour-

rir de son lait ou de son ichor ? Le supporterait-il, pour Anna ? Son corps se réveillerait bien à son heure. La machine d'Elmer Loxmith s'occupait de la question.

— Femme pain d'épice, implora-t-il, peux-tu rendre Anna au monde d'où je viens ?

{Il te faut téter, seigneur des rêves. Sucer mes tétins.}

La proximité de sa taille, de son tonneau de chairs hérissées de poils luisants le perturbait déjà assez.

{Satisfais tes besoins.}

Sa cuisse tremblait à l'endroit du tatouage argenté qui représentait le cygne transpercé d'une flèche et contorsionné en forme de cœur, emblème de sa passion de défier la mort. Il avança en traînant les pieds et approcha ses lèvres d'une tétine. Il suça un lait d'une extrême douceur, semblable à du jismin liquide. Des doigts adipeux caressèrent sa joue, ses longs cheveux grésillèrent sous un courant affolant et se dressèrent sur son crâne. Tout son être fut parcouru de vitalité.

{Donne-moi ton brimborion, seigneur des rêves.}

Le médaillon ?

{Qui contient son petit bout d'os. Les os forment la charpente du corps.}

Donner le fragment du crâne d'Anna à la bonne femme pain d'épice ? Après quoi sa bien-aimée reviendrait dans le vaste monde ?

{Qu'as-tu d'autre à m'offrir en échange ?}

{Vrai...}

{Arrache-le.}

L'offrande serait douloureuse...

Gunther saisit les chaînons proches de ses tétins. Il banda ses forces et tira. Ses tétons se déchirèrent. Deux petites étoiles de feu, deux charbons ardents, lui torturèrent le torse. Le sang giclait de ses seins crevés. Il passa la chaîne autour de la main qui l'avait caressé. Les doigts boudinés se refermèrent sur la petite boîte en argent.

{Il te faut me donner un nom, seigneur des rêves. Appelle-moi Marietta...}

Le nom de la seule femme avec qui il avait été infidèle ! La mère de Cully, qui ressemblait tant à Anna dans son âge mûr... Pour exorciser Marietta, il avait scié un fragment du crâne d'Anna et s'était percé les seins pour suspendre la relique sur son cœur ! Refait, il hurla :

— Rends-le-moi !

50

{IMBÉCILE ! TON ANNA NE FERAIT QUE VIEILLIR ET MOURIR À NOUVEAU.}

Assourdi par le rire de la femme pain d'épice, il pénétra en elle dans un vide chatoyant rempli de flaques de lumière festonnées.

L'œil-soleil brillait d'un faible éclat, diaphane citron spectral au zénith. Au loin, le palais-chandelle diffusait une lueur tremblotante qui éclairait les tourbillons de flocons, les voiles de fumée, les bois en manteau blanc et les clairières. Un musicien sonna un air de chasse. Les hommes-verrins velus grognèrent un guttural accompagnement en s'ébranlant.

L'homme-coucou survivant n'avait pu ramener Paula à bon port. Il avait diminué de taille ; elle avait augmenté de volume. Il s'était posé, épuisé, dans une clairière où l'armée de Solœil l'avait bientôt rattrapé. Malgré ses épaisses fourrures, Paula avait les épaules meurtries. Ses muscles lui faisaient mal d'avoir été entre les serres de son porteur. Ces douleurs lui étaient d'une importance moins immédiate que son expérience du vol ; elle s'était retrouvée en l'air, impuissante, dans une obscurité presque totale.

— L'obscurité, le froid, dit-elle à Solœil en cheminant parmi les nakkis armés et les monstres sauvages. Je m'en souviens maintenant ; et du vide aussi, du néant. Je me rappelle avoir vécu dans une coquille de métal, avoir aimé le vide parce qu'il nous terrifiait. Notre vaisseau s'appelait la *Katarina*.

Le souffle gelé de Paula s'exhalait en petits nuages pareils à de la fumée.

— Le vaisseau spatial à bord duquel est venue la famille de Fortunée... il est célèbre.

— Raconte ! claironna Gretel. Conte-nous son récit.

Si seulement on avait le temps de s'arrêter pour raconter des histoires ! Mais on poursuivait Minkie ! Il détenait encore Anna. Il se dirigeait vers l'étang des mots perdus.

— Le froid, l'obscurité, le vide ; comment puis-je me souvenir de choses aussi négatives ? L'inverse de lumière, chaleur, plénitude et joie.

Elle marchait les bras raides le long du corps. Elle ne pouvait supporter de les balancer. Sa présence et celle des filles-échos ralentissaient la progression de l'armée.

Solœil ne devrait-elle pas faire escorter ses amies jusqu'au palais-chandelle pour qu'elles y rejoignent les autres réfugiées ? Oui, mais elle ne les verrait plus. Dans son œil intérieur, l'esprit de Paula était l'ombre découpée d'une fleur d'âme.

Pour l'instant, on ne voyait aucun signe des combinaisons écarlates des Snowy qui se trouvaient devant.

— Hommes-verrins, cria-t-elle, prenez la tête et foncez. Écartez Minkie Kennan de sa route. Harcelez-le, faites qu'il se perde.

Qu'il en soit ainsi.

Les brutes arborèrent un sourire d'appréciation. Ils saluèrent Solœil de leurs pattes griffues. Ceux qui portaient un fusil à lumière l'échangèrent contre un pistolet, une faucille ou un long couteau. Certains glissèrent la nouvelle arme dans leur harnais de cuir. D'autres la serrèrent entre leurs fortes mâchoires aux crocs jaunes.

Un par un, les hommes-verrins se mirent à quatre pattes et bondirent sur les traces qu'avait laissées, sur la piste neigeuse, l'armée de Minkie.

4 — Feu du ciel

LE PONEY QUE ROGER WEX AVAIT PRIS DANS LES ÉCURIES de la bâtisse en H s'appelait Flambeau. Après l'apparition de Hermi dans la cour avec son appareil photo manéen et la mission de retrouver Cully que lui avait confiée Menuise, Roger s'était lié avec l'animal en lui donnant des morceaux de sucre brun. C'était peut-être mauvais pour ses dents mais bon pour leur relation future.

Trapu, solidement charpenté et bien musclé, Flambeau avait le poil long, le train bon et le sabot léger. Sa queue fournie traînait presque par terre, un joli tue-mouches. Il était gris louvet, avec une raie noire sur le dos pour le faire avancer plus vite. Sa crinière pendait jusque sous sa gorge.

A mesure que la matinée s'illuminait, Flambeau se fatiguait sous le poids de ses deux cavaliers. L'un portait un manteau gris extravagant, avec un capuchon, l'autre une gabardine verte miteuse, crasseuse et blanchie à l'épaule, là où perchait un coucou. En fait, Flambeau portait trois cavaliers, même quatre en comptant l'alter ego de Wex à l'intérieur de son crâne, quoique le poids du wetware fût minime.

Le lac turquoise était à présent loin derrière eux. Un sentier mal entretenu serpentait à travers la forêt d'horzmas et d'arbres aux alouettes. Les palmes des uns touchaient les brillantes feuilles en forme de pique des autres. Pendant la nuit, le ciel était resté assez clair. Au début, ils avaient cheminé d'un bon pas à travers champs, sous la clarté perlée de la faucille céleste. Ensuite ils étaient entrés dans la forêt. La lueur de l'astre ne perçait point le feuillage. Pour permettre au poney d'avancer, Wex avait allumé une torche, jusqu'à ce que, à l'aube, les piles — dérobées dans l'atelier du seigneur Elmer — rendent l'âme. Avec la réapparition du soleil, souffla une brise chaude venue du sud. La journée serait torride.

La compagne de Wex ballottait contre lui depuis un moment, elle appuyait sur l'objectif manéen volé qui se trouvait dans une poche intérieure de son manteau. La torche étant hors d'usage, il passa le bras gauche autour de la taille de la femme pour l'empêcher de tomber. Les rênes, il les tenait mollement de sa main droite. Le poney s'était bien éloigné de Loxmithlinna. Personnellement, Wex se sentait fatigué.

[Que dirais-tu d'une poussée d'adrénaline, mon Roger ?]

Administrée par stimulation directe de son cervelet à sa jonction avec la moelle épinière...

— Ça ne fera pas grand effet à notre monture.

Au son de sa voix, la cavalière assoupie remua et émit un petit gémissement animal.

Lorsque Flambeau avait doublé la créature dorée sur un sentier désert près de Loxmithlinna, Wex et son alter ego étaient parvenus à un rapide consensus pour lui proposer de la prendre avec eux. Cette poule *juttahate [prends garde à ton vocabulaire]* était unique ; envoyée des Isis, spécialement élevée et préparée de superbe façon pour enchanter. Affligée par son échec de ne point avoir pris le seigneur Osmo au piège — plus chagrinée que ne pouvait le concevoir Wex, et sous l'influence de la proclamation du seigneur —, elle n'avait offert aucune résistance à la proposition de Roger. Désormais elle devait rechercher le compagnon, doré comme elle, qui lui donnerait de la joie. Sur les instances d'Elmer et avec l'assentiment de la reine Menuise, Osmo l'avait ainsi contrainte. Comment y parviendrait-elle ? Osmo n'avait pas simplement fait allusion à la couleur de sa peau, mais aussi à son maintien, à sa beauté et, malgré son appartenance à la classe des serviteurs des serpents, à cette aura d'indépendance et de libre arbitre qui lui permettait d'ensorceler les êtres humains. Elle était destinée à devenir une Juttahate errante.

Afin de prendre Goldi devant lui et d'alléger le fardeau du poney, Wex s'était débarrassé de la selle qu'il avait jetée dans un puits. Dans quelques semaines ou quelques mois, les gens feraient la grimace en buvant une eau au goût de cuir. Jusque-là, personne ne saurait ce qui s'était passé à moins que son maudit coucou ne quitte son épaule pour aller jacasser.

Ne chante pas la chanson, ne raconte pas l'histoire. Telle était la prière qu'avait adressée son wetware à l'oiseau — en s'appropriant les cordes vocales de Wex — quand ils avaient tous les deux attaqué Hermi dans le couloir au moment où le chaman, encombré de ses ferrailles, allait en douce ranger l'objectif à l'abri ; ils l'avaient détourné, lui avaient injecté une bonne dose de Confusion, drogue produite dans les laboratoires de la Police de paix, là-bas, sur la Terre. {Un liant chimique. Psychotomimétique. Les indoles composés de carbone, hydrogène et nitrogène s'accrochent aux synapses du cerveau et chamboulent les souvenirs les plus récents de façon chaotique.} Oui, oui.

Un cours d'eau barrait le sentier. Flambeau voulut boire. Après qu'il se fut désaltéré, Wex le fit marcher le long du ruisseau qui, bientôt, se perdit dans un étang retiré au milieu d'arbres aux alouettes, de noisetiers, de kastaniers et de musquiers. Les kastas n'étaient pas mûres, mais les musquiers, dont les fleurs rousses avaient fleuri en juin, portaient déjà une multitude de pépites huileuses. De grands oiseaux à chevrons bleus barbotaient dans l'eau, la queue en l'air, ils tiraient sur des brins d'herbe sous-marine puis ils s'ébrouaient et faisaient jaillir des perles liquides sur leur plumage iridescent. Les abords de la mare pullulaient de joncs, il y poussait aussi une bonne herbe pour Flambeau, et des coussins de douce mousse rose.

Wex mit pied à terre et descendit la créature endormie au sol. Sa jambe était bien plus solide depuis qu'Osmo l'avait sevré de sa béquille.

— Ukkou, ukkou, confia l'empoisonneur, si bas que ç'aurait pu être un mot doux.

Et brusquement le coucou s'élança.

A grands coups d'ailes, les oiseaux aquatiques coururent à la surface de l'eau avant de prendre leur envol. Trop tard pour l'un d'eux, le coucou l'avait agrippé dans ses serres.

Le soleil était haut quand Wex et la créature dorée se réveillèrent sur la mousse rose ombragée par les grandes feuilles spatulées des arbres aux alouettes.

En fait, la jeune femme se réveilla la première et se dressa brusquement sur son séant, elle enfouit son visage dans ses mains gantées de dentelle quand la douleur du souvenir se fit jour. Mais Wex *(Réveille-toi, mon Roger !)* cessa de dormir un instant plus tard. Il avait rêvé une partie d'échecs. Toutes les pièces étaient blanches d'un côté et noires de l'autre. Il incarnait un cavalier. L'enjeu de la partie n'était pas de remporter la victoire ou de prendre des pièces, c'était de les reconnaître.

Une reine représentait une Menuise noire et blanche, juchée sur des semelles compensées. L'autre était une Fortunée blanche et noire. Un roi était Osmo et l'autre sans visage. Les fous Serlachius et Moller, Moller et Serlachius. Reines et fous se déplaçaient à peine. C'était un jeu de cavaliers, et le cavalier noir et blanc qui répondait aux coups de Wex n'était autre que son alter ego. Il s'arrangeait toujours pour lui cacher son expression.

Lui, le cavalier noir et blanc, s'était déplacé comme en sauto. En un éclair son adversaire bougea. Wex ne parvenait toujours pas à voir son visage. Voilà son rêve.

Goldi gémit doucement. Le charme qui l'envoûtait ne lui laissait aucun sursis. De plus, elle était sous une influence subsidiaire, temporaire mais frustrante pour elle comme pour Roger. Muette pendant une semaine et un jour.

Le coucou lorgnait Wex du haut d'un musquier voisin. En dessous, des plumes iridescentes jonchaient le sol. Roger avait-il le temps de se déshabiller et de se précipiter dans la mare pour se laver avant que cette malédiction ne lui descende à nouveau sur l'épaule ? Discrétion, discrétion. Et puis, en se dévêtant précipitamment, il risquait de déconcerter sa compagne de voyage et de lui donner une impression fausse...

Il sortit de son havresac quelques restes emballés à la va-vite après le banquet du couronnement.

— Boulettes ? Saucisses ? Une aile de dinde ? lui proposa-t-il.

Elle prit l'aile grasse dans ses doigts gantés et grignota à petits coups de ses quenottes parfaites. Ses yeux ambre sombre le regardaient avec tristesse tandis qu'il se servait en boulettes. Le coucou lui fondit sur l'épaule. Il lui offrit une boulette pour l'apaiser. Flambeau broutait à proximité.

— J'ai deux entités mentales en moi, dit vivement Wex. *[N'oublie pas que cette fille est agent des Isis.]* (On ne lui permettrait pas d'oublier.) Oui, j'ai un second esprit qui connaît énormément de choses. Je suppose que je ressemble assez aux membres de ton espèce — toi mise à part, Goldi. Autrement ton second esprit serait constamment à t'influencer, et tu aurais été incapable d'utiliser les effets manéens pour affecter le seigneur Osmo. Tu me comprends ? Toi comprendre ? Hein ?

Elle hocha la tête, elle grignota. Son regard ne le quittait pas, comme si elle brûlait de parler avec ses yeux.

— Bien sûr, ta harpe isie t'a aidée. Fabriquée par un magicien, non ? C'est cet instrument-là ou un autre tout pareil que l'on a utilisé pour troubler les esprits de Cully, le neveu du seigneur des rêves, n'est-ce pas ?

Ses pupilles s'élargirent d'étonnement.

— Toi pas être au courant ?

Elle secoua la tête ; elle fronça les sourcils. Elle répondait et en même temps protestait contre son imitation de l'idiome juttahat. Elle savait parler et penser dans le langage humain avec ses temps et ses conjugaisons aussi bien qu'un natif de Kaleva — sauf que pour l'instant elle ne pouvait pas prononcer un seul mot.

— Tes maîtres t'ont envoyée dans la tanière d'un verrin, en un sens, si l'on considère que Cully avait arraché l'œil à Dame Eva.

Haussement d'épaules. *[Il fallait prendre des risques.]*

56

— Qu'importe, tu as guéri le mari d'Eva.

Oui mais ce n'était pas son objectif premier.

— Tu devais troubler l'esprit d'Osmo, n'est-ce pas ? Lui dérober sa volonté ?

Moue. *[Lui dérober bien davantage.]*

— En un sens nous sommes semblables, toi et moi — n'est-ce pas, petite Goldi ? Nous sommes tous deux des agents *[Attention !]*, tout en conservant notre programme personnel, nos passions, nos chagrins. (Que Wex se sentait subtil et compétent, presque intimidant, au cours de cet interrogatoire unilatéral, dans ce lieu solitaire.) Tu vois, Goldi, il se trouve que je conserve précieusement une image de Menuise Sariola. Si gamine et si courageuse, et elle se parle toute seule ! Si petite, si fraîche ! *[Attention !]* Mais mes sentiments pour elle — que même mon alter ego a partagés — étaient une folie impossible, vois-tu ?

Elle cligna des paupières, l'œil humide. L'aile de dinde, rognée en grande partie, glissa de ses doigts gantés de blanc. Était-ce une perle de graisse ou le suintement d'une glande sur la fossette de son menton ?

A qui d'autre avait-il raconté cela, en ces termes ? Il avait bien déblatéré à tort et à travers en arrivant à la forteresse d'Osmo, mais pour qu'il déclare ainsi son amour inassouvi, il avait sans doute fallu la présence de cette étrangère, cette imitation de donzelle.

— Tous deux nous pouvons jouir d'une trêve du cœur, lui dit-il.

Jouir ? Jouir ? Alors qu'on avait fait d'elle une Juttahate errante à la recherche d'un homologue doré qui n'existait sans doute pas ?

La frustration lui tordit les traits comme si elle avait absorbé non point de la volaille rôtie mais *[l'amertume de l'aloès]*. Elle semblait avoir une immense envie de communiquer, de se débarrasser du sceau qu'Osmo lui avait apposé sur les lèvres. Ses mains voletaient en gestes sinueux et timides — tout à fait insuffisants. Elle se leva d'un bond et se débarrassa du manteau gris. De nouveau, elle fut la créature dorée apparue au banquet, en courte tunique argentée, les épaules nues. Ses épaules, joug suave façonné dans un beurre doré, portaient un tatouage unique, un ornithogale. Le renflement de ses cuisses, coupé par le tissu argenté, était captivant. Elle se débarrassa de ses mocassins.

En silence, elle se mit à mimer, avec tout son corps — l'arche du pied, la pliure du genou, la torsion de la taille, le repli du coude où arrivaient ses longs gants de dentelle, les doigts doublés de dentelle, le visage plein et ovale, les yeux, ses yeux ambre, creux et rapprochés.

D'abord Wex fut incapable de pénétrer la signification de la pantomime, bien qu'il fût charmé par la grâce et le pathétique des gestes. Mais son wetware — bien davantage doté que lui d'informations instantanées et d'inférences aussi — commença à émettre des commentaires, à faire une traduction, presque, du spectacle. Roger se mit alors à poser des questions à Goldi, auxquelles elle répondit par des reprises de son mime et des cadences sensuelles d'emphase.

Elle embrassait le vide. Elle singeait une enchanteresse chanson. Elle se détournait et se pâmait à demi, laissant entrevoir l'espace d'un instant ses fessiers rebondis gainés de dentelle. Elle tournoyait, berçait un invisible bébé contre son cœur. Elle moulinait des bras, évoquant un tourbillon. Puis elle s'arrêta net.

— Tu aimais le séducteur de la mère de Vif-Argent ?

Un parfum de fleur d'âme chatouilla ses narines, et une senteur de lamelles de champignon et de cannelle — et aussi une odeur de noisette, comme si les fruits immatures des arbres à kastas environnants avaient soudain mûri et qu'on les avait grillés. Les glandes de la créature dorée coulaient, langage dénué de substantifs mais riche en adverbes : suavement, passionnément, frénétiquement...

— C'était ton alter ego ?

Elle s'affaissa, bava, pâlit. *[A présent elle n'a plus d'alter ego, car son âme sœur est un zombie.]*

Quelle éloquence, malgré la proclamation d'Osmo qui l'avait rendue muette ! Elle mimait le thème de l'amour impossible. Wex en avait le cœur bouleversé. Et il bénéficiait de l'immense privilège de regarder son cœur à elle, presque à nu.

— Osmo — la voix — était ta cible ? (Inutile de le mentionner ; bien sûr !) C'était ton but personnel et en même temps tu servais les Isis ?

Levure, parfum de fleurs et chocolat. Le mélange d'essences lui assaillit les narines et couvrit l'odeur ammoniaquée des étrons du coucou. Les lèvres de la jeune femme, ses mains gantées de dentelle, ses cuisses appelaient l'étreinte du vide. Elle était éternelle dans sa belle santé, appelant des rêves de longue vie. Goldi aspirait la semence d'une forme masculine imaginaire qu'elle moulait dans la brise et elle en emportait l'essence à un fantôme languissant, son jumeau, pour le ranimer, lui redonner vie.

[En s'accouplant avec Osmo, le longue-vie, puis avec le zombie elle espérait faire retrouver la santé à son ami juttahat !]

Son secret espoir était anéanti. Peut-être avait-il toujours été vain, illusion perdue. Osmo avait remplacé son rêve étranger d'un avenir idyllique avec son alter ego par la nécessité de chercher un remplaçant impossible à trouver. Elle serait donc la plus solitaire des étrangères, habitée par ce mirage terriblement tentant qui devait à jamais lui échapper. Autant chasser les arcs-en-ciel au-dessus de la Kaleva !

Comme Wex la plaignait, et lui aussi par la même occasion !

Le mime de la créature dorée avait été tour à tour mièvre, tortueux, érotique, comme les cadences de sa récitation dans la salle de banquet. Elle s'arrêta et le considéra. Cherchait-elle une réaction ? Sa sympathie ? Une distraction sexuelle ? Le défoulement passager d'une vive tension ? L'abandon à la sensation pure ? Wex n'était point émoustillé.

L'emmener à Finisterre avec lui — comme échantillon extrêmement intéressant et des plus anormaux des Juttahats ? Elle était possédée d'un besoin de parcourir le pays, avec frustration. Et si Pen Conway l'enfermait dans la forteresse terrienne ?

Comment Goldi se débrouillerait-elle seule ? Saurait-elle se protéger des agressions ? Sa quête l'inciterait-elle ou la pousserait-elle même à se prostituer avec des humains ? A séduire jusqu'à en devenir une loque ? Pouvait-elle se protéger par ses pouvoirs odorants tout en continuant sa recherche de l'harmonie et de la plénitude ?

[Sur la Terre, certains animaux femelles stockent du liquide séminal à l'intérieur de leur corps pendant des mois d'affilée, ou même des années, sans que ses propriétés s'altèrent. Je veux parler des crotales, des serpents indigo, de la hase française et de certaines chauves-souris. Chez les serpents indigo, la femelle peut conserver le

sperme actif jusqu'à six années. De toute évidence, les Juttahates peuvent en faire autant. Si, par ses phéromones, la créature dorée galvanisait le membre rabougri du zombie pour qu'il la pénètre, le contact avec le sperme du longue-vie Osmo guérirait son doux ami moribond. La longue vie en elle-même ne s'hérite pas génétiquement, mon Roger. Peut-être s'est-elle abusée. Serions-nous nous-mêmes trompés par sa tragédie ? Elle a servi les complots des Isis, et elle n'a pas vraiment déserté. En même temps, elle est tout à fait hors du commun.}

Autant que Wex lui-même ! Lui, être humain, abritait une voix dans sa tête. Elle, Juttahate, en était démunie, à l'exception du sort que lui avait jeté Osmo.

Pouvaient-ils, lui et son alter ego, s'être abusés sur la signification de la pantomime ? Cette éloquence corporelle avait-elle été mensonge ? Il ne ressentait aucune excitation, seulement une certitude de la vérité.

Trompés ? Il y avait bien un moyen de le savoir avec certitude. Il prit dans son manteau l'objectif manéen.

Les yeux de la créature s'élargirent. De toute évidence, elle avait écouté aux portes avant d'entrer en scène dans la salle du banquet. Elle avait aussitôt repéré l'appareil qui avait révélé la nudité de Menuise dans la gueule de la magicienne manéenne.

— Goldi, j'ai vu ce que ton corps avait à dire. Maintenant je vais examiner ton image manéenne.

Wex leva l'objectif à son œil gauche et ferma le droit. Normalement il aurait préféré faire le contraire, mais le coucou risquait de lui donner un coup.

Elle prit la pose. Il regarda.

Atournée de son minime habit d'argent, l'éclatante beauté tenait la main d'un personnage doré qui n'était ni un Juttahat d'airain ni un humain, malgré son apparence et sa musculature. Sans conteste mâle et mobile, le corps ambré de cet être semblait constitué d'un liquide visqueux — un sirop — qui se serait figé pour former une ossature, des membres et des traits flexibles. Goldi semblait radieuse.

L'image était floue, pourtant le ventre de ce personnage, moins opaque que le reste de son corps, semblait contenir une ombre en suspension. Cette silhouette indéfinissable était-elle un organe de ce corps bizarre et pourtant admirable ?

60

Près du couple se dressait un arbre à écorce beige qui étalait sa ramure de curieuse façon.

Quelle étrange vision ! Wex devait-il passer l'objectif à Goldi pour qu'elle y aperçoive un instant ce qu'il avait vu ?

Non. Elle y verrait son image à lui, ou celle de son alter ego sortant de l'ombre pour se révéler en personne.

Si seulement, en plus de l'objectif, il avait pu voler l'appareil manéen entier avec ses cartes photosensibles !

Devait-il quand même demander à Goldi de le regarder et d'essayer de mimer ce qu'elle voyait ? Elle risquait de lui faire perdre la tête avec son musc et de lui voler la lentille. Sautant sur Flambeau, les genoux enfoncés dans ses flancs, elle s'enfuirait sur le poney et emporterait son trophée au galop dans le nid des Isis d'airain...

[Tu n'as besoin de personne pour perdre la boule, mon Roger. Pourquoi retournerait-elle chez les Isis alors qu'elle a un impératif personnel bien plus urgent ?]

Un instant, Wex eut la bizarre impression d'avoir changé de place avec son alter ego — il nourrissait des soupçons à l'égard de la créature, tandis que le wetware succombait à ses charmes. Se pouvait-il qu'avec le temps le wetware usurpe totalement son corps et déforme son visage, et que lui, Wex, ne réside plus que dans une enveloppe charnelle et voie les choses avec des yeux d'emprunt ?

[Mon Roger, il ne faut pas penser ainsi ! Je suis ton salut. Attention aux fuites manéennes émanant de l'objectif de Hermi.]

Wex arracha l'objectif de son œil. La belle les regardait, lui et son coucou, avec tant de tristesse et d'angoisse qu'il en frissonna de compassion et de bonheur.

— Goldi, tu réussiras. Tu retrouveras ton double doré, ton Ambré. Il est *[dans les forêts de Kippan ; c'est là que pousse le moutapou]* dans le domaine de Tapper Kippan, le seigneur des bois *[loin au sud-ouest, à deux cent cinquante lieues]*, à deux cent cinquante lieues au sud-ouest.

Déjà elle regardait la position du soleil dans le ciel au-dessus de la mare et se tournait.

Mais elle pivota de nouveau vers Wex, les yeux humides comme si le soleil l'avait aveuglée. *[Elle ne peut nictiter car il lui manque une troisième paupière. Les Isis l'ont dotée d'une plus grande capacité lacrymale que leurs autres esclaves.]* La créature dorée arbora un sourire resplendissant. Elle se précipita, s'agenouilla devant lui et lui entoura les genoux. L'alter ego de Wex se raidit. Une senteur de levure, de fleurs et de chocolat l'envahit. Il caressa son casque de cheveux noirs.

— Prends le poney, proposa-t-il, honteux de ses précédents scrupules. *[Roger !]* J'enverrai un message radio à la forteresse terrienne de Finisterre pour qu'on m'envoie une aérocolombe. *[Roger, les Isis risquent d'intercepter ton message. Un aéronef isi pourrait bien arriver avant l'aérocolombe !]* Bien, je peux marcher. J'arriverai peut-être à mendier un passage en bateau. *[Avec cet oiseau qui te chie sur l'épaule ?]* (Déjà la puanteur du guano se réaffirmait.) Prends Flambeau, Goldi, tu as ma bénédiction.

Le lendemain, aux environs de midi, Wex, son wetware et son coucou arrivèrent au tumulus.

Il y avait eu une averse, qui l'avait trempé, mais un fort vent d'ouest le faisait sécher. Le même vent avait déchiré les sinistres nimbo-stratus chargés d'eau. Il n'en restait plus que quelques traînées très haut dans le ciel. Les lambeaux de l'orage avaient filé vers l'est, fouettés par les bourrasques. Le vent faiblissait plutôt que de grossir en tempête. Les nuages se déchiraient et laissaient apparaître du ciel bleu.

Le tumulus se dressait sur un affleurement de marbre au sommet d'une colline. Sur le sol aride des environs poussaient quelques pins sylvestres rabougris à l'écorce crayeuse et aux plumets bleus, quelques larix aux écailles henné et un unique menthier à houppier vert petits-pois où soudain partit se percher le coucou trempé, las de se faire ballotter sur l'épaule de Wex.

Si seulement une vraie bonne tempête pouvait éclater, avec des éclairs et tout... Si seulement la foudre pouvait frapper le menthier pendant que l'oiseau perchait là-haut et réduire cet empoisonneur en cendres... Mais le beau temps revenait. Pour contacter le satellite, c'était aussi bien.

Le tumulus, pas plus haut que Wex, consistait en une petite pyramide de céramique à motifs rouges et noirs en zigzag, fixée au granit par des attaches d'acier jadis inoxydable. Au cours des siècles son aspect vernissé s'était terni. Quelqu'un avait empalé le crâne d'un bouc à son sommet. Plus bas, on voyait sur chaque flanc les inserts translucides de panneaux solaires. L'un d'eux était entièrement recouvert d'étrons mais les deux autres étaient suffisamment propres pour le maintien de l'énergie. Celui qui avait installé le crâne au sommet avait dû en nettoyer deux, il n'aimait pas les multiples de trois. Un bélier n'a que deux cornes.

Wex agita l'eau de sa gourde et nettoya les panneaux. Il ôta la décoration chamanique. Il dut fouiller ses nombreuses poches intérieures avant de trouver une clé pour la pierre d'accès.

Elle pivota difficilement. A l'intérieur, un petit voyant vert luisait à peine. Il sortit de son manteau un morceau de câble coaxial fin pouvant également servir de garrot. Il retira sa perruque, la plaça entre ses pieds au cas où le coucou la lui piquerait pour lui jouer un mauvais tour. Il tâta l'un des sous d'acier implantés dans son crâne et appuya dessus d'une certaine façon. Le disque tourna vers le haut. Avec précaution il inséra une extrémité du câble dans sa tête et l'autre bout dans une prise située près du voyant vert.

{Carter, Carter, Carter !}
Tandis que Wex était là, connecté au tumulus, son wetware continuait à appeler à intervalles réguliers. Chaque orbite durait quatre-vingt-dix minutes. Même si Carter traversait l'hémisphère Nord, il pouvait être trop éloigné à l'est ou à l'ouest. Le satellite de cartographie était-il carrément ailleurs sur son orbite, ou dans le dos du monde ? Ou alors Pénélope Conway ne l'avait pas réactivé comme promis ? Ils risquaient d'avoir à attendre pendant des heures.

{Patience.} Wex s'assit sur le granit et adopta la position du demi-lotus. Sa jambe s'était magnifiquement remise.

{Je l'ai, mon Roger. Hélas, il est victime du défi existentiel ! Quel bêta !} Wex avait le cul engourdi. Dans le menthier, à vingt mètres de là, le coucou semblait roupiller, barbé par le tableau statique.

Regardons les choses en face, cet oiseau ne nous dira

jamais rien, il se contentera de nous chier sur les vêtements et de nous ricaner à l'oreille.

*[Je me sens diminué plutôt que prolongé par le contact
avec Carter, mon Roger. Nous sommes également bridés
par ce coucou. Sa parentèle télépathe peut pépier nos
secrets. Que dirais-tu d'une évaporation instantanée à la
vitesse de la lumière grâce aux lasers de Carter ?]*

Était-il possible de viser un arbre à vingt mètres au
sud sud-est du tumulus dont le satellite connaissait
exactement la position ? *[C'est tout à fait dans ses compétences. Son prochain passage le mettra à la distance
adéquate. D'ici là il aura le temps de vérifier ses lasers.
Ils ont des siècles d'existence et n'ont encore jamais servi.
La couche nuageuse devrait être minimale.]* Comment
accuserait-on Wex d'avoir abattu le volatile ? Le coucou
ne pouvait avoir aucune idée de ce que tramaient Wex
et son double. L'empoisonneur s'évaporerait sur-le-
champ, voilà tout. Il disparaîtrait, à l'improviste, de la
vue de ses pairs. Quel idiot d'aller se percher dans un
menthier !

En fait, si par hasard quelqu'un s'apercevait de l'inci-
dent, comme le satellite semblerait tirer sur son propre
tumulus, son intention serait mal interprétée...

Wex devait rester parfaitement immobile pendant un
moment.

Om. Ommm. Ommmmmm.

Lorsque l'arbre vert petits-pois explosa, Wex fut renversé par la déflagration. La chaleur le brûla légèrement. Une odeur de menthe faussement fraîche
l'assaillit. Il fut assourdi. Par avance il avait fermé les
yeux.

Projeté dans la partie abritée du tumulus, il se déplia
de façon isométrique, assisté de son wetware. Le câble
s'était délogé de son crâne, sans provoquer chez lui de
dommage, apparemment. Le penny d'acier reprit sa
position initiale.

— Salut, l'oiseau, cria-t-il.

Ses tympans claquèrent. Il entendit... non pas un
rugissement de conflagration mais un grand soupir,
comme une expiration du monde. La redoutable chaleur n'avait pas non plus persisté.

Quand il regarda, cillant des paupières, il ne vit point
du tout ce que lui ou son double s'attendaient à voir.

Au lieu de contempler un menthier incandescent crachant ses flammes, ils observèrent un pilier de lumière deux fois plus haut que l'arbre. Une tour lumineuse, une architecture. Les flammes s'échappant de la pointe de sa flèche ressemblaient à des bannières flottantes. Sa matière spectrale sans substance faisait penser à de la cire grasse et gazeuse : le fantôme d'un cierge. L'apparition complète était fondue, mais donnait une impression de fraîcheur. Il ne s'en dégageait aucune chaleur torride. On l'aurait crue protégée par un écran imperméable. Dans son épaisseur, pareille à un objectif, flottaient des images brumeuses, tordues et prismatiques.

— Wetware, au nom de Menuise, qu'est-ce que ça signifie ?

La colonne pouvait être un monument marquant l'endroit où avait expiré le coucou, ou un immense cierge gazeux qui brûlerait pendant des jours et des semaines... Ce phénomène apparaissait-il quand on éteignait en douce la chandelle d'un coucou ?

{Ça met toute la Kaleva en rage, mon Roger, comme le dit l'adage. Utilise l'objectif manéen. S'il n'est pas cassé.}

Non, la lentille de Hermi était intacte. Elle ne s'était pas fendillée quand Wex avait basculé.

Il porta l'objectif à son œil — l'œil droit ! — et regarda la tour de lumière, l'autre lentille cireuse, gazeuse et luisante. Déjà il avançait en traînant les pieds, descendait la pente de granit lisse, poussé en partie par son double. Il apercevait des forêts couvertes de neige et des lacs gelés incurvés vers le haut comme s'ils devaient se casser ; puis un bouquet de tours lumineuses en feu, un palais réellement en flammes, dont la tour, ici, n'était qu'une partie, un aspect. Il trébucha. Son léger mouvement lui fit voir alors une tour-chandelle au bord d'une surface noire et plate présentant un rond rose au milieu. Le rose pénétrait dans le noir en une queue recourbée.

{C'est le Champ d'harmonie, à Finisterre. Une partie de l'aire d'atterrissage décorée de l'emblème du yin et du yang en obsidienne et en granit. Il y a un tumulus de Carter près du bord.} Il n'y était plus. Une tour-chandelle brûlait à présent au bord du Champ d'harmonie. Qu'en dirait Pen Conway ? *{On peut facilement installer un phare de remplacement. L'atterrissage d'une navette est*

encore possible.} A proximité d'une imprévisible colonne de lumière manéenne ?

Wex inclina l'objectif de Hermi et repéra un autre tumulus sur un promontoire au-dessus d'un lac. Il était intact mais gainé d'une pellicule de tremblante luminosité.

{Recentre-toi sur le Champ d'harmonie, si tu le peux.}

Oui, il le pouvait.

Il s'était encore approché de la tour-chandelle. L'éruption de lumière gazeuse n'était qu'à quelques mètres, et il ne sentait toujours aucun dégagement de chaleur.

{Je crois que c'est une échancrure dans l'espace manéen, mon Roger. Les coucous sont des outils vivants au service de l'enfant Ukko que recherche Fortunée ; nous avons réduit un de ces outils en cendres par un coup de lumière chaude. Voilà la réaction. Si nous franchissons le seuil dans cette manifestation, nous risquons de nous embarquer dans un voyage que personne n'a jamais fait avant nous, sauf à bord de la coquille protectrice d'un Ukko.}

Wex eut la prémonition d'un désastre. Et si tous les tumulus opérationnels s'étaient transformés en cierges manéens comme celui du Champ d'harmonie ? Fortunée l'apprendrait vite. Un semblable tumulus-cierge risquait de briller aux abords de Sariolinna. Voilà une porte — une porte tubulaire de lumière — conduisant directement dans l'Ukko qu'elle cherchait de toute son âme. Plus besoin de fouiller le monde entier pour trouver la fameuse cachette !

Les magiciens manéens isis découvriraient ces phares aussi. Les Isis s'y infiltreraient vite.

{Pas forcément ! Je suppose que ces ouvertures mènent uniquement aux autres tumulus-chandelles — et je pense aussi qu'elles ne dureront pas longtemps. Cette manifestation est une réponse impulsive à la mort du coucou. Nous risquons de ne pas avoir beaucoup de temps si nous voulons atteindre Finisterre en vitesse par ce chemin.}

En faisant le point sur l'image du Champ d'harmonie avec l'objectif manéen de Hermi. En entrant dans la colonne de lumière...

{Tu as donné notre poney, mon Roger. Nous n'en aurons plus besoin si tu es rapide et téméraire.}

Rapide et téméraire.

— Tu es sûr que ce sera sans danger ?

[Nous devons à la Terre d'essayer cet itinéraire. Ce sera sans doute comme un bond en sauto à travers l'espace manéen] que Wex n'avait jamais fait personnellement, mais il avait interrogé Jurgen et Johann — *[mais en beaucoup plus grand.]*

La colonne de lumière, si près de lui, était fraîche.

Il se tapa la main sur la tête.

— Ma perruque... j'ai besoin de ma perruque.

Elle était restée dans le tumulus.

[A cause d'une perruque le monde fut perdu... Décide-toi, mon Roger, agis avant que l'occasion ne s'envole ! Tu trouveras une autre perruque à Finisterre. Agis maintenant !]

Oui, bien sûr. Rencontrer Pen Conway ; la prévenir de la pleine signification de ces portes de lumière qu'il avait découvertes en pionnier. Voir s'il était possible de fixer l'objectif manéen sur Carter en orbite. Prendre une aérocolombe et rechercher Cully — c'était moins important maintenant. Bien sûr.

Ajustant l'angle de l'objectif, Wex localisa de nouveau le bord du yin et du yang. Assisté de son wetware, il avança vers ce but.

Une douleur intolérable le saisit.

5 — Une perruque pour Wex

WEX AVAIT LA PEAU EN FEU. ON LE FLAGELLAIT. SES ORGANES brûlaient. Sa situation ne ressemblait en rien à l'entre-deux, cet éclair d'obscurité décrit par Johann et Jurgen. Il hurla comme un fou. Il tomba sur l'obsidienne noire, dure comme une enclume, illuminée de soleil.

Il s'écrasa dessus sans rien sentir. La douleur atroce s'était totalement dissipée. Toute autre sensation corporelle avait disparu en même temps. Il resta là, privé de sensations. Paralysé.

Non, il n'était pas paralysé... Il arrivait à plier ses doigts. Il pouvait tourner la tête.

Il leva les yeux et vit, à travers les larmes de sa torture

suspendue, une navette spatiale montant vers un ciel bleu où s'effilochaient des nuages. Le regard embué, il repéra la ziggourat de brique rouge aux fenêtres miroitantes qui constituait la forteresse terrienne. Il aperçut le dôme de l'observatoire, et un bâtiment rose trapu surmonté d'une parabole.

Lorsque, de sa main, il essuya ses yeux, il ne sentit strictement rien. Sa joue aussi était insensible. Ses doigts obéissaient à sa volonté, mais ils restaient gourds et ne transmettaient aucune information. Se passait-il vraiment la main sur le visage ? Oui, puisqu'il y avait une résistance.

Il se retourna. Son torse pouvait bouger. Ses jambes pouvaient remuer. Ses bras aussi. Il avait perdu toute sensation. Il ne s'était donc ni rompu le cou, ni brisé les vertèbres. Il était devenu une momie — qui fonctionnait quand même assez bien. Un zombie ressentait-il (ou l'inverse) la même chose ?

— Wetware, je ne sens rien ! cria-t-il.

{C'est parce que j'ai déconnecté tes sensations pour te protéger de la douleur. L'illusion de douleur continue mais tu ne la sens pas. Tu ne souffriras pas. La colonne de lumière était un piège, mon Roger qui as tué le coucou. Maintenant le phénomène s'est libéré.}

Wex secoua la tête. A la place de la tour-chandelle il n'y avait que le tumulus tronqué du Champ d'harmonie, fondu. Il ne restait rien de la luminosité précédente, pas une couronne de feu manéen.

L'insensibilité de son corps était abominable. Les sens ne signifiaient plus rien. Il avait été volé, dépossédé... par son wetware.

— Rends-moi mon moi !

Ayant ainsi perdu le contact avec le monde puisque toutes ses sensations avaient été détournées, il trouverait peut-être facile de s'exiler à l'intérieur de lui-même.

— Rends-moi mon moi !

{Ce ne serait pas sage. Tu es immunisé contre les effets manéens grâce à ma vigilance...}

— Ah oui ? Vraiment ? J'ai utilisé la lentille de Hermi, et j'ai franchi l'espace manéen...

{Avec mon assentiment.}

— Rends-moi mes sensations, wetware !

{Si tu insistes pour que je relâche ma garde...}

Étendu sur le dos, Wex hurla quand le feu l'envahit.

— Arrête arrête arrête !

{Avec le temps tu t'habitueras peut-être à cette torture, mon Roger. Tu apprendras à l'endurer et à fonctionner quand même de façon intelligente.}

— Arrête arrête arrête !

La torture cessa. Il roula sa carcasse molle et engourdie à l'écart de l'emplacement où avait frappé la douleur, il s'agenouilla péniblement. Il bava, inconscient de la chose jusqu'à ce qu'il remarque la bave sur l'obsidienne luisante.

— Tu m'as trahi, wetware, gémit-il en s'essuyant la bouche de sa main morte.

{Oh, tu me blesses !}

— Non, c'est moi qui souffrais, jusqu'à ce que tu éteignes mon système nerveux. Et maintenant, cendres, braises mortes. Tout est cendres.

{Mieux vaut les cendres que de se faire descendre.}

— Tu m'as trompé.

{Comment pouvais-je savoir ? Est-ce qu'un fourbe t'aurait épargné la douleur atroce ?}

— J'aurais pu m'écorcher vif avec mes ongles. J'aurais pu mettre fin à mes jours, me poignarder une bonne fois pour toutes.

{Non, tu ne l'aurais pas pu.}

— J'aurais pu être assez fou de douleur pour réussir !

{Je t'en prie, ne nous chamaillons pas, mon Roger. Nous sommes inextricables. Tu ne devrais pas autant me parler tout haut, que vont penser les autres ?}

Il ressemblerait à Menuise qui marmonnait toute seule... Adieu, idiotes sensations amoureuses pour la jeune dame. Adieu, sentiments, quels qu'ils soient. Le souvenir de Menuise le hanta. Voilà qu'il était devenu un eunuque d'un genre nouveau : chapon non castré. Bien sûr qu'il avait parlé tout haut — afin d'entendre sa voix.

Il entendait, il voyait. Il n'avait plus de toucher, ni de goût, ni d'odorat.

{Il faudra faire attention de ne pas te blesser. Je te surveillerai. Au moins, maintenant personne d'autre n'utilisera un tumulus-chandelle pour se déplacer autour du monde. Le mal a été fait.}

Personne d'autre.

Des gens en uniforme olive traversaient l'aire d'atterrissage en granit rose et accouraient vers lui.

Il lui sembla qu'il y avait longtemps, longtemps, depuis qu'il n'était pas venu dans le sanctuaire de Pénélope Conway donnant sur le Champ d'harmonie et le lac d'Abondance en forme de boomerang ! Cela devait faire quasiment un an jour pour jour. *[En fait, cela fait précisément...]* Le décompte sur le calendrier n'avait aucune importance. Le bureau de tamisier pourpre de la résidente de la Terre était jonché de dossiers, comme toujours. Il y en avait des étagères remplies, du sol au plafond. Sur un mur on voyait des photographies, des dessins et des tableaux de forteresses : la bâtisse en H, la forteresse d'Osmo et des douzaines d'autres.

Sur l'écran de l'ordinateur de Pen Conway, on lisait ceci :

> Cet intenable lieu où réside notre espèce parlante, menacée de folie sous le vide du ciel... Les poussées ténébreuses du désir — sujet du discours d'un autre...
>
> J. Krist.

Comme c'était vrai. La poétesse, la défunte sœur de Juke, devait en savoir, des choses, sur les noires poussées du désir et sur son aliénation au discours d'Osmo. Wex lui-même en savait un peu sur les poussées noires, même si, une demi-heure auparavant, toutes ses sensations tactiles s'étaient éteintes.

Il considéra le texte. *[Écriture sémiotique, à mon avis, mon Roger.]* Pendant son année d'absence, Pen Conway était-elle devenue krétienne, ou plutôt chrétienne ? Avait-elle succombé au mysticisme ? Elle ne portait pas de croix autour de son robuste cou autant qu'en pouvait juger Wex, à moins qu'elle ne l'ait cachée sous son sari d'été. Le même simple et élégant vêtement olive que l'année dernière. Un nouveau peut-être, mais de même coupe et de même couleur.

Ses sombres cheveux serrés révélaient davantage de fils gris. Elle était un peu plus forte, ce qui lui donnait l'air impressionnant. Elle avait de la présence, du poids, une gravité de matrone. Wex se tenait devant elle, mal à l'aise, dans son manteau en loques maculé de chiures. Son image corporelle — l'intuition qu'il avait de ses contours — était plus grande et plus gauche que la réalité. Tant mieux. Il risquait moins de se cogner et de se faire mal.

Visiblement, Conway était très fâchée, mais elle faisait de son mieux pour chasser ses passions. Elle vida l'écran.

— Dire qu'un jour j'ai imaginé que vous pourriez me remplacer ! Vous aviez promis de ne pas accéder à Carter.

De l'une de ses poches intérieures, Wex sortit l'objectif manéen.

— Cet appareil nous permet de percevoir les phénomènes manéens, Pen. Il pourrait être fixé sur Carter en orbite, soit en détournant une navette ou, mieux, en persuadant notre propre ferry Ukko de coopérer.

— Détourner notre Ukko de son itinéraire régulier vers la Terre ? Pour qu'il nous abandonne ici ? Comment va votre coopération avec vous-même, Wethead ? Vous êtes devenus fous tous les deux à partager ce crâne ?

Le fait de mentionner son crâne rappela quelque chose à Wex.

— Au fait, j'ai besoin d'une nouvelle perruque. Y a-t-il à Finisterre un endroit où...

Elle le regarda d'un air sombre, surtout les deux disques d'acier de son crâne, comme s'ils allaient s'ouvrir et libérer... des cornes ? Ou une paire de minuscules serpents ?

— Vous avez fait une petite expérience de la puissance avec laquelle un Ukko se propulse d'une étoile à l'autre, même d'un univers à l'autre...

— Je pense qu'il m'a testé, oui !

— ... et vous vous souciez d'une perruque. Vous avez l'air d'un cochon. Qu'est-ce que c'est que ces saloperies sur votre épaule ?

— Comme vous dites, Pen.

La matrone dénuée de matrice fronça le nez.

— Vous vous imaginiez chasseur de grand gibier du temps de l'extinction écologique ? Un oiseau cancanier — et un canon spatial en orbite ! Vous souciez-vous des dégâts que vous avez causés ? Notre phare d'atterrissage est réduit en mâchefer.

— On peut le remplacer.

— Je suppose que d'autres tumulus sont aussi en capilotade.

— Carter peut quand même trouver son chemin. Son cerveau est rempli de cartes et de coordonnées.

— Le pire, c'est que grâce à vous la jeune Ukko s'est exprimée dans le vaste monde, et de façon hostile, au moment où se prépare une guerre.

Cela le préoccupait. Excepté les ramifications plus larges, il avait perdu contact avec son propre corps. Plus simplement, avait-il perdu les pédales ? L'expression de la Noire l'impliquait, en tout cas. Pouvait-elle seulement concevoir l'effort qu'il lui fallait faire pour se tenir là devant elle comme une chique et rester lucide ?

— Je n'arrive pas à sentir mon corps, bon sang ! (Elle arqua un sourcil charbonneux.) Je parviens à remuer parce que je me souviens des mouvements, mais ce corps ne sent rien. (Ce corps : le sien. Celui de personne d'autre.) Mon wetware m'a déconnecté, autrement je serais encore dans les affres de la souffrance du feu manéen. Voilà comment l'Ukko voulait me punir d'avoir tué son coucou. Heureusement que je suis protégé.

Conway frémit.

— De toute évidence vous êtes traumatisé, même si vous vous êtes attiré cela tout seul...

— Je ne suis pas du tout malade. Grâce à cette lentille manéenne, reprit-il, brandissant l'appareil de Hermi, j'ai vu mon chemin dans la porte de lumière. Et j'ai vu la destinée future d'une créature juttahate...

— Ne pointez pas cet objet sur moi ! Qu'est-ce que c'est que cette histoire de Juttahate ?

Wex la lui raconta aussi brièvement que possible. Son récit, englobant de nombreuses situations, lui parut à lui-même désordonné et alambiqué. Conway sembla enregistrer la plupart des détails.

— Ciel, dit-elle bientôt, vous avez donné à cette Juttahate exceptionnelle, avec qui nous aurions pu parler, et dont nous aurions pu apprendre tant de choses, vous lui avez donné votre poney pour qu'elle s'en aille ?

— Un agent spécial doit savoir choisir.

— Et s'il faisait le mauvais choix, le choix dangereux ? Utiliser un laser en orbite pour tirer sur un oiseau qui l'embête ?

Wex jeta un œil à son épaule encroûtée d'étrons.

— Il me faut un nouveau manteau, exactement pareil à celui-ci. Et j'ai besoin d'une aérocolombe afin d'aller à la recherche de Cully, que les Isis ont essayé de contrôler. C'est le neveu du seigneur des rêves.

— Vous avez laissé échapper cette créature... par amour ?

— Oh non ! Pas du tout !

Ce n'est pas de Goldi qu'il était amoureux. C'était un sujet personnel, même s'il concernait la toute nouvelle jeune reine rebelle.

— Vous devrez assurément me raconter les choses plus en détail, Wethead Wex, si vous voulez emprunter une aérocolombe pour accélérer votre mobilité. Vos rapports ont été rares, c'est le moins qu'on puisse dire.

Elle n'allait pas se laisser intimider par l'agent spécial de la Terre ; surtout au vu de ses récentes extravagances.

Au même moment, l'assistante chinoise, Yu, apporta un plateau laqué noir contenant deux tasses de café, un pot de crème et un sucrier. Après l'avoir déposé près de l'écran, Yu voulut s'attarder là. Ses grandes lunettes lui donnaient vraiment l'air d'une chouette tandis qu'elle fixait Wex avec circonspection. Avait-elle écouté la ligne, et était-elle inquiète pour la sécurité de Pen Conway ? Wex scruta Yu en retour, étonné d'être surpris par le visage oriental vu pour la dernière fois il y avait si longtemps au gala de Yulistalax. Une Orientale et une Noire — il était très certainement de retour dans la citadelle de la société harmonieuse si lointaine dans les étoiles. A défaut d'autre chose, il se sentit subtilement déplacé. Il souhaitait se remettre en route, avec perruque et manteau neufs, à la poursuite de Cully.

— C'est bon, Yu, fit Conway.

Aussi silencieusement qu'elle était venue, l'assistante chinoise se retira, sans doute pour continuer à enregistrer la conversation. Elle n'avait dit ni bonjour ni au revoir. De l'étui suspendu à la ceinture de son uniforme olive dépassait la crosse d'un pistolet à lumière.

D'abord, Wex fit mine d'ignorer le café. Le meilleur café de Pootara. Peut-être aromatisé de cannelle. Le breuvage fumait et Wex ne détecta aucune odeur. Devait-il aussi vérifier qu'il manquait de goût ? Comme il était facile d'oublier qu'il tenait déjà quelque chose en main : l'objectif manéen. Il le posa sur le bureau.

[Notre corps a besoin de s'hydrater, mon Roger.] Notre corps ? Le nôtre ? Si seulement son wetware pouvait

arrêter de l'appeler « mon Roger » de façon si possessive... ou comme s'il était un toutou !

Pendant une fraction de seconde : un déchirant éclair de douleur.

{Désolé, j'ai perdu le contrôle un instant.}

Mana, heureusement qu'il n'avait pas pris la tasse à ce moment-là sinon il aurait renversé le contenu sur les dossiers de Conway. Il avait grimacé de douleur, il transpirait. Le contrôle protecteur avait défailli par accident — ou de façon intentionnelle, pour lui rappeler l'alternative ?

{Comment dois-je t'appeler ? Perruque ? Quel genre de perruque commanderas-tu, au fait ? Un postiche à cheveux courts ou longs ? Perruque de pasteur ? Avec une queue sur la nuque ? De quel style ? Prudent, lunatique, aimable, jaloux, royal, sauvage ? Perruque à étages ? Chou-fleur blanc ?} Son wetware faisait l'intéressant. Comment connaissait-il toutes ces sornettes à propos de perruques ? *{Parce que tu en portes une à cause de moi. Je suis rempli de données sur les perruques, au cas où je pourrais servir dans ce domaine. Comment dois-je t'appeler désormais ?}* Roger. Tout simplement.

Wex porta la tasse à ses lèvres et aspira une gorgée. Le café n'avait ni chaleur ni goût. Il ne fut conscient que d'un certain degré de lubrification, du fait qu'il put ensuite parler plus facilement. Manger serait une activité des plus mornes, uniquement relevée par le risque de se mordre la langue par inadvertance.

— Où puis-je me procurer une nouvelle perruque ici ? demanda-t-il.

Le chambellan de Fortunée Linqvist en portait une *{poudrée, à la cavalière, deux étages de boucles}*, preuve qu'un barbier du palais de Pohjola était capable de créer une perruque élégante. Mais ici, à Finisterre ? Pour l'essentiel, la cité se consacrait à préparer et à équiper de nouveaux colons ayant rarement besoin de postiches.

La Noire soupira.

— Vous pourriez demander à la boutique pootarienne de casse-tête.

— Excellente idée.

Les Pootariens vendaient des curiosités, une perruque n'était pas chose commune. Les marins pootariens visitaient régulièrement Finisterre pour emmener les immigrants noirs vers la côte et plus au sud, en voilier, jusqu'à leur île subtropicale. Les marins étaient agiles à l'aiguille.

— Pourriez-vous un instant oublier votre idée fixe, monsieur Wex ? Pourrions-nous examiner certains détails ? Vous avez vu la machine à tout faire...

Oui, et bien davantage. La première fois qu'il avait rencontré Pen Conway, c'était quand Elmer Loxmith était discrètement venu faire une enquête à propos d'un cabinet d'hibernation pour chat, prototype d'un modèle plus important où se glisserait l'oncle de Cully. *[Nous recherchons Cully, souviens-toi.]* Oui, oui. A l'époque, Wex était vraiment innocent. Il n'avait pas encore lutté contre un magicien manéen qu'il avait, hélas, fait sortir de sa mue. Il ne s'était pas amouraché d'une petite princesse. Il n'avait pas exploré à plein la situation de prototype, partenaire protégé, ayant à présent perdu tout contact avec son propre corps, l'alternative étant une douleur fantôme insupportable.

— Je me sens pareil à un zombie, Pen Conway.

Elle fit la grimace.

— Comment savez-vous ce que ressent un zombie ?

— Ah, mais je suis parfaitement capable de piloter une aérocolombe. Je ne pourris pas. Regardez — et pour preuve il tendit sa main insensible, ouvrant et fermant son poing. Une fois que je me serai remis propre, il faudra que je retrouve Cully parce que les Isis d'airain ont essayé de contrôler son esprit en utilisant une harpe ingénieuse...

— Selon vous, la créature dorée que vous avez aidée a essayé de contrôler van Maanen au moyen d'une harpe semblable.

— Oui, exactement !

— Peut-être vous a-t-elle ensorcelé par sa musique pour que vous retrouviez Cully et que vous le lui retourniez, ainsi qu'aux Isis ?

— Non, non, quand je lui ai parlé, elle n'avait plus la harpe. Osmo et Menuise avaient gardé l'instrument.

— Vous n'auriez pas pu voler la harpe plutôt que cette curieuse lentille ?

— Sans cet objectif, je ne serais jamais arrivé ici aussi vite ! Si on l'installe sur Carter, je suis sûr que nous pourrons trouver l'enfant Ukko avant Fortunée et les Isis. On pourrait persuader l'Ukko d'influencer les esprits, et les corps. C'est plus important qu'une harpe. Je chercherai encore Cully pour comprendre ce qui lui est arrivé dans le nid isi. Les deux derniers squelettes sont-ils toujours en sécurité, Pen ?

Pendant un instant elle sembla ne pas comprendre.

— Les deux squelettes étrangers dans le souterrain, en dessous, qui viennent de l'Ukko originel, sont-ils toujours en sécurité ?

— Oui, bien sûr. Comme vous sautez facilement du coq à l'âne ! Vous prêter une aérocolombe serait parfaite folie. Quant à interférer avec la routine fiable du ferry Ukko pour fixer un objectif sur un satellite qui a déjà provoqué l'Ukko cachée, et grâce à vous, vous voulez rire !

— Ne rien faire, c'est le mot de passe, n'est-ce pas ?

— La Terre ne souhaite pas nous voir mettre de l'huile sur le feu.

— Le feu brûle déjà. Il y a la guerre. Il y a une courageuse reine rebelle qui a en fait berné une magicienne manéenne.

— Et que vous admirez ? C'est cela, Wex ? Wex le téméraire, dénué de système nerveux ! Allons, vous donner une aérocolombe après que vous avez apporté le feu manéen sur notre phare... ?

— Pen Conway, je peux réquisitionner un aéronef. J'en ai le pouvoir.

Conway eut un sourire évasif.

— Votre attitude semble partisane. Dites-m'en davantage sur cette créature dorée. Parlez-moi de la reine Menuise. Aimeriez-vous un peu plus de café ?

Aimer ? Comment pouvait-il aimer le café, ou toute autre boisson ?

Son regard partit vers un petit tableau encadré représentant la forteresse de van Maanen, où devait séjourner Menuise maintenant. Le complexe fortifié des toits et des tours installés sur un éperon de granit rose était, à proprement parler, un palais royal, maintenant qu'elle était reine sous sa couronne de cuir et de perles. La forteresse devait lui paraître un peu mince, comparée à la vaste demeure de sa mère à Sariolinna.

Pendant son précédent séjour à Finisterre — après son arrivée de la Terre et avant que Yu ne l'emmène en aéronef au gala de Yulistalax —, Wex s'était baladé plusieurs fois du côté de la boutique des puzzles. Il avait fini par y entrer.

Derrière la place du marché, ses échoppes et son église manéenne de marbre blanc, le bazar pootarien proposait de nombreux produits en provenance de la grande île-jardin du Sud — épices, tabac, fruits confits. Ces marchandises se trouvaient dans un dédale de petites pièces à l'arrière et en haut. Sauf en devanture, tous les angles intérieurs du bâtiment étaient déconcertants. Les pièces étaient triangulaires ou trapézoïdales. Les couloirs partaient de travers. Aucun espiègle nakki n'habiterait là. Peut-être avait-on un sens du rationnel... Les Pootariens, rationalistes notoires, n'avaient aucun rapport avec les phénomènes manéens, et leur île lointaine était imperméable à leurs effets. Ainsi, l'architecture de leur consulat et poste de commerce semblait destinée à bannir la déraison par des irrégularités flagrantes. Pour trouver son chemin dans ce bâtiment, il fallait une tête bien faite.

Le devant de la boutique était consacré aux casse-tête en bois que les Pootariens sculptaient avec tant d'habileté. Pyramides, sphères et cubes composés de nombreuses pièces intriquées les unes dans les autres encombraient des étagères et un long comptoir d'étalage. Un escalier menait à une galerie en zigzag du bout de laquelle plongeait un deuxième escalier, raide, étroit et sombre.

En entrant, Wex trouva l'imposant propriétaire — et représentant à Finisterre de la démocratie pootarienne — assis dans un fauteuil à bascule de tamisier pourpre, en train d'examiner un casse-tête démonté. Des triangles, polygones et trapèzes crantés en jaunier moutarde et horzma beige moucheté couvraient un plateau de laque plus grand que celui sur lequel Yu avait servi le café.

[Bosco] — Je me souviens très bien de son nom — portait un boubou plissé à amples manches, et un tarbouche. Aujourd'hui, sa tenue était safran et or, mais sa coiffure rouge à perles était celle de l'année précédente. En face de Bosco, se trouvait assise une Pootarienne nommée *[Miriam]*. Sa jupe mauve, tout en plis et replis, aurait complètement caché le pouf en cuir richement travaillé sur lequel elle était assise si elle n'avait pas été aussi mince. Elle avait un corsage pour-

pre à manches ballon, attaché de façon lâche. Sa parure se complétait d'un somptueux turban de même teinte que le corsage. Leur peau à tous deux était d'un ébène brillant, comme huilé.

En chemin, Wex s'était arrêté chez le marchand de vêtements pour commander en urgence un manteau à multiples poches intérieures afin de remplacer le sien taché et miteux. Chez le drapier, ainsi que dans les rues, son crâne nu et les deux petits disques d'acier avaient attiré les regards. Miriam se leva lestement pour examiner le visiteur. Elle dépassait Wex d'une tête et demie ou même deux.

— Comme vous le voyez, dit Wex, j'ai bien besoin d'une perruque, et j'ai pensé que les Pootariens avaient la technique, la patience, l'habileté avec des aiguilles. Je peux expliquer comment faire une perruque, aucun problème. D'abord on mesure la tête du haut du front à la nuque, ensuite *[d'une tempe à l'autre, en passant derrière la tête]* et après *[d'une oreille à l'autre en passant par le sommet de la tête]* et quatrièmement *[du milieu d'une joue au milieu de l'autre en passant par-derrière la tête]* et finalement *[du milieu du front à l'une des tempes]*, après quoi on fait un moule, une tête en bois tendre — je suppose qu'un moule en plâtre serait plus rapide...

— Monsieur, est-ce que vous avez reçu des balles dans la tête ?

La voix de Bosco était riche et vibrante. Ses paupières lourdes, son regard languide et innocent.

— Ensuite, et après, et quatrièmement, et finalement ? fit Miriam en écho dans un cordial contralto.

— Je ne viens pas de le dire ?

— Je pense, dit Bosco, que nous avons un cas cérébral ici. Donc c'est réglé : je rentre aux îles avant de devenir complètement dingue. Mon ami, sont-ce des morceaux de cervelle que vous avez sur l'épaule ?

Miriam renifla.

— Guano, on dirait. De la merde d'oiseau. C'est un genre de chaman. Il s'est percé des trous dans la tête.

Elle tapota son énorme turban pour se rassurer.

— Je ne suis pas chaman, je suis un agent spécial venu de la Terre.

— Désillusions aussi.

— Je suis déjà venu ici. L'année dernière. J'ai regardé

dans le magasin. Je vous ai rencontrés tous les deux. Vous ne vous souvenez pas de moi sans ma perruque.

Bosco sourit.

— Sans votre perruque, vous avez un problème d'identité, mon vieux. Vous n'entendriez pas aussi des voix par hasard ?

Wex frissonna. Son ton — normal jusqu'à maintenant — se fit plus profond et fruité comme pour s'harmoniser avec celui de ses hôtes.

— *Tout est explicable, monsieur Bosco.*

Miriam haleta.

— Oh ! mes aïeux, voilà que les esprits nakkis le secouent ! Il faut lui calmer la cervelle. C'est un dément manéen. Écoutez, monsieur, cette perruque que vous voulez, c'est pas tellement elle que vous voulez, c'est plutôt un couvre-chef, une protection, n'est-ce pas ? (Se penchant vers Bosco, elle murmura :) Il est venu chez nous parce qu'il sait que, nous les Pootariens, on vit une vie bien raisonnable. Quelque chose qu'on pourrait faire pour lui est un talisman, un charme pour le remettre d'aplomb. Ou un peu moins penché. Pauvre type, il faut qu'on l'aide. Nos casse-tête ne vont pas lui dénouer son cerveau.

— *Un pot de cuivre pour y faire bouillir les cheveux ; un four pour les sécher. Trier, tisser, nouer ; plaques de linon et trame...*

— Tu entends comme il a travaillé tout le rituel juste comme un exorcisme ?

{Laisse-les penser cela, Roger.} Wex reprit contenance, si toutefois il l'avait perdue.

— J'apprécierais beaucoup votre concours, dit-il, et, bien entendu, je paierai le prix.

Pen Conway avait rempli sa bourse vide de pièces d'or et de marks d'argent appartenant au trésor de la forteresse terrienne.

Le couple noir fit un instant des messes basses. Miriam semblait défendre le cas de Wex, par compassion et par raison. Le solide consul prit deux trapèzes de jaunier crantés, les tourna dans tous les sens dans ses longs doigts impeccablement soignés et assembla les pièces. Certes, les Pootariens semblaient chargés d'une mission mineure : introduire un atome de logique dans la vie de ceux qui étaient envoûtés par les charmes et les manies. Ce visiteur était venu chez eux pour trouver une thérapie, une sorte de salut. Ne pouvant énoncer son besoin réel, il s'était inventé cette histoire de perruque qui le rachèterait d'avoir percé un nouveau trou dans son crâne pour soulager la pression de ses fantômes intérieurs.

Le grand Bosco consulta sa belle main soignée.

— D'accord, dit-il enfin, il se trouve que nous avons avec nous en ce moment un matelot, il s'appelle Jonas, c'est un champion des casse-tête. Il est très habile à l'aiguille aussi, n'est-ce pas, Miriam ? Il est là-haut à se casser la tête comme une punaise des bois pour garder sa raison.

— J'irai aider Jonas, proposa Miriam. A nous deux nous vous ferons une perruque exactement comme vous la voulez. (Et si ce n'était pas ainsi que l'on faisait habituellement les perruques, quelle importance ?) Pourquoi ne vous asseyez-vous pas ? Vous accepteriez un petit café, monsieur... ?

— Wex, Roger Wex. Un peu d'eau fera l'affaire. Pour m'hydrater. Grand merci ! Je ne goûte pas le café.

Wex se baissa maladroitement pour s'asseoir sur le pouf de cuir.

— Vous ne goûtez pas le café ?

— Je n'arrive à rien goûter ; je ne sens pas les goûts. J'ai perdu la moitié de mes sens.

— Ah... (Comme le soupir de la grande femme mince était plein de sympathie.) Il s'est anesthésié les sens, murmura-t-elle à Bosco, afin de ne pas souffrir de folies... Au fait, continua-t-elle, nous n'avons d'autres cheveux que ceux qui poussent sur nos crânes, monsieur Wex !

Quelle crinière noire crépue se dissimulait-elle sous l'imposant turban ? Wex avait sorti sa bourse, mais Miriam fronça les sourcils.

— Vous comprendrez que je me sente mal à l'aise de donner mes propres cheveux même pour des pièces d'or. Ce serait un comportement d'esclave, voyez-vous, et nous ne sommes pas des esclaves, même si Fortunée nous a amenés ici pour faire pousser des bananes, des oranges et du coton sur nos plantations.

Wex avait-il rougi ? La nostalgie de la société harmonieuse l'agaçait-elle ?

— J'achèterai des cheveux chez un barbier, lui assura Miriam.

— Avant d'être chauve, de quelle couleur étaient vos cheveux ?

— Noirs.

— Ah...

Nouveau soupir connaisseur.

— Et bouclés.

— Avec des coupes ramassées chez le coiffeur, dit Bosco, vous risquez de vous retrouver légèrement bigarré.

— *Question de tri*, prononcèrent les lèvres de Roger, *et de teinture plus foncée si besoin.*

A l'intérieur du salon, dans une venelle calme près de la place du marché, deux coiffeuses d'une trentaine d'années, dodues et en blouse blanche, commençaient à couper, l'une un pasteur manéen en costume noir, et l'autre un rouquin au grand nez spongieux rappelant une morille.

Une adolescente aux folles mèches si blondes qu'elles paraissaient presque blanches et un bel homme revêtu d'un uniforme olive froissé attendaient leur tour. Le type avait le visage brun, une abondante chevelure bouclée, huileuse, d'un noir de charbon, et une élégante et fine moustache. Il ne portait pas d'arme, mais un gourdin de tamisier, long comme un avant-bras, luisant d'avoir servi, pendait à sa ceinture.

L'arrivée de Wex provoqua les regards habituels, et un petit ricanement de la part des coiffeuses — un chauve qui venait chez le coupe-tifs ! Les deux femmes étaient blondes comme le miel, avec la même queue-de-cheval. L'une portait sur la joue un petit tatouage violet représentant une paire de ciseaux, l'autre un peigne, afin que l'on puisse les distinguer.

Wex s'assit près de l'officier de la forteresse terrienne *(de toute évidence originaire du sub-continent indien)* et les jumelles reprirent leur coupe et leur bavardage avec les clients. La carotte rayée, à l'extérieur du salon, supportait un perchoir à coucous, apparemment délaissé depuis un moment à en juger par l'aspect rabougri des abats ; pourtant cette désaffection n'empêchait pas le flot des potins.

— J'ai entendu dire que la nouvelle reine rebelle a vraiment les cheveux crépus, mentionna Ciseaux à Morille. Ce n'est qu'une gamine, mais le seigneur van

Maanen s'est entiché d'elle à la folie. Oh, lui, c'est le prince van Maanen, maintenant, il s'est autoproclamé. (Elle rit de sa blague.) La guerre ne viendra pas jusqu'ici, n'est-ce pas ?

— J'ai entendu qu'il s'était passé quelque chose de bizarre ce matin au Champ d'harmonie, dit Peigne au pasteur. Une curieuse chose manéenne ! Un pêcheur sur le lac d'Abondance a vu un pilier de lumière. Vous en avez entendu parler à l'église, Pappi ?

Le prêtre avoua qu'un collègue enquêtait sur l'affaire.

— De plus, dit-il, en venant ici, j'ai entendu un coucou crier sur la place qu'on avait assassiné un de ses semblables. (Il fit une pause théâtrale. Wex parvint à avoir l'air innocent.) Et l'assassin brûlera sans se consumer.

Clap-clap.

— Qu'est-ce que cela veut dire, Pappi ?

— Je suppose que cela signifie qu'il se sentira brûler, mais qu'il ne mourra pas.

— C'est horrible ! Et comment savez-vous que l'assassin est un homme ?

L'Indien assis à côté de Wex prêtait grande attention aux conversations. Était-il là pour les écouter, sous prétexte de faire tailler son abondante chevelure ? Pour prendre la température de la ville ? L'Indien jeta un coup d'œil à Wex et fronça le nez. Il se trouvait du côté de son épaule maculée d'étrons ; Wex se débarrassa alors du vêtement sur le dos du siège. Sa chemise de soie pourpre aux épaulettes spécialement rembourrées et ses chausses fauves sentaient peut-être aussi un peu, mais il n'avait aucun moyen de le savoir. La peau de l'Indien brillait comme s'il s'était frotté à l'huile de massage. Scrupuleux en matière d'hygiène corporelle !

Le pasteur manéen n'avait pas répondu à Peigne.

— Savons-nous avec certitude que l'assassin est un homme ? insista-t-elle.

— Ce que vous causez... fit le pasteur apparemment embarrassé.

— Oh, mais monsieur, renchérit Peigne, le pouvoir du verbe est tout aussi vital pour nous les coiffeurs que pour les proclamateurs, ne le savez-vous pas ?

— La facilité de conversation ! opina sa jumelle. Nous devons occuper nos clients pendant qu'ils sont assis là, pour les empêcher de bouger. Ferions-nous notre travail aussi bien, sinon ?

— Ce n'est pas simplement une histoire de mots en rapport avec le travail, Pappi, tels que tresse, chignon, chou, boucler, friser...

— ... ou ondulation, indéfrisable, permanente, anglaise, natte et frange...

— Il s'agit de mots sur tout, monsieur. Sur la vie, vous comprenez ? Autant que de cheveux qui tombent ici par terre chaque jour ! (Dont il se trouvait déjà un tas multicolore considérable.) Alors, monsieur, est-ce que l'assassin de ce coucou pourrait être une femme ?

Clap-clap. Clap-clap. Les jumelles étaient surexcitées, en effervescence. Il se préparait de puissants événements. Elles restaient néanmoins très attentives à l'exercice de leur métier. Dans leur fougue, elles ne risquaient guère de ratiboiser accidentellement le voisin de Wex quand viendrait son tour.

{C'est un adepte du kalaripayit, une technique de combat ; d'où le bâton.} Quoi ? *{Une méthode de combat des paysans indiens du Sud impliquant des positions accroupies, des vrilles sautées. Les virtuoses pratiquent la marche du crocodile, avançant sur les mains et les orteils. Lorsqu'il se lèvera pour gagner le siège de la coiffeuse, il se pourrait qu'il avance les talons en l'air. Les adeptes savent assener des coups pour paralyser ou tuer, sur n'importe quel point vital du corps humain, dont la localisation est un secret bien gardé. Leur science fut écrite sur des feuilles de palme à l'aide d'un instrument acéré, puis ces lignes furent frottées au noir de fumée pour les rendre visibles.}* Comment ces points vitaux ont-ils pu rester secrets ? *{Les insectes n'arrêtaient pas de grignoter les feuilles de palme.}* Bien sûr. *{En cas de blessures advenues pendant leur pratique, les adeptes se montrent souvent maîtres d'une médecine alternative, exécutant des massages de fractures ou de plaies abdominales.}*

Wex, assisté de son wetware, était un expert en tai-chi, aïkido, et karaté, mais il avait tout ignoré de cette technique-ci jusqu'à ce que son wetware lui donne des éclaircissements. Il se tourna vers l'Indien et sourit.

— Je suppose, d'après votre bâton, murmura-t-il, que vous êtes un maître du *{kalaripayit}* kalaripayit ?

L'Indien sourit.

— Rares sont ceux qui en ont entendu parler. (Son

ton était doux et gentil. Il semblait respectueux — de lui-même, et circonspect vis-à-vis de Wex.) Vous êtes l'agent de la Terre arrivé l'année dernière, n'est-ce pas ? Je vous ai vu parfois à la résidence.

— Vous me reconnaissez sans ma perruque ?

— Je fais attention aux corps et aux physionomies. L'année dernière, j'ai décidé que vous deviez porter une perruque. Les agents adoptent un déguisement, n'est-ce pas ? (Il jeta un coup d'œil, le sourcil arqué, sur les disques de métal implantés dans le crâne de Wex. De toute évidence, la perruque avait servi à les cacher.) Je vous ai vu partir en compagnie de Yü pour l'illustre gala de Kaleva auquel je n'ai moi-même jamais assisté. En cinq ans, je ne suis jamais sorti de Finisterre. Si seulement j'avais pu être votre pilote !

— Ah, vous pilotez ? *{Si Conway insiste pour que son aérocolombe ait une nounou... !}* Je vous imaginais médecin selon la méthode alternative. Peut-être l'êtes-vous aussi ? Les maîtres du kalaripayit ne massent-ils pas les fractures et les ruptures ?

— Si, tout à fait. Nous faisons des massages au pied. Les occasions de piloter sont si rares ! Tous les trois ou quatre mois, je décolle pour des vols d'entraînement, je décris quelques ronds en l'air et j'atterris, bien obéissant. Cela me démange de voyager. Mais ce genre de démangeaison, ça ne se gratte pas, malheureusement.

— Ainsi vous massez les pieds pour guérir les blessures internes ? Les points de pression du pied correspondent à la rate, à l'estomac, aux reins ?

L'Indien cligna des yeux, étonné.

— Non, pas du tout. Nous massons avec la plante de nos pieds. Nous nous soutenons à une corde tendue dans le sens de la longueur et marchons sur le corps malade.

— Je vois... Excusez-moi, monsieur, heu...

— Gurrukal. Mathavan Gurrukal, à votre service.

{Conway devrait trouver Mathavan Gurrukal convenable pour nous escorter, vu ses capacités au combat sans armes ; et il a vraiment de beaux cheveux.} Oui, quelle chevelure !

Wex continua à converser avec l'Indien à voix basse tandis que les jumelles blondes coupaient et commentaient les rapports des coucous sur le siège de Loxmith-linna et le couronnement qui s'était ensuivi.

— *Sa couronne était en cuir, cousue par cette garçonne elle-même, le croiriez-vous... ?*

— Et une courtisane juttahate a essayé d'ensorceler le fiancé...

— Ainsi, monsieur Gurrukal, vous rongez votre frein à rester confiné à Finisterre et ses environs.

— Non. Mais c'est un peu triste de parvenir jusqu'aux étoiles — une du moins — et de se cantonner dans une seule ville. Si la société harmonieuse le requiert, qu'il en soit ainsi. J'ai fait plus que la plupart des gens. J'ai vu la lumière d'un soleil différent, respiré l'odeur d'un air différent — d'un oxygène plus vivifiant, et sans polluants à proprement parler.

Wex ne savait plus rien des odeurs.

— J'ai une proposition, murmura-t-il. Vos cheveux sont si brillants, et si longs. (Son voisin le regarda de travers.) Vous ne pensez pas par hasard que votre force réside dans cette chevelure qui recouvre votre crâne ?

— Ciel non. Quelle étrange superstition ! Où voulez-vous en venir ?

— Simplement à ceci... J'ai un besoin urgent de perruque, pour cacher mes implants. Je ne vous insulterais pas en vous demandant de me vendre vos cheveux...

— Mes aïeux, vous iriez les coller en touffes sur votre crâne ?

— Non, je me ferais coudre un postiche convenable par un marin pootarien. Puis-je vous proposer un marché plus équitable, monsieur Gurrukal ? J'ai besoin d'emprunter une aérocolombe afin de retrouver un individu dont les Isis ont trafiqué le cerveau. Notre admirable résidente nourrit quelques scrupules. J'ai le droit de réquisitionner un aéronef — mais il faut toujours chercher la coopération, ne croyez-vous pas ?

— Certes. Si l'on vous attaque, il faut toujours essayer de faire la paix avec l'agresseur avant de le rouer de coups.

Pouvaient-ils, lui et son alter ego, neutraliser Gurrukal en cas de nécessité ? Le frapper d'incapacité, en utilisant le tai-chi, comme pour Hermi ? *[Pas nécessairement, s'il est grand maître du kalaripayit. Le besoin ne devrait pas s'en faire sentir.]*

— Si vous vous faites raser pour moi, monsieur Gurrukal, je demanderai que vous soyez mon pilote au cours de mes recherches — qui nous mèneront jusqu'à

Castlebeck, la forteresse du seigneur des rêves, puis qui sait où encore...

— Vraiment ? (Les yeux de l'Indien brillèrent. Il nourrissait des craintes.) Miz Conway ne trouvera-t-elle pas bizarre que je vous donne toute ma chevelure ?

— Non, c'est un gage d'honneur des Indiens du Sud, voyez-vous ?

— Il n'existe rien de tel.

— Faites comme si ! Comment le saurait-elle ? Où est le mal ? Dites que vous ne vous referez pas pousser les cheveux avant d'avoir ramené l'aérocolombe à bon port. Le fait d'être chauve vous rappellera votre devoir. Vous rendrez grand service à l'agent de la Terre. Autrement je serai obligé de m'en remettre à ces jumelles qui rassembleront dans un sac un mélange bon à faire des coussins. La plupart seront trop courts. Le retard pourrait se révéler fatal.

Pendant presque une demi-minute, Mathavan Gurrukal médita les yeux fermés. Puis il tendit une main ferme.

— Topons là, monsieur Wex, dont j'ai déjà appris le nom l'année dernière.

Sa poigne était puissante et légère en même temps.

— Je devrais m'être présenté plus tôt... *[Ne me présente pas moi, Roger.]* Bien sûr que non.

Ciseaux inclina deux miroirs à main afin que le rouquin au nez en morille puisse inspecter sa nuque. Satisfait, il hocha la tête, paya et partit.

La rondelette blonde prit une pause jusqu'à ce que sa sœur ait fini la coupe du pasteur.

— A qui le tour ? demanda-t-elle.

L'Indien se leva, Wex aussi. Il sortit un carré de soie noire de son manteau pour y récolter les belles boucles brillantes coupées.

Gurrukal avança vers le fauteuil. Il marchait effectivement les talons en l'air...

6 — Relations diverses

Montrant ses dents et plissant les paupières, Cully psalmodiait :
> *Je — je — je —*
> *suis ! suis !*
> *Je suis. Je suis.*

Il était... quoi ?

Il ponctuait ses bribes de phrases en se tapant le front contre l'écorce pelée d'un harpier. Ses coups de bélier écorchaient, et le tronc de l'arbre, et son front. Son sang imprimait une marque sur le harpier comme s'il voulait repérer son itinéraire. Le sang ruisselait sur son nez et ses joues. Il tanguait, il titubait. La douleur grondait dans sa tête. Il s'affaissa.

Les cordes de l'arbre, tendues dans la ramure vert jade, continuaient à vibrer sous ses cris. Une sorte d'affirmation hystérique : *ouiouioui*. D'autres cordes résonnaient : *man-man-man-man*.

Où était sa mère, que le seigneur des rêves avait débauchée alors qu'elle n'était plus de première jeunesse ? Où était sa maman, Marietta ? Où était Cully lui-même, bâtard de ces deux-là ? Non, impossible qu'il soit le bâtard du seigneur Beck... si Gunther avait séduit sa maman à un âge déjà mûr.

Oncle Gunther avait tenté de noyer le résultat de ces ébats quand l'enfant était tout petit. Il avait échoué. Comment cela ? Ensuite, le seigneur Beck avait attaché le petit bonhomme à un arbre, près de la tanière d'un verrin — sans plus de succès. Cully était toujours là. Où était-il ? Une forêt ! Un sentier inégal serpentait entre les horzmas, les arbres aux alouettes et les occasionnels harpiers. Au-dessus de la canopée, le ciel était plombé. Cully avait des souvenirs trompeurs et contradictoires.

Depuis combien de temps errait-il ? Il était assommé, affamé. Il ne fallait pas qu'il se dirige vers la ferme où il avait grandi. Avait-il été élevé à Castlebeck ? Il ne devait pas s'approcher de sa maman, ni de Helga, ni de la chère Olga. Fallait éviter son chez-lui, aller à la forteresse du seigneur des rêves. Non, il ne fallait pas y aller, ou il tuerait quelqu'un.

Si.

Non.

Trois brigands lui avaient tapé sur la tête. Faux.

Des mouches à feu se rassemblaient, attirées par les lacérations qu'il s'était infligées. Ses mains moulinaient l'air. Le harpier vibrait.

De pareils carillons avaient ainsi résonné dans le nid souterrain isi. Des arpèges égrenés à la harpe par le serviteur d'un magicien manéen avaient enveloppé Cully qui se tournait et se retournait, attaché sur sa couche. Lumière abricot ; odeur infecte de fruits ; bulles lumineuses montant des petites cornes pointues du magicien. Un glissando tourbillonnant accompagnait ce que récitait le porte-parole en livrée dorée du magicien. Parfois les accords amplifiés vous assourdissaient, vous arrachaient les muscles du cerveau.

— *Juttahats être sans d'esprit, avait déclaré le porteparole du magicien. Humains n'être pas sensés. Un Juttahat libre être potentiellement un Juttahat fou. Te soumettre à direction nôtre ; toi devenir harpe sur laquelle nous jouer ! Venger l'enfant noyé par seigneur des rêves. (Et les vrais souvenirs de Cully commencèrent à l'inonder...) Être aussi féroce que le verrin qui attaquerait l'enfant. (Cully enragea, résista...)*

— Merde ! Merde ! cria-t-il.

Les mouches à feu bourdonnèrent leur accord.

— *Aimerais-tu vivre éternellement ? Comme ton oncle ?* lui demandait une femme superbe, un ornithogale tatoué sur la joue, des peignes scintillants de pierres précieuses piqués dans sa chevelure noire. *Dis-moi, raconte, raconte, confie-toi à moi, mets-toi à nu.*

Oui, et libère le verrin qui rôde en toi ! Il lui avait donc arraché son œil inquisiteur.

La panique s'empara de lui et Cully s'effondra sous l'arbre résonnant comme une immense harpe. Il ne se rappelait pas comment il avait fui de la forteresse, telle une bête aveugle livrée à ses instincts, sans raisonnement ni compréhension.

Sa coquille avait craqué, libérant le chaos, et maintenant il se cognait le front et souffrait le martyre.

— Toi là, ça va ? fit une voix soucieuse, une voix de jeune femme. Qu'est-ce qui s'passe ?

Son timbre était doux et cru, mais engageant, animé par une sollicitude qui ressemblait presque à de l'excitation.

Il essuya du sang autour de ses yeux et se lécha les doigts. Faim !

Déjà celle qui parlait était près de lui.

— T'as eu un accident ! Qu'est-ce qui t'est arrivé ? Y a pas de Juttahats dans le coin, si ?

Les Juttahats lui auraient tendu un guet-apens ? Pour le dévaliser ? Ils l'auraient abandonné là sous cet arbre ? Cully cligna des yeux de stupéfaction et chassa les mouches.

La jeune femme avait des cheveux de lin attachés en arrière par un ruban vert. Son visage était large, son nez long, ses lèvres généreuses et ses yeux azur. Elle s'était enduit la peau, légèrement grêlée, de crème. Cela adoucissait son expression et décourageait les insectes. Sa poitrine ballottait dans un corsage de lin blanc à manches longues. A la ceinture de sa longue jupe rayée pendait un couteau dans son étui. Elle posa son panier d'osier rempli de fromages protégés par une mousseline. Elle portait des mocassins boueux.

— Y a pas de Juttahats dans le coin, hein ? (Sa main était près du couteau.) Ton front est tout plein de sang. Qu'est-ce qui s'est passé... ?

Oui, qu'était-il arrivé à ce beau jeune homme au regard bleu médusé, aux cheveux blonds emmêlés qui descendaient sur les épaules de sa grosse chemise marron ?

Cully se souleva maladroitement. Ses méninges lui faisaient mal.

— J'ai trébuché. J'ai faim...

— Prends du fromage ! (Elle se pencha avec prudence, passa la main sous la mousseline et rompit un morceau aussi jaune que ses cheveux.) Ensuite tu viendras chez moi, avec moi...

Chez elle, avec elle.

— Nettoie ta figure. (Elle l'aidait à se relever.) Tu devrais te coucher. On appellera une sorcière pour t'examiner.

Pour l'examiner. Le regarder, le scruter. Les yeux bleus le sondaient.

Au lieu de prendre le fromage, il saisit son poignet. De l'autre main il fit sauter le couteau et le jeta très loin.

— Oh, cria-t-elle. Lâche-moi !

— Comment tu t'appelles ?

— Olga, je m'appelle Olga. Qu'est-ce qui t'arrive ?

Elle avait les yeux écarquillés. Elle haletait.

— Tu n'es pas Olga.

— Mais si. Je t'en supplie, lâche-moi.

— Tu ne m'auras pas, fille nakkie ! grogna-t-il. C'est le nom de ma sœur. Et tu ne lui ressembles en rien.

— Il y a plus d'une fille qu'on appelle Olga. Tu t'es cogné la tête. Voilà ce qui ne va pas. (Sa sueur sentait le fromage. Il eut grande envie d'elle, si près de lui.) Pourquoi que tu te conduis comme ça ? Comment tu t'appelles ?

Questions, maudites questions ! *Dis-moi, raconte-moi, mets-toi à nu.* Le sang l'engorgeait, sang qui se transformerait en lait poisseux. En lui le verrin carnassier était lâché. Il allait étrangler la fille s'il ne la pénétrait pas pour libérer le lait et le sang. Il allait lui ôter toutes ses questions de la tête. Elle tendit la main gauche pour lui écorcher les yeux, mais il lui empoigna l'autre poignet et la bascula de force sur la mousse. Il lui tomba dessus.

— Non, je t'en prie, non ! Ne fais pas ça !

Lorsqu'elle brailla à l'aide, les cordes du harpier reprirent sa plainte. Ces litanies le rendaient fou. S'il ne violait pas cette nakkie, il allait la tuer. Son sang bouillait. Ou il répandrait le sang ou il dégorgerait le lait chaud, pâle variété du sang.

Les cris de la fille cognaient dans sa tête douloureuse. Lui relâchant les poignets, il se recula. Il saisit les jambes de la fille, monta les mollets sur ses épaules, retroussa la jupe à rayures au-dessus des genoux, au-dessus des cuisses, au-dessus du ventre. Pas de sous-vêtement, juste une touffe de poils, sa blonde toison, et les replis de sa chair blanche. Il se déboutonna et libéra la verge raide sur le point d'exploser à son bas-ventre.

— Oui, je te laisserai faire, cria-t-elle. Mais attends.

Attendre ? Son membre affolé cogna, piqua et pénétra dans la fente. Elle hurla, des larmes jaillirent de ses yeux.

Taureau sur génisse, le lait chaud gicla.

Être sous notre contrôle, sauvage humain. Avec notre voix dans ta tête, toi devenir raisonnable. Toi aller tuer le seigneur des rêves. Comment deux pareilles impulsions pouvaient-elles cohabiter dans sa conscience ?

Lait chaud, sang chaud... Il s'affala sur le côté. Sa

main tomba sur le morceau de fromage qu'elle lui avait donné. Il l'engloutit tandis qu'elle gémissait, son ventre violé découvert jusqu'au nombril. Ensuite il ramassa le panier de fromages et le couteau.

En voyant la lame dans ses mains, elle promit de ne rien dire.

— Je ne dirai rien.

Les mouches à feu volaient entre ses jambes. *Dire, dire,* chantaient les cordes du harpier.

Mais Cully s'éloignait déjà d'un pas lourd.

Transpercer l'oncle avec une lame pour avoir séduit notre maman. Dépecer le seigneur des rêves. Plonger sa peau dans du vinaigre. L'emporter chez un magicien manéen.

— Non, non, non !

Volée, la fille violée pleura de douleur, d'horreur mais aussi de soulagement.

— J'dirai rien, rien, rien, rien, pépia-t-elle à nul autre qu'aux insectes et à un arbre, pour confirmer son salut.

Comment expliquer à ses parents la perte de la marchandise et de son couteau ? Juttahats, Juttahats, Juttahats, dans les bois.

— Nouer un œuf dans un nœud, un œuf dans un nœud, pria-t-elle.

Pourvu qu'elle ne conçoive pas ! Au-dessus des feuillages vert jade le ciel ressemblait au couvercle d'un immense chaudron d'étain.

La tête de Snowy bourdonnait, raison pour laquelle il avait enfoncé le bonnet de corde de Minkie sur sa tignasse blonde. Étouffer ces curieux bourdonnements dans l'œuf ! Il portait aussi le cache-poussière fauve de son patron, avec le col colossal, que Minkie avait laissé à la forteresse de Niemi quand il s'était envolé pour Sariolinna, revêtu de fins atours.

Snowy, Dame Inga, Kyli, chagrine, les petits frères de Minkie, Kosti et Karl, avaient quitté la forteresse et cheminaient depuis une ou deux heures. Ils n'avaient pas traversé la communauté du haut de la falaise mais contourné l'autre côté du lac Lasinen avant de s'enfoncer péniblement dans la forêt. Inutile d'entraîner derrière eux un petit cortège de villageois désapprobateurs qui voudraient savoir ce qui se passait. Dame Inga allait-elle retrouver en secret son vaurien de fils ? Depuis qu'un coucou avait annoncé le meurtre du consort de Fortunée par l'héritier de la forteresse, le nom de Minkie était sali. Ses fourberies d'avant, bridées par son mariage avec Kyli Helenius et sa dot, n'étaient rien. Il semblait que son action diabolique n'avait été qu'ajournée, prorogée !

De grosses mouches suceuses volaient dans les bois ensoleillés fleurant bon le musquier, le jaunier et la fougère plume. Les gobe-mouches — éclairs vert citron et saphir — esquivaient les nuées isolées de taons et de pissenlœils. Les mouches à feu restaient suspendues comme des panaches de fumée au-dessus des tubes azur des fleurs-cheminées. Les rochers servaient de sièges aux êtres las parmi lesquels se comptait Kyli Kennan. N'avait-elle pas accouché une semaine plus tôt ? Les douleurs de l'enfantement l'avaient fait souffrir davantage qu'elle ne l'avait imaginé. Malgré la potion de la vieille Goody et les fumées stupéfiantes des herbes qui se consumaient dans un pot pour être respirées quand les crampes augmentaient, l'accouchement avait ressemblé à la plus horrible des constipations.

Aujourd'hui, Goody s'occupait du ballot mou et rose qu'était le bébé braillard. La vieille gouvernante édentée lui fredonnait des airs, le berçait, nettoyait ses langes et le nourrissait au biberon muni d'une tétine en vessie de porc. Vraiment, la bonne femme savait s'occuper du porcelet. Voilà comment Kyli voyait l'héritier de Minkie. Mais elle lui avait en fait choisi un nom, Johannes, après consultation auprès d'Inga. Johannes Kennan, une courtoisie envers son père Johann, seigneur Helenius, prospère et puissant.

— Ne pouvons-nous pas nous reposer un peu ? plaida Kyli.

— Pas encore, répondit Inga. Nous venons tout juste de nous asseoir.

— Il y a deux lieues de cela. Regardez cette belle pierre plate là-bas. Nous y tiendrions tous.

— Elle est trop proche des fleurs-cheminées. Les insectes te gêneraient.

Ils portaient tous autour du cou des rameaux odorants ennemis des insectes, même les garçons.

S'aidant d'un bâton, Inga continua d'avancer dans sa jupe de lainage noir ornée de paillettes et son corsage de dentelle noire constellé de brillants. Pour cette sortie, la Dame avait insisté pour que Kyli porte sa robe de dentelle décolletée puisqu'elle avait retrouvé sa silhouette. Cette excursion était une affaire de femmes. Kyli devait paraître féminine.

Traînant à l'arrière, une arbalète dans une main, un panier à pique-nique dans l'autre, Snowy à la figure fraise écrasée louchait indubitablement sur la silhouette de Kyli chaque fois qu'elle traversait un rayon de soleil. Inutile de vouloir lui en faire honte, son visage suintait d'une rougeur permanente. Les jeunes frères de Minkie caracolaient devant : une caboche aux cheveux châtains bouclés et l'autre à la chevelure brune et raide comme des baguettes de tambour.

Kyli crut qu'une mouche s'était posée sur sa main, mais bien sûr ce n'était que la petite clé qui lui avait été tatouée là à son mariage. Une clé pour le trésor ! Hélas non...

Ne pas avoir d'enfant du tout — pas de petit cochon braillard — mais redevenir jeune fille à la cour de Saari, la ville aux splendides fontaines et canaux, entourée d'amies joyeuses arborant leurs jolis bijoux. Aux abords de Saari se trouvaient une mine d'or, une mine d'argent et des veines de pierres précieuses. On avait par conséquent installé la Monnaie de Kaleva dans la ville et on y frappait les pièces à l'effigie de la reine du Nord. Le seigneur du domaine de Saari prélevait sa dîme de façon scrupuleuse. La cour était brillante et joyeuse, pourtant le vieux Helenius restait très intègre et scrupuleux. Un trait formaliste obsessionnel s'attachait à la lignée mâle — d'où le désagrément paternel quant à l'alliance de Kyli avec un vaurien, même si le gredin en question l'avait enlevée et séduite, ce qui signifiait qu'elle n'était pas exactement responsable du mariage.

Aucun Helenius mâle ne devait épouser une fille Sariola. Pour la paix d'esprit de la reine, aucun éventuel préposé à la Monnaie ne devait devenir longue-vie.

Johannes, le porcelet, remettrait peut-être Kyli dans les bonnes grâces de son père. Pas sûr, car l'enfant était aussi le fils de Minkie.

Kyli souffrait encore de la naissance du petit cochon. Et voilà qu'elle devait cheminer à travers bois, les épaules nues, sous la chaleur et les nuées d'insectes, les tétins presque à découvert, tandis que le pote de son mécréant de mari zieutait ses hanches abusées.

En fait, Snowy était préoccupé par le bourdonnement qui emplissait sa tête. Il avait l'impression qu'une centaine de Snowy bégayaient fiévreusement tout bas au fond de lui. Comme s'il rêvait une bagarre les yeux ouverts ! La conscience de ce conflit interne était vague mais troublante. Était-il en train de tomber malade ? Tous ces petits bonshommes affairés qu'il sentait en lui essayaient-ils de combattre une maladie imminente... ?

Oyez, oyez ! La veille au soir, Arvid Bomberg, l'apprenti du chaman local, s'était présenté à la forteresse de Niemi, rempli du besoin de raconter ce qui lui était récemment arrivé.

C'était l'heure du dîner : ragoût de mouton, purée de pommes de terre et carottes. Le bébé dormait dans le berceau ayant précédemment servi à Karl et à Kosti et, avant eux, à Minkie. Par habitude, on avait laissé quelques saladiers de porcelaine et des casseroles de cuivre empilés dans un coin, bien que Snowy ait assez bien réussi à réparer le toit.

La cloche accrochée à l'intérieur de la porte de tamisier cerclée de fer sonna. Snowy se leva de table en vitesse au cas où le vacarme réveillerait le petit Johannes.

— Je parie que c'est Pappi Hukkinen, couina le jeune Kosti.

Kosti avait tendance à sauter à des conclusions — dans ce cas, raisonnables. Depuis la rumeur selon laquelle son frère avait assassiné le prince Bertel, il n'y avait eu qu'un visiteur d'importance à la forteresse. Le pasteur manéen de Niemi était venu offrir à Dame Inga des condoléances mêlées de reproches pour l'action de son fils. Hukkinen avait choisi de vivre dans une baraque au bord du lac plutôt que dans une maison convenable du village. Plusieurs fois par jour, sa grande silhouette infatigable suivait la voie du funiculaire désaffecté pour monter de la rive au village et descendre du haut de la falaise à la plage, comme pour infuser de l'énergie manéenne dans sa paroisse.

En fait, Hukkinen se chauffait les muscles. L'année suivante, il comptait parcourir chaque jour les dix lieues séparant le lac du fleuve Murame et retour. Les villageois devaient creuser un canal entre les deux. La randonnée de Hukkinen les pousserait enfin à l'action. De droit, la famille Kennan aurait dû être l'initiatrice et la garante de ce grand projet. Malheureusement, les Kennan étaient négligents. A présent, hélas, le crime de Minkie risquait bien d'avoir sapé l'énergie vitale accumulée par Pappi Hukkinen.

Inga désapprouvait ce pasteur dont l'énergie semblait déplacée, comme celles de son fils aîné et de son père avant lui.

Et si le visiteur n'était pas seul ? S'ils étaient nombreux, envoyés du palais de Pohjola l'arme à la main pour se venger ?

L'étranger épié par le judas se trouva être Arvid — attifé d'un sarrau auquel des douzaines d'étoiles de fer-blanc étaient vaguement cousues et d'une jupe en ailes de hareldes lustrées. On vit un balancement de plumes mauves, violettes et lavande quand il entra.

Arvid était un cousin de Snowy au deuxième ou troisième degré, un garçon dégingandé. Son grand front était décoré d'une figurine-bâton gesticulant dans une étoile à cinq branches. Ses sourcils arqués exprimaient une sorte de théophanie étonnée. Il avait le menton pointu, une tignasse blonde mal peignée. Il ressemblait davantage à un randonneur que Hukkinen. Et il se sentait poussé à raconter une histoire.

Là-bas, dans les bois parsemés de gros rochers où le tumulus céleste pointait son doigt vers le ciel, Arvid était allé s'asseoir au sommet de la mince pyramide de céramique, comme de coutume, sur un crâne de mouton. Là, en équilibre instable et en transe, il cherchait son âme-étoile en plein jour. Son maître chaman, Sven Hartzell, avait dit que puisque l'âme est invisible, autant chercher l'étoile correspondante non pas la nuit au milieu de milliers de points brillants mais quand les astres sont estompés par la luminosité du soleil. C'était là un véritable exploit de perception.

Dans son for intérieur, Arvid était convaincu qu'il connaissait déjà son étoile. C'en était une, minuscule, qui ne clignait pas, qui traversait les cieux de façon périodique et qui n'était pas un Ukko. Pour l'instant, malgré tout, cette étoile ne lui avait rien confié.

Tout d'un coup, tandis qu'il était assis sur le tumulus,

il s'était trouvé baigné de luminosité. Les étoiles de fer-blanc sur son sarrau s'étaient soulevées comme aspi-rées par la lumière. Dans l'une d'elles, il avait vu le visage de Minkie Kennan en miniature. C'était lui, incontestablement, avec son grand col de cuir, le chef couvert d'un casque noir à bord de cuivre. Dans d'au-tres, il avait aperçu des jeunes filles désolées, en hail-lons de voile, des maisonnettes en feu, un paysage couvert de neige, incurvé, traversé par la fumée, un palais et ses tours brûlant d'un feu blanc, et enfin un homme-coucou qui cabriolait, un trident à la main.

Arvid fut catapulté du tumulus. Pendant quelques secondes il se retrouva à voler dans les airs. Il tomba dans un buisson touffu qui amortit sa chute. Heureuse-ment qu'il ne s'était pas écrasé sur un rocher ! Des scè-nes éblouissantes tourbillonnaient autour de lui. Il savait qu'il ne devait pas regarder en arrière mais suivre le fil pour retourner dans le monde, à travers les arbres.

Lorsque Arvid arriva à la hutte du chaman, Sven Hartzell n'y était pas. Comme souvent, son maître était allé se promener seul dans la forêt. Arvid attendit — et, en attendant, il éprouva un sentiment croissant d'op-pression. Une impulsion coucouesque l'inonda, il fallait qu'il raconte son histoire à quelqu'un qui brûlait de l'entendre, quelqu'un qui croirait en son récit ; sinon il serait obligé de le colporter sans répit, et n'aurait jamais l'esprit en paix pour réfléchir à son épiphanie.

Quel meilleur public que la mère de ce fils qu'il avait vu en tenue de guerrier sur un terrain ravagé ?

Il fit une incursion dans les bois pour retrouver Sven, restant bien à l'écart du tumulus qui l'avait éjecté. Le lendemain, il en tenta une autre, en vain. De toute évi-dence, il devait d'abord parler à son maître. Plusieurs jours s'écoulèrent, où il brûla à petit feu, avant que Sven Hartzell ne réapparaisse et qu'il puisse filer à la forteresse de Niemi.

A ce moment-là, Arvid était également convaincu d'un autre impératif. L'esprit du coucou était en lui. Il deviendrait un homme-coucou, un oracle, perché, en transe, dans les arbres. Il fallait qu'il se fabrique un masque de coucou — surtout pas avec les plumes d'un oiseau cancanier, loin de lui cette idée ! Des plumes d'oie, teintes en vert terne moucheté et tachetées de rouille, feraient l'affaire. Le masque nécessiterait de grands yeux plats en verre jaune, exactement comme ceux d'un coucou. Des pupilles sombres et fumées cacheraient ses yeux tout en lui permettant de voir. Où trouverait-il de telles lunettes sinon chez Ruokokoski, à Niemi ? Qui sinon Dame Inga paierait volontiers cette commande, en récompense du rapport sur son fils ? Tout était logique, y compris le retard.

Tel était donc le récit qu'avait fait Arvid, la veille au soir, tandis que le ragoût de mouton refroidissait dans les assiettes.

Kosti et Karl furent ravis de cette visite d'un apprenti chaman. Snowy s'était gratté la tête. Il grattait souvent ses boutons d'acné. Kyli avait éprouvé une grande agitation quant à la signification éventuelle de la vision d'Arvid. Le porcelet s'éveilla et couina longtemps et fort. La vieille nounou n'eut guère d'autre choix que d'emporter le petit Johannes hors de la salle à manger. Elle sortit en claudiquant, roucoulant ses reproches au bébé, au grand dégoût des deux plus grands garçons.

— Oh, le petit seigneur, y sait comment gâcher les plaisirs, hein, petit coquin ?

Quant à Dame Inga...

Elle avait pâli et pincé ses lèvres pleines et sensuelles. Ses yeux noisette et hardis avaient scruté Arvid pendant un long moment. Elle garda le silence, joua avec une de ses mèches grisonnantes.

— Demain, déclara-t-elle, nous nous rendrons nous-mêmes à ce tumulus pour voir si j'arrive à voir ce que vous avez vu. (Elle enfonça la main dans la bourse qui pendait à sa ceinture et compta trois marks en argent terni.) Ceci devrait suffire pour acheter deux bouts de verre coloré de la meilleure qualité.

— Attention, dit soudain Kyli à l'apprenti, que ce Ruokokoski ne leur jette pas un sort pour que les choses se mettent à paraître laides. Ne mentionnez surtout pas notre nom.

— Pourquoi ? demanda Arvid.

— Peu importe.

Ils étaient donc dans les bois, et Dame Inga gardait toujours le silence, mais Kyli avait été obligée de se faire belle.

— Tout cela est en rapport avec le secret de famille, n'est-ce pas ? fit Kyli à sa belle-mère, d'un ton accusateur. (Elle écrasa un gobe-sueur sur son épaule nue.)

Minkie n'a jamais rien voulu dire à sa Kiki-liki, malgré toutes mes cajoleries, Mana seule sait pourquoi ! Vous savez très bien où il a disparu !

— Possible, ma chère. Moins il y a de gens à le savoir, mieux c'est pour lui.

— Je suis sa femme, et la mère de son — porcelet. Minkie t'a dit le secret à toi, n'est-ce pas ? cria-t-elle à Snowy.

Levant panier et arbalète, Snowy les rattrapa.

— Qu'est-ce qu'y a ?

— Peut-être que mon mari te l'a dit, le secret de famille, qui explique où il se trouve en ce moment.

Le visage fraise suintant apparut.

— Son se-se-se-secret... ? Au-au-tant qu-que je sache, il a-a-avait la bou-bou-bouche pincée comme un cul de poule avec un œuf dedans.

— Oh, vraiment !

Bien entendu, le fils d'Inga n'avait pas parlé du paradis peuplé de jolies filles à sa Kiki-liki ! Une bien séduisante perspective pour un beau jeune homme. Non qu'il ait rêvé de se rendre sous le lointain lac de la Création — losange bordé de falaises sur deux côtés, avec, au point le plus haut, d'immenses rocs en équilibre — pour y prendre un plaisir illicite... Seulement si sa vie était en grand danger et qu'il avait besoin d'une cachette que personne ne saurait découvrir...

Comment ce paradis décrit à Inga par Ragnar — et où se trouvait sans nul doute Minkie en ce moment — pouvait-il correspondre à ce qu'Arvid avait aperçu ? L'apprenti chaman avait parlé d'incendie, de neige, de destruction. Un paysage d'enfer, où les pucelles portaient des haillons ?

Le séjour de Ragnar au paradis s'était transformé en désastre, d'accord, mais à ce point ! La perception intérieure d'Arvid était-elle en défaut, vu qu'il était homme ? Les hommes sont obsédés par les conflits. Le monde caché sous le lac de la Création était un mystère féminin, une scène de création et non de destruction. Comment un homme percevrait-il correctement la nature féminine de ce domaine ? Inga devait examiner cela elle-même...

Devant eux, ils perçurent une psalmodie rauque. Snowy posa le panier du pique-nique pour armer son arbalète.

— Ran-ran-rangez-vous ddderrière moi, les gggars, conseilla-t-il aux garçons.

Bientôt le groupe arriva en vue du tumulus — et du personnage qui remuait autour de la mince pyramide rouge et noir. Aucun doute, le danseur au ralenti n'était autre que le maître d'Arvid, même si ses traits restaient en grande partie dans l'ombre.

Sur la tête, il portait un haut chapeau de feutre à ruban rouge et jaune. En pendait un voile de glands à chevrons bleus, formé de plumes de poules d'eau nouées ensemble avec de la laine. A travers ce rideau mouvant, le chaman regardait le large tambourin qu'il tenait d'une main. De l'autre, il maniait un bout de charbon avec lequel il dessinait par moments des traits noirs sur la peau du tambourin récemment badigeonnée de blanc. Il portait une tunique pourpre sur laquelle s'appliquait un corset de côtes blanches, imitant le squelette d'un torse. Le maître d'Arvid était à demi vif et à demi mort ; à demi ici et à demi ailleurs.

Psalmodiant tout seul, Sven Hartzell exécuta un nouveau tour du tumulus et ajouta une nouvelle marque.

A proprement parler, la mince pyramide n'était pas un tumulus, c'est-à-dire un tas de pierres empilées les unes sur les autres. Ses zigzags noirs et rouges donnaient à la structure une allure de casse-tête vertical assemblé par un Pootarien. Son sommet était à présent tordu et pointait au sud-est, comme s'il avait molli avant de se rigidifier à nouveau. Quelques étoiles déformées s'imprimaient sur certains zigzags comme si une sorte de compas était tombé à chacun de ces endroits. Le chaman semblait les consulter. Il ne restait aucune trace du crâne de mouton, la selle d'Arvid.

> *Montre-moi, tumulus étoilé, guide mon charbon,*
> *Dessine-moi le sentier vers ailleurs ;*
> *Permets-moi de trouver la source de Mana,*
> *Cœur d'Ukko caché à nos regards,*
> *Qui a brillé devant mon disciple,*
> *Qui a désarçonné Arvid...*

— Sven Hartzell, cria Inga, que faites-vous ?

Le chaman tituba et lâcha son bout de charbon. Sa main partit se tendre derrière son oreille recouverte de fanfreluches comme si c'était la pyramide tordue qui s'adressait à lui. Il resta tout ouïe, jusqu'à ce que la dame de Niemi crie à nouveau son nom.

— Sven Hartzell !

Pivotant lentement sur ses talons, il lorgna les intrus à travers son voile de plumes et de laine.

— Allez-vous-en, croassa-t-il.

Il brandit son tambourin et les garçons décampèrent à toutes jambes. Sur la peau du tambour on voyait une confusion de lignes ondulantes, de losanges et d'arbres stylisés.

— Ne m'interrompez pas. Je vais perdre le fil ! Revenez dans une grande heure si vous ne pouvez pas faire autrement, Dame Kennan.

Inga était coriace. Elle avança, frappant le sol de son bâton.

— Vous faites une carte.

— Bien sûr que je fais une carte ! Mes doigts me conduiront à la source de Mana.

— Arvid nous a dit ce qu'il avait vu.

— Bien sûr qu'il vous l'a dit, mais moi je vois davantage que mon apprenti. Je vois l'endroit aussi bien que la chose. Allez dire vos bêtises ailleurs.

— Vous verrez où est caché mon Minkie ? s'enquit Kyli.

Kosti à la tête bouclée demanda à son frère :

— Ça dure combien de temps une grande heure ?

Le garçon aux cheveux en baguettes de tambour se pinça un bouton au menton.

— Deux heures ? suggéra-t-il.

Inga avait le nez saillant, droit, ferme, agressif. Les paillettes et les brillants de sa jupe et de son corsage scintillaient au soleil. Elle était de taille à affronter n'importe quel sorcier.

— Ce n'est pas votre mystère, lui dit-elle. C'est un mystère féminin — une histoire de femmes. Je le sais dans mes os.

— Sous les eaux ; et dans la matrice ! cria le chaman, inspiré.

— Les hommes provoquent en général les conflits et les incendies. (Les autres ne devaient pas découvrir le lieu où se trouvait son fils. Le secret de famille devait rester sauf. Au grand étonnement de Sven Hartzell, Inga saisit le tambourin et le tendit à bout de bras.)

Snowy, Snowy, cria-t-elle, tu es un homme. Tu sais ce qu'il faut faire.

Elle agita l'instrument de façon tentante. Le chaman resta planté là, immobile, ou alors il essayait d'empêcher son fil de se casser.

Snowy se lécha les lèvres. Il loucha.

— Tu sais ce qu'il faut faire.

Snowy leva l'arbalète.

— Un sssigne de tê-tê-tête est aussi bbon qu-qu-qu'un sssigne de l'œil pou-pou-pour un âne aveugle, Dame Inga !

Hartzell poussa un cri quand le carreau empenné sortit de l'arbalète et creva la peau du tambourin. On n'y dessinerait plus de carte manéenne. Inga laissa tomber l'objet sans cérémonie.

— Toi ! s'écria Hartzell en pointant son doigt sur Snowy. Toi ! Tu auras cent méchants nakkis en toi...

— Je les-les-les ai déjà...

— ... pendant le restant de tes jours ! Et toi... (Les plumes du chaman virevoltèrent en direction de Kyli.)

Elle se fit toute petite et couvrit ses épaules nues de ses mains, les coudes protégeant son décolleté comme si elle était prise de frissons en plein soleil.

— Je voulais que vous finissiez votre carte, grand chaman !

Et elle ajouta à la hâte :

— Je suis la fille de Lord Helenius.

Derrière son écran, le regard scrutateur de Hartzell vira vers Inga. Elle se tenait là, obstinée, et levait même son bâton. Son regard noisette ne flanchait pas.

— C'est une affaire de femmes, insista-t-elle. Une affaire de mère. Et d'épouse aussi.

Le jeune Karl jeta une motte de terre sèche sur le chaman voilé de plumes. Le projectile mou rebondit sur ses côtes. Déjà Snowy levait son arbalète pour y introduire un nouveau carreau.

— Un sssigne de tê-tê-tête est aussi bbon qu-qu-qu'un sssigne de l'œil pou-pou-pour un âne aveugle ! brailla-t-il. (Les mouches à feu semblaient bourdonner dans sa tête.) Tous mes frères na-na-nakkis pensent la même chose !

— Bien, nous rentrons, maintenant, déclara Dame Inga d'un ton qui s'apparentait à celui d'un puissant proclamateur.

Les quatre semblants d'hommes étaient peu présentables et très affamés quand ils finirent par tomber par hasard sur la hutte en os abandonnée.

Le voyage avait été épuisant et beaucoup plus long que prévu. Le Grand Fjord avait disparu dans un labyrinthe de marais broussailleux entrecoupé de couloirs d'arbustes à feuilles persistantes qui communiquaient ou non entre eux. L'air chaud tremblotait, chargé d'odeurs sternutatoires. Une poussière de mousse jaune recouvrait les lochs. Tard la nuit, le ciel se colorait de moutarde. Les insectes empoisonnaient Arto, ils attaquaient surtout ses oreilles de bouc. Neuneu, avec sa peau cordée, en souffrait moins, ainsi que le laineux Lama et Croûton à la peau croustillante. Le gantier dut s'enduire la peau d'une pâte de lichen si bien qu'il ressembla à un jumeau nanifié de Croûton. De toute évidence les quatre voyageurs devaient obliquer sec vers le nord — s'éloigner des marais traîtres et des bourbiers — et non faire route au sud.

Les fermes étaient rares. De même que les campements de gardiens de troupeaux de tarandres, perchés sur les éperons rocheux au-dessus des vallées bondées d'insectes. Les quatre mutants du quatuor pouvaient-ils refuser une hospitalité dont ils avaient à coup sûr besoin ? Lama était obligé de chanter pour le dîner et le petit déjeuner, et de nouveau pour le dîner, et le lendemain aussi, et le surlendemain (Neuneu était contraint de frotter son crincrin, Croûton de siffler et de frapper ses cymbales, et Arto de diriger de ses six doigts gantés de blanc) jusqu'à ce que les appétits sentimentaux de leurs hôtes soient assouvis. Le groupe ne pouvait pas se permettre de continuer son chemin. Les loulous jappaient et montraient les dents.

Un jour, un chaman portant des bois de tarandre les guigna d'un air méchant et ils furent peut-être en danger. De toute évidence il convoitait la toison de Lama et le maillot naturel de corde de Neuneu pour les ajouter à son costume. Ces précieuses parures pouvaient rehausser ses pouvoirs. Cependant, le laîné le berça — ainsi qu'une foule de bergers. Il leur fit venir les larmes aux yeux avec ses tangos aux paroles poignantes, réminiscences de la détresse des semblants d'hommes loin de leur foyer.

Finalement, ils montèrent plus au nord-est qu'ils ne

l'avaient pensé avant de changer leur itinéraire et de s'enfoncer dans une forêt parsemée de rocs couverts de sillons comme s'ils avaient été griffés par des verrins. Horzmas et tamisiers poussaient parmi les larix aux écailles henné et les véras aux aiguilles vertes. Lorsqu'ils eurent terminé leurs réserves de viande de tarandre fumée et de fromage, ils se nourrirent de baies et de champignons.

A quelle distance étaient-ils d'un nid d'Isis ? Devaient-ils à nouveau bifurquer vers l'ouest et faire un détour ? Lama eut un rhume de cerveau et mal à la gorge. Sa laine avait plusieurs fois été trempée par des averses. Pis, Arto souffrait de douleurs atroces aux tendons des chevilles. Le bonhomme aux jambes arquées boitait des deux côtés d'avoir tant marché. Quand ils arrivèrent à la cabane en os, la démarche d'Arto était devenue pathétique. A moins de pouvoir reposer ses guiboles une ou deux semaines, il craignait de rester invalide toute sa vie ou ce qu'il lui en restait ; et Lama risquait une pneumonie.

Parmi les pins sylvestres chenus et les plumets vert chartreuse des courbiers se cachait une habitation entièrement construite en os de bêtes liés les uns aux autres par de la corde. Les bardeaux du toit étaient des mâchoires. La porte cintrée se composait de côtes.

Des milliers d'os blanchis... et pas la moindre nuée d'insectes charognards. Il ne restait pas un brin de chair sèche à rogner. Dans le voisinage immédiat de la hutte, il ne semblait y avoir aucun insecte, comme si un sort les tenait à l'écart.

Lama éternua. Arto écouta avec attention.

— Il n'y a personne. Ou alors ils se font petits comme des souris...

Croûton lorgna par la fenêtre encadrée de fémurs.

— C'est plein de trucs !

Oui, la cahute se révéla bourrée d'objets de toutes sortes. Les placards débordaient de casseroles, d'outils, de poupées, de poêles, de cordes, de pinceaux, de casse-tête pootariens, de rouleaux, de statuettes, de peignes et, ô merveille, de bocaux d'anguille marinée, d'huîtres en gelée, d'œufs d'aileron fin, de baies noires de mustier, et il y avait aussi des biscottes, un ou deux jambons fumés et quelques bouteilles de cordial. Plusieurs miches de pain noir pendaient accrochées à des ficelles.

On aurait dit qu'un donateur avait longtemps continué à approvisionner la cabane en l'absence de son occupant. Plusieurs cruches de lait moisi se trouvaient près de la porte. Sur une assiette, une tartelette aux myrtilles couverte d'une fourrure de moisi. La puanteur du lait caillé dominait l'odeur des os séchés.

— Camarades semblants, se réjouit Neuneu, nous avons trouvé un refuge.

Pas trop tôt.

Arto s'effondra avec reconnaissance sur un tapis tissé de cheveux noirs et blonds, et appuya son dos au poêle ventru. Il examina ses mocassins crottés, ses chausses noires en loques, ses gants de chevreau gris de poussière. Ensuite il inspecta les murs en os.

— Cet endroit doit craquer quelque chose de chronique, dit-il avec satisfaction. Comme les maisonnettes délabrées de chez nous.

Croûton ouvrait déjà un bocal d'anguille de mer.

7 — Casser la baraque...

Fortunée reçut un royal coup de pique !

Non seulement cet inqualifiable Osmo avait survécu au missile de Juke — avec Menuise — mais ensuite ils s'étaient épousés — avec enthousiasme, à en croire les coucous !

Se marier ainsi, sans le consentement ni les conseils maternels...

Osmo avait dû réussir à contraindre la ceinture de la jeune fille à s'ouvrir.

Oh, mais c'est que les coucous avaient aussi répandu des propos grivois concernant une Menuise cul nu... et Vipère, la magicienne tavelée. Osmo avait de toute évidence eu de l'aide.

Pile ou face : l'avait-il prise par-derrière ?

Des rumeurs au sujet d'une certaine photographie manéenne le suggéraient. On y voyait la croupe de Menuise.

Auquel cas, van Maanen avait obtenu longue vie sans que Fortunée lui susurre le sésame à l'oreille.

Et voilà que maintenant ils avaient le culot de se proclamer monarques !

Le cantonnement qu'avait choisi Fortunée pour mener son offensive contre Loxmithlinna (puis contre Maananfors) était la ville de Luolalla. A quelque cinquante lieues au nord de Loxmithlinna, en hauteur, Luolalla se dressait sur un réseau de grottes dans la roche calcaire. La campagne environnante était désolée : une mer d'herbages sans pratiquement aucun arbre. Des murets en pierres sèches quadrillaient le panorama sous un ciel immense et venteux. Des moutons broutaient. Des cochons fouillaient le sol de leur groin, transformant les pâturages en labours amendés prêts à recevoir les futures semences de seigle. Les fours à craie fumaient.

L'absence de menthiers combustibles importait-elle quand on pouvait facilement accéder aux veines de charbon de la région ? La ville était battue par les vents, c'était sûr. En hiver, chemins et champs étaient inquiétants. Mais par temps sombre et sinistre, il y avait toujours un bon feu dans l'âtre des maisons en pierre jaune pâle. Aux beaux jours, on faisait des courses de poneys sur des lieues et des lieues, sautant par-dessus les murets si besoin était. C'est ainsi que le père de Hubertus Jaeger s'était cassé le cou.

Les nuits sans nuages, au printemps et à l'automne, on voyait les constellations : la Vache et le Coucou, la Harpe et le Sagittaire, et le Nakki perché sur la chanterelle. Au sud, la faucille céleste argentée parcourait l'horizon. Si l'on regardait tout près de la gazeuse Otso, on pouvait repérer le plus gros de ses oursons. On voyait aisément Kammo — et même Sejda, plus petite et beaucoup plus proche du soleil. Pour l'apercevoir à l'œil nu, il fallait de la chance. Sans longue-vue, il était impossible de repérer le géant Surma et ses anneaux, loin derrière Otso. D'ailleurs, qui aurait souhaité poser les yeux sur cet emblème d'une mort horrible et glacée, définitive et extrême, où le cygne lui-même trépasserait ?

Pouvait-on se sentir vulnérable, à Luolalla ? Pas physiquement, aux bourrasques, mais psychologiquement, aux vastes étendues désolées ? Comme un sautillant leppi sous l'œil perçant d'un oiseau de proie qui décrit des cercles au-dessus de lui... Ah, mais la ville avait toujours ses grottes souterraines, son sous-sol caché, même si ce n'étaient pas exactement des caves. Des puits d'accès partaient de sous divers bâtiments. La fonte des neiges de printemps inondait régulièrement les souterrains avant de s'écouler en contrebas, dans les vallées. Ainsi il n'y avait rien de permanent dans ces caves. Même en été, un orage prolongé pouvait enfler les cours d'eau souterrains habituellement asséchés.

La forteresse en pierre calcaire des Jaeger, sur une butte au centre de Luolalla, ressemblait à un groupe de bouilloires jaunes entartrées, coiffées de dômes et munies de fenêtres. Tourelles et cheminées formaient les becs verseurs. Lorsque le vent soufflait fort, les bouilloires sifflaient.

Les gardes de Fortunée, dans leur tenue de cuir marron et vert, faisaient leurs manœuvres autour de la forteresse et dans les champs enclos de murets. Trente de ses invulnérables soldats de bois s'exerçaient là où ne poussait pratiquement aucun arbre.

L'aéronef royal — blanc comme neige avec ses yeux vermillon autour des hublots — continuait à transporter des armes et des munitions du palais de Pohjola. Ainsi que l'appareil de la forteresse du fjord, à chevrons bleus sur fond beige. La machine que Jack Vif-Argent avait volée aux Isis était parquée dans la cour de la forteresse, à l'intérieur de ce corral de bâtiments bouilloires. Ainsi que les trois nacelles volantes récemment produites par la machine à tout faire, monoplaces trois quarts acier argenté, un quart verre transparent. Chaque jour, les pilotes partaient en vol d'entraînement. Jack avait exécuté des acrobaties aériennes au-dessus de Luolalla, sous les yeux épouvantés de sa mère.

Trois sautos bondissaient dans la ville et ses environs, tendant aux gardes, aux soldats de bois et aux hommes de Jaeger que Fortunée avait recrutés dans ses troupes des embuscades à blanc.

Jack s'était également rendu dans les grottes en sauto, avec un certain passager derrière lui...

Lorsque Hubertus Jaeger était allé en Noroisie quelques années plus tôt pour demander la main (et le corps) d'une fille Sariola, ce garçon rebondi et pompeux avait intrigué la reine par un extravagant récit de ses exploits dans les grottes. Hubertus avait exploré à la torche des lieues et des lieues de cavernes, de tunnels tordus, de voûtes, de recoins, de grottes et de rivières souterraines au péril de sa vie. Ces aventures téméraires avaient-elles rappelé à Fortunée ses propres explorations à l'intérieur de l'Ukko rencontré par le vaisseau minier de sa famille dans la ceinture astéroïdale de la Terre en un temps et en un lieu très reculés ? Chambres, cavités, tunnels courbes et cochlées !

— Pousse-t-il des fleurs blanches cireuses dans vos cavernes ? avait-elle demandé avec malice, mystifiant le jeune soupirant.

— Non, mais il y a quelques champignons phosphorescents.

— Y trouve-t-on des ossements de Juttahats et de serpents ?

Absolument pas ! Parole de Hubertus Jaeger, Luolalla était exempte de Juttahats et de serpents. Ni les Isis ni leurs serviteurs ne trouveraient leur chemin dans le dédale des grottes pour émerger par des cavernes à l'intérieur de la forteresse Jaeger. Pourquoi essaieraient-ils, alors qu'ils ne l'avaient jamais fait dans le passé ? La reine Fortunée n'avait aucune crainte à avoir pour sa fille. (Elle n'en avait pas non plus, non. Elle avait pouffé.)

Kay, sa fille, fut impressionnée par la grandiloquence de Hubertus et par l'attrait des mystérieuses cavernes — où elle n'aurait aucun besoin de s'aventurer en personne. Ce qui l'excitait le plus, c'était la perspective de galops sur son poney dans les grands espaces dégagés sous les étoiles (avec une escorte, naturellement) jusqu'à ce que sa musculeuse monture écume entre ses jambes.

Fortunée avait donné son consentement. Kay avait octroyé longue vie à son seigneur et époux (avant de lui donner deux enfants). Grâce à l'offrande de Kay, Hubertus serait plus en sécurité dans ses aventures spéléologiques — qui s'avérèrent rares et brèves, entreprises pour la frime plutôt qu'autre chose.

Oyez, oyez ! Lorsque Jatta avait cherché asile chez Kay Jaeger Sariola pour Jack et elle, le seigneur Hubertus avait pris ombrage de l'orgueilleux enfant. Le gamin était si impertinent et si vorace ! De plus, la nouvelle de sa présence pouvait attirer des étrangers curieux dans le système des grottes. Kay ne répugna pas non plus à intimer l'ordre de déguerpir à sa sœur en détresse. Elle la poussa dans la direction de chez Osmo van Maanen qui détestait tout ce qui ressemblait à un mutant, catégorie où entrait assurément Vif-Argent.

Sous l'aile brutale de sa mère, Jatta était maintenant revenue dans cette forteresse de bouilloires en pierre ; Jack aussi, moustachu et doté de pouvoirs sur la lumière, le froid et le vent.

Interdite, Kay avait accueilli sa sœur cadette en disant :

— Tout ne s'est-il pas arrangé pour le mieux ? Te voilà maintenant avec un fils magnifique et talentueux dont parlent les coucous...

Certainement pas grâce à la brève hospitalité de Kay ! Pourtant, Jatta se moquait bien de tout ça. Fortunée l'avait virtuellement forcée à l'accompagner dans cette expédition. Elle avait piqué une rage devant son peu d'enthousiasme. Jatta devait pourtant se montrer fièrement à Maananfors chez cet inqualifiable Osmo qui l'avait chassée ainsi que le petit-fils de la reine. Elle devrait se pavaner lorsque la reine réglerait son compte à van Maanen, dans la salle du banquet ou dans ses ruines.

La très chère Anni dut rester à Sariolinna. Il était hors de question qu'elle accompagne Jatta. C'eût été inconvenant. Fortunée était parfaitement au courant de la liaison amoureuse entre les deux femmes, celle de haute naissance et celle de basse extraction. Plus qu'une affaire de chambre partagée, il s'agissait de plaisir charnel ! Ester avait-elle cafardé ? Sinon à quoi serviraient les petites sœurs ?

L'affection entre les deux femmes était-elle l'issue extrême du refus pervers de Jatta d'épouser un homme ? Était-ce le résultat de ce qu'elles avaient toutes deux partagé les étreintes enivrantes du non-homme Jarl Pakken ? Jarl étant inévitablement absent, chacune devenait la séductrice de l'autre. Ce qui blessa le plus Fortunée fut que la conduite de Jatta la détachait de la réalité et des responsabilités à un moment où la souveraineté de sa mère était attaquée par un petit parvenu prétentieux et sa gringalette de reine rebelle. Reine Menuise, et quoi encore ! Prince Osmo ! Jatta ne pouvait pas simplement détourner les yeux. Sa mère le refusait.

La seule raison qui avait en fait motivé Jatta pour accompagner l'armée de Fortunée était l'espoir que sa proximité pourrait modérer l'esprit trop rapide de Jack et l'empêcher de foncer dans les dangers. L'inquiétude de Jatta devant les acrobaties aériennes de son fils rivalisait avec sa douleur de l'absence d'Anni.

Hélas, la présence de Jatta eut l'effet contraire de la modération. Voilà qu'elle se retrouvait dans la forteresse où sa sœur Kay et son époux lui avaient refusé asile et avaient même eu le culot de les diriger vers Maananfors. Jack se souvenait de l'affront.

L'arrivée belliqueuse de Fortunée avait intimidé le seigneur Hubertus. Jack, le petit-fils choyé, bouscula encore le jeune seigneur longue-vie pour qu'il vienne faire un tour de sauto dans les grottes. Jaeger accroché derrière lui sur l'engin, Jack avait sauté directement de la cour dans une grotte — comme il l'avait gaiement raconté au retour, en ramenant le seigneur pâle, tremblant et incapable de marcher droit...

Pleins phares allumés, moteur emballé, la sauto avait bondi de grotte en gouffre, de gouffre en abîme jusqu'à ce que Hubertus hurle et tremble comme une feuille. La sauto ne se serait pas encastrée à l'intérieur du roc, Jack en était absolument sûr. Néanmoins, les entre-deux s'apparentaient à un enterrement vif. Les à-pic entrevus sur les côtés, après une côte ou un précipice, vous pétrifiaient.

Hubertus était bien puni d'avoir chassé Jack et sa mère, mais sans pour cela aliéner Luolalla à la cause de la reine. Hubertus ne pouvait guère se plaindre de son humiliation. N'était-il pas un expert en spéléologie ?

Que dire des responsabilités paternelles de Jack ?

Le petit démon avait germé dans les entrailles de Jatta pendant neuf mois pleins, mais ensuite il était passé du stade de nourrisson à celui de jeune homme moustachu en un temps similaire. Les ablettes que June avait conçues grâce à son sperme ardent et trépidant représentaient encore une accélération du métabolisme — comme l'avait diagnostiqué la vieille Hilda à Sariolinna.

— Du stade de têtard à l'intérieur à celui de petit fauve à l'extérieur en deux mois ! avait déclaré la sorcière, au grand plaisir de Fortunée.

Les fillettes naîtraient très petites. Hilda sentit dans ses eaux, et dans celles de June, qu'en taille les quatre petites ne dépasseraient jamais le genou de leur mère.

Ce seraient des filles. Aucun doute là-dessus. Elles seraient quatre, une pour chaque téton.

Au palais de Pohjola, à la fin de la première semaine d'août, tandis que les aéronefs commençaient à transporter matériel et hommes vers Luolalla, à la consternation des Jaeger, June avait bien pondu un quatuor de minuscules filles. Aucune de ces quatre nymphes braillardes n'était plus grande que la main de June dont la poitrine rebondie n'avait pas tellement augmenté de volume, et pourtant les petites montraient leur obstination à s'accrocher aux tétons.

Si seulement June avait eu quatre mains ! Elle devait se débrouiller avec quatre écharpes autour du cou, rembourrées de ouate pour les besoins naturels. Hilda, cassée comme elle l'était (même si à présent elle avait acquis une petite canne de tamisier), ne pouvait guère aider sinon de ses conseils.

D'ailleurs pouvait-on aider June ? Pouvait-on la toucher sans danger, sans attraper une maladie ? Mais bien sûr, décida Hilda.

A supposer que les pouvoirs de contagion des fillettes aient déjà un certain degré d'activité, pouvait-on sans crainte manipuler la couvée miniature de June ? Hilda suggéra que si elle enfilait la mue de serpent pour se protéger, Anni pourrait peut-être donner un coup de main. La réponse de Jatta fut catégorique : non. Autant que celle de Fortunée qui était sur le point de quitter son palais avec sa fille pour prendre résidence dans la forteresse Jaeger. June suivrait par un vol quelques jours plus tard, avec les petites et Hilda. Mais Anni ne viendrait pas. Non, pas Anni.

La forteresse de bouilloires en pierre fut bientôt bondée de personnel et d'officiers. Aleksonis, Prut, Bekker. Juke Nurmi et Nils Carlson, le jeune proclamateur. Paavo Serlachius, maintenant pasteur militant. Jatta, Jack, June et sa progéniture miniature...

Dans un coin de la cour, deux tentes abritaient une

petite troupe de comédiens dirigés par un certain Peter Vaara.

Il ne manquait qu'un coucou. En dépit des perchoirs en fer forgé installés dans la ville et dans la cour de la forteresse, les oiseaux cancaniers condescendaient rarement à venir en ces hautes terres exposées. Les préparatifs se déroulaient donc sans témoins ailés.

Pour Jatta, l'endroit était dépeuplé puisqu'il lui manquait Anni.

Mais Jack était toujours dans les parages. De plus, Jatta se retrouvait brusquement grand-mère. Devait-elle occuper ses mains oisives en aidant June ? Elle préférait se promener dans la venteuse Luolalla et regarder les exercices d'entraînement, pensant avec effroi aux blessures parfois mortelles qu'ils présageaient. Se risquerait-elle à faire un petit bout de chemin dans les grottes, avec une lanterne ? Si elle le faisait, elle se sentirait perdue plutôt que libérée des vicissitudes.

Il n'y avait pas vraiment eu mariage. Plutôt accouplement. Les fillettes n'étaient pas des rejetons ordinaires. Ayant à peine passé deux mois dans le ventre de June, elles ressemblaient davantage à des chatons miaulants et dénués de poils, ou à des nakkis prêts à se jucher sur un champignon.

Étaient-elles restées suffisamment à l'intérieur de June pour que se forme un fort lien maternel ? Leur petite bouche s'ouvrait grande pour prendre le téton. June semblait infestée par ces créatures roses qui lui couvraient la poitrine. Pouvait-on dire qu'elle les aimait ? Se pliait-elle simplement à leur appétit, sidérée par leurs besoins, dirigée par son instinct animal ? June ne parlait pas tellement, se contentant, pour elle et sa portée, de fredonner tout bas en les berçant. Au début, sa double poitrine avait évoqué un excès de sensualité plutôt que la monstruosité. Maintenant que les quatre lilliputiennes nymphettes s'y agrippaient, était-elle devenue anormale de façon flagrante ?

Pas aux yeux de la reine. Si, peut-être ; mais de façon rentable.

Et Jack, le papa de ces fillettes ? Il les dorlotait avec soin. Il resplendissait. La fierté brillait sur son visage ; et l'espoir. Il estimait leur poids à vue de nez. Il ressentait moins les affolants besoins pressants qui pouvaient tourmenter un garçon obligé de croquer la vie vite fait en quelques années. Assurément, ses filles lui redonnaient un bail plus normal sur la vie. Il avait joué un horrible tour à Hubertus. Il tourbillonnait dans le ciel à bord de sa nacelle volante. Il était Jack Démon et Vif-Argent, après tout.

Il se sentit rajeuni par la naissance. Il eut du moins l'impression de mieux s'accorder à la cadence du temps. Les filles grandiraient vite, au lieu qu'il vieillisse prématurément. Elles avaient déjà pris la valeur d'un doigt en poids et en taille, comme si elles tétaient un courant manéen en même temps que leur lait !

Jatta se sentait partagée à propos de ses étranges petites-filles. Dire qu'elle était déjà grand-mère !

Comme toujours, Hilda avait à cœur les intérêts de June. Ils devaient à présent englober les petites, vu que les nœuds dans l'œuf n'avaient pas marché.

Fortunée exultait.

Jack parlait dès sa naissance ; presque aussitôt il marchait. Une semaine après l'arrivée de June à la forteresse Jaeger avec ses petites, celles-ci avaient bredouillé leurs surprenants premiers mots.

Comment...

    Nous...

        Appelons...

           Nous ?

June-'man, June-'man...

    Notre nom...

        Notre nom !

        Notre nom !

Quatre paires de petits yeux en bouton de bottine fixaient le visage rose de June. Les petites filles avaient faim d'un nom autant que de lait.

Comment pouvaient-elles devenir ce qu'elles allaient devenir sans un nom ? On n'allait pas s'adresser à elles en groupe : Vous les sœurs l'horreur, les garces la menace. Quelle maman voudrait s'adresser ainsi à sa couvée, de façon aussi sinistre et impersonnelle, même si le destin des poussins en question était de faire des dégâts ? Même si c'était pour eux une nécessité. (Autrement, June ne serait jamais débarrassée de sa maudite contagion — ni Jack de son vieillissement accéléré.)

June réfléchit avec Jack, et Hilda, qui leur confia les noms dont elle avait rêvé, écœurée, devant le miroir manéen de la galerie des portraits.

Guigne et Poisse.

Guignette et Poissette.

Jack s'entretint avec Fortunée, qui consulta son pasteur manéen.

Qu'il en soit ainsi : Guigne et Guignette, Poisse et Poissette. Le lendemain même on organiserait une divination et un baptême manéen dans la grande salle des Jaeger, avant que les fillettes ne s'impatientent trop.

Le dramaturge Vaara et sa troupe donneraient aussi une représentation théâtrale appropriée. Tous les gens d'importance y assisteraient. Van Maanen avait concocté un couronnement pour sa gringalette, événement dont on avait ricané à Sariolinna. Le spectacle du lendemain compenserait un peu cela — même s'il était peu probable qu'un coucou en soit témoin. (Souhaitait-on éventer les secrets militaires ?)

Peu après son arrivée à Luolalla, Fortunée avait pris le temps d'interroger Peter Vaara. Le pauvre Bertie — mort frauduleusement — avait mentionné le dramaturge et ses comédiens. Ils étaient à Yulistalax quand il y avait accompagné Eva.

Eva, dont la forteresse confisquée subirait bientôt l'attaque de sa mère... Le sentiment de désaffection des filles pour leur mère semblait plutôt fort, cette saison. C'est pourquoi il fallait absolument que Fortunée garde Jatta sous la main — en plus du fait qu'il valait mieux la séparer de cette Anni de basse extraction. La tolérance d'une mère avait ses limites en matière de déloyauté.

Vaara et sa troupe se dirigeaient vers Yulistalax via Luolalla (et ensuite Verrinité), pour arriver à temps au gala de cette année.

Le festival devait se dérouler trois semaines plus tard. Les proclamateurs, les poètes, les chanteurs et les spectateurs afflueraient-ils dans la ville du seigneur Burgdorf aussi nombreux que d'habitude malgré la menace de guerre non loin de là, à l'ouest ?

Le prince Osmo n'oserait certainement pas quitter sa forteresse pour se rendre en douce à la Vallée des Orateurs ! Surtout une fois que les forces de la vraie reine se seraient interposées à Loxmithlinna... ! Si Osmo et sa gringalette mutine rêvaient sérieusement de se risquer pour être reconnus par la populace dans son ensemble, cette démarche téméraire pouvait se révéler payante. Osmo et Menuise ne pouvaient quand même pas prendre ce risque !

Fortunée devait-elle rendre une royale visite au gala pour souligner sa domination et l'absence dc van Maanen ? A la mi-septembre, Maananfors serait à coup sûr tombée entre ses mains. Et pourtant, à supposer qu'elle ne le soit pas...

Fortunée se laissait-elle entraîner hors du bon chemin ? Pas simplement par l'attrait du gala, que lui rappelait la présence de Vaara — mais par son principal souci, par toute cette campagne ? Non. La pensée même de van Maanen et de Menuise lui faisait bouillir les sangs. Les punir, les pétrifier, embraser leurs squelettes.

Vaara admit que ses plans de voyage avaient été chamboulés par l'ambiance de guerre de Luolalla. Un dramaturge pouvait-il s'éloigner d'une telle source d'inspiration ? A savoir : la reine elle-même, ses soldats de bois, Jack Démon, rejeton d'une humaine et d'un Juttahat exceptionnel... Fortunée l'enverrait faire ses valises tout de suite après le spectacle, afin qu'il arrive à temps à la Vallée des Orateurs, pour jouer ce dont il avait été témoin : le premier acte de *La Revanche de Fortunée*. En route, il aurait le temps d'improviser cette nouvelle production.

Peter Vaara n'était jamais allé en Noroisie pour présenter une pièce au palais de Pohjola. Néanmoins, la reine lui avait souvent servi de thème. Ce qu'il présentait à Luolalla avant son arrivée — et que ses comédiens rejoueraient dans la salle de Jaeger après le baptême — n'était autre que l'histoire de l'Ukko de Fortunée, interprétée avec imagination.

— Avec beaucoup d'imagination, Majesté, expliqua Vaara pendant son entretien avec elle.

Il était respectueux mais confiant. Sa rencontre avec la légende vivante qui servait de sujet à sa dernière pièce ne semblait nullement l'intimider. S'il avait peur, il le cachait bien.

— Il se peut que vous preniez un risque, Peter Péril !

— Comment pouvons-nous impressionner un auditoire si nous nous défilons sur scène par peur de blesser, Majesté ? répondit-il.

114

Après lui avoir parlé, Fortunée arrivait à peine à se souvenir du visage de Vaara.

Serlachius avait insisté pour voir une répétition. Il s'était déclaré très impressionné. Il y aurait probablement des variations dans le spectacle de l'après-midi. Vaara ne couchait pas ses œuvres sur le papier. Ses quatre comédiens et lui brodaient dans une ivresse de créativité mutuelle sur un canevas bien mémorisé.

Ils travaillaient ensemble depuis six ans. Peter, Tancred, Stanislav et Natalya. Sophie s'était jointe à eux quatre années avant pour remplacer une actrice qui était morte tragiquement d'une crise manéenne alors qu'elle incarnait une magicienne isie...

La salle des Jaeger formait une grande rotonde aux murs bleus avec, en encorbellement, une galerie d'horzma beige moucheté protégée par une rambarde de fer forgé. Un grand escalier de bois conduisait à ce balcon, qui contenait des chaises tapissées de cuir rouge foncé séparées par des tables individuelles. A l'arrière, une porte conduisait aux appartements privés dans le dôme-bouilloire adjacent. Une volée de marches plus raides montait encore à un balcon plus petit. L'objet d'une telle élévation était de permettre de descendre l'énorme chandelier central au bout de sa chaîne pour le remplir de bougies et les allumer. Les occupants de la galerie principale voyaient, droit devant eux, un demi-cercle de fenêtres alternant avec des portraits de famille. L'un d'eux représentait Fortunée souriant avec bienveillance, couronnée de la tiare qu'elle n'avait plus. L'intérieur du dôme était orné de dessins argentés : la Harpe du zodiaque, le Coucou, la Vache et le Nakki sur sa chanterelle. Seule la galerie d'honneur donnait sur la cour où étaient stationnés l'aéronef royal, la machine volante isie de Jack et les nacelles de combat argentées.

L'après-midi du baptême manéen, plusieurs robustes poneys hirsutes s'y promenaient tandis que les gardes en combinaison de cuir triaient des sacs et des boîtes. La journée était belle et ventée. Une ombre traversait de temps à autre la cour. Les gardes levaient la tête au cas où cette ombre soudaine ne serait pas due à un nuage laineux.

L'intérieur de la rotonde avait été débarrassé des longues tables et des bancs afin d'y admettre un large public et les participants tout en conservant une certaine liberté de mouvement. Il fallait de l'espace pour le chaudron d'eau froide qui servirait de fonts baptismaux. De l'espace pour le brasier sur lequel mijotait une marmite de fer-blanc fondu. De l'espace pour une scène imaginaire où évolueraient les comédiens. Et de l'espace pour toute manifestation manéenne inattendue. Le sol était en faux marbre blanc, jolies dalles de calcaire poli.

La reine avait pris place dans la galerie. Elle portait sa robe de velours pourpre, ses bottines de daim écarlate et son chapelet d'ambre. Pour l'heure, elle avait abandonné tout signe de deuil. Aucune trace de dentelle ni de rubans noirs. Dans son visage ovale plein, les yeux rapprochés brûlaient sans flamme — comme le fer-blanc liquide en dessous. Comme le ferait van Maanen quand elle l'aurait attrapé. A son côté, Jatta arborait un air hautain malgré la curiosité qui la démangeait. Elle étouffait dans sa tunique de daim pourpre parée de bandes de feutre multicolores. La robe blanche à paillettes de Kay évoquait une fausse innocence. Hubertus avait revêtu ses plus beaux atours : veste à galons, gilet brodé et pantalon rayé. Sa mère, Bella, s'était absentée avec ses petits-enfants qui auraient pu être effrayés ou recevoir le mauvais œil des minuscules petites de June.

Les bébés se trouvaient sous la garde d'un soldat de bois invulnérable en uniforme bleu foncé bordé d'orange et shako à visière surmonté d'un pompon blanc. Sans se troubler, le soldat tenait le couffin dans lequel quatre petits corps nus gigotaient côte à côte. A sa gauche, June, dans sa robe de satin crème fraîchement nettoyée, était nerveuse. A sa droite, Jack, en livrée juttahate, souriait d'un air encourageant. Pliée en deux, la vieille Hilda biglait sur le côté.

La trogne rubiconde, Serlachius entonna :

— Que Mana les habite...

« Que Mana les guide...

Le pasteur en costume anthracite psalmodia un moment avant de regarder la reine.

— Mère de Kaleva, désignée par l'Ukko, ointe par le mystère, Grande Patronne de cette juste guerre et de ces fillettes miniature, puissent-elles être pleines de malice pour défendre votre cause en cas de besoin.

Puisse chacune d'elles être une poignée de misères pour vos ennemis. Quatre poignées de malheurs ! Garces la menace, sœurs l'horreur, minuscules aujourd'hui, plus grandes demain ! Que Mana les élève, que Mana les nourrisse : ces terribles gamines, ces affreuses nakkies.

Peu à peu Serlachius s'excitait, tendait vers un état d'effervescence. Les spectateurs étaient en émoi.

Les fillettes froncèrent les sourcils, grimacèrent, hurlèrent.

— Dites...

Nous...

Nos...

Noms ! couinèrent-elles.

Leur gardien garda les yeux baissés, l'expression figée. Jack fit un grand sourire à ses bébés qui sûrement supportaient un fardeau de guigne maternelle et de précocité paternelle. Dans la galerie, Fortunée exultait.

Serlachius puisa une louche de fer-blanc qu'il versa dans l'eau froide. Cela fit un sifflement de chat. Presque aussitôt se forma une fine pellicule.

On vit flotter à la surface du chaudron une forme trapue et noueuse.

— La silhouette de la machine à tout faire, Majesté ! s'écria le pasteur manéen de Fortunée. C'est ça ! La machine fabrique des armes. Ces bébés sont des armes : peste et vérole, qui seront guidées par vos paroles à mesure qu'elles grandiront.

Quatre bosses attachées à la silhouette répétaient le dessin de l'ensemble. Au moment où Serlachius souleva la forme de fer-blanc, ces bosses se détachèrent : un quatuor de charmes. Il posa le morceau principal par terre avant d'aller à la pêche aux charmes. Il en plaça un sur la tête de chaque petite et les baptisa tour à tour.

— Tu es Guigne.

« Tu es Poisse.

« Tu es Guignette.

« Et Poissette.

Les fillettes frétillèrent.

Laquelle était laquelle ? Serlachius eut l'impression que la petite de l'extrême droite était soudain celle de l'extrême gauche, et que les jumelles du milieu avaient changé de place devant ses yeux. Serait-ce là le moyen de transmettre la peste, chaque enfant pouvant être tout à coup ailleurs — peut-être très loin — assez longtemps pour toucher et contaminer sa cible ? Il se frotta les yeux. Une fillette, deux, trois, quatre. Elles étaient toutes là. Laquelle était Poisse ? Laquelle Poissette ?

— Je m'appelle Guigne, couina joyeusement l'une d'elles.

— Moi c'est Poisse, dit sa sœur d'une voix flûtée.

— Nous...

       Savons...

             Qui...

                  Nous...

                     Sommes...

Qui avait parlé deux fois ?

— Acclamez-les et applaudissez-les ! cria la reine depuis la galerie. (*Applaudissez-la aussi*. Saluez-la et acclamez-la.) Cassez la baraque !

Le capitaine Bekker, splendide dans son habit orné de dentelle écarlate et dorée, sabre au fourreau, applaudit avec une monotonie de bois. Le magnifique général Aleksonis semblait mal à l'aise dans ses blanches chausses collantes quand il prononça ses « Hourra, hourra ! » d'une voix bourrue. Le jeune proclamateur Nils chantait en se balançant. Juke déclamait avec force, le regard perdu au loin.

Et que faisaient les troupes de Jaeger ? Les nouvelles recrues présentes montraient-elles un enthousiasme assez passionné ?

Peter Vaara et ses comédiens devaient-ils gueuler à s'en casser la voix avant leur spectacle ?

Les applaudissements se calmèrent. Combien de temps devaient-ils durer ? Personne n'en savait rien. L'ovation ne réussit pas à enfler. Son sens du décorum aurait permis à Fortunée d'agiter le bras pour faire revenir le silence. Le bruit continuait simplement, consciencieux et sans véhémence. Y avait-il là trop de gens qui broyaient du noir en pensant à la mort ? Étaient-ils intimidés par ces fillettes précoces ? Loin d'imiter le balancement de Nils, l'assemblée semblait épargnée par le délire. La salle était remplie d'individus qui se copiaient l'un l'autre. Le chœur des acclamations et le grondement des applaudissements manquaient de spontanéité sauvage.

Casser la baraque ?

Jack jeta un coup d'œil en l'air.

Il fonça dans l'escalier.

En un rien de temps il fut dans la galerie.

— Vif-Argent... ! cria Jatta en vain à son polisson de fils.

Jack grimpait déjà l'escalier suivant.

Arrivé dans la galerie supérieure, il examina le treuil du chandelier. Il dégageait des atomes lumineux comme des lucioles qui se posaient sur les pendeloques de cristal, scintillant, brillant. Tout cet éclat dansait.

— Attention en bas !

Au moins il s'arrêta quelques dixièmes de seconde avant de laisser filer le treuil.

Les maillons de la chaîne du chandelier ferraillèrent quand le lustre dégringola dans le vide. Il s'écrasa dans le chaudron dans une explosion de lumière, suivi de sa queue, la chaîne. L'eau rejaillit en une fontaine de cristaux brillants et de comètes de gouttelettes. Serlachius fut trempé. Le silence complet se fit, on n'entendit que le bruit des pas de Jack qui déboulait l'escalier.

De petites mouches brillantes montèrent de l'épave.

Quatre, huit, douze.

Étincelles ailées. Elles s'envolèrent vers le soldat de bois qui tenait le berceau des fillettes. Éclats aériens émeraude, rubis, saphir, elles brillaient d'un vert bile, d'un rouge fièvre, d'un bleu asphyxie.

Babillant et gazouillant, les fillettes tendirent les bras. Les insectes se posèrent dans leurs paumes. Les bébés refermèrent le poing. Lorsqu'elles ouvrirent leurs petits doigts, les insectes avaient fondu comme des flocons de neige.

Qui avait serré à nouveau le poing avant de relâcher, venue de nulle part, une mouche noire ? Poisse ou Guigne ? La mouche s'envola vers la fenêtre la plus proche. Dans son vol en zigzag, elle miroita d'une iridescence morbide. Presque aussitôt l'insecte faiblit et tomba.

Hilda alla examiner l'insecte en claudiquant. Elle le tâta de l'index, puis renifla le bout de son doigt.

La vieille fut submergée par la mélancolie. Rétrospective poignante sur sa vie tordue. On aurait dit qu'elle avait franchi un dernier seuil. De l'autre côté de cette porte, irrévocablement derrière elle maintenant, la perspective de ses jours passés se révélait en aperçus désenchantés couleur pastel. Tant de jours s'étaient évanouis comme de fugitifs sourires à demi remarqués et frustrés...

Elle crut entendre battre les ailes du cygne. Elle était si près de la mort — en touchant une mouche mourante pestifère, annonciatrice de nombreuses autres.

Mais ce contact ne l'avait pas tuée. Ni elle, ni personne. En outre, les petites filles devaient encore grandir. Hilda eut le sentiment qu'il y aurait des détresses psychologiques correspondant aux maladies transmises par les insectes manéens.

Sa vie avait été fortement colorée par la distorsion, la sienne propre, et les vrilles et pliures des semblants d'humains aussi.

Pourtant, se pouvait-il qu'au moment de sa mort — quand elle franchirait véritablement le pas, jetant un coup d'œil par-dessus l'épaule, avec sa vue basse — elle voie son passé tordu comme... l'apparence floue d'un tout, parfait, immaculé, accomplissant les guérisons qui avaient toujours inspiré son cœur ?

Son visage ridé s'orienta vers la galerie.

— Y a des jeunesses pleines d'entrain, croassa-t-elle, capables d'attraper des mouches à la main. Seules quatre petites très spéciales peuvent libérer une mouche qui n'était pas là avant, et avec un dard pareil. Quand ces fillettes seront un peu plus grandes, elles enverront des mouches contre vos ennemis, hélas ! Mais pas contre vos amis, ça non.

Tout d'un coup, la salle fut remplie d'amis. On tapa des pieds dans un bruit de tonnerre. On entonna un chœur de hourras. A présent, Fortunée pouvait agiter la main pour apaiser le vacarme.

Elle cria :

— Je n'aurai plus d'énervantes filles. (Comme si Jatta devait être contente d'entendre cela !) Mon petit-fils, lui, a engendré des filles extraordinaires ! Elles me seront fidèles ainsi qu'à mes amis.

Dans leur berceau capitonné, que portait l'infatigable soldat de bois, les garces la menace, les sœurs l'horreur gigotaient et serraient leurs poings minuscules. Ravi, le visage fendu d'un sourire radieux, Jack se pavanait parmi les flaques et les pendeloques brisées. Il rejoignit June et la serra dans ses bras. En haut, dans la galerie, Jatta se rongeait un ongle et Kay contemplait les débris de son chandelier.

Le vacarme s'apaisa dans une parfaite spontanéité.

On entendit alors les petites brailler de faim. Hilda fit claquer sa langue. C'était l'heure pour June de sortir et de reprendre ses attelles.

— Et maintenant, la pièce, déclara la reine. (Très satisfaite, elle fit signe à son général d'approcher.) Viktor, voulez-vous venir me rejoindre ici ?

Viktor Aleksonis ferait un prince de remplacement parfait. Tunique blanche à col et chevrons argentés. Redingote écarlate. Chausses collantes en peau. Casque d'argent décoré de l'œil ailé et d'un plumet vert. Qu'il était beau ! Sur sa poitrine, il arborait l'ordre de l'Ukko. Quoi de mieux ?

Les comédiens avaient installé deux écrans pourpres pour servir de toile de fond. Des calottes noires cachaient leur chevelure. Ils portaient un justaucorps et un collant noir mat. Le visage, la voix et les mains étaient essentiels dans leur art. Nonobstant la lumière du jour, bientôt on ne remarqua plus que leurs gestes souples et l'expression de leur visage. On entendit des paroles cadencées, à demi parlées, à demi chantées.

Les visages flottaient. Les mains remuaient. Les paroles conjuraient des personnages et des décors. L'esprit des spectateurs travaillait. Peter Vaara avait le don d'envoûter son public, don qu'il partageait avec sa troupe. Il pouvait exalter l'imagination — et le public participait à son spectacle.

Cela faisait peu de sens de considérer la physionomie de Vaara. Il n'était plus le personnage gris, terne et vite oublié que Fortunée avait examiné pendant leur entretien. Il était le personnage qu'il incarnait. La même chose valait pour sa troupe.

Sophie était Fortunée Sariola adolescente.

Qu'il était facile d'imaginer cette salle en caverne ! Ici, chez les Jaeger, surtout. Leur hall représentait une cavité à l'intérieur de l'Ukko de Fortunée Sariola, très loin dans le temps et dans l'espace. Une aurore dansait, chatoyante, entre les écrans, évoquant des flots d'étoiles et des nébuleuses gazeuses.

Elle mimait la propre lumière intérieure de l'Ukko, comme elle avait été révélée à la jeune fille.

— Chante-moi une chanson, conte-moi un récit, demanda Natalya, enjôleuse. Et je t'emmènerai dans les étoiles.

Sophie-Fortunée lui répondit :

— Je suis poussée par mon désir. Je chanterai les légendes de mon peuple.

Elle semblait porter une combinaison spatiale noire, sans casque ni gants.

Qui était ce Juttahat qui arrivait maintenant ? Ses mains glissaient ici et là. Il soutenait un serpent lové autour de ses épaules. (Le serpent lui-même était presque visible.) Affligé d'un trouble désastreux, le Juttahat fit un faux pas.

— Ne pas tuer mon maître et moi, Grande Ukko, siffla-t-il péniblement. Ne pas nous réduire à des ossements dans l'intérêt de cette jeune fille et de ses parents indisciplinés. Aider mes maîtres à gouverner humains.

Quelle perspicacité de la part de Peter Vaara !

— Elle doit être impétueuse, et elle le sera, dit Natalya à l'étranger mourant.

Natalya, la nakkie de l'Ukko, sembla offrir un sceptre à Paula-Sariola-Sophie — ou était-ce une fleur à longue tige ?

Qui était ce nouveau personnage entré en scène, sinon le principe manéen lui-même personnifié ? Pas Stanislav, mais Mana manifeste : un maître. Accompagné par... Bertel, Bertie ! Le futur prince de Fortunée !

— Je la transformerai en reine éternelle, jura Maître Mana. Je doterai toutes ses filles d'un don si elle nous raconte une histoire, si elle nous chante une chanson. Je la changerai, l'échangerai.

Fortunée vacilla.

— Je concevrai des bébés à perpétuité, promit le défunt Bertie à la jeune Paula.

Paula était blonde...

La vraie jumelle de Fortunée — son vrai moi — permit à son soupirant de lui embrasser la main. La reine agrippa la rambarde de fer forgé à deux mains.

— Paula ! cria-t-elle. Bertie, murmura-t-elle.

Sophie ne leva pas la tête. La perception visuelle s'intensifiait. Les serpents isis reculaient, regardaient...

— Paula... !

Jatta interrompit la rêverie de sa mère.

— C'est Solœil Nurmi qui a la fleur à la main, maman. Je l'ai vue quand tu as ramené Juke à Outo, et j'ai vu son écho quand... (elle hésita) quand j'étais avec

Anni. Tu n'as pas vu Solœil accueillir Juke à Outo, maman ? Tu ne la reconnais pas ? C'est la sœur de Juke.

— Tu essaies de me troubler. C'est moi. Tu mens.

— Pourquoi mentirais-je ?

— Pour m'empêcher d'utiliser les fillettes ! Tes petites-filles nakkies. Ma perruchette, tu es aussi mauvaise que Menuise.

— Personne ne peut t'envoûter, maman — sauf ta propre folie !

Ce beau spectacle dans son entier déchirait le cœur de Fortunée. Voir ainsi son identité perdue ! Et être ainsi persuadée de se détourner de la guerre contre les parvenus ? Peter Vaara était-il un agent des serpents tavelés ?

La reine dut quitter son siège. Elle se hâta de descendre l'escalier.

— Paula !

Quand elle se rua sur la scène improvisée — Paula ! —, les comédiens s'arrêtèrent. Ahuris, ils se figèrent.

Puis Sophie se redressa. Elle était grande et mince, pas du tout comme Paula. Un de ses yeux brillait fort comme si elle avait une pendeloque de cristal en guise de globe oculaire. Avec un cri de douleur, l'actrice porta la main à son visage. Maître Mana tendit le bras vers elle, soucieux. Déjà Sophie découvrait son œil. Un bref instant, il sembla que l'intérieur de son orbite était vide. Elle n'était pas du tout Paula.

Juke était-il responsable de la présence de l'écho de sa défunte sœur ici ? Sur la scène, Fortunée chercha des yeux le proclamateur mutant. Elle le repéra vite. Il se cachait. Non, il n'avait pas consciemment jeté un sort à sa sœur. Il fallait peut-être pour cela blâmer sa culpabilité.

Fortunée marcha sur une pendeloque brisée. Si le personnage de Paula était devenu plus intense, Fortunée aurait pu ne plus savoir que faire aux rebelles avant de pouvoir se permettre de continuer sa recherche d'elle-même. Elle aurait été prise au piège.

— Peter Vaara ! hurla-t-elle.

Le Juttahat maladif tituba vers elle. *Pourquoi Vaara avait-il choisi ce rôle-là ?* Bien que le spectacle ait dévié, il n'abandonnait pas le personnage. Espérait-il que la mascarade le protégerait ? Mana, incarnée par Stanislav, et Natalya la danseuse de l'aurore, lumière de l'Ukko, le flanquaient au cas où il s'effondrerait.

— Majesté... (Vaara parla sur un ton qui démentait son apparente infirmité.) Y avoir procédés de pensée desquels gens être prisonniers...

Conservait-il ses tics de langage étranger pour se tenir à une certaine distance ?

— Histoires être vivantes, Majesté. Nous servir leur dessein : d'évolution, d'adaptation, d'extension de nous-mêmes, de capture de personnes pour secourir leur existence. Incarner nouveaux aspects, incarner variations. Parole être vivante, et façonner monde.

On aurait cru entendre un étranger.

— Soyez prévenue, Majesté, dit Mana-Stanislav, en ce moment vous entrez dans votre légende, forgeant un détour trompeur.

Bertie-Tancred était aux côtés de Fortunée : un visage, des mains à la dérive. La reine sentit la réaction de ses sens à sa présence.

— Majesté, dit-il d'une voix apaisante, rappelez-vous celle que vous étiez.

— Mais oui. Je me souviens.

Fortunée fixa Sophie.

Le Juttahat gloussa.

— Un jour, une femme accueillait son propre reflet dans un miroir. Mais dès qu'elle embrassait passionnément son image, la glace se vidait. Et la femme aussi. Elle disparaissait. Les deux s'éteignaient mutuellement.

— Ne dites pas cela !

Comment osaient-ils s'adresser à elle avec autant de familiarité ? En se ruant sur scène, elle était devenue une sixième actrice dans leur spectacle.

Se pouvait-il que la découverte de son vrai moi aboutisse à une annihilation — même dans la douceur et la pâmoison — plutôt qu'à la raison et au bonheur ?

— Combien de fois avez-vous joué devant les Isis ? demanda-t-elle.

La réponse vint trop rapidement du faux Juttahat. Il ne chercha même pas à savoir pourquoi elle posait la question.

— Jamais. Par la simple personnification d'une magicienne manéenne, notre amie Solveig est morte d'une crise cardiaque.

— Vous l'avez dit ! Vous l'avez dit.

124

Où, pourquoi, comment Solveig avait-elle été victime de cette crise ? *Dans quel nid isi ?*

— Tu seras la vraie reine du monde, chanta Natalya à Fortunée.

L'actrice la traitait maintenant comme si elle était Sophie-Paula. Sophie restait l'écho de Solœil Nurmi.

— Je te donnerai tout cela en échange de récits souverains...

Natalya en revenait au texte non écrit. L'action du drame les entraînait, elle et Fortunée. La reine ne devait pas rester plus longtemps sur la scène.

Un loulou voyeur s'était aventuré dans la salle et jappait. Qu'avait-il bien pu voir ? Si son maître regardait dans un miroir manéen, que voyait-il en ce moment même ?

La vraie reine d'un monde. Avec son général qui la protégeait, son capitaine de bois, son pasteur de guerre, ses proclamateurs et Jack Démon, tous prêts à rosser les rebelles à Loxmithlinna et à Maananfors.

— Que votre pièce en mon honneur se poursuive, ordonna sèchement Fortunée à Vaara. Je ne l'interromprai plus.

Une fois qu'elle aurait regagné son siège dans la galerie, elle fermerait les yeux.

8 — Clarification

ON DÉSIGNAIT SOUS LE TERME DE « BLASON » LES REVENDICATIONS de célébrité que répandaient les coucous sur les places de marché. Un type se vantait d'avoir fait une belle prise d'ailerons fins, bourrés d'œufs, ou d'avoir tué un Juttahat, à portée d'oreille d'un oiseau cancanier. L'oiseau, ou un de ses parents, « blasonnait » aussitôt la nouvelle de cet exploit dans les villes voisines.

Ces deux derniers jours, sur les quais de Maananfors, plusieurs coucous avaient claironné la victoire de Fortunée à Loxmithlinna.

Le long des jetées de granit rose, les bateaux de pêche à l'amarre s'accolaient par trois ou quatre, leurs voiles blanches ferlées. Le vapeur à aubes, *Fille de Sotko*, lance-roquettes pointé vers l'extérieur, surveillait les approches. Des gardes bleus servaient deux lance-roquettes sol-air sur le quai. Sur le rougissant éperon de granit au-dessus de la ville, un œil averti aurait pu voir pointer d'autres lanceurs semblables sur les remparts de la forteresse du prince Osmo.

Il y avait marché sur le quai. Les étals de fruits et de saucisses, de champignons et de fromages n'étaient pas spécialement animés. On ne proposait que du poisson fumé ou mariné, aucune pêche du jour. Les bateaux ne devaient pas mettre les voiles. La matinée était grise et brumeuse. De fines écharpes de brume flottaient sur le lac. Les minuscules îlots parsemés d'arbres pouvaient sembler de vagues navires, imposteurs.

A demi cachées derrière des baquets en fer galvanisé remisés sur des radeaux, des lavandières frottaient lentement des tapis qu'elles accrochaient ensuite sur des séchoirs. Tout le monde prenait son temps pour faire son travail ou ses emplettes. Terne sous la triste lumière, l'un ou l'autre des oiseaux cancaniers verts volait d'une tête de mât à une bitte d'amarrage ou à un auvent au-dessus d'un étal, et répandait la nouvelle de la victoire de Fortunée. Leur récital était fragmenté et répétitif mais d'un intérêt irrésistible.

— Oyez, oyez ! Oyez, oyez, braves gens ! croassait un oiseau.

Les gens écoutaient pour la énième fois.

— Les forces terrestres de la reine Fortunée ont investi une ferme à moins de dix lieues de la ville de Loxmithlinna. Escortées par trois sautos, elles ont avancé vers les faubourgs. Le groupe de surveillance a tenté une misérable défense, maison par maison. La vue des soldats de bois de la reine a fait croire aux gens qu'ils subissaient une invasion d'étrangers masqués. Les plus vaillants furent saisis d'un désir fatal de protéger leur maison. Ils auraient tellement mieux fait d'accueillir ceux qui venaient libérer la bâtisse en H... !

— Oyez ! caqueta un autre oiseau. Barricadés à l'intérieur de la bâtisse en H, le seigneur Elmer et la garnison se firent tout petits quand les aéronefs et les nacelles volantes de Fortunée bombardèrent la forteresse à coups de lumière chaude, de torpilles aériennes et d'explosifs...

Les blasons étaient invariablement partiaux. Les

bombardements avaient-ils été à ce point violents ? Les défenseurs avaient-ils vraiment été lâches ? La bâtisse en H était plus compacte et intégrale que l'ensemble fortifié de murailles, de toits et de tours formant la forteresse d'Osmo, exposée sur sa hauteur...

— Les bateaux enfermés dans le bassin ne furent pas incendiés, de façon que la reine Fortunée puisse s'emparer de la petite flotte...

Cette flotte pourrait bientôt traverser le lac turquoise dans une brume automnale pareille à celle qui brouillait la vue aujourd'hui. Le mois d'août touchait à sa fin et les arbres bordant les berges se teintaient d'écarlate, d'orange, de rouille et d'un cuivre terni.

— Dans sa nacelle volante, Jack Démon Pakken évita le feu des fusils à lumière, car il maîtrise le feu et le mystère de la lumière. Il lança une lenteur engourdissante sur les fenêtres brisées où s'agglutinaient les défenseurs. Il créa des tourbillons de vent dans la cour et des tornades d'eau dans le lac...

Les gens avaient déjà entendu cela.

(— Quoi ? Un demi-mark pour quatre oranges ?)

— Le soir l'aile ouest de la bâtisse en H était en feu. Les occupants auraient bien pu mettre ces geysers à profit. Le grand portail en tamisier de la cour avait été roussi, canonné et battu par des tourbillons de vent nakkis. Pendant toute la nuit, éclairée par le feu des balles, la flotte aérienne de la reine cribla les toits de grenades si bien que les défenseurs ne purent souffler une minute...

(— Chère madame, nous n'aurons certainement plus beaucoup l'occasion de voir de belles oranges pootariennes comme celles-ci, surtout si le *Fille de Sotko* reste bloqué dans le port.)

(— Le *Fille de Sotko* défend notre port.)

(— Ça revient au même.)

— Détrompez-vous : la reine ne gaspillait pas ses ressources. La machine à tout faire avait été généreuse envers elle, pour la rendre invincible...

Un coucou s'interrompit pour lisser ses plumes. Un autre reprit le récit et entonna :

— Au matin, ses gardes, ses soldats de bois et les troupes de Jaeger remplissaient les rues menant à la place connue sous le nom de Petit Coin. Ils s'étaient emparés de tous les magasins et de toutes les maisons du voisinage, les vidant de leurs occupants. Les rayons laser frappaient les fenêtres brisées des ailes nord et est de la bâtisse en H pour intimider les volontaires de la défense. Balles explosives et carreaux partaient comme des feux d'artifice...

(— Allons ! Vous pouvez aisément vous procurer des oranges par le royaume de Tapper Kippan. Profiteuse !)

(— Aisément ? Oh non, chère madame.)

— Oyez maintenant : le matin la fumée se déversait toujours de l'aile ouest défoncée. Des cratères trouaient chaque toit. Sur la place du Petit Coin, la fontaine de tuyaux ornée de coucous de cuivre ne coulait plus. Les courbiers étaient dépouillés de leurs beaux plumets d'automne. Le pilori se dressait toujours là, sinistre. En attendant quel misérable ? La Terreur étreignait-elle l'âme de ceux qui se trouvaient à l'intérieur, ou était-ce une terreur justifiable ?

Les oiseaux brodaient-ils autour des événements en empruntant à leur répertoire d'histoires du passé ? Leur récit faisait tout de même preuve d'un certain réalisme. Pour glacer davantage leur auditoire ?

— Oyez maintenant : la reine possède un puissant chariot de guerre fabriqué pour elle par la machine à tout faire. Il est resté à Sariolinna. Vraiment trop lourd à transporter, suspendu par des chaînes sous un aéronef !

(— Un demi-mark les six...)

— Qui avait besoin d'un tel engin ? La lumière chaude a grillé les gros gonds du portail en tamisier canonné. Une fusée a fait sauter une charnière. Une deuxième fusée, et une deuxième charnière en l'air. Jack Démon dansait pour conjurer une bourrasque du tonnerre. Juke Nurmi et Nils Carlson proclamaient...

Nils Carlson ? Il était inconnu des citoyens de Maananfors... Nils était-il la source de ces blasons ?

— La moitié de l'immense portail grinça et s'écrasa vers l'intérieur...

Une tête verte squameuse se cacha sous une aile.

Un autre coucou poursuivit :

— Il était temps à présent d'utiliser le chariot de guerre pour plonger dans l'enfilade des incendies vers la barre du H de la bâtisse — même si ce mastodonte ne contenait que trois personnes à l'aise, cinq un peu serrées. A quoi bon la védelle d'acier ? Les sautos de la reine attendaient pour bondir dans la salle de banquet centrale...

« Ce fut le moment choisi par Lyle Melator pour persuader le capitaine Haxell de tourner les volontaires de la défense contre la garnison réduite de ce traître d'Osmo...

Un grognement, qui devint grondement, s'échappa de plusieurs gorges.

— Tout d'un coup, on se battait à l'intérieur de la bâtisse en H. L'incendie avait cessé. Que pouvait-on faire d'autre quand le seigneur Elmer et Dame Eva s'étaient enfuis aux petites heures du matin à bord du *Traîneau des Mers*, pour soi-disant empêcher la reine de profiter des qualités d'ingénieur de Loxmith, dans l'éventualité où la bâtisse en H tomberait entre ses mains... ?

Le long du quai, ce même bateau, le *Traîneau des Mers*, flottait sous bonne garde. Il était à présent équipé d'un fusil laser à double canon monté sur un pivot.

— Que pouvait-on faire d'autre, vraiment ?

Des auditeurs hochèrent la tête. Le fabre ingénieur instinctif n'avait-il pas mis la machine à tout faire en route ? (Même si le prince Osmo l'avait d'abord chauffée, avant d'être traité avec mépris !) Il était bien moins dangereux pour Maananfors qu'Elmer Loxmith soit ici plutôt que là-bas. Pourtant fuir sa propre forteresse pendant l'attaque et laisser mourir des courageux... ah !

— Mon mari faisait partie de cette garnison ! gémit la jeune poissonnière enveloppée de son châle. Est-ce qu'ils sont vraiment tous morts, coucou ?

— Ukko-ukkou, caqueta l'oiseau. (Depuis quand un coucou répondait-il à une question directe ?) Célébrez la victoire de la vraie reine de Kaleva.

Beaucoup d'hommes (et quelques femmes) de Maananfors avaient survécu au siège et s'étaient fait tuer par ces traîtres de la bâtisse en H ; ou sinon par les sautards royaux ou les implacables soldats de bois. Une vraie boucherie, pour affaiblir Osmo.

— Maudite Fortunée ! hurla la jeune femme. Elle est aussi mauvaise que le dit notre Osmo !

C'était le sentiment général.

— Elle nous vendra comme esclaves aux Isis ! hurla quelqu'un d'autre.

— Oyez, oyez, cria un nouveau coucou ; et les voix

se turent. La reine ne gaspillait pas du tout ses ressources...

Le Sam Peller d'Osmo avait reçu des armes des Tavelés. Le *Fille de Sotko* pointait son lance-roquettes sur l'autre rive. Bateaux : attention aux roquettes. Aéronefs : pareil. Quant aux proclamateurs, Osmo était le meilleur. En outre, la reine Menuise avait eu le dessus sur une magicienne manéenne. Aussi les auditeurs du coucou étaient-ils méfiants plutôt que découragés. (Un demi-mark les cinq, alors.) Les gens traînaient encore pour entendre des bribes d'information. Un pasteur manéen de Forssa prétendait avoir la preuve que les coucous communiquent mentalement, même très éloignés les uns des autres. Ces caqueteurs sur les bittes d'amarrage et les têtes de mât voyaient intérieurement ce qu'enregistraient les yeux jaunes de leurs parents au loin, à Loxmithlinna par exemple.

La brume, la brume trompeuse ! Fortunée allait sûrement faire une pause pour reprendre des forces, engager davantage d'armes et panser ses plaies aussi. Il y avait certainement eu également des blessés du côté des Noroisiens.

Combien de temps s'arrêterait-elle ? Une semaine ? Dix jours ? Quinze ? Fortunée était-elle déjà à Loxmithlinna ? Sa prétendue nouvelle flotte, risible vraiment, ne se montrerait pas avant un moment.

La brume recouvrant le lac avait attiré les gens au marché ce matin, autant que la présence des oiseaux cancaniers ou le désir de faire des provisions. La brume dense qui cachait le lointain n'était assurément pas une brume manéenne, autrement on se serait activé davantage là-haut dans la forteresse. La même chose serait-elle vraie les matins suivants ? Cette brume, alors, serait-elle le travail de Jack Démon et des proclamateurs de Fortunée ?

Lorsque la sauto du capitaine Jurgen apparut dans la cour de la forteresse d'Osmo, son pilote faillit se faire abattre. Fusils à lumière et arbalètes se tendirent vers lui.

— Ami ! brailla-t-il.

Ses anciens collègues reconnurent alors sa grosse moustache rousse. Jurgen avait le visage maculé de cambouis, ainsi que son uniforme de cuir bleu ciel. Ses bottes étaient roussies. Du sang séché encroûtait ses boucles blondes.

Il mit pied à terre.

— Emmène l'engin là-bas, veux-tu, Sven, tu seras sympa.

Il parlait avec une légèreté de ton qui trahissait une terrible tension augmentée de fatigue.

— Toi aussi, t'es sympa, répondit le fusilier blond, mais je suis de service.

Un éclat dément brilla dans les yeux bleus et las de Jurgen.

— Fais-le ! Je dois voir le prince Osmo immédiatement... (Il se passa une main crasseuse sur le visage.) Sinon, merde, à qui je fais mon rapport ? Johann est tellement loin que c'est seulement dans les entre-deux que j'arrive à sentir son écho qui disparaît. (Il montra les portes fermées de la salle de banquet.) Je ne peux pas emporter ma sauto là-dedans avec ses canons qui... tuent, qui tuent, qui tuent.

— C'est le capitaine Jurgen, rappelle-toi, siffla à Sven l'un de ses collègues.

Oui, certes, commandant de la garnison de la bâtisse en H — où tout le monde s'était fait mettre en pièces ; sauf lui, apparemment... Est-ce que ce type épuisé et presque incohérent se maîtrisait lui-même en ce moment ?

— Tu ferais mieux de le débarrasser de l'engin, Sven, comme il te l'a dit...

Au cas où le capitaine Jurgen, à la tête d'aucun survivant, agripperait la poignée rouge et ouvrirait le feu, de frustration et de folie.

— Tu ferais mieux...

— Occupe-toi de ma sauto, crénom !

— Bien, mon capitaine, fit Sven, et il posa son arme sur les pavés.

A l'intérieur de la salle, se dressaient une demi-douzaine de poêles ventrus entre les tapisseries à décor d'arbres, sentinelles inertes rappelant l'automate de cuivre abandonné à la bâtisse en H.

Elmer contemplait ces poêles d'un air morose, assis sur un banc auprès d'Eva. Lorsqu'elle promena ses doigts sur la longue main osseuse de son mari, le visage de celui-ci s'illumina. Il y avait tant de réconfort dans sa caresse, sa caresse délibérée. Dans les équations mystérieuses des sentiments, sa forteresse était-elle perdue de façon acceptable, quand la période de terrible violence les avait poussés à une consommation frénétique de leur union, dont Eva et lui étaient les bénéficiaires ?

Assise à côté de lui, dans sa triste robe grise, son bandeau noir sur l'œil, Eva était-elle suffisamment consolée ? Était-elle réconfortée au point d'être sûre que les flagellations nocturnes cesseraient ? Était-elle soulagée de savoir que sa mère ne pourrait plus se moquer de sa virginité permanente ni de l'impuissance de son époux ? Elmer et elle étaient-ils vraiment des âmes sœurs en dépit des souffrances qu'il lui avait imposées par nécessité et malgré l'agression de Cully ?

Elmer étira sa carcasse cadavérique et rejeta en arrière sa tignasse noire. Il portait encore sa tunique de cuir maculée comme témoin de son usage à Loxmith-linna. Son état de crasse accentuait son statut de réfugié.

Longue-vie, longue-vie : il l'était enfin.

Le lendemain de l'assaut venu du ciel, de petites explosions avaient continué à ponctuer la courte nuit.

A quoi bon le répit dû à l'obscurité si l'aile ouest brûlait encore malgré la chaîne des seaux d'eau pompée dans le bassin ? L'incendie ne s'étendait pas. Il était maîtrisé. Il illuminait encore les trois autres ailes, comme des cibles. Les grenades tombèrent sur le toit des ailes sud, est et nord.

Dans la suite blindée, derrière les volets de fer, chaque détonation faisait un bruit sourd, abrupt, haché, déchiqueté. Impossible de dormir, la perspective du sommeil était absurde et irresponsable. Elmer n'aurait-il pas dû céder la suite blindée à son père paralysé ? A sa mère, toujours aussi blanche qu'un linge et comme bouleversée par un nakki ? A sa jeune sœur Nikki, qui semblait le détester ? Ou à certains blessés, que Moller et la mère Gründwald s'efforçaient de soigner de leur mieux ?

Elmer ne devrait-il pas arpenter les couloirs pour offrir ici un mot d'encouragement, là une parole de réconfort ? Lyle pensait que non. Le seigneur et sa dame devaient rester à l'abri, ensemble, en sûreté.

Une unique chandelle diffusait une faible clarté sur les

tentures de soie voilant les panneaux de fer. Les senteurs douces et volubiles de la sauge et du jismin se mêlaient à l'odeur de fumée des brasiers pour vous faire tourner la tête.

Crac, sur le toit, trois étages plus haut.

— Tu as baisé la créature dorée la nuit précédant le premier siège ! avait grossièrement crié Eva à Elmer, pour l'allumer. Tu lui as chatouillé les tétons, tu lui as ramoné la cheminée ! Voilà le deuxième siège !

Et elle s'était dépouillée de sa robe et, de dos, s'était trémoussée de la croupe.

Elle présentait deux grandes coupes, moulées de façon appétissante, côte à côte, au-dessus des anses rondes de ses jambes. Il voyait peu de chose mais humait une odeur de chocolat brûlé, une épaisse crème sucrée de contradictions émoustillantes. Ces coupes rondes oscillaient, tentantes. Goûter, lécher, plonger dedans. Sous la clarté jaune de la chandelle, Eva était un bel appareil fessier, musclé, bien dessiné, oscillant, invitant. Il se débarrassa de ses vêtements, même s'il n'avait point de fouet pour battre la crème au chocolat. Il était heureux de se dénuder. L'air était tellement moite. Il manquait des vitres aux fenêtres, les volets de fer barraient la brise même s'ils n'arrêtaient pas l'infiltration de la fumée. Elmer était luisant de sueur.

— Viens à ta créature dorée, lui ordonna-t-elle, fiévreusement, ses longs cheveux descendant jusqu'au creux de ses reins. Viens, viens avec ta clé, ta longue clé raide !

Hélas, sa clé restait molle.

Crac.

Comme il ne l'avait toujours pas empoignée, elle lui fit face.

— Je ne peux rester vierge plus longtemps. Ma mère va venir ! Si je le suis encore à son arrivée, tu mourras. Tu mourras. Viens à ta créature dorée, Elmer. C'est moi.

Eva le regarda comme pour un adieu, puis d'un mouvement rapide elle glissa le bandeau qui cachait son orbite vide sur son œil valide, son œil unique.

— Je suis aveugle, je ne vois rien, Elmer. Je ne peux voir ce que tu fais, ni rien. Je ne suis pas moi, tu n'es pas toi. Qui es-tu ? Qui suis-je ? Je suis une créature dorée sans yeux.

Elle se déplaça en tâtonnant, chercha le lit à l'aveuglette, se jeta dessus. A plat ventre, les genoux écartés, elle souleva haut les fesses.

— Vas-y, vas-y ! commença-t-elle à gémir, la voix en partie étouffée. Baise-moi sinon tu mourras.

Quelle obscénité dans la bouche de sa princière épousée ! Eva était sûrement une autre : un appareil simplifié, dénudé, bien que voluptueux.

Crème au chocolat cramée... La bâtisse était en feu. De petites bombes tombaient.

Des hommes et des femmes avaient péri aujourd'hui, fauchés par un rayon laser, bras et visage éclatés. Le verre brisé avait lacéré les chairs de façon horrible, puis il n'était plus resté de verre. La mort, la mort... et le remède reposait entre les jambes du seigneur, et les jambes de la dame. Une connexion tellement simple. Tellement lubrifiée par la sueur.

Il était raide. Il était derrière elle sur le lit.

— Qui es-tu ? avait-elle crié. Je suis aveugle. Vas-y, vas-y !

Il tomba en avant. Elle avait soutenu son poids. Et elle l'avala, l'aspira en elle. C'était tellement simple, tellement glissant. Crac. Le fracas l'ébranla. Une frénésie d'automate entiché s'empara de lui, et il trombona. Elle criait des « ah » répétés, jusqu'à ce qu'il explose en elle, avec un râle, le souffle court. Il ressentit une bienheureuse douleur plutôt qu'un grand fracas en expulsant sa purée.

Elle s'effondra sur le ventre en gigotant.

Il la tourna avec peine. Doucement il baisa les paupières tressaillantes de son orbite vide.

Un instant, il avait craint qu'elle ne le rejette, mais elle s'agrippa à ses épaules, enfonça ses ongles dans sa peau.

— Oui, oui, souffla-t-elle. Aimez-moi, défigurée, mon seigneur ! Buvez mes larmes !

Sel sur chocolat brûlé, douces odeurs de noisette et de jismin... Il écarta ses paupières du bout de la langue. La promena à l'intérieur. Osmo, le champion proclamateur, avait été dégoûté par une orbite vide quand la sœur de Nurmi avait arraché son œil factice. Pas Elmer ! Qui des deux était le plus grand maître ? Comme cette caverne semblait vaste sous le bout de sa langue, et salée comme la mer.

Bientôt elle souleva ses hanches. Ses hanches somptueuses, comme une selle rembourrée.

Ils reposaient côte à côte.

— Merci, mon oiselle, babilla-t-il plusieurs fois.

Au bout d'un moment, ils firent l'amour face à face. Elle insista pourtant pour que son membre et sa langue la fourbissent en même temps.

Elle imita une voix juttahate.

— Grand vertige être dans ma tête, mon seigneur. Chatouillement de langue de serpent.

— Je t'aime, lui déclara-t-il sincèrement.

— Lécher moi être agréable, seigneur Loxmith.

Elle semblait aliénée. Pourtant, il sentit renaître son appétit. Elle aussi ! Quel coup de reins elle avait... !

Peu après, Lyle était venu cogner à la porte. Lorsque Elmer, rhabillé à la hâte et en chaussons, avait fait entrer son assistant dans le vestibule, la lampe à huile que tenait Lyle avait révélé les lambeaux de dentelle pendant au cadre de la fenêtre et les monceaux de verre fracassé jonchant le sol comme des bijoux. Lyle sourit à Elmer. Il renifla. Fit-il un clin d'œil ?

Tout se précipita. Elmer et sa femme devaient partir immédiatement, dans le plus grand secret. La bâtisse allait tomber. Un homme doué des talents d'Elmer ne devait pas se faire prendre par Fortunée. Si Elmer restait, Osmo perdrait la guerre à coup sûr. Le capitaine Haxell le pensait également. On remonterait la herse juste assez pour permettre le passage du Traîneau des Mers. Il fallait filer à la faveur de la nuit.

Sur un autre banc de la salle du banquet, Sam Peller aux cheveux d'argent parlait par communicateur avec l'un de ses éclaireurs stationnés à Asikkala. Un aéronef isi tavelé avait encore transporté des armes tout près de Maananfors.

— Il ne faut pas qu'ils s'approchent davantage qu'Asikkala, tu m'entends, Pekka ?

Sam portait un ensemble de cuir bleu immaculé, neuf, orné d'un triple chevron aux épaules. La décoration représentait des lèvres rouges pareilles à celles que son seigneur proclamateur s'était fait tatouer sur les biceps. C'était une distinction inventée et octroyée par la reine Menuise. Sam était la voix d'Osmo pour les éclaireurs, les gardes et les sentinelles de la ville (que l'on connaissait maintenant sous le nom de Garde Bleue). Devrait-on donner le titre de général à Sam, l'équivalent du Viktor Aleksonis de Fortunée ? Le percepteur Septimus deviendrait-il son chambellan ?

Osmo pesait encore ces suggestions de son épouse. La forteresse de Maananfors était assurément une cour royale, à présent. Voyez à quoi avaient mené les tendances démocratiques de la bâtisse en H ! Menuise était une nouvelle sorte de reine, et le soutien populaire sincère était essentiel. Personne ne souhaitait imiter l'autocratie capricieuse de Fortunée qui risquait de conduire la Kaleva à sa perte et à la domination étrangère. Septimus était un gros buveur. Il serait ridicule en long manteau, large ceinture et perruque poudrée.

Quant à Sam, il rejetterait les parures et les titres pompeux. Il aimait pourtant bien l'insigne de ses chevrons-lèvres. On pouvait déjà l'entendre : « Si vous voulez mon avis, c'est après avoir gagné la guerre que l'on peut se faire appeler général. »

— Tu m'entends, Pekka ? Sous aucun prétexte, je dis bien aucun, nous ne voulons de volontaires juttahats pour combattre à nos côtés. Si l'éventualité se présentait, ce serait...

Alvar, revêtu de son vieux peignoir mûre, griffonnait méticuleusement dans son carnet à reliure noire. Ses minuscules pattes de mouche couraient sur une ligne, sautaient à la suivante et se précipitaient toujours plus avant. Il vida un stylo. Sifflotant, il fourra la cartouche vide dans sa poche gauche et en tira une pleine de la droite.

Ces temps-ci, il semblait à peine avoir le temps de remplir ses stylos mâchouillés (il en possédait une douzaine). Il se les procurait à Kip'an'keep, ainsi que son papier et son encre. La tenue d'Alvar était maculée de taches noires. Comment faisait-il pour être à jour dans ses *Chroniques* — pour séparer le grain de l'ivraie — quand les événements se produisaient pratiquement sous son nez ? Tout en scribouillant, il tirait sur sa pipe de tamisier, formant dans l'air des nuages parfumés au rhum et à la muscade. Portes et fenêtres étaient bouclées au cas où un coucou viendrait espionner des plans. Dehors, la vue sur le ciel par-dessus la ville et le lac était floue aussi.

Menuise, parée de sa robe magenta et de sa couronne de cuir et de perles, trônait parmi les fleurs crème sculptées de son siège royal en bois ivoire. Elle balançait dans le vide ses pieds chaussés de bottines à plates-formes. La longue table occupant habituellement l'estrade avait été déplacée dans la salle, depuis plus d'un mois, pour que le trône ressorte bien. On avait apporté des cuisines une table plus petite.

Princier en vert et or, avec rosettes en ruban, Osmo se prélassait aux côtés de sa reine. Sur le dos de son fauteuil, il avait jeté son manteau pare-balles qu'il gardait toujours à portée de main, sur les conseils insistants de Sam. Le même vêtement, plus petit, gisait sur le parquet de jaunier ciré près de Menuise comme un petit chien marron couché aux pieds de sa maîtresse.

— Nous ferions bien de revoir la situation, Elmer, dit Osmo. (Et Alvar grogna, puis il sourit et tourna une page, le stylo en attente.) Cette fois, en ce qui concerne M. Melator. Il me semble que ce Lyle t'a envoyé au lit avec autant de duplicité que lorsqu'il est venu te réveiller par la suite.

— Je ne dormais pas, s'insurgea Elmer, et Eva rougit.

Menuise gloussa, mais elle reprit vite contenance.

(— Nous ne souhaitons pas savoir ce qui se passe au lit ; c'est une affaire privée...)

— Avec presque autant de duplicité, souligna Osmo, que celle des occupants de la bâtisse en H quand ils se sont tournés contre mes hommes à l'instigation de Lyle ; si l'on en croit les coucous. Je pense que ce fourbe t'a mis à la porte de chez toi.

— Mais c'est mieux que je sois ici, non ?

Elmer avait déjà rendu service, ne serait-ce que la veille, en montant un puissant fusil à lumière sur le *Traîneau des Mers*, transformant ainsi le navire de plaisance en patrouilleur. Elmer souhaitait ardemment que Sam demande aux Isis tavelés de leur fournir des automates en métal qu'il convertirait en robots guerriers pour contrebalancer les imperturbables soldats de bois de Fortunée. (Pourquoi les Isis utiliseraient-ils des automates de métal quand ils ont leurs Juttahats ? avait répondu Sam. S'ils avaient des hommes de métal, et je suis sûr que ce n'est pas le cas, vous pourriez parier votre dernier mark que les magiciens isis espionneraient tout à travers leurs lentilles !) Combien de marks Elmer avait-il avec lui ? Aucun.

— Je ne serais pas trop surpris, Elmer, mon pote, si en ton absence Lyle forçait ta sœur à l'épouser...

— Forcer Nikki...

— ... avec la totale approbation de Fortunée, pour légitimer une nouvelle seigneurie. Ça a toujours été plus ou moins son idée, non ? Et voilà qu'il tient sa chance d'en avoir beaucoup plus, toi n'étant plus dans ses jambes.

L'attitude d'Osmo à l'égard d'Elmer était-elle un brin plus paternaliste que quand il avait investi la bâtisse en H avec son armée ?

Elmer rougit.

— Lyle ne peut pas se présenter en seigneur longue-vie.

Osmo coula un regard surpris et amusé sur le seigneur fugitif de Loxmithlinna.

— Bien, bien, dit-il d'un ton jovial, mieux vaut tard que jamais. Une créature dorée fait merveille.

(— Non, nous ne voulons pas savoir...)

Eva avait fermé son œil sain et tordait sa robe grise sur son genou comme pour l'étrangler.

— Que veux-tu dire par là ? demanda Elmer.

Gloussant, Osmo posa une main de propriétaire sur le bras du trône d'ivoire.

— Mon oiselle, ma vie, mon épouse royale, murmura-t-il.

(— Nous ne voulons pas savoir.)

Eva rouvrit son œil. Sans crier gare, elle se leva et arracha le bandeau noir de son front, exposant...

Osmo frissonna, détourna le regard. Il leva la tête vers la poutre maîtresse où il crut détecter la tache blanche d'un étron de coucou sur le bois pourpre.

Eva prononça lentement et fort :

— Je suis nue maintenant, n'est-ce pas ? La vanité est dans l'œil de ceux que l'on voit. Ainsi : sans œil, pas de vanité ! A moins que l'on ne recherche ce qui a été perdu. A moins de nommer la chose de ses lèvres, en silence, pour adorer la blessure comme le prix... de quelque chose d'autre. Je crois que j'ai conçu une nouvelle forme d'adoration. Une nouvelle forme de plaisir !

Ses paroles étaient bizarres. Menuise faisait non avec sa bouche et secouait la tête.

— Il explose en moi une splendeur de lumière délicieuse quand les moignons de ma vision sont sollicités.

— Mon âme, mon cœur, marmonna Elmer, transi d'amour.

Son cœur devait battre d'une fierté embarrassée. Cette confession intime était vraiment déplacée, même si elle grisait Osmo.

— Cela ne me fait pas mal, vous savez, poursuivit Eva d'un ton triomphal. La douleur est guérie. C'est délicieux. Je suis fière. Je suis unique. Mis à part (et elle lorgna vers Osmo), mis à part Solœil Nurmi, je suppose ! Si toutefois elle n'était pas morte !

Osmo se contracta.

— Morte, répéta Eva. Morte. Ce qui arrive aux mortels, hommes et femmes, qui ne sont pas longues-vies.

Osmo sembla soulagé. Il tapota sa chevelure ondulée châtaine qui ne griserait ni ne s'éclaircirait jamais.

— C'est le cas que tu fais de notre hospitalité ? cria Menuise à sa sœur.

— Je vous remercie de votre hospitalité. Je n'ai peut-être plus de forteresse. Je n'ai peut-être plus de foyer. Mais je ne me sens plus mutilée. Je suis comblée, remplie par une langue.

Eva eut un rire niais tandis qu'Elmer la regardait avec une timidité émerveillée.

Sa femme était-elle devenue folle ? Pourtant, quelle étonnante sortie ! Ce qu'elle avait gardé renfermé à l'intérieur se déversait. Il se sentit pris d'un vertige d'exultation autant que d'embarras.

Les machines ne sont jamais folles. Peut-être la machine à tout faire était-elle un appareil imprévisible et dément ? Non ; c'était un engin rationnel bien qu'aléatoire, programmé en priorité pour fabriquer des armes. Les machines ne sont pas folles. Devait-il acquérir un trait de folie afin de supporter son exil — causé par Osmo ! — sans être humilié par la charité de ce même Osmo ? Était-ce ce que lui montrait sa femme ?

— Morte, reprit-elle. Non que je sois longue-vie moi-même ! Comment le pourrais-je ? Mais... vous non plus, prince Osmo.

— Non, Eva... ! rugit Menuise. Elle est déboussolée, Oz...

— Vous ne le saviez pas, Osmo ? Menuise ne vous l'a pas dit ?

Osmo regardait sans comprendre. Elmer tira Eva par sa robe.

— Par Mana, que veux-tu dire ?

— *Une langue dans l'orbite vide m'inonde de lumière*, chanta Eva. Je pense que je pourrais être poétesse, déclara-t-elle. N'en ai-je point la qualité idoine ? A savoir : un seul œil ! Sauf que la poétesse est morte, et que vous n'êtes pas longue-vie, Osmo, au contraire de mon seigneur Elmer.

Menuise baragouinait des choses à Osmo qui se ratatinait sur son siège. Sur sa joue, le petit creux avait blanchi comme si une pointe invisible s'y enfonçait pour lui clouer sa langue. Alvar griffonnait si vite qu'il cassa sa plume. Il la fourra dans une poche, en sortit une bonne de l'autre. Des vapeurs de rhum et de muscade auréolaient le papa d'Osmo.

— Excusez-moi, interrompit Sam, mais tout cela n'est pas très productif. Attends, Pekka, jeta-t-il dans le communicateur. Non, cela ne sert à rien.

Il se leva. Il vacilla. Comme il était ébranlé !

— Je n'ai pas entendu. Personne n'a entendu. En tout cas, pas moi, ni personne dans cette forteresse. Pekka, tu n'as rien entendu, tu m'entends ? Qu'est-ce que tu as entendu ? Rien ? A la bonne heure !

Sam tira sur sa courte barbe blanche, puis il épousseta les chevrons sur ses épaules.

— Excusez-moi, mais je vais vérifier les batteries des missiles. Contrôler que tout marche bien.

Sam partit en vacillant pour sortir par la lourde porte de tamisier.

La tête haute, Eva parcourut du regard la salle de banquet comme si elle était bondée. Elle avait regagné sa dignité, et celle d'Elmer. Elle avait rétabli l'équilibre. Un doute traversa de manière fugitive son visage voluptueux et imparfait. Osmo louchait comme un halluciné. Malgré la chaleur et le parfum de la pipe d'Alvar, il frissonnait.

Avant que Sam ait pu s'échapper, la porte s'ouvrit à toute volée sur un solide gaillard crasseux, portant une moustache rousse et une combinaison de cuir maculée.

— Jurgen ? s'étonna Sam. Capitaine Jurgen ? Vous êtes vivant ? Vous n'avez rien entendu, annonça-t-il au nouveau venu, comme s'il l'avait surpris en train d'écouter à la porte.

Sam passa en vitesse. Jurgen concentrait toute son

attention sur l'estrade où Osmo, hébété, se laissait aller dans son fauteuil.

— Prince — et Majesté — j'apporte des nouvelles...

Un torrent d'informations se déversa de Jurgen. Alvar, la plume véloce, commença à se parler à lui-même dans un effort pour faire quelque chose des mots qu'il n'avait pas le temps de coucher sur le papier, pour les mettre quelque part, les stocker en quelque sorte. Menuise regarda son beau-père avec une pâle sympathie. Ses propres lèvres remuaient toutes seules. Elle marmonnait. Excuses, explications, consolations. Eva s'était renfoncée dans son siège, un petit sourire aux lèvres. Jurgen hésita. Son regard alla de son seigneur qui semblait si soucieux aux tapisseries représentant des arbres. Fort déçu par l'accueil qu'il recevait, le capitaine aurait bien pu aller se perdre dans ces berceaux de verdure.

— Au rapport, capitaine, dit Menuise. Oui, faites-nous un rapport complet.

Lorsque son frère jumeau fut tué par un carreau d'arbalète, Jurgen enfourcha sa sauto et s'éloigna du tumulte engendrant la mort dans la bâtisse en H.

Le trépas de son frère l'avait secoué. La mort sembla le pousser loin, très loin, si bien qu'il n'eut d'autre choix que de bondir à la poursuite de son défunt frère.

Si seulement il pouvait arriver à rattraper le fantôme de Johann dans l'entre-deux, pour l'installer sur le siège arrière et le ramener du rivage de la mort au monde des vivants !

Jurgen passa un jour et une nuit à sauter. Parfois son frère semblait très près dans un éclair d'obscurité entre deux lieux. Forêts, lacs, rues infestées de soldats de bois et de gardes de Fortunée. Jurgen ne parvenait jamais à atteindre Johann. Autrement, quel nakki aurait-il sorti de l'entre-deux ?

Esquivant ici, dérapant là, il avait vu les répercussions du siège, la pacification, l'arrivée de l'aéronef royal.

— Fortunée est déjà là-bas, prince Osmo ! De l'autre côté du lac turquoise. J'aurais pu tenter de l'assassiner. Je savais qu'il ne le fallait pas. Nous ne voulons pas sa mort, n'est-ce pas, sinon Mana risquerait de se déchaîner. Nous voulons la capturer vivante pour l'enfermer dans des oubliettes de granit pendant le reste de sa longue longue vie...

Les paroles de Jurgen peinaient Osmo au plus haut point. Menuise marmonnait à l'oreille de son époux.

Le capitaine Jurgen restait détaché de lui-même, détraqué par l'absence de son jumeau. La moitié de son âme était perdue dans l'entre-deux, aliénée. Il avait délivré un courageux communiqué, mais qu'il était tourmenté !

— Contraignez-moi, supplia-t-il. Empêchez-moi de m'éjecter dans l'entre-deux pour rejoindre Johann et ma garnison.

— Fais-le, siffla Menuise. Fais-le pour lui !

Osmo se ramassa, inspira profondément, jeta un coup d'œil angoissé à Menuise. La révélation d'Eva et les explications haletantes de Menuise l'avaient démoli.

— Mon canard, ma vie, murmura-t-il. Pourquoi m'as-tu caché cela ?

Comme s'il n'avait pas compris ses protestations.

— Je ne le savais pas, jusqu'à ce que j'aie parlé avec Eva dans la bâtisse en H ! répondit-elle d'une petite voix misérable. C'est tellement méchant, c'est horrible — encore un mauvais tour de maman ! Elle ne confie jamais le mot à ses filles, seulement aux fiancés. Maudite soit-elle. Qu'aurais-tu gagné à savoir la vérité, Oz ? Quel bien aurait-elle fait au moral de tes troupes ? Que c'est stupide, idiot ! Faire l'amour à l'envers. Mana, aidez-nous ! Nous faisions l'amour, Oz, un amour sincère et réel. Il en sera toujours ainsi ! Toujours. Non, pas toujours exactement... Je t'ai sauvé de... de...

Osmo grimaça. Il se gifla la joue. Il porta son regard vers la niche dissimulée où il avait jadis gardé l'homme de pierre. Il agrippa le bras du fauteuil. De la force... De la force devant Elmer et sa femme ; et devant son scribouillard de père. Lentement il tourna la tête vers son épouse.

— Oui, tu m'as sauvé de cette monstrueuse magicienne mutante, n'est-ce pas ? Et du piège de la créature dorée aussi... c'est vrai. Ensemble nous préserverons des Isis l'âme de l'humanité. Nous sauverons notre monde de cette folle de Fortunée. Ensemble, tous les deux.

Avec un pâle sourire, il tendit le bras et attrapa la petite main de son elfe.

— Ensemble, ma courageuse poulette.

— Oh, Oz...

— Je te pardonne. Non, le pardon est trop seigneurial. Je t'embrasse, ma joie.

— Libérez-moi, mon prince ! supplia Jurgen.

Roussi et crasseux, le capitaine s'obstinait à attendre, conscient uniquement de son besoin à lui.

— Menuise, je suis incapable de rassembler les paroles adéquates pour l'instant. Je le ferai. Mais c'est un tel choc...

On lui avait tiré un tapis de sous les pieds...

— Dire que j'ai cru être longue-vie ! Quelle erreur ! Quelle illusion ! Imbécile que je suis. Cœur, arrête ! Non, ne t'arrête pas ! Continue à battre. Je ne trouve pas les mots.

— Dans ce cas, fit Menuise, je dois trouver une solution. Je suis un peu magicienne, après tout ! Et reine.

Que pouvait-elle faire ? Elle glissa à terre. Elle s'agenouilla, ouvrit le tiroir de bois ivoire, sous le trône. Elle en sortit la petite harpe d'argent en forme de faucille et remonta sur le siège. Ses bottes reposaient sur le tiroir ouvert. Ses doigts se promenèrent sur les chevilles, les clés d'accord, les boutons.

— Poulette, tu ne sais pas...

Elmer s'était levé. Fasciné, il s'approcha. Ses longs doigts osseux remuaient tout seuls. Osmo lui fit signe de garder ses distances.

— Mana, aidez-moi, murmura Menuise.

Elle ferma les yeux. Elle imita la façon de parler étrangère :

— Mana aider Menuise...

Du bout des doigts elle effleura les cordes de l'instrument. Un accord sonore retentit.

Confusion de souvenirs en mutation. Statue échiquier de sa mère folle démontée en centaines de pièces... Elle, liée et bâillonnée dans un trou sombre et assourdissant... Sauter à travers un cercle vert luisant pendu à un harpier vibrant... Serpents se tortiller sous les pieds... Un oiseau escamoteur perdre ses ailes. Séparées du corps, ailes s'envoler pareilles à iridescentes âmes jumelles... Était-ce là l'image qu'elle cherchait ?

Dunes orange sous un ciel violet où flottent des ossements blancs... un monde isi.

Elle entrer dans l'esprit d'une magicienne, se lover dans sa gueule... jeter un sort puissant.

Lancer des lassos de pensées, entrer dans l'essence de cet humain suppliant, le soulager, libérer son corps de l'aile jumelle qui s'est envolée, en essayant d'entraîner son corps avec elle vers la rive sombre.

L'oiseau peut-il voler d'une seule aile ? Oui, oui. L'oiseau saute, saute. Disparaît, réapparaît.

Arrêter ! Oiseau marcher maintenant, fouler mousse douce et paisible... Non, jamais voler. Repousser aile sœur. Repenser, Jurgen. Se calmer...

Menuise ouvrit les yeux. Les accords s'égrenaient imperturbablement, ses doigts caressaient les cordes. Elle arrêta. Comment avait-elle commencé ? Sa cuisse la démangeait, elle utilisa la bague ornée d'un cygne qu'elle portait au doigt pour soulager l'irritation. L'arrière de sa tête la grattait aussi, la bague servit de nouveau. Ses phalanges bousculèrent la couronne en cuir et perles. Le capitaine crasseux se leva en chancelant, il dormait debout selon toute apparence. Un demi-sourire lui vint aux lèvres. Rêveusement, Eva remit son bandeau sur l'œil. Alvar suçait le bout de son stylo plutôt que sa pipe. Osmo faisait preuve du même contentement.

Menuise rangea la harpe dans son tiroir. Elle était entourée d'une multitude de fleurs sculptées, kalevanes et étrangères, toutes de la même teinte ivoire.

— Quelle musique ai-je jouée ? murmura-t-elle.

— Je n'en sais trop rien, murmura Osmo. Ta musique, peut-être. D'habitude tu es si espiègle, et ceci était... serein. Je préfère savoir pour ma, hum, mortalité... plutôt que d'être un imbécile.

Il semblait si joyeux et dénué de toute amertume que Menuise osa une plaisanterie.

— Hum-mortalité plutôt qu'immortalité, hein ? Les menuises n'ont jamais été immortelles, alors je ne sais pas ce que je rate !

— Vrai, mon oiselle...

Osmo lui prit la main et joua avec la bague au cygne sur son doigt. La bague avait été ajustée à sa taille.

— Tu crois que je devrais la remettre ? demanda Osmo. Non, bien sûr que non. Elle est à toi. Et tu es à moi.

Jurgen se réveilla.

— Ma reine...

Son ton trahissait le respect et la gratitude.

— Vous ne devriez plus jamais enfourcher de sauto, lui conseilla Menuise. Il ne le faut pas. Allez prendre un sauna. Mangez et dormez un peu. Vous serez mon capitaine particulier. Gardez-vous des sautos désormais, au cas où un saut vous rappellerait vous savez quoi.

Jurgen salua et partit dans une trajectoire sinueuse, sans s'occuper des signes d'Alvar. Il était si fatigué qu'on aurait dit un somnambule.

Eva se leva de nouveau. Elle s'avança doucement en direction de sa sœur, l'œil humide.

— Qu'y a-t-il, Evie ?

— Je crains de t'avoir causé de gros ennuis, ablette...

— Aucune importance. Tu as clarifié les choses.

— Je ne savais pas que tu jouais de la harpe.

— Moi non plus, en fait. Monstrueuse magicienne mutante, marmonna Menuise. Je suis entrée dans sa tête.

Eva se pencha plus près. Sa voix fut presque inaudible.

— Je peux t'emprunter des tampons, Menuise ? Je n'en aurai pas besoin avant quelques jours mais...

— Je vois... ce sera ton excuse. Pourquoi pas ? Nous avons tous besoin d'excuses, n'est-ce pas ? Sérieusement, as-tu déjà ressenti de telles envies à ce moment du mois ?

Eva rit doucement.

— Que vous êtes perspicace, Majesté. Tu es vraiment très charitable.

Menuise regarda sa sœur aînée avec scepticisme. Lèvres pleines, poitrine ronde, et assez forte aussi côté dignité — jusqu'à ce que son mari se mette à la fouetter (ce qu'il n'avait plus besoin de faire). Et jusqu'à ce qu'elle ait perdu son œil. Cette dignité semblait considérablement restaurée.

— Honnêtement, je ne plaisante pas ! protesta la grande sœur. Quelle importance de perdre sa maison ? Espérons que ça n'arrivera pas ici.

— Ça n'arrivera pas ici.

— Bien sûr, Majesté magicienne. Pas avec la présence de mon éternel Elmer et de ton Osmo en partenaires. Ces perles te vont réellement bien, au fait.

Menuise corrigea la position de sa couronne.

— Je vais m'occuper de tes tampons.

Quelle était cette complicité espiègle entre les sœurs Sariola ? Menuise réglait les affaires avec autant de tact et de gaieté que possible. Elle ne pouvait guère gifler sa sœur. Surtout maintenant qu'il y avait un accord entre elles.

— Elmer, reprit Osmo avec effort, nous devrions vraiment parler davantage des motivations de Lyle Melator, maintenant que nos affaires personnelles ont été... clarifiées. (Sa voix flancha et se raffermit. De la force, de la force.) Au moins, à l'extérieur de cette salle, personne ne sait que je ne suis pas longue-vie.

Sauf Jurgen et Sam. Jurgen avait été trop préoccupé pour le remarquer. Sam ne souhaitait pas entendre. Sam se censurerait lui-même. Le père d'Osmo ne parlerait pas. Quant à ses scribouillis, personne ne savait lire...

— Je suppose que personne n'est au courant à Loxmithlinna.

— En tout cas, je ne le savais pas, dit Elmer.

— Lyle ?

— Ça m'étonnerait qu'il sache quoi que ce soit ! protesta Eva.

Menuise gigota sur son trône. Elle passait d'une fesse sur l'autre comme si elle devait lâcher un vent.

— Eh bien, dit-elle avec vivacité à Eva, voilà qui clarifie l'atmosphère. (N'est-ce pas ? se demanda-t-elle à elle-même.)

Osmo persévéra.

— Dis-moi, Elmer, Lyle sera-t-il une accommodante marionnette... ?

9 — Petites bottes rouges au paradis

Les Snowy en déroute fuyaient à toutes jambes dans la neige.

Un reflet phosphorescent satinait les prairies et les sentiers mélancoliques hérissés d'épineux. Lorsque l'armée de Minkie d'abord, puis celle de Solœil étaient passées une première fois par là, la forêt était beaucoup plus vaste. Il y avait des arbres partout. Des arbres nakkis, pas des arbres naturels ! Beaucoup avaient rapetissé au point de disparaître. Seules de rares sentinelles restaient, comme si le pays était un champ de bataille ravagé par l'atrocité et la monstruosité. Le paysage avait fait de la place pour l'extermination dont aucun Snowy ne réchapperait.

Affaibli par une brume sale, le soleil fantôme éclairait moins fort que les réfractions du palais-chandelle vers lequel cette dernière cascade guerrière obliquait de plus en plus, dans un retour vers son commencement. L'air froid était gras et gazeux comme si le domaine entier voulait, dans un rot amer, se débarrasser d'une douleur dans les tripes, d'une brûlure dans les boyaux.

La clarté capricieuse et perlée révélait de minuscules Snowy avançant avec peine et désespoir, et luttant contre les bourrasques. La vue de leurs combinaisons de cuir rendues grenat par la distance, l'obscurité et la pollution donnait grande envie aux poursuivants de leur rendre leur couleur originale. Rouge sang.

Les hommes-verrins grognaient sur les talons d'un traînard. Ils abattirent une nouvelle victime. Les trompettes soufflaient des flèches enflammées.

Les champs de neige étaient dégagés mais difficiles et glissants. L'avancée se faisait par à-coups, course saccadée plutôt que trot régulier.

Dans son manteau de fourrure fauve et chapeau à glands, Solœil s'échinait pour avancer. Ses poumons lui faisaient mal comme s'ils renfermaient des mots durs et gelés. Ses bottes fourrées s'enfonçaient dans la neige. Si elle avait été plus lourde, aurait-elle pu continuer ? Tant qu'elle se maintenait au niveau de ses troupes, elle restait aux commandes. Paula, Inga et les sœurs-échos étaient à la traîne loin derrière, avec une escorte.

Paula : la jumelle manéenne de la reine de la Kaleva, reflet de Fortunée Sariola elle-même...

De façon décousue et confuse, Paula se remémorait comment, des siècles plus tôt, elle était entrée dans l'Ukko. L'Ukko, parent de la petite lune. Kennan avait espéré l'emporter dans le monde ordinaire sur sa sauto, comme otage et prétendante au trône. Paula avait été sauvée, mais pas Anna... Lorsque la marche de Kennan vers la mare des mots perdus avait été arrêtée et détournée, le gredin s'était accroché à Anna comme si ses doigts dégoulinaient de colle. Les Snowy épuisés avaient décrit un grand arc, changeant de direction et prolongeant leur itinéraire pendant des jours et des jours. Ils chassaient, bivouaquaient, chassaient.

Selon le rapport de l'homme-coucou de Solœil, Kennan avait attaché Anna au siège de son engin. Il menait toujours sa troupe de trognes fraise écrasée, l'entraînant de l'avant petit saut par petit saut. Il n'essayait pas de la distancer. Peut-être espérait-il que sa fortune allait tourner. Peut-être souhaitait-il conserver aussi longtemps que possible une barricade mouvante de Snowy condamnés entre ses poursuivants et lui.

Kennan conduisait-il ses forces malmenées vers le palais-chandelle pour menacer les réfugiées ? Anna constituait-elle pour lui un sauf-conduit qui lui permettrait de sortir du domaine ? Il n'essaierait sûrement pas de l'emmener ! Il avait perdu Paula. Pourquoi prendre Anna ? Simplement pour la bagatelle ? Anna, écho d'une très ancienne morte, survivrait-elle hors de la petite lune ? Sûrement pas. Pourtant, si elle y parvenait...

Allons, à Castlebeck, son mari longue-vie dormait en rêvant. Des serviteurs devaient garder cet homme comateux — qui avait jadis été si brusque envers Solœil. Maudits soient les seigneurs et leurs manières ! A présent Solœil savait au moins pourquoi Beck s'était empiffré. Il accumulait de la graisse qu'il brûlerait au cours du rêve le plus long jamais rêvé. Maintenant elle comprenait pourquoi il s'était montré si grossier envers elle, la jeune femme qui souhaitait simplement poser des questions sur ses rêves à elle.

Beck avait raison ! Il avait retrouvé son Anna. Et — comme Paula l'avait raconté après son sauvetage —

Anna était remplie de joie. Et d'effarement devant le manque de substance du corps en songe de Gunther...

Solœil connaîtrait-elle une joie comparable ?

Avec Inga ? Non. Ce serait abandonner son âme à de douces illusions.

Elle continua sa pénible avancée dans la neige. Sa poitrine lui faisait mal.

— Attrape-moi Kennan ! cria-t-elle à l'homme-verrin marchant près d'elle, son horrible garde du corps.

Les yeux de lynx lancèrent des éclairs. La queue pelée fouetta d'un côté à l'autre, soulevant l'arrière du kilt en cuir. Le mufle flaira l'air gras et glacial.

— Vas-y, fonce ! Et dis à ton parent nakki de filer de l'avant. Ne vous occupez pas des Snowy.

La bave jaillit de ses mandibules.

— Faut tuer les Snowy !

Qui aurait souhaité un tel garde du corps ? Qui, sinon l'horrible rousse bestiale de la mare aux mots perdus ?

— Écoute-moi. Les Snowy meurent et il en vient de nouveaux.

— Pas le même jour, guerrière. Aujourd'hui on les aura tous.

— Laisse-les tomber ! Arrête Minkie Kennan ! Sauve Anna. C'est un ordre.

— Et si un Snowy vous attaque ?

— Ils sont trop occupés à décamper. Va m'arrêter Kennan !

Lueur rusée :

— Mais alors les Snowy arrêtent aussi, patronne.

Triomphalement, la bête brune tavelée agita son fusil à lumière.

— Donne-moi cette arme et fonce, fonce sur tes quatre pattes.

Solœil se força à approcher de la puanteur de son haleine et lui arracha le fusil laser. Après une brève résistance, le garde abandonna l'arme.

— Vaut mieux les tuer à coups de mâchoires et de griffes.

Et d'un bond il partit.

L'homme-coucou sautillait dans la neige, il y piquait son trident comme un unique bâton de ski.

— Toi, envole-toi. File à tire-d'aile. (Chacune de ses paroles était une pépite de glace.) Arrache Anna à la sauto avant que Kennan n'abandonne son armée. Exécution ! *C'est prononcé.*

Prononcé par une fille borgne.

Les grands yeux jaunes de l'homme-coucou la détaillèrent. Il remua ses oreilles félines, claqua du bec.

— *C'est prononcé*, hurla-t-elle.

Oui, prononcé. Elle était la commandante de cette racaille nakkie, sa proclamatrice. On devait lui obéir. Elle savait ce qu'elle voulait, à présent : le salut et non la vengeance.

— Laissez filer Minkie Kennan, du moment qu'il s'échappe tout seul ! Transmets le mot sur ton passage ! Crie-le !

Ses créatures s'en moqueraient peut-être, maintenant que l'ultime soif de sang les possédait. Elles devaient lui obéir, il le fallait.

— Donne-moi ta lance et prends ton envol.

Un calme polaire l'envahit. Pendant des jours et des jours l'élan de la poursuite et du carnage avait primé. Maintenant elle était maîtresse d'elle-même.

— Donne-moi ta lance.

— Oyez, oyez, croassa l'homme-coucou.

Il lui lança le trident en douceur. Elle l'attrapa d'une main. Ébouriffant son plumage vert-de-gris, l'éclaireur se mit à traverser le champ enneigé par petits bonds maladroits. Il étendit les bras. Ses membranes plumeuses se gonflèrent. Il s'éleva, retoucha terre, s'éleva de nouveau.

Un arlequin armé d'une arbalète escorta Solœil quand elle reprit sa marche pénible, fusil laser dans une main et trident dans l'autre.

Un Snowy massacré gisait là. Des fleurs de sang semblaient tacher la neige. Le coquelicot, rouge sang, était-il devenu la fleur fétiche de l'âme de Solœil, de même que celle de Paula était la fleur d'âme blanche, et celle d'Inga la mince et délicate fleur-cheminée azur ?

Le coquelicot plutôt que la pâquerette ?

Qu'aurait-elle pu faire d'autre, Solœil ? Fallait-il permettre à Minkie Kennan de continuer à imposer sa volonté ?

Pouvait-elle lui faire porter toute la responsabilité ? Ses activités avaient bien corrompu la petite lune. Pourtant l'enfant lune se repaissait des manies qu'elle-même favorisait.

Derrière le sommet d'une petite colline, les tours cireuses du palais brillaient, léchées par un feu blanc qui ne consumait rien. Poussières et gaz s'élevaient dans les airs. Près de ce four, il ne devait pas y avoir de neige. Dans les tentes ou abris de fortune construits par les nakkis, les réfugiées devaient avoir chaud.

Ici, dans la prairie en pente où Solœil avait pour la première fois ouvert son œil à l'intérieur de la petite lune, le gel cachait presque le cours d'eau qu'elle avait jadis traversé. Des renflements de glace lisse recouverte de neige enterraient des fronts et des visages amorphes dans une eau plus vive sous sa prison. Des rangées de têtes bleu cristal s'inclinaient. Le givre auréolait les arbres.

Au centre de la prairie, des Snowy tout de rouge vêtus couraient à l'aveuglette, se cognant les uns aux autres, trébuchant, tombant, hurlant :

— Ch-ch-chef !

Les bêtes humaines et les musiciens de Solœil formaient un large cordon lâche. Ils massacraient en prenant leur temps, qui d'une flèche enflammée, qui d'un coup de rayon lumineux ou de faucille boomerang. Les corps tombaient et se tordaient. Des fleurs de sang s'ouvraient partout sur le blanc laineux piétiné. Le lent massacre des nakkis donnait la nausée. Le palais cesserait-il de brûler et la neige fondrait-elle quand tous les Snowy seraient mouchés ?

Solœil se sentit engourdie et désespérée.

Minkie Kennan avait disparu. D'un bond de sauto, il était sorti de l'enfant lune, Anna attachée derrière lui sur la machine.

Solœil devait-elle sauter le cours d'eau glacé ? Se précipiter comme une folle dans les entrailles de l'enfant lune ? S'enfoncer de force dans les profondeurs du lac ? Nager sous l'eau ? Remonter en flèche à la surface, les poumons sur le point d'éclater, pour reprendre souffle sous les falaises abruptes ? Pendant ce temps le ravisseur d'Anna sauterait toujours plus loin, avec facilité ! Inutile. Comment pouvait-elle quitter Paula et les autres pucelles ? Les laisser à la garde de cette horde nakkie de bouchers ?

— Femme pain d'épice ! cria-t-elle, à court de souffle.

Parmi la mêlée des Snowy, l'un d'eux s'immobilisa,

écouta, se redressa. Derrière le cordon des tueurs, il dévisagea Solœil. Son minuscule visage fraise écrasée et sa tignasse blanche ne se distinguaient pas des autres, mais sur la poitrine il portait un plumet noir.

Autour de lui, les frères nakkis gazouillaient.

— Petit-Chef, Petit-Chef, qu-qu-qu'est-ce qu-qu-qu'on fait ?

L'un de ses voisins tomba, le sang jaillit de sa gorge tranchée. Petit-Chef éleva quelque chose. Une arbalète ?

Les troupes de Solœil s'étaient lassées de tuer de loin. Un homme-verrin se détacha du cordon. Soudain tout se précipita.

Solœil essaya d'éviter... un flou. Un poing pointu la frappa au visage — en plein dans son orbite vide. Un éclat lumineux explosa dans l'obscurité fracassée.

Paralysée de douleur, elle chancela, glissa en arrière et tomba. Des étincelles dégringolèrent en cascade tandis que sa vision cahotait. Ses doigts agrippèrent l'empenne du carreau qui s'était logé dans son orbite.

Dans la neige, elle roulait d'un côté, de l'autre. Un fantôme de fleur de sang tacha la blancheur kaléidoscopique. Une flèche de feu, un tisonnier vrillait l'intérieur de son cerveau.

Le cri perçant qu'elle entendit était-il le sien ou celui des Snowy que l'on assassinait ?

— Douleur, arrête ! cria-t-elle de toute son âme. DOULEUR VA-T'EN !

Le hurlement coopérait avec la douleur. Le cri ne faisait qu'augmenter le mal. Le cri gaspillait l'énergie. Il était absence de contrôle.

Il fallait qu'elle se taise, qu'elle se concentre pour vaincre la douleur. Calme, silence. La douleur est feu, le mal est haché.

— Douleur, calme-toi, murmura-t-elle. Douleur, fais-toi régulière. Calme-toi, apaise-toi. Arrête. *C'est murmuré*.

Par bonheur, la torture s'adoucit.

— Sereine...

Se traînant dans la neige, elle serra la flèche et tira.

Le trait se libéra avec une facilité surprenante. Une nouvelle fleur de sang s'ouvrit.

Lorsque la flèche l'avait atteinte, elle avait sans doute déjà beaucoup perdu de sa vitesse. Mais on l'avait tirée avec une précision extrême. Précision étonnante même pour un Snowy champion de tir.

Solœil logea une boule de neige dans son orbite vide. Elle se hissa sur les genoux. Sa vision chancela. Les Snowy rescapés avaient disparu sous une mêlée de bêtes humaines et de musiciens. Une sanie glacée coula sur sa joue. Le liquide rosit le bout de ses doigts. Elle ramassa davantage de neige.

— Sang, arrête vite ! Blessure, guéris sur-le-champ !

Engourdissement dans une moitié de sa tête...

Utilisant le fusil laser comme béquille, elle se leva en chancelant. L'arlequin cabriola vers elle.

— Patronne !

— Va me chercher un morceau de glace dans le cours d'eau.

Il fonça et revint bientôt avec une boule glacée. Elle vida son orbite de la bouillie décolorée et y substitua le globe de glace. L'arlequin à son côté, elle avança tant bien que mal vers l'arène sanglante et piétinée. Une puanteur de merde assaillit ses narines. Les Snowy avaient vidé leurs boyaux dans leurs chausses. Les morts sentaient déjà la pourriture.

— Arrêtez ! cria-t-elle. C'est fini. La guerre est finie.

Elle regarda le carnage dans le désert hivernal. Les tours du palais-chandelle s'enveloppaient toujours dans des panaches de feu blanc. Le soleil brillerait-il si la fumée continuait à s'élever ? La fonte des glaces allait-elle commencer ? Est-ce que les fleurs allaient éclore ? Les arbres redeviendraient-ils aussi nombreux qu'avant ?

Des larmes d'eau fondue suintaient de son orbite. La boule de glace risquait de tomber.

— Nakkis, cria-t-elle, il faut reconstruire le village.

Au village, Inga la soignerait. Inga accourrait vers elle, perdue dans un babil de remerciements d'avoir été sauvée. Solœil répondrait :

— J'ai échoué. Il a emmené Anna...

Elle ne pouvait se permettre d'être consolée. Pas tant que le palais brûlait. Elle devait comprendre le repère qu'était devenue la forteresse onirique de Minkie Kennan. C'était bizarre au possible, pourtant, vu sous un autre angle, le spectacle était presque beau. Radieux, du moins. Dans la prairie abattoir, elle contempla une terrible beauté avec son œil intérieur meurtri. La glace était sa lentille.

Minkie avait emporté son otage par sauts successifs. D'abord, la teinte automnale des arbres l'avait étonné. Les feuilles faisaient une palette de jaunes, d'orangés, d'écarlates, au milieu des véras au feuillage persistant et des pins sylvestres chenus. Une multitude de lacs, grands et petits, non gelés ! Moins nombreux, bientôt... Chaque fois qu'ils émergeaient d'un entre-deux, Anna criait comme si la fin de chaque saut représentait la bouffée d'air aspirée par un noyé.

Minkie s'arrêta dans une combe moussue. De gros rochers de granit formaient des îlots roses parmi la douceur verte. De nombreux hauts véras aux aiguilles pointues bordaient le vallon d'un vert plus cruel. Le soleil trouait les ramures et tachetait le sous-bois.

Son saut miraculeux de l'hiver à la chaleur (une chaleur automnale) incita Minkie à se demander combien de temps il était resté dans sa cachette. Le brusque froid glacial correspondait-il à la frigidité de Solœil Nurmi ? Dans la cachette, l'espace semblait rétréci, pourtant chaque chose paraissait conserver ses proportions, et le temps s'écoulait à l'allure de son choix...

Le temps est ce qu'on en fait, mon gars, pensa-t-il en lui-même. Ou ce que les choses en font !

Quand avait-il sauté dans le domaine tapi sous le fond du lac de la Création ? A la fin mai ? Aujourd'hui, les feuillages colorés déclaraient qu'on était au début septembre. L'air vif et piquant avait un parfum d'agitation, de possibilités nostalgiques, de mélancolie délicieuse et tentante. Avait-il réellement passé là plus de quatre mois ? D'abord à jouer, ensuite à faire la guerre... Le temps avait filé.

Anna était blême. Ses joues pêche avaient perdu leur éclat. Notre Minkie voyait-il des fils gris dans ses boucles charbon ? Il fut assez secoué par le changement. Causé bien entendu par les chocs qu'elle avait endurés. Son aspect était déconcertant.

Lorsqu'il mit pied à terre pour l'examiner de plus près, Anna tressaillit. Couche de mousse douce : était-ce ce qu'elle imaginait ? Son manteau de fourrure et ses bottes devaient être étouffants. Il dégrafa sa propre combinaison de cuir aux larges rabats et manchettes. Il ôta son casque de cuir, libérant ses boucles châtaines, et fourra le couvre-chef dans une sacoche.

— J'ai mal à la tête. Je ne me sens pas bien, se plaignit Anna.

Son haleine sentait le moisi.

— Tu as trop chaud, expliqua Minkie, charmeur. C'est le changement de climat.

Il voulut lui déboutonner son manteau de fourrure. Elle geignit.

— Je te l'ouvre simplement, chère poulette.

Il ne pouvait guère le lui enlever puisqu'elle avait les mains liées à la sauto. Une mouche suceuse passa, traînant un tube fin comme un fil, ses antennes plumeuses vibrant. Il faudrait écraser les insectes. Mais il ne voulait pas lui délier les mains.

Elle n'avait qu'à utiliser un sachet d'herbes odorantes, et elle se sentirait rafraîchie. Dégrafant son manteau, il exposa au regard sa robe de mendiante qui jadis avait paru si exquise. Les rubans ressemblaient à des vers miteux et crasseux, maintenant.

— Faut laisser passer l'air, pas vrai ?

Elle se débarrassa des bottes qu'il s'était senti obligé de lui donner à cause du gel. Sans, elle s'échapperait moins facilement, si d'aventure l'occasion s'en présentait.

— Mon Gunther t'infligera une punition terrible, murmura-t-elle d'une voix rauque.

— Il me récompensera, s'il est réveillé quand nous arriverons chez lui. S'il dort toujours, eh bien, nous aviserons.

— Castlebeck... marmonna-t-elle.

C'était si vieux tout ça...

— Assez loin au sud de Finisterre, hein ? Tu voudrais un verre d'eau ? Un morceau à manger ? Je peux te donner la becquée.

— Je ne me sens pas bien.

La pression sur sa vessie rappela d'autres nécessités à Minkie.

— Au fait, chère enfant, aurais-tu besoin de faire pipi ? J'ai une longue lanière dans la sacoche. Je t'attache le poignet. Je promets de ne pas regarder.

Non qu'il n'ait déjà vu et exploré ses délices quelque temps auparavant ! La fraîcheur de son teint avait complètement disparu.

— Ne me touche pas...

— Tu ne veux pas éclater et mouiller le siège ?

— Je m'en fiche. Je ne me sens pas normale.

— Tu ne l'es pas non plus, chère poulette. Tu es un écho que j'ai ramené de chez les morts, pour ton Gunther.

— Je ne suis pas une poulette. Je me sens affreusement vieille. Mon crâne me fait mal. Il y a un trou dedans.

Elle bavait. Elle s'essuya la bouche sur son épaule.

— Absurde. (Il fouilla habilement dans ses boucles.) Tu n'as pas de trou dans ta tête. (Des cheveux restèrent accrochés à ses doigts.) Eh bien, moi je vais pisser.

Des gobe-sueur s'installaient sur les mains de la prisonnière. Il les chassa d'une tape et alla arroser la mousse d'un beau jet ambré.

Lorsqu'il revint, il s'abstint de consulter sa passagère avant d'entreprendre le saut suivant.

Un village ! Il ne s'attendait pas à émerger en plein cœur d'un village. Maisons de bois et granges s'alignaient le long d'une artère en terre creusée d'ornières. Des poules pailletées d'argent s'égaillèrent devant ses roues. Des loulous aboyaient. Un long cochon efflanqué couina et s'ébranla. Il tombait une légère averse.

Les villageois étaient dehors sous la pluie fine. Casquettes à visière et pipes, foulards et châles. Des gosses en haillons se massaient à l'arrière d'une charrette. Toujours bon d'avoir des gamins avec soi pour ne pas s'emporter outre mesure. Ce n'était pas un village bien grand mais il était plus important qu'une grosse ferme. La foule n'en était pas vraiment une non plus, mais Minkie serra la poignée rouge au cas où il lui faudrait faire impression.

Il revenait de loin vers la civilisation. Après la débâcle dans sa cachette et après ses nombreux sauts, il était vanné. Sinon, il aurait volontiers continué de l'avant. Mais ce serait le diable s'il ne trouvait pas un bon morceau à se mettre sous la dent dans ce village...

Les visages s'étaient tournés vers lui.

Un cri le cloua sur place :

— Ils arrivent de la guerre !

De la guerre ? Quelle guerre ? Ces rustres parlaient-ils de la guerre qu'il venait de perdre au profit d'une poétesse borgne ?

— C'est une des sautos de la guerre !

Gesticulations, discours. Dans sa confusion initiale, Minkie s'était mépris sur la présence de la foule — elle s'était assemblée pour le coucou perché sur un pignon...

— A l'aide, cria faiblement Anna.

— Tais-toi.

Se tournant, il tapa sa main liée et en délogea quelques insectes. Étaient-ce des insectes charognards ?

L'oiseau cancanier avait dû parler. Maintenant, il se taisait. Oreilles aux aguets, il regardait attentivement. Comment pouvait-il connaître les événements qui se déroulaient sous le lac de la Création ?

— Oui, c'est une de ces sautos.

Une de ces sautos ? Une ? Il n'y en avait jamais eu d'autre que celle de Minkie.

— A l'aide...

Râle lamentable.

— Veux-tu te taire, idiote petite oie ? Cesse de caqueter.

Il s'était installé davantage d'insectes sur son poignet. Ils piétinaient sa peau de leurs minuscules pattes comme si c'était une mare de pus. Elle leur cracha dessus. Sa salive avait une teinte jaune verdâtre.

— Holà, héla-t-il un fermier à face rubiconde, de quelle guerre parle cet oiseau ?

Il fallait s'y attendre, la sauto noire et son pilote vêtu de cuir avaient effarouché les villageois. Les regards jetés en coulisse à la passagère étaient aussi fuyants que possible.

— Allons, réponds-moi !

— Ben, dit le fermier, c'est la guerre entre la reine et la reine rebelle. Entre Fortunée, bénis soient ses caprices fous, et le prince van Maanen et sa Menuise.

L'homme retira sa casquette et la tordit entre ses mains.

— Comment que les combats peuvent arriver si loin, monsieur ?

Une guerre entre Fortunée et le prince van Maanen ? Une reine rebelle — qui n'était assurément pas Paula ! Que s'était-il donc passé ?

Les gamins avaient sauté de la charrette et s'agglutinaient autour de la sauto qu'ils regardaient aussi avidement que l'oiseau cancanier sur le pignon.

— Je suis un éclaireur, annonça Minkie.

— De quel côté, monsieur ?

— Ne me posez pas la question.

— Non, monsieur.

— A l'aide ! chevrota Anna.

— Comme vous le voyez, j'ai une prisonnière.

— Oui, on le voit.

Un loulou s'avança, aboyant contre la sauto. Un type en grosse chemise et culotte bouffante lui flanqua un coup de pied pour l'éloigner.

— Parlez-moi davantage de ce qu'a dit le coucou. J'ai besoin de connaître les nouvelles qu'il répand. C'est pourquoi je suis ici. Je peux être n'importe où instantanément.

Cette remarque incita plusieurs femmes à étendre les mains dans la direction de Minkie, pour se garder du mauvais œil.

— Ben, récita le porte-parole, le seigneur proclamateur van Maanen a emmené avec lui Menuise Sariola. Il l'a épousée, l'a sacrée reine et lui-même prince. Ensuite il s'est emparé de la bâtisse en H, mais je sais pas ce que c'est. Alors Fortunée a attaqué cette bâtisse en H par les airs, elle l'a bombardée et en a brûlé la moitié. Elle a aussi des soldats de bois. On entend dire que van Maanen possède des tonnes de missiles que les serpents lui ont donnés. Personne ne sait qui va gagner, si c'est Fortunée, bénis soient ses caprices, ou la minuscule nouvelle reine. Elle a dompté une monstrueuse magicienne mutante, c'est sans doute pourquoi les serpents l'aident...

En fin de compte, le moment présent n'aurait peut-être pas été idéal pour déstabiliser Fortunée en lui présentant Paula. A les entendre, Fortunée avait suffisamment de distractions comme cela. Ce qui ne voulait pas dire qu'il ne pouvait rentrer chez lui à Niemi et continuer comme d'habitude. Retourner à Niemi avec Anna en croupe ? (Il lui fallait d'abord se débarrasser d'elle.) Revenir chez Kiki-liki et son marmot braillard ?

Si Fortunée perdait la guerre, très bien. Si elle gagnait, elle pouvait réellement avoir envie de se venger.

Aller à Castlebeck, alors ?

Anna toussa et graillonna. Ce n'était plus du tout la fille avec qui il avait couché dans son joli palais perdu.

Les femmes se signèrent davantage.

— C'est une zombie...

— Morte et vivante !

Non, impossible. Minkie se retourna et en resta bouche bée. Mana, la puanteur de son haleine ! Son visage cendreux !

— Tu deviens... zombie, marmonna-t-il, confondu.

Inutile de le nier. Il avait été aveugle.

Chevaucher en tandem avec un cadavre vivant ! Emmener un cadavre vivant avec lui à Castlebeck !

— Pourquoi ne t'es-tu pas simplement évaporée quand nous sommes partis du pays nakki ? demanda-t-il d'un ton amer. Pourquoi, dis-moi ?

Anna lutta avec des mots, ou des concepts.

— Mon Gunther garde une partie de mon crâne près de son cœur...

— Vraiment ?

Les meilleurs des plans sont parfois inutiles. *Où Minkie pouvait-il aller seul là où personne ne songerait à venir le chercher ?*

Eurêka !

Là-haut, près du nid des serpents de velours où il avait jadis chassé le Juttahat... un no man's land !

Un chaman fou qui s'accrochait des poids à la peau y avait une cabane bien approvisionnée. Piller cette hutte. Établir son camp dans la forêt des brumes manéennes. Notre Minkie connaissait son chemin. Les Juttahats ne l'avaient encore jamais pris au piège. A présent il avait la sauto. *Qui songerait à aller le chercher sur une terre qui n'appartenait à aucun homme ?* Presque aussi sûre que sa cachette, en dépit de quelques patrouilles de non-hommes.

La condition d'Anna risquait d'être contagieuse. D'un air de dégoût, du bout des doigts, il défit ses liens.

— Descends de la sauto. Je te rends ta liberté.

— Ma liberté... ?

Les insectes charognards lui tournaient autour. Que pouvait y faire un petit jeune homme ? Il y avait des limites à son charme et à sa charité.

— Nos chemins se séparent, souffrante poulette. Rentre à ta forteresse. Personne ne te touchera. Tu ne te feras pas agresser. Vous m'entendez, rustres ? cria-t-il. Cette fille est tabou. Je peux revenir ici instantanément.

Pour lui remonter le moral, il murmura :

— Ton Gunther peut rêver où tu es. S'il se réveille d'un coup, il viendra te rencontrer à mi-chemin.

Anna mit maladroitement pied à terre, empêtrée dans son manteau de fourrure et sa robe en haillons. Ses pieds nus étaient gris comme s'ils étaient recouverts de poussière. Elle présentait quelques furoncles, qui semblaient plus sains, plus roses, que le reste de sa personne. Le changement se produisait rapidement. Peut-être ne pouvait-elle s'évaporer mais seulement se ratatiner, pourrir et disparaître. Peut-être n'était-elle pas une vraie zombie et n'atteindrait-elle jamais sa destination. Son esprit allait peut-être se désagréger, si bien qu'elle n'aurait aucune conscience de son malheur.

Anna étendit ses mains livides.

— Comment Gunther peut-il me voir ainsi ?

— Les rêves ne prêtent-ils pas aux choses une apparence enchanteresse ? demanda Minkie avec galanterie. C'est l'âme qui compte. (Il se sentait bien un peu salaud. Que devait-il faire ?) Je suis désolé d'avoir jeté tes bottes, mais elles t'auraient blessée.

Il pointa la sauto vers le nord.

— Où vas-tu, Minkie Kennan ?

Dans son état morbide, elle était devenue dépendante de lui. Il était bien temps !

Assez ! Devant les villageois en émoi, et un damné coucou aux aguets, il n'allait pas lui répondre.

Poignée bleue.

Sauto et pilote disparurent. Un loulou grogna. Le coucou hurla :

— Ukko-ukkou.

Une pluie fine tombait.

Et un cercle de villageois entourait cette antique jeune fille zombie en décomposition.

— C'est pas une zombie ordinaire !

Les paysans connaissaient les zombies. Les coucous jacassaient et les récits se répandaient, au sujet de malheureux descendants de seigneurs longue-vie. Ils savaient surtout que le mal ne descendait jamais sur un être de façon aussi soudaine. Le processus de décomposition prenait un certain temps et il était suivi d'un état morbide stable.

Des grands-mères en longue jupe et tablier entonnaient des incantations.

— Fée sorcière.
  — Maladroite nakkie.
    — Maligne circulaire.

Anna se débarrassa de son manteau de fourrure et implora le ciel pluvieux :

— Solœil, ramène-moi...

Où, vers quoi ?

— D'où est-elle... ?

— Perchée sur la faucille céleste... !

— Sinon on se fera tous moissonner... !

— Le gars soldat a dit qu'il reviendrait...

— Il reviendra pas...

— Faudra qu'on porte des rognures de sabot de védelle pendant un mois et un jour...

— Attrape-la d'abord, la védelle !

Un petit gros, chauve, en tunique, la taille très large s'avança, nu-pieds comme Anna. Ses pieds étaient immenses, ses orteils pareils à des saucisses, les ongles cornés, jaunes, ressemblaient au dos d'un crustacé. Un brin mutant... Pourtant, le village ne l'avait pas rejeté.

— Tonneau... !

  — Tonneau le bienheureux... !

    — Qu'est-ce qu'on fait, Tonneau... ?

Le chauve roula des yeux. Ses narines se dilatèrent. Il se signa.

— Je sens le cramé. On va porter des petites bottes rouges au paradis. De jolies petites bottes rouges. Nous tous.

Il dansa et tapa du pied.

La foule oscilla.

Tonneau s'adressa à Anna :

— Défunte sœur, tu es venue chercher tes petites bottes rouges ! Mais nous les porterons tous un jour. Tu suintes comme une chandelle. C'est pas vrai, vous autres ?

Il roula un œil vers les nuages. Un lac de bleu dans le ciel à l'ouest, un autre au nord.

— Un peu de pluie n'est rien. Elle portera ses petites bottes rouges. Elle dansera un peu. On n'a pas besoin de corne de védelle, alors personne n'ira se faire embrocher pour en rapporter. Apportez des cordes. Et un poteau. Apportez une hache pour tailler le bout du poteau. Pour qu'il tienne bien droit. Apportez de la paille bien sèche. Et de l'huile.

Quelques villageois s'empressèrent d'aller chercher tout cela. D'autres firent cercle autour d'Anna.

— Tu porteras des petites bottes rouges au paradis, lui promit Tonneau. Moi aussi, le jour où les jours finiront, quand la pendule sonnera à rebours, douze coups, onze...

Cully allait en titubant, s'appuyant sur le tronc crayeux d'un pin sylvestre puis sur celui d'un solide horzma. Ses longs cheveux blonds fendaient l'air comme une faucille. Un accord de harpe résonna dans sa tête. Il trébucha et tomba dans un buisson de mustiers. Il s'égratigna les mains jusqu'au sang et se tacha avec le jus magenta des baies. Il fourra des fruits dans sa bouche. Ses cheveux se prenaient dans les épines.

Il avait mangé le dernier fromage... la veille ? Comment était-il tombé sur des fromages en pleine forêt ? Ah oui, ça venait de cette fille nakkie qui prétendait être Olga. Il se rappela avoir grignoté un fromage sans le couper. Il ne voulait pas se servir du couteau accroché à sa ceinture. Ç'aurait trop ressemblé à l'action de trancher dans la peau et la chair. Le fromage avait un goût de sueur sèche.

Gobe-sueur et mouches à feu tournaient autour de lui.

Il devait se trouver quelque part à proximité de la ferme de son enfance. Près d'Olga et de Helga. Non, Helga était mariée.

Près de maman.

Le seigneur des rêves avait violé Marietta, ensuite il l'avait chassée de sa forteresse quand elle attendait Cully. Non, ça ne s'était pas du tout passé comme ça.

Le seigneur des rêves avait séduit Marietta... Non, pas du tout. Gunther s'était consolé auprès d'elle. Marietta s'était consolée auprès de lui. Son Cal avait été tué par des Juttahats. Ils avaient tué le papa de Cully. Cully était un jeune homme. Peu lui importait que sa mère et son oncle — leur patron — fassent un peu l'amour. Ou bien si, au contraire, tout au fond de lui, là où seul le son de la harpe pouvait l'atteindre ?

Le seigneur des rêves avait abandonné Marietta. Il l'avait reniée, répudiée. Non. Oncle Gunther s'était simplement senti coupable. Marietta ne lui en voulait pas.

Cully ne leur en voulait pas.

Si.

D'une façon profonde.

Amère.

Assassine.

Le méchant oncle avait essayé de le tuer quand il n'était qu'un enfantelet.

Lancinantes répétitions dans sa tête, refrains infinis de vengeance...

Les mains de Cully étaient écarlates. Le manche de son couteau appuyait contre le haut de sa hanche comme une verge durcie. Comment la satisfaire sinon par un plongeon ? Si Gunther était mort, il n'y aurait plus de doutes, plus de disputes.

Sauf de la part de maman et d'Olga... Il ne fallait pas les voir. Il devait se garder de les rencontrer.

Cully contempla la combe. L'écorce n'était pas marquée. Aucune empreinte de main rouge n'indiquait le chemin. Pourtant, dans son cœur, il savait qu'il approchait de Castlebeck. Les mouches à feu bourdonnaient le message :

— Parissi, parissi.

10 — Le seigneur des rêves se réveille

Vu des airs, Castlebeck formait une étoile à six branches (les saillants de granit) disposées autour d'une {cathédrale baroque} en brique jaune. L'édifice central {ressemblait fort à un temple manéen de Tumio, en fait, Roger}. Wex ne connaissait pas le port et son palais épiscopal, ses quartiers d'hôtelleries, d'entrepôts et de bazars pour marins pootariens. Cependant, lui et son wetware avaient examiné des photos et une kyrielle de croquis d'artistes.

— Si j'étais pootarien, je crois que je préférerais mouiller à Portti, dit-il tout haut.

A six cents lieues à l'ouest de Tumio, cet autre port se trouvait à la limite sud du domaine forestier de Tapper Kippan. Portti n'était pas directement sur la côte mais au fond d'un fjord aux falaises abruptes {le Porttivuono étant une bizarrerie géologique constituée par le creuse-

163

ment d'un ancien volcan éteint par un glacier). Les eaux profondes en deçà de l'embouchure du fjord offraient un bel abri pendant les tempêtes *(non que Tumio ou Portti soient navigables au cœur de l'hiver quand la mer gèle).* Cependant, le transport des marchandises à l'intérieur des terres à partir de Portti posait certains problèmes (alors que le large fleuve Mantijoki se jetait dans la baie de Tumio). Ainsi les marins rationalistes qui mouillaient à Tumio devaient tolérer la présence du temple manéen, des prêtres et des novices. Les matelots noirs avaient leurs casse-tête de bois pour se distraire de la mystification et des manies.

Mathavan Gurrukal s'éclaircit la gorge.

— Votre préférence pour Portti ne serait-elle pas due à la présence là-bas du célèbre bordel de la mère Rakasta ?

— Certainement pas ! A quoi pensez-vous donc ?

— Je me posais la même question à votre sujet, dit le pilote, dont les boucles rasées formaient à présent la nouvelle perruque de l'agent terrien.

« A quoi pensez-vous donc, monsieur Wex ? continua-t-il tranquillement d'une voix douce. Nous tournons en rond au-dessus d'un château en pleine campagne. Vous vous imaginez en marin d'outre-mer ! Je me demande quel est le rapport. Un marin pootarien a peut-être cousu votre perruque, et vous vous demandez quelle allure vous aurez lorsque nous aurons atterri ?

« Oh, mais attendez. Vous faites peut-être allusion à l'architecture en bas. Dans le style, je crois, du fameux temple manéen de Tumio ?

Gurrukal faisait certainement de son mieux pour comprendre Wex et son wetware.

— Non que j'aie vu Tumio de mes propres yeux, ajouta-t-il.

Dans le cadre formé par le pare-brise du cockpit, la forteresse s'élevait sur une terrasse à balustrades coupée par un large escalier. A chaque coin du bâtiment s'élevait un solide bastion surmonté d'un dôme bulbe *(de dimension et de rondeur vénusiennes)* pareil à un postérieur présenté au ciel *(plutôt qu'un gland).* Le fût d'un dôme montait du monticule principal. Sur le dôme, une petite tour à colonnes supportait un deuxième dôme d'une rotondité bulbeuse. Le sous-bois et les grands arbres mêmes étouffaient les zones situées entre les saillants et la base de la terrasse. Pourtant, on s'était visiblement efforcé ces derniers temps de dégager la végétation galopante. Des buissons s'accrochaient à la terrasse elle-même, prenant racine dans les fissures. Le seigneur Beck n'avait guère conservé sa résidence en bon état ou prête à se défendre. En bas, l'effet était peut-être charmant : un jardin sauvage.

Gurrukal fit décrire à l'aérocolombe un grand cercle lent. Voilà qu'ils survolaient à présent le lac Matijarvi, fameux pour ses poissons fortunés et ses ailerons doux. Des bateaux pêchaient à la traîne sur l'eau tachetée par les ombres rondes des nuages. A deux lieues au sud, les maisons de la petite ville ressemblaient à de minuscules pains croustillants avec leurs toits de tuiles orange et gingembre comme le caviar local. Les collines boisées bordant le Matijarvi se paraient de ces mêmes couleurs. Le lac léchait un intervalle entre deux saillants du château. Une jetée conduisait à une grille ; la grille, à un sentier traversant les broussailles. Côté campagne, ils avaient vu une autre grille. Les deux étaient fermées. Des arbres poussaient si près à l'extérieur de l'enceinte qu'une personne agile pouvait escalader les murs.

— Autre chose, monsieur Wex ! Vous êtes un brin maladroit.

La nouvelle gabardine à multiples poches de Wex se trouvait sur le dos du siège auquel il était attaché. Les manches de sa chemise neuve étaient remontées sur ses avant-bras, révélant une ecchymose mauve. Gurrukal, qui n'était jamais maladroit dans ses mouvements, avait remarqué le bleu — et d'autres indices — de ses perçants yeux marron.

— Vous dirai-je de quoi il s'agit, Mathavan ?

Wex devait-il le lui raconter ? Ne fallait-il pas garder le secret de son insensibilité ? Wex n'éprouvait aucune sensation corporelle et pouvait recevoir des coups, à moins que son alter ego ne relâche son contrôle. (Et dans ce cas, il serait aussitôt paralysé par la douleur !)

— Je vous en prie, expliquez, avant que nous ne nous trouvions dans une situation inconnue.

Wex ferait mieux de garder son secret. Il était une carcasse engourdie qui devait réfléchir à chacun de ses mouvements comme s'il se pilotait lui-même à distance ! Il était un chapon de caoutchouc privé des sens du toucher, de l'odorat et du goût ! *[Je t'assiste dans la locomotion. Tu ne tomberas pas.]*

Le besoin de se confier — le besoin de compassion — le submergea. *[Tu te confies à moi, et je te donne ma sympathie.]* Son wetware en était la cause. *[Non, le remède, la protection, la prophylaxie.]*

— Mathavan, mon système nerveux est coupé. Je peux voir et entendre, mais je ne sens absolument rien ! Si mon autre moi ne me faisait pas des massages isométriques, je succomberais à la gangrène...

Wex déversait ses malheurs tandis que le pilote en uniforme olive continuait à décrire des cercles au-dessus de Castlebeck.

— Mes aïeux ! s'exclama Gurrukal. Pauvre monsieur Wex. Voyons, que je réfléchisse... Monsieur Wex, nous les masseurs savons que le toucher et la douleur voyagent dans des canaux distincts à l'intérieur de la moelle épinière, en direction du cerveau...

Le toucher pouvait-il être désolidarisé de la douleur ? Son alter ego se serait-il fichu de lui ?

— Si je devais vous piétiner la colonne vertébrale de mes pieds nus...

[La douleur se trouve dans le cerveau, Roger. N'est-il pas urgent de rechercher Cully ?] Si, bien sûr.

— Mes plantes de pied brûlent de vous aider, monsieur Wex.

[Cully, Roger !]

— Ça ne fait rien, laissez tomber.

— Ça ne fait rien ? Laisser tomber ? (La brusquerie apparente de Wex avait touché une corde sensible.) Vous ne souhaitez pas le contact de mes pieds sur votre peau ? Je porterais de fins bas de soie si nous en avions à bord. Quel manque cruel ! Peut-être pourrais-je établir un bon commerce en vendant ce genre d'article aux dames au lieu de leurs bas de laine !

Pourquoi Wex restait-il la bouche ouverte ? *[Parce que tes narines sont bloquées.]* Il tira un carré de soie noire d'une poche intérieure. Il dut regarder ses doigts pour les guider. Il se moucha à grand bruit.

— Voilà que vous mettez de la morve dans de la soie !

— Je vous en prie, ne soyez pas si délicat, monsieur Gurrukal. Je n'avais pas l'intention de vous choquer.

— Je suis l'âme même du sang-froid. Je ne suis pas

délicat. Ciel, que dis-je, quand vous souffrez d'une telle pénurie de sensations ! C'est moi qui vous dois des excuses. Et de l'admiration pour votre stoïcisme. Pas étonnant que vous ayez voulu porter mes cheveux. Est-ce qu'une personne désireuse de se faire chatouiller le front et la nuque par mes cheveux...

— Vos cheveux ne me chatouillent pas.

— Non, bien sûr. Qu'est-ce que je raconte ? Une telle personne dédaignerait-elle de se faire piétiner par moi ? Nenni, me dis-je. Un adepte du sentier kalaripayit ne se vexe pas, quelle que soit la provocation.

Que ce type était devenu loquace ! Sur le point de perdre sa virginité géographique prolongée (façon de parler), était-il nerveux ? Un bourdon manéen était-il entré dans sa tête chauve et découverte ?

— Ma foi, vendre de la soie décadente aux dames est peut-être une bonne idée. Mais je ne choisirai sans doute pas de m'installer ici quand mon mandat sera terminé. Quoi, je me rends dans les étoiles — du moins, dans une — et je ne pourrais pas raconter mes aventures élitistes aux paysans de mon village ? J'en ai eu peu avant de vous rencontrer, monsieur Wex. Votre situation m'attriste. Pour votre information, je sens le cumin en ce moment. J'en mâchais des graines il y a peu.

Wex soupira.

— Nous ferions bien d'atterrir. Pouvez-vous nous poser sur la terrasse ?

— Elle semble assez large.

Le pilote jaugea les nuages pompons au-dessus, puis les feuillages en dessous.

— Douce brise, force trois selon mes estimations. Il ne devrait pas y avoir de bourrasques en provenance des coins, bien qu'avec ce genre de bâtiments il faille se méfier, ce sont de vraies niches à sautes de vent...

Pasquil, le serviteur qui reçut les deux visiteurs, fut heureux d'entendre qu'ils venaient de la forteresse terrienne. Il fut particulièrement content d'apprendre que Mathavan Gurrukal était médecin.

— Je suis sûr que le seigneur Beck a besoin d'assistance. Il semble en détresse. Il tremble dans son sommeil. Il a été victime d'une blessure que je ne peux m'expliquer. Et d'un vol, aussi !

— Une blessure ? s'étonna Wex. Que lui a-t-on volé ? Cully est-il déjà là ?

— Si seulement il était là... ! Non je ne l'ai pas vu, pas depuis douze mois, même un peu plus.

Pasquil était âgé et décharné. Un ruban noir attachait ses cheveux gris en une sorte de catogan. Les muscles de son visage et de son cou ressortaient comme s'ils étaient tendus en permanence, peut-être parce qu'il se tenait droit comme un piquet. Sur sa chemise blanche empesée, des bretelles de cuir noir retenaient ses chausses. Ses yeux saillaient fort.

— Cully pourrait-il se trouver ici sans que vous le sachiez ?

— Invisible, vous voulez dire ? Il voudrait aider, et non se cacher.

— Je parie que vous n'avez entendu aucune rumeur sur ce qui s'est passé à Loxmithlinna ?

Rumeurs ?

Le maître dormait ; il ne fallait pas le déranger. Il accomplissait son grand dessein. Castlebeck était plongé dans le silence. Le personnel avait rempli les garde-manger et bouclé les grilles avant l'estivation du seigneur des rêves. Pourquoi un coucou viendrait-il dans la forteresse ensommeillée ?

Le personnel ? Il comprenait le vieux Pasquil, Bertha la cuisinière, un factotum, Martin, et son neveu, Martin junior.

— Le maître a besoin d'assistance, messieurs. J'en suis sûr...

Pasquil les conduisit le long d'un couloir sombre vers un grand escalier obscur. Les fenêtres étaient crasseuses. Difficile de dire si des carreaux étaient cassés ou simplement couverts de toiles d'araignée. Wex marchait comme sur des œufs. Gurrukal avançait sur la pointe des pieds, une main sur le gourdin de tamisier pendu à sa ceinture.

Des statues de marbre flanquaient le pied de l'escalier. Elles portaient une robe élimée sur leur corps blanc. Les mites avaient dû se réjouir de l'aubaine pendant un siècle ou deux. Des portraits au vernis foncé étaient accrochés aux murs.

A mesure qu'ils grimpaient, Pasquil les commentait.

— Ces deux-là étaient filles de Lord Beck et de Dame

Anna. Mortes de vieillesse bien avant ma naissance...
Cestuy-là, c'est le père de Lord Beck. Le sensuel.

Difficile de le voir.

Sur le premier palier se dressait un nouveau nu
voluptueux, modestement drapé de haillons.

— C'est donc le père de Gunther Beck qui a acquis
ces statues ? demanda Gurrukal.

— Le maître les a drapées avant ma naissance, pour
éviter la tentation. Le seigneur Beck est extrêmement
attaché à sa femme. Sa dévotion à sa défunte Anna ne
connaît pas de limites.

Si Pasquil connaissait une exception, il n'allait pas la
mentionner devant ces étrangers.

Sur le socle d'un nu se trouvait gravée une maxime.
Wex souffla sur la poussière et lut tout haut :

> Le désir souhaite sa perpétuation éternelle.
> S. Sunnuntai.

— Ce pourrait être la devise de votre maître ! Je me
demande s'il la connaît.

— Lord Beck savait lire, dit Pasquil, mais il a arrêté
pour rêver.

— Où est-il blessé ?

— Vous allez voir...

Dans une chambre aux rideaux tirés, une solide bonne
femme d'âge mûr, le visage rouge, était assise sur le bord
d'un lit à baldaquin, jambes pendantes. Elle préférait
s'asseoir sur le lit plutôt que sur le sofa, plus confortable,
car de là elle pouvait jeter un œil à l'intérieur du cercueil
capitonné où reposait, nu, le seigneur Beck.

A côté de ce cercueil s'en trouvait un autre, un vrai,
posé sur des tréteaux, couvercle enlevé...

On ne regardait pas immédiatement la nacelle contenant le seigneur des rêves, mais plutôt la caisse de tamisier pourpre qui contenait... un squelette humain. On
détournait vite le regard — qui suivait alors un câble,
dont une extrémité était attachée au sternum du squelette. L'autre reposait librement sur la poitrine du seigneur Beck.

Une lampe à huile brûlait sur un guéridon. Sa lueur
se réfléchissait dans un miroir ovale posé près de la

lampe. La lumière semblait émaner du miroir autant que de la lampe, envahissant doucement la pièce enténébrée.

Perchée sur le lit, la femme en robe-sac grise avait les cheveux attachés en gros chignon. Des clés pendaient à sa ceinture. Le dos de ses mains était tatoué de petites louches bleues ressemblant à des signes d'éternité. Son cou était orné de carafes miniature qui semblaient pendre par l'anse aux lobes de ses oreilles. Sur sa poitrine, une broche en corne représentait la reine de profil.

— Bertha, voici de l'aide, dit Pasquil. Juste comme tu l'avais souhaité. Ils viennent de Finisterre, de la forteresse terrienne.

Bertha toucha l'amulette sur son cœur.

— Sainte Fortunée, soyez bénie.

De joie, elle donna dans l'air des coups de ses bottines lacées.

— Le maître nous a fait jurer de ne pas l'interrompre, dit Pasquil à Wex et à Gurrukal. Mais regardez-le !

Il reposait, nu, au milieu de tubes, de cadrans, de piles de conception étrangère, le tout accompagné d'une horloge à quantièmes. Il avait des fils scotchés à sa gorge et à ses bras, une seringue pleine d'une substance jaune plantée dans la cuisse. Des fils violets de vergetures marquaient sa peau par endroits. Le savant rêveur était jaune et décomposé. Sa bite et ses noisettes, d'un vilain gris, faisaient plutôt penser aux batraciens d'une mare. Ses tétins étaient déchirés, la chair pendait, lâche. Sa carcasse tremblait. De temps à autre, un spasme intensifiait le tremblement. Ses paupières se mettaient alors à battre, comme prises d'une crise d'épilepsie.

Pasquil montra ses tétins fendus.

— Voilà la blessure, et l'objet du vol. Il avait des anneaux à chaque téton. La chaîne qui les reliait portait un médaillon contenant un morceau du crâne de Dame Anna. Ce câble était fixé au médaillon. Comme vous pouvez le voir, le médaillon d'argent, la chaîne et les anneaux ont disparu ! Ils ont été volés. Pas par moi. Ni par Bertha. Ni, je le jure, par Martin ou Martin junior. Est-ce qu'un oiseau escamoteur vorace se serait infiltré ici pour picorer les tétins du maître ?

Bertha se laissa glisser du lit et toucha terre avec un

boum substantiel. Elle saisit avec précaution le lumineux miroir brumeux sous la lampe.

— J'ai essayé de voir dans ses rêves, comme lui parfois regardait dans les rêves des gens. Pour voir la terrible chose qui le fait se tortiller autant...

Elle reposa le miroir.

— Je te l'ai dit, il faut un chaman pour ça, insista Pasquil.

Bertha secoua la tête.

— Est-ce qu'un étranger doit s'infiltrer dans les rêveries intimes du maître ? Taiku Setala est mort de vieillesse prématurée.

Pasquil indiqua l'horloge calendrier.

— L'heure du réveil choisie par le maître sonnera dans quelques jours. Oserons-nous attendre ? Il se meurt.

Des brins secs de liane guérissante vert jade faisaient une guirlande sur le bord du cercueil et recouvraient le dais du lit à baldaquin. Malgré la poussière des particules libérées par les gousses fendues et ratatinées, la chambre sentait le moisi douceâtre de la mort mêlé à la puanteur ammoniaquée des latrines — ainsi que Gurrukal le murmura obligeamment à Wex.

La main de Bertha s'égara sur la broche de Fortunée.

— Il nous a fait jurer, mais nos prières sont exaucées maintenant. Prenez la responsabilité de le réveiller, mes bons messieurs. Je vous mitonnerai un succulent festin d'agneau. Le stimulant se trouve dans la seringue.

Gurrukal en préleva une goutte sur le bout de son doigt et renifla, puis il fronça le nez.

— Ce liquide a fermenté. Il causera une thrombose à quelqu'un d'aussi faible !

Wex et son wetware examinèrent les cadrans, les fils, les piles, les tubes. *[Nous pouvons aisément le déconnecter. Mais comme dit le gourou...]*

— Laissez tomber le festin pour l'instant, madame Bertha, dit Gurrukal. Mon collègue n'est pas gourmet. Votre maître a besoin d'un bon bouillon bien chaud. Je veux dire, clair et tiède. Si nous le libérons de tous ces fils et tubes, nous pourrons approcher le cercueil du lit. Je me pendrai au dais et le masserai avec mes pieds pour le réveiller. J'appuierai doucement sur ses organes.

Bertha porta la main à l'os pointu qui transperçait son chignon.

— Comme vous voulez !

— Je parle, chère madame, de techniques de massage. Ouvrez les rideaux, et une fenêtre aussi. Et éteignez la lampe. L'atmosphère est fétide là-dedans. Ne craignez point les oiseaux escamoteurs.

Réveillé par les massages, Gunther Beck reposait sous une couverture sur la courtepointe passée du lit. Rehaussé par de moelleux oreillers de satin, il avait avidement bu le bouillon que Bertha lui avait donné à la cuiller.

Encore du bouillon, encore.

Non, il ne le fallait pas. Pas encore. Il risquait de vomir après tous ces mois de jeûne.

Un air doux et mélancolique entrait par l'embrasure de brique jaune. Le soleil révélait les sculptures sur la massive tête de lit, et sur les colonnes et la corniche de harpier ambre. Des oiseaux en vol (gibier d'eau, hérons et crécerelles à long cou traînant leurs fines pattes derrière elles) alternaient avec des elfes ailés. Le visage des fées était enfantin. Elles avaient les yeux fermés. C'étaient des âmes rêveuses en vol.

Qui étaient ces inconnus habillés de vert dans sa chambre ? L'un sec, brun, chauve comme un caillou, portant une pimpante moustache. L'autre, revêche, malgré ses belles boucles brillantes.

Ils étaient de la forteresse de la Terre ! Ils l'avaient sauvé par leur science, leurs conseils avisés et leurs massages pédestres. La substance de l'injection lui aurait fait éclater les vaisseaux.

Malgré son extrême faiblesse, Gunther avait un pressant besoin de communiquer, même si sa gorge était rauque. Il balbutia des propos sur un domaine secret d'échos et de nakkis où il avait retrouvé son Anna. Il avait retrouvé son Anna. D'abord, elle ne l'avait pas reconnu. Mais ensuite, oui, elle l'avait reconnu.

Elle était en train de se faire séduire par un vaurien nommé Minkie. C'est là qu'elle l'avait vu pour la première fois, tandis que le chenapan était tout occupé à faire sa connaissance. Elle l'avait reconnu, et désiré. Pourtant, il était léger comme une plume. Ensuite la guerre avait éclaté. Le palais de Kennan s'était enflammé. Le neige tombait. Solœil Nurmi — la poétesse que van Maanen avait condamnée à mort — dirigeait une troupe de monstres contre Kennan. Les soldats Snowy de Kennan emportaient Anna et la blonde Paula Sariola sur leurs épaules tandis que le débauché pilotait un tricycle noir qui sautait. Et Gunther s'était baigné avec la bonne femme de pain d'épice dans la mare des rêves...

— Ô maître, souffla Bertha. Bénie soit Fortunée de vous avoir laissé rencontrer votre dame.

Pasquil agrippait ses bretelles de cuir pour se tenir le plus droit possible en cet instant d'émotion intense et sincère.

Bertha et lui jetèrent un coup d'œil vers la rangée de portraits à l'huile sur fond de tapisseries élimées. L'un représentait une jeune femme au visage ovale plein, avec des yeux tristes et des boucles noir d'encre. Le suivant la dépeignait à l'âge mûr. Le troisième en vieille aux cheveux gris et ridée. Pourtant, on remarquait toujours la même verve dans son regard.

— ... J'ai en fait caressé mon Anna, je l'ai embrassée. (La voix de Gunther faisait un grincement de charnières rouillées.) Cet affreux vaurien de Kennan l'a emportée hors du domaine des rêves. Dans notre monde ! Quelque part...

Un peu plus de bouillon. Oui, il le fallait.

— Ces rêves sont tellement vivants ! murmura Gurrukal à Wex. Mazette, guerres, palais en flammes, gigantesques bonnes femmes de pain d'épice. Monstres aussi ; et des morts qu'on ramène à la vie. Après si longtemps, il n'arrive plus à distinguer entre rêve et réalité.

Gunther s'efforça de bouger.

— Il faut que je retrouve Anna. Elle est quelque part à essayer de survivre.

Il ne parvint qu'à remuer faiblement sous sa couverture.

(— Quelle horreur, cette séduction de Dame Anna...)

(— Elle est innocente ! Nous n'en parlerons pas, Pasquil.)

— Il faut me la retrouver, plaida le seigneur des rêves. La sauver, souffla-t-il. Et faire le grand ménage de la forteresse pour son retour.

— Quelle horrible pagaille ici ! murmura Gurrukal. Il ne s'attendait pas que sa femme revienne de chez les morts. Et voilà que maintenant il y croit ! Quelle puissance, ces rêves !

Pasquil se pencha au-dessus du malade prostré.

— Où se trouve Dame Anna, mon seigneur ? Et où est ce Kennan ?

— Je ne sais pas.

— Votre aéronef peut rechercher Dame Anna, dit Pasquil au pilote.

— La rechercher où, cher monsieur, cette habitante d'un rêve ?

— Seigneur Beck, interrompit Wex, connaissiez-vous ce Minkie avant d'hiberner ? *[Très bonne question.]*

Gunther fixa un regard halluciné sur l'agent de la Terre.

— Je le connais, maintenant, grogna-t-il.

— Savez-vous que Kennan a assassiné le prince Bertel ?

Gunther essaya de se soulever, en vain.

— Bertie... ? Bertie a été assassiné... ?

[Kennan a fui sur une sauto pour aller se cacher. Beck a vu la sauto dans ce domaine onirique. Comment aurait-il pu rencontrer une sauto avant ? Gunther Beck doit réellement être parvenu dans la petite Ukko par la voie du rêve. Kennan y était ; maintenant il a quitté l'enfant Ukko après avoir perdu ses batailles. Kennan a emporté avec lui l'écho d'Anna Beck hors de l'enfant Ukko — à moins que le seigneur des rêves ne se soit trompé ! Peut-être que les monstres sont des inventions, mais le principal est vrai. Kennan sait où se trouve la petite Ukko. L'écho aussi, cette Anna. Beck a rencontré l'écho de Paula Sariola. Où est Kennan à présent ? Où est l'écho d'Anna ? Suis-je, en un sens, ton écho ?]

— Ce ne sont pas simplement des rêves, assura Wex à Gurrukal.

Surpris, le pilote cligna des yeux.

Wex lui marmonna :

— Mon wetware en est convaincu, et moi aussi. Si seulement nous arrivions à localiser Kennan et Anna Beck ! Elle est sans doute une plus honnête informatrice que Kennan.

— Je croyais que nous devions rechercher le neveu de Lord Beck, pas un rêve mort, grogna Gurrukal.

C'était le but de la mission, monsieur Wex. C'est la raison pour laquelle on vous a prêté une aérocolombe.

— Cully ! Oui... Il faut prévenir ces gens au sujet du neveu. Peut-être devriez-vous rester ici comme garde du corps... Dans quelle direction dois-je partir, bon sang ?

Gurrukal posa sa paume sur son bâton de combat en tamisier.

— Je ne crois pas que nous devrions changer d'objectif afin de poursuivre un fantôme, monsieur Wex.

— Kennan, alors. Kennan. Il sait. L'enfant Ukko fascine Pen Conway au plus haut point. C'est son dada.

— Elle ne m'a jamais parlé d'enfant Ukko.

— Mathavan, c'est ce que recherche Fortunée ! Et son écho. Envoyez un message radio à Pen Conway de l'aérocolombe. Elle vous dira de faire comme j'ai dit. (Wex vacilla.) *[De faire comme nous avons dit]*, répéta-t-il d'un ton fruité et chantant.

Lassé, le pilote fit marche arrière.

— Je suppose qu'il n'y a pas de mal à lancer un message radio...

[Si ! Les Isis peuvent intercepter l'appel. Je vous interdis d'appeler Finisterre.]

Les mains de Wex se raidirent.

Gurrukal décrocha son bâton brillant.

— Vous portez peut-être mes cheveux, monsieur Wex, mais la résidente m'a dit de garder l'œil sur vous.

— Pourquoi vous vous disputez ? demanda Bertha. Ne vous battez pas ici. Comment osez-vous ? (Elle arracha la longue épingle en os de son chignon et la brandit en arme de dissuasion.) Faites ce que demande le maître. Je vous en supplie !

— Bertha, attention, fit Pasquil.

— Ce qui compte, c'est de prendre soin de Lord Gunther.

— Kennan, Kennan, caqueta une voix d'oiseau. Oyez l'histoire, écoutez le récit !

Un coucou s'était installé dans l'embrasure ensoleillée. Attiré par une fenêtre qui s'ouvrait après avoir été des mois fermée derrière ses rideaux tirés, et probablement par l'aérocolombe blanche parquée sur la terrasse, un oiseau cancanier était là.

Remarquant Wex, l'oiseau, alarmé, croassa.

— Aaark ! Aaark ! Assassin de coucous !

Bertha rangea son épingle dans son chignon. L'oiseau vert moucheté marchait en rond, ébouriffant ses plumes, agité. Allait-il rester ? Allait-il s'envoler ?

— Aaark !

[Mets-toi hors de sa vue, Roger. Ne le laisse pas te voir.] Wex s'accroupit à la hâte derrière le baldaquin sculpté d'une multitude d'oiseaux.

— Raconte-nous ton histoire, chante-nous ta chanson, supplia Bertha. Personne ne veut de mal à un coucou.

— Kennan, grinça le seigneur des rêves.

L'oiseau semblait traumatisé par le choc.

— Ukko-ukkou ! caqueta-t-il. Raconter l'histoire de Minkie Kennan. Aark. Kaark. Minkie Kennan est arrivé en sauto au village de Kaukainkyla. Kaark. Il y a laissé une dame, avec des cheveux bouclés. Aaark. Il est parti.

Le coucou en fit de même. Il s'envola.

— Cou-cou, reviens ! cria en vain Bertha.

Très affaibli, Gunther se tortillait avec peine sur son lit, pourtant sa voix était rauque.

— Anna, mon Anna, nous allons venir te chercher...

Wex se releva. *[Kaukainkyla est un petit village à deux cents lieues au sud-est de Niemi. Il y a un autre Kaukainkyla à l'ouest de Kip'an'keep. Mais la famille Kennan règne sur Niemi.]* Minkie Kennan se dirigeait donc vers chez lui. *[Pas nécessairement. Fortunée doit crever d'envie d'avoir sa peau.]* Pourquoi Kennan a-t-il abandonné Anna Beck à Kaukainkyla ? *[Cela, nous le découvrirons quand nous irons la chercher. Il est vital que personne d'autre n'arrive à elle avant nous. Le seigneur Beck et ses serviteurs doivent garder le secret de son sauvetage. Elle sait où se trouve la petite Ukko. Peut-être devrions-nous emmener Anna Beck à Finisterre pour la mettre en sûreté ?]*

— Écoutez-moi, dit Wex, nous allons immédiatement décoller pour Kaukainkyla, au sud-est de Niemi.

— Emmenez-moi avec vous, supplia Gunther.

Ridicule.

— Je n'aurai sans doute plus besoin de dormir pendant des jours.

Ainsi il serait alerte et vigoureux, n'est-ce pas ? Brillant comme une escarboucle ? Même Pasquil et Bertha secouaient la tête.

— Vous avez besoin de vous refaire, dit la cuisinière.

Que dira Dame Anna de la façon dont on s'occupe de vous ? Ou dont vous vous en occupez vous-même ?

— Pouvons-nous discuter de cette affaire en privé, dehors ? demanda le pilote à Wex, tout bas.

Wex hocha la tête.

— Le secret est essentiel, seigneur Beck, Pasquil. Vous comprenez ? Les Isis seront intéressés par la réapparition de Dame Anna, et par l'endroit d'où elle revient.

— Les coucous le savent déjà...

— C'est vrai, monsieur Pasquil. Mais ils ne sont pas au courant de notre mission de sauvetage. *[Cette forteresse n'est pratiquement pas protégée, sauf par les mauvaises herbes.]* Vous n'avez pas d'autres gardes que l'on pourrait appeler ?

— Il y a Martin et Martin junior.

— Et des sentinelles de la ville ? Ne vous doivent-elles pas allégeance ? Il faut que je vous prévienne : attention à Cully, s'il vient. Ne le laissez pas s'approcher du seigneur Beck. Il a été envoûté par les Isis contre son oncle. Il a essayé de résister, mais il est probablement devenu fou. Si possible, maîtrisez-le et enfermez-le.

— Cully ? chevrota Gunther.

— C'est pas possible, fit Bertha.

— Ils ont réveillé le maître, dit Pasquil. Ils vont aller chercher la maîtresse, que... (il coula un regard inquiet sur le cercueil) que nous n'avons jamais rencontrée en chair et en os. Pourquoi iraient-ils inventer une calomnie contre Cully ?

— On aurait pu utiliser les bras de Cully...

— Je vais vous dire à quel point il peut aider, dit Wex. Ou plutôt à quel point il est déséquilibré. Il a arraché un œil à Dame Loxmith.

Choquée, Bertha ajusta son épingle à cheveux en corne de védelle.

— Je resterai assise auprès du maître. Faudra passer sur mon corps avant de l'atteindre.

La chambre avait grand besoin d'un bon nettoyage. Ainsi que toute la forteresse, d'ailleurs. Débarrasserait-on les sensuelles statues de leurs linceuls en lambeaux pour souhaiter une bienvenue passionnée à la maîtresse des lieux ?

Cinq minutes plus tard, près de l'aérocolombe aux ailes courtes, Wex et son wetware faisaient pression sur Mathavan Gurrukal.

— L'enfant Ukko est l'eldorado...

— Donc vous ne devez pas utiliser la radio...

— Nous ne voulons pas de dispute...

— Surtout que nous sommes maître de tai-chi, d'aïkido et de karaté.

— J'ai le droit de réquisitionner cet appareil. Nous n'avons pas de temps à perdre, Mathavan...

Le pilote passa la main sur son crâne rasé.

— Un eldorado, monsieur Wex ? Et la résidente approuverait... ?

— Élargissez vos horizons, Mathavan. Vous êtes venu jusqu'aux étoiles.

— Et si Cully arrivait ici entre-temps ?

— Il sera maîtrisé. (Par Bertha. Par les Martin. Peut-être avec l'aide de la ville.) Il sera désorienté et confus.

— L'aéronef a décollé, annonça Pasquil au seigneur somnolent. (Il quitta la fenêtre et s'approcha du cercueil.) Martin et Martin junior doivent-ils emporter les restes de votre dame en bas dans la crypte ?

— Oui... Ses reliques... Elle ne doit pas les voir. Dans combien de temps les Terriens me ramèneront-ils Anna ? A quelle vitesse vole leur aérocolombe ?

— Aussi vite qu'un carreau d'arbalète. Plus vite.

— Ah... soupira Gunther. Cinq ans après notre mariage, Anna et moi sommes allés ensemble à la chasse, là où le Matijarvi est le plus gonflé. Où ne sommes-nous pas allés ensemble, elle et moi... ?

Nuage de plumes. Le coucou était de retour sur l'appui de la fenêtre.

Ses yeux jaunes examinèrent la chambre.

Satisfait de n'y voir que Gunther, Pasquil et la cuisinière, il annonça :

— Ukko-ukkou, oyez, oyez !

Il caqueta tout seul avant de continuer :

— Minkie Kennan a laissé là une dame aux cheveux bouclés. Car elle se transformait en cadavre vivant...

11 — L'anniversaire des sœurs l'horreur

FORTUNÉE AVAIT EMMÉNAGÉ DANS LA SUITE BLINDÉE OÙ Elmer Loxmith avait niché jusqu'à la nuit de sa fuite hors de la bâtisse en H. Elle avait fait ôter toutes les tentures de soie des murs pour exposer les panneaux de fonte. Les étoffes avaient fait des draps pour June, Jatta et les autres. La reine arpentait la chambre et le salon attenant, tapotant de ses doigts les parois de métal. Elle se serait presque crue revenue dans la *Katarina*, des siècles plus tôt.

L'aile ouest était éventrée. Explosifs et torpilles avaient causé de gros dégâts partout ailleurs. Toutes les vitres avaient volé en éclats. En conséquence, la ville de Loxmithlinna dut contribuer, par une dîme de verre prélevée sur ses propres fenêtres, au revitrage de l'aile sud. Ce ne fut guère une opération de rénovation ; mais l'automne était là.

Comme l'aile sud était devenue le quartier général de la reine, la douairière Lokka, Henzel le paralytique, Nikki, Lyle Melator, les employés et autres serviteurs avaient été déplacés dans une partie de l'aile nord. Le père d'Elmer était maintenant confiné dans son fauteuil roulant, privé d'ascenseur. Les nouveaux appartements de la famille Loxmith étaient ouverts à tous vents, malgré les tentures que l'on y accrochait. Bientôt, il ferait froid. Il faudrait dormir sous des fourrures et en porter toute la journée.

La plupart des survivants qui avaient occupé l'aile ouest avant le siège étaient partis en ville mendier gîte et charité.

Et les Volontaires de la défense qui avaient changé d'allégeance ? Le capitaine Rolf Haxell (bras droit en écharpe) jura fidélité à Fortunée, devant Serlachius. Il renonça à ses boucles d'oreilles (les petites herses) comme gage de son revirement. Il se fit tatouer en argent sur la joue la cochlée en spirale d'une oreille interne entourée de quelques étoiles, version simplifiée de l'ordre de l'Ukko que le général Aleksonis portait sur son uniforme. Un honneur, en quelque sorte, pour avoir changé de côté ! Et le signe que, désormais, Haxell n'écouterait que la vraie reine.

La vraie reine ? Le statut de Fortunée ne faisait aucun doute.

Malheureusement, Maananfors résistait plus qu'on n'aurait pu s'y attendre. On aurait sans doute pu prévoir une dure résistance, après le massacre de la garnison...

En outre, il y avait toutes ces armes infernales des Isis tavelés !

Les ailes habitables, la salle de banquet et la cour (où luisait une colline de verre cassé) étaient bondées ces temps-ci. De soldats de Sariolinna, en chair et en os, et en bois. De troupes de Jaeger et de sentinelles de Luolalla. De Volontaires de la défense. Le Petit Coin, débarrassé de ses courbiers, servait de terrain d'atterrissage aux aéronefs et aux nacelles volantes.

Maananfors avait touché à la roquette une nacelle armée. Le petit appareil isi était revenu tant bien que mal à Loxmithlinna et s'était écrasé sur le front du lac. Peut-être qu'Elmer Loxmith aurait su comment le réparer... s'il avait été là !

Et Lyle Melator ?

Tapotant les parois de l'ancien salon devenu à présent son bureau, Fortunée attendait l'assistant d'Elmer qui avait amené Haxell à se rendre — décision fatale, en ce qui concernait les partisans de van Maanen.

Traîtrise ? Peut-être, mais ce n'était pas de la trahison. Bien au contraire.

Après avoir introduit Lyle, Bekker, le capitaine de bois, resta posté près de la porte pour protéger Fortunée contre toute attaque. Elle pouvait se fier à sa parfaite discrétion. Son visage brunâtre restait inexpressif. Pas un muscle ne tressaillait.

Appuyée à un panneau de métal près de la fenêtre, la tête penchée, Fortunée scrutait son nouvel allié, Lyle, à qui l'on ne pouvait pas vraiment faire confiance. Elle avait choisi de revêtir une robe d'Eva, en satin mauve avec des perles d'ambre. Deux cabochons d'ambre, plus gros que les autres gouttes dorées et cousus à l'emplacement des seins, contenaient des lucioles. Cela rappela à Fortunée les insectes brillants qui avaient volé vers les minuscules fillettes de June et de Jack. Les autres perles faisaient écho au chapelet royal sous lequel sa chevelure aile-de-corbeau partait aujourd'hui en fouillis aérien. La robe était un peu large, Eva étant plantureuse. Ou l'ayant été.

Une reine devait-elle porter les vêtements abandonnés par sa fille juste parce qu'elle dormait dans son lit nuptial ? C'est que cela l'amusait. La robe n'avait peut-être même jamais été portée.

Mine de rien, derrière ses lunettes cerclées d'or, Lyle lorgnait les tétins scintillants de Fortunée. Il arborait un léger sourire, en approbation complice. Lui-même avait belle apparence dans ses chausses de cuir étroites et son ample chemise crème brodée à manches bouffantes. Quelles ruses y cachait-il ? Fortunée eut envie de passer la main dans le casque de ses cheveux auburn et de le tirer, le tirer où ? À ses genoux ? Pour qu'il embrasse ces cabochons d'ambre ?

— Melator, fit-elle, songeuse. Timonier, en quelque sorte. Le gouvernail qui dirige le bateau, même si le capitaine s'imagine piloter.

Lyle inclina la tête, en discrète marque de reconnaissance.

— Vos quelques siècles d'expérience vous ont rendue perspicace, Majesté.

— Ou aveugle aux ambitions simples.

— Qu'est-ce que l'ambition, demanda Lyle, sinon une envie qui simplifie le monde, le réduit à l'essentiel, si bien que l'aspirant peut se jeter de toutes ses forces vers son but ?

— Par des itinéraires détournés, en général.

— Ce sont les circonvolutions que font les truites avant de remonter...

— Plus haut dans la rivière. (Fortunée hocha la tête. Du bout des doigts elle tapotait le fer.) Je suis distraite par tant de choses, ces temps-ci.

— Dois-je vous divertir un peu plus ? demanda-t-il. En vous disant qu'Elmer était impuissant à satisfaire Dame Eva ?

— Quoi... ? s'exclama-t-elle, ravie.

— Pour moi, c'était évident. Elmer était si gauche. Dans des efforts vains pour allumer sa propre passion, il la fouettait chaque nuit.

— Quelle précieuse information !

Merci infiniment, Lyle Melator.

— C'est pourquoi la sotte Menuise s'est choisi une

couronne de fouets. Solidarité des sœurs Sariola, pour une fois.

— Fouets et perles ! Quand un coucou a relaté ce ridicule couronnement, je me suis posé des questions.

— Un coucou, ah... (Le sourire de Lyle était celui du connaisseur.) Entre nous, j'ai donné une cervelle d'agneau bouillie à un coucou et lui ai dit de répandre la nouvelle du problème d'Elmer chez les Isis d'airain, au cas où ils voudraient l'aider.

— Vous aviez ses intérêts à cœur, bien entendu.

— Résultat : la créature dorée dont vous avez sans doute entendu parler. Les mobiles des Isis étant ce qu'ils sont, la créature a ensuite essayé d'envoûter van Maanen.

Fortunée éclata de rire.

— Dommage qu'elle ait échoué !

Il y avait longtemps qu'elle n'avait pas ri.

— A un autre égard, il se peut qu'elle ait réussi, Majesté. Lorsque j'ai fait irruption ici — oui, dans cette antichambre, et dans la chambre royale — pour en chasser Elmer et Eva...

— Si Loxmith était encore là, il pourrait me réparer la nacelle volante, monsieur Melator.

— Quand j'ai fait irruption ici, Majesté, j'ai eu la forte impression que le couple avait finalement réussi à consommer le mariage — dans la chaleur des bombardements.

— Comme c'est galamment dit !

Ce Lyle attirait la sympathie.

Percevant son approbation, il demanda :

— Pourrions-nous libérer Moller du pilori ? Il s'y trouve depuis plusieurs jours maintenant. Il est très souillé. Ces décollages et atterrissages d'aéronefs autour de lui doivent être agaçants. (Lyle osa même mentionner les aéronefs. Mais n'avait-elle pas elle-même abordé le sujet ?) Il n'a participé à cette farce de couronnement que contraint et forcé.

— Oui, oui. Pourquoi donc croyez-vous que je ne l'ai pas fait fouetter et marquer ? Il lui fallait un châtiment. Je suppose que le fait d'intercéder en sa faveur démontre votre aptitude à régner en seigneur sur ce tas de ruines.

Lyle manifesta quelques scrupules.

— Pas en seigneur exactement. Les traditions populistes tiennent bon, ici. Peut-être en intendant de la reine, en gardien de la reine.

Fortunée tambourina.

— Gardien de la reine, quelle aspiration remarquable !

Le bonhomme plissa son nez retroussé de comique façon. Quel diplomate ! Elle aurait pu le gifler, sans le pincement d'émoi qu'elle ressentit.

Comment cela se pouvait-il, après des siècles de fidélité acharnée ? Des siècles de loyauté envers un consort qui avait organisé son propre meurtre pour lui échapper ! (Ce cher Bertie n'a jamais fait une chose pareille. C'est le méchant Kennan qui en porte l'entière responsabilité.) Peut-être qu'elle devrait quand même gifler Melator.

Au lieu de cela, elle dit au capitaine Bekker :

— Veillez à ce que le pasteur soit libéré ce soir.

Pas immédiatement. Après un laps de temps suffisant. Son soldat de bois ne devait pas encore la quitter — ni la laisser seule avec ce Lyle, avec la tentation.

Pourquoi avait-elle choisi la robe avec les tétins scintillants ? Souhaitait-elle célébrer sa conquête de la bâtisse en H comme un homme, par un viol ?

Oui, Lyle lorgnait à nouveau ses lucioles.

— Ne me troublez pas, dit-elle.

Pourtant il le faisait. Le malin.

Comment pouvait-elle envisager de prendre un amant à la suite de la désertion de Bertie ? Que savait-elle des amants ?

Elle connaissait assez la passion des soupirants pour ses filles. Jaeger. Fors. Kippan... Le plus récent étant Elmer Loxmith.

Elmer avait finalement pris sa virginité à Eva en plein cœur des combats, dans la pièce voisine, cette chambre où elle-même passait ses nuits à rêver de guerre et de vengeance. Dans un lit où le vacarme des violences avait allumé une frénésie érotique !

— Je suppose, dit-elle, que vous deviendriez seigneur de façon plus légitime si vous épousiez la fille Loxmith.

Lyle se passa la langue sur les lèvres, goûtant la perspective.

— Je ne le pense pas, Majesté. Bien que ce soit généreux de votre part de le suggérer. Nikki est plutôt montée contre moi en ce moment. Il faudrait beaucoup de temps pour la persuader.

— Son frère risque fort de mourir car il a fui à Maananfors !

— Nikki en serait marrie, même si elle a une dent contre lui pour sa façon de traiter Eva. Et s'il ne meurt pas ? A mon avis, il ne peut guère revenir à la bâtisse en H. Surtout si je dois être le gardien de Sa Majesté.

Quel conseiller avisé ferait ce Lyle. Voulait-elle un conseiller ? Voulait-elle un amant temporaire ? Elle renoncerait à toute grossesse future. La démangeaison de la chair revenait-elle sans que Bertie soit là pour l'apaiser ?

Lyle ne deviendrait pas longue-vie en couchant avec sa reine. Nul doute qu'il le comprenait. En ce sens, il serait définitivement temporaire. Beaucoup de choses deviendraient temporaires, quand elle retrouverait son autre moi ! Elle-même risquait de le devenir.

— Vous m'affolez, Lyle Melator. Merci de m'avoir raconté l'amusante histoire des fouets. Bien digne d'être racontée sur tous les toits.

Lyle hocha la tête.

— Le carnage attire les coucous.

Si lui-même, être digne de foi, répandait un petit bout d'information sur Elmer et Eva, il s'engagerait vraiment auprès de la reine. Il aurait droit à une récompense spéciale.

— C'est l'anniversaire des fillettes, cet après-midi, lui rappela-t-elle. J'espère que la salle de banquet sera nettoyée.

— Bien balayée mais pleine de courants d'air, Dame Fortunée.

Quelle présomption !

— Je préférerais que vous m'appeliez Paula, en fait. Dame Paula. En privé.

Comme cette chambre ressemblait à la *Katarina* ! Et comme elle était différente. Le tapotement de ses phalanges provoqua un écho — au moment même où l'on frappa à la porte.

Ben Prut entra, ses chevrons et baudrier argentés sur sa combinaison de cuir de camouflage. L'adjudant lorgnait comme un myope. Il serrait ses lunettes à la main. Lyle n'avait pas peur de porter ses verres, lui, ses verres cerclés d'or.

— Les hommages du général, Majesté. Nos sautards portant en croupe des tireurs d'élite ont affronté des sautards de Maananfors sur la rive nord-ouest du lac. Les adversaires ont combattu comme des fous, fin de citation. Nous avons perdu un tireur d'élite et un pilote de sauto, mais son tireur a pu ramener le véhicule à la base. L'aéronef de la forteresse a essuyé un tir dans sa carlingue et déplore un blessé et un trou, mais il reste opérationnel. On lui mettra une pièce. Le général recommande que l'aéronef royal et la forteresse volante ne s'approchent pas trop de Maananfors pour le moment.

Ainsi Fortunée n'avait pas le contrôle des airs, bien que les rebelles ne possèdent pas d'engins volants.

— Le général recommande l'entraînement de soldats de bois sur les sautos afin de former une avant-garde invulnérable.

Jusque-là, le capitaine Bekker s'était tenu immobile dans son uniforme bleu foncé au devant orné de dentelle rouge et dorée. Son haut shako à pompon touffu (et plaque d'argent gravée d'un arbre) le faisait sembler plus grand que l'immense aide de camp. Voilà qu'il remuait.

— Mes hommes sont solides, dit-il. Inébranlables. Pourtant, sauter ainsi d'un endroit à l'autre à une telle vitesse risque de les déséquilibrer. Le bois peut marcher, mais peut-il sauter ? Notre conditionnement manéen risque d'être contraire au saut. Je demande à faire le premier essai.

— Jack Pakken pourrait faire un bon instructeur, suggéra Prut.

— Je me suis laissé dire par Jatta, intervint la reine, que Hubertus Jaeger ne pouvait plus marcher droit après la leçon que lui a donnée Jack. Ma Jatta espérait que j'interdirais à son fils de remonter sur une sauto... Ai-je envie de risquer l'équilibre du bon capitaine ? Je dois y réfléchir.

— Le général recommande une campagne d'usure plutôt qu'un assaut soudain et massif, dit Prut.

— C'est exaspérant ! Tout cela à cause de cette damnée résistance.

— Et de l'aide des Isis tavelés...

— Est-ce qu'Aleksonis soupçonne les Juttahats tavelés d'avoir rejoint les rebelles ?

Lyle s'éclaircit la gorge.

— Oui ?

— Une alliance avec les étrangers ? Jamais. Même si van Maanen perdait, il lui faudrait refuser. Sinon ce serait une trahison envers la race humaine. Aucune personne décente n'accepterait la fausse reine. Peu le feront.

— Il est en train de perdre, cracha Fortunée. Il a déjà perdu la bâtisse en H.

— Je me porte volontaire pour piloter une sauto si Sa Majesté le permet, insista Bekker avec ténacité.

— Non, je dois y réfléchir.

Et elle tambourinait sur la paroi de fonte.

Avant de prendre toute autre décision, elle voulait que la salle de banquet soit totalement exempte de tout soupçon de trahison.

Tout comme au faux couronnement, foies et cœurs étaient accrochés à la grille de fer forgé simulant un feuillage devant les fenêtres à présent démunies de vitres. L'une des grilles, fracassée, avait intercepté une petite bombe. La brise soufflait par les embrasures nues. Des épaves de chandeliers pendaient.

Dans un cadre de cuivre appuyé à une paroi lambrissée de tamisier, derrière le dais, on voyait des rubans de toile. Ce tableau pouvait sembler lacéré par des éclats de verre. Mais il en allait autrement. Fortunée n'avait pas souhaité que l'on dissimule le portrait vandalisé. Elle ferait venir Mikal du palais de Pohjola. Elle ferait recoudre les lanières de toile et restaurer le tableau à la perfection, mais pas encore. En le laissant ainsi, à la vue de tous, la responsabilité des dommages subis par la maison retombait sur van Maanen et Menuise.

Par le grillage de fer forgé, on voyait la coque carbonisée de l'aile ouest. Des débris du toit crevé avaient coulé deux bateaux dans le bassin. La plupart des navires étaient intacts. Même armés, aucun ne valait le vapeur à aubes que van Maanen avait transformé en navire amiral, ni n'atteignait la vitesse du *Traîneau des Mers* d'Elmer. Néanmoins, on avait relevé la herse. L'armée royale était sur l'offensive, et non sur la défensive. Van Maanen ne lancerait probablement pas une attaque par le lac turquoise. Pour l'instant l'eau avait la couleur terne du plomb. Le ciel était gros de nimbo-stratus gris sale.

La fête d'aujourd'hui, en l'honneur des quadruplées de June, était un festin de sucreries. Tartes aux baies noires de mustier et tourtes de bubonniers. Crêpes à la confiture de myrtilles nappées de crème. Porridge battu et parfaits. Soupe de fruits, meringues, îles flottantes... à faire descendre avec alcools et limonades.

Les fillettes fêteraient-elles ainsi tous les mois le jour de leur naissance ? Les bambines marchaient à présent à quatre pattes avec agilité. Elles faisaient quelques pas à deux pattes avant de s'asseoir avec un plouf lourd. June arrivait toujours à s'en occuper à deux par écharpe, mais mieux valait une à la fois. Heureusement, les petites étaient presque sevrées, sinon leur mère aurait maigri de façon abominable. On leur donnait de la viande hachée, de la purée, du porridge sucré pour remplacer le lait.

Ces temps-ci, deux servantes des Loxmith et une fille de cuisine aidaient en tant que nurses. Cet après-midi, les quadruplées étaient assises sur de petits coussins, sur la table d'honneur parmi les bols et les assiettes. June s'était assise derrière l'une d'elles au cas où elle basculerait. Jack avait pris place derrière la deuxième, Jatta derrière la troisième et enfin Nikki Loxmith derrière la quatrième.

Fortunée avait décrété que ses arrière-petites-filles porteraient des crinolines et, par-dessus, une robe rose et gris argent, au corsage collant, serrée à la taille. Ces costumes soutenaient virtuellement Poisse, Poissette, Guigne et Guignette. En se balançant, les fillettes trempaient leurs petits doigts dans le porridge ou le parfait qu'elles cueillaient à pleines menottes et léchaient goulûment. Leurs joues roses étaient maculées de crème. Leurs yeux, bleus comme ceux de leur mère, étincelaient. Elles commençaient à avoir des boucles blondes. Les nymphettes babillaient joyeusement, heureuses d'avoir un large public.

A un bout de la table, rehaussée par un gros coussin sur sa chaise, la vieille Hilda était pliée en deux, le visage incliné presque à toucher la nappe. A l'autre bout se trouvait Fortunée. Réunion de famille ! La seule étrangère à la grande table d'honneur était Nikki. Mais elle était récemment parvenue au statut de fille de la maison.

La sommation de servir de nounou était-elle une concession d'amitié ? Ou est-ce que Fortunée souhaitait parvenir à une décision en ce qui concernait la sœur d'Elmer ? Nikki était venue dans ses plus beaux atours brodés, et elle portait un bonnet à rubans jaunes et roses.

— Votre bonnet me plaît bien, lui dit Jatta d'un ton de doute.

Personne d'autre ne portait de couvre-chef, pourtant il faisait assez frais, dans cette salle remplie de courants d'air, pour en porter un. La tunique de daim pourpre de Jatta (à bandes de feutre coloré) et son pantalon de peau de veau convenaient à la température ambiante.

Il y avait de la provocation dans le regard de biche de Nikki.

— La dernière fois que j'ai porté ce chapeau, c'est quand je suis allée à Finisterre avec mon frère. Je ne connais pas grand-chose d'autre, sauf Maananfors, de l'autre côté du lac. Le reste du monde est arrivé ici, dans un vacarme effroyable. (Oui, pour anéantir son foyer...) Voulez-vous mon bonnet, princesse ?

N'avez-vous pas déjà tout pris ? Aujourd'hui je suis la nounou d'une de ces terribles gamines. Que voudrez-vous de moi demain ?

— Bien sûr que non. Et je ne suis plus guère princesse, avec ces curieuses petites-filles dressées sur la table. Je n'ai même pas envie d'être ici, confia Jatta, sauf pour empêcher mon fils de trop se risquer. Comme si je le pouvais, avec ma mère qui le pousse. Elle m'a fait venir pour que je me pavane dans la forteresse d'Osmo une fois qu'elle l'aura prise.

— A l'avant-dernière fête de Fortunée, chez Osmo, je vous ai plainte d'être ainsi humiliée en public...

— Vous y étiez ?

Jatta tendit le bras pour retenir Poisse ou Poissette.

— Je ne pouvais rien faire pour vous à l'époque. Maudits soient tous les faiseurs de choses ! Y compris mon gaffeur de frère. Et s'il était resté ici ? Est-ce qu'il sourirait à la reine comme un dément ? (Nikki tremblait.) Maintenant il a perdu son titre...

— Lyle Melator, là-bas, semble très sûr de lui.

On voyait tant de visages entre les petites jupes à crinoline... Paavo Serlachius, rouge de droiture. Nils Carlson, dont les lèvres tatouées déclaraient le talent et l'insolence envers la douleur. Juke, qui avait un instant soutenu le regard de Jatta avant de détourner les yeux ; traître à sa propre sœur ; assassin manqué d'Osmo. Le splendide Aleksonis, Ben Prut et tant d'autres, parmi les gâteaux, les parfaits et les verres de vodka. Le capitaine Haxell au tatouage argenté sur sa face couleur de tripes, vautré aux côtés de Melator.

— Il est sûr de vous ? murmura Jatta à Nikki.

— Cela m'aurait été égal, jadis... Lyle semblait doux, élégant et serviable.

— Chaque médaille a son revers, n'est-ce pas ?

— Lyle ne s'occupe pas tellement de moi ces derniers temps. Il m'a parlé il y a peu, mais avec détachement, comme si je l'ennuyais.

— Que voudrait-il de vous ? Il cherche la longue vie, il n'y a plus de filles Sariola disponibles pour l'instant, à moins que ma mère n'ait l'intention de lui donner Ester. Elle a quatorze ans.

Nikki parut perdue.

— Vous avez tellement plus d'expérience que moi, Jatta.

— J'aurais pu m'en passer. Mais je n'ai jamais eu de frère. Vous si. Pourtant il vous a abandonnée.

— Parce que nous nous sommes disputés. Il m'a laissée m'occuper de mère et de père. Il ne m'a jamais demandé mon avis. Il est simplement parti. Les bombes tombaient, l'aile ouest était en flammes. Il m'a abandonnée. Il est parti et m'a laissée à son fidèle Lyle.

— Pour vous protéger. J'ai jadis eu un protecteur, Nikki, murmura Jatta. J'ai vu la sœur de Juke dans une vision, elle brandissait un fusil à lumière.

— Une vision ?

En compagnie de ma chère Anni, près d'une mare...

C'était intime.

Mais Jatta avait révélé sa vision à sa mère.

(Il y a longtemps : Jatta, ma perruchette, ma petite pie, conte-moi un récit ! Et, prise de panique, Jatta avait obéi.)

Peut-être ne devrait-elle plus se confier à personne d'autre qu'Anni.

Pourtant il le fallait peut-être.

— J'ai eu la vision d'une multitude d'insectes brillants au-dessus d'une mare, Nikki. Solœil s'affirmait. Je n'ai pas été capable de m'imposer — en ce qui concerne ma venue ici. Ou l'abandon d'une amie très chère. Ma mère était par trop frénétique. Elle aurait pu blesser ma bien-aimée.

— Vous n'avez pas à me raconter cela...

— Cela ne me fait rien. Juke a pillé mon cœur tandis qu'il me protégeait. Ma bien-aimée, elle, a sans doute été maltraitée.

— Oh, dit Nikki, se refermant sur elle-même.

S'il vous plaît, ne me prenez pas sous votre aile, princesse Sariola. Vous m'époustouflez. Peut-être que toutes les filles Sariola étaient rebelles. Quelle obstination aurait montrée Eva en tant que dame de Loxmithlinna si Elmer n'avait pas meurtri sa fierté, et ses fesses ?

Heurtée, Nikki s'était éloignée de Jatta. Ce qui coïncidait avec les propres désirs de Jatta. Elle avait envie de retrouver une âme sœur dans un endroit intime, loin du monde braillard. Pas ici, pas maintenant. A peine entamée, la relation avec Nikki semblait déjà s'altérer. Guigne ou Guignette rampait vers la crème. Nikki se concentra pour empêcher l'horrible poupée de tomber sur la table.

Un coucou déchirait des lambeaux du cœur cru logé sur l'une des grilles.

— Cou-cou, appela Fortunée. Écoute-moi, je nomme Lyle Melator gardien à vie... de cette forteresse et de ses environs. Jusqu'à la fin de ses jours la famille Loxmith en sera dépossédée. (Nikki frissonna.) Cependant, le vieux seigneur Henzel, Dame Lokka et leur fille resteront ici et recevront une pension convenable.

Jatta cligna des yeux.

— Détendez-vous, chuchota-t-elle à sa voisine, si vous le pouvez. C'est encore une des frasques de maman.

Voilà qui inciterait Lyle à ne pas retourner sa veste une nouvelle fois. Nikki était une otage. Lyle montrait peu d'empressement pour la forcer à l'épouser. Qu'est-ce qu'une telle union ajouterait à son statut ? Si Elmer mourait sans descendance pendant les hostilités, sa veuve Eva serait-elle l'héritière la plus appropriée de la famille ? Ou Nikki, qui était du même sang ? Si Lyle épousait Nikki et lui donnait un enfant, cet enfant ne serait-il pas le successeur naturel des Loxmith au cas où Lyle mourrait par le poison ou d'un coup de poignard nocturne ?

Jusqu'à la fin des jours de Lyle...

Il n'avait plus qu'à espérer gagner l'une des filles Sariola restantes s'il voulait prolonger sa vie. Mais il ne pourrait pas les courtiser avant quelques années.

Lyle se leva et s'inclina devant Fortunée avec une nonchalance comique.

La reine frappa dans ses mains.

— Cou-cou ! A mes quatre garces la menace, je dis : *Joyeux Mensuelversaire !*

Les fillettes se tournèrent toutes avec un grand sourire plein de crème à l'adresse de Fortunée.

— A quelle distance pouvez-vous obliger les mouches à voler maintenant ? Avec quelle force, mes malignes ? Montrez-nous, afin que mes ennemis apprennent l'arrivée de vos nuisibles insectes et qu'ils les craignent plus que les bombes et les missiles !

Avec un ensemble parfait, les minuscules fillettes surendimanchées tapèrent dans leurs petites pattes potelées enrobées de miettes et de crème. Un insecte noir et luisant s'envola du poing de Guigne (était-ce bien Guigne ?). Un insecte semblable jaillit des mains de Poisse (était-ce bien Poisse ?). De leurs paumes à toutes, sortit un flot de mouches. La nuée s'éleva et alla tourner en rond autour d'un reste de chandelier.

— Cou, caquetèrent les petites sœurs, levant les yeux.

— Cou-cou, cria Fortunée à l'oiseau cancanier. Raconte l'histoire !

Les mouches s'activaient à tourner, tourner.

Choc de fer sur du fer...

Pendant que tous avaient l'attention distraite, un personnage maigre et musclé entra dans la salle. Besaces et bourses de cuir pendaient à des crochets enfoncés dans son torse nu couleur miel pâle. Des poids pendaient à la ceinture de fer qui retenait son kilt kaki. Il avait relevé sa masse de cheveux gris en chignon tenu par des épingles. Une figure de chien, des yeux très enfoncés dans les orbites. Le chaman portait un trépied en bois surmonté d'une boîte à soufflet trouée, sur le devant, d'un orifice rond et vide.

A mesure qu'il avançait entre les tables bondées, ses bottines ferraillaient et faisaient des bruits de ventouse. Elles avaient des pointes aux talons, des ventouses sous les semelles. Le bonhomme posa le trépied pourpre et cria :

— Que diriez-vous d'une managraphie de la fête, Sainte Fortunée ? Hélas, on m'a volé ma lentille. Mais je peux encore jouer au jeu des visions. Qui sait ce que je pourrais voir ? J'ai toujours mes cartes sensibles. On ne me les a pas prises. Je peux placer mes doigts sur le trou de l'objectif absent pour réduire l'entrée de lumière. Oui, voir la scène par fractions ! Je me souviens d'une autre fête dans cette même salle. Il y avait de la viande dans les assiettes, pas toutes ces sucreries. L'endroit n'était pas aussi venté. C'est l'automne, pas vrai, et la dégringolade de l'année ? Je pourrais m'envoler, Votre Sainteté. Je pourrais m'envoler comme une feuille !

Cherchant du regard un visage familier, il repéra Lyle.

— Dois-je enlever mes bottes, monsieur Melator ? Oh, mais il semble qu'il y ait eu des dégâts dans votre jolie salle.

Il regarda les mouches qui tournaient en rond et flaira d'un air dégoûté.

De surprise, Juke s'était levé. On entendait des murmures. Personne ne voulait gêner un magicien en transe.

Sur la table d'honneur les quatre fillettes roucoulaient avec délices.

— Un plaisantin...

— Un tricheur...

— Un trompeur...

— Un magicien...

C'était Hermi, l'auteur de la légendaire et impudique image de Menuise. Peut-être méritait-il un séjour au pilori pour son intrusion ici, mais il portait son propre pilori portatif...

La semaine suivant le couronnement illégitime de la gringalette, Hermi avait erré dans la bâtisse en H dans un état de grande confusion. Ensuite, il avait traîné dans les bois avec son trépied inutile.

Voilà qu'il revenait dans l'endroit où il avait perdu des morceaux de mémoire — où sa mémoire s'était fracturée — et qu'il trouvait la bâtisse en H dans le même état délabré que sa cervelle. Il était revenu comme un voyant rentrant d'un voyage spirituel.

— Chaman, lui lança Fortunée, j'ai cru comprendre que la managraphie de la ridicule Menuise cul en l'air a été brûlée. Vous n'en auriez pas un double, par hasard ?

Hermi vacilla. Hermi cliqueta.

— Un double ? En aurais-je fait deux ? Je me souviens d'une multitude de managraphies. Une myriade de possibilités remplit ma tête à la faire déborder.

Ouvrant l'une des sacoches épinglées à sa poitrine, il en sortit des cartes sépia.

— Non, non. Pas de Menuise là-dessus.

— Je peux voir ?

Dans un bruit de ferraille et de ventouse, le chaman avança jusqu'à la table d'honneur.

— Fais-nous un tour de magie, couina Poisse ou Poissette.

Tel un animal méfiant, Hermi flaira les garces la menace et tendit ses cartes vers Fortunée.

— Prenez-en une, Majesté. Je devinerai laquelle c'est.

Fortunée les prit toutes.

— Fais-nous un tour mieux que ça !

— Fillettes, fit tristement Hermi, je ne suis plus le magicien que j'étais.

En un clin d'œil, Jack s'était approché pour regarder par-dessus l'épaule de sa grand-mère. Jatta tendait aussi le cou.

— Qu'est-ce que c'est que ça ? s'exclama Fortunée.

Au milieu d'arbres se dressait une cabane faite d'os. Au-dessus, pas très loin, dans un ciel où dansaient des aurores, pendait une grosse pomme de terre de pierre...

Ukko, Ukko, si près du sol ! Flottant au-dessus d'une hutte en os.

— Est-ce l'endroit où mon Ukko cachée se révélera, chaman ? C'est là ?

— C'est juste mon ancienne maison, avoua Hermi.

Une autre managraphie révélait une blonde naissant d'une fleur.

— C'est Paula, c'est moi ! Non, ce n'est pas ça. C'est Solœil Nurmi. N'est-ce pas ma Jatta, ma perruchette ? C'est ta sœur, lança-t-elle à Juke à travers la salle.

Juke se hâta de venir à la table d'honneur. Montant sur l'estrade, il bouscula Jack et émit un grognement.

— Oui, c'est elle. Elle s'est transformée en nakkie

dans une fleur. Morte, et nourriture pour une pâque-rette.

— Non, cette fleur est un bouton d'albe, le corrigea Hermi.

— Chaman, est-ce elle qui m'a envoyé une fleur manéenne la nuit où les fillettes ont été conçues ?

Hermi cliqueta.

— Je dis toujours la vérité, Votre Sainteté. J'ai pointé mon objectif manéen sur ma maison, je l'ai pointé sur une fleur, je l'ai pointé sur Menuise. Tout ce que je sais, c'est que je ne vous ai jamais envoyé de bouquet — pas dans le bec d'un coucou.

Il avait compris son coup d'œil vers l'oiseau can-canier.

— Vous avez le cerveau brouillé !

Fortunée rassembla les cartes parmi les assiettes de tartes aux fruits rouges. Elle retira en vitesse l'épreuve montrant la petite lune ovoïde flottant si bas au-dessus des arbres. Les doigts tremblants, Juke tendit le bras par-dessus la reine pour avoir l'image de sa sœur. Il ne put la prendre.

— Non, je ne peux pas la toucher...

Une mouche tomba dans une tartelette, se tortilla dans la confiture, agonisante.

Les autres insectes descendaient en spirale du chande-lier cassé. Levant leurs petits poings potelés, les garces la menace gémirent. Une à une les mouches expirèrent.

— Vous n'êtes pas encore assez fortes, dit Fortunée à l'enfant la plus proche. Bientôt vous le serez. Bientôt, roucoula-t-elle.

Inexplicablement, Nikki Loxmith éclata en sanglots.

La pluie se mit à tomber. Il fit très sombre dans la salle.

12 — Requiem pour une dévotion

— La dame bouclée devenait zombie. Kaark. Alors, d'un bond de sauto, Minkie s'éloigna d'elle. Où filait ce guer-rier en cuir noir, clous dorés et col officier ? A la guerre entre la reine et la reine rebelle, selon lui. Il allait revenir à Kaukainkyla d'ici très peu ; c'est ce qu'il prétendit. Tonneau le Bienheureux n'y crut pas une seconde. Minkie Kennan avait abandonné la dame. Tonneau envoya chercher de la corde, de la paille, de l'huile et un pieu. Sinon il aurait fallu que les gens de son village aillent chasser une védelle et portent des rognures de ses sabots pendant un mois et un jour. Kaark.

« Ils ont brûlé un cadavre vivant aux cheveux bouclés et ils ont dansé autour, chantant à tue-tête pour ne pas entendre ses cris. La victime porta des bottines rouge flamme, puis des cuissardes rouge flamme, puis un manteau de feu. Elle a brûlé plus vite qu'une chandelle. Il n'en est resté que des cendres. Ukko-ukkou, c'est raconté.

Penchant la tête, l'oiseau cancanier regarda son auditoire.

Pasquil s'accrochait à ses bretelles, tremblant comme de la gélatine.

Poussant un cri de stentor, Bertha arracha l'épingle de son chignon. Elle ne pouvait transpercer l'oiseau. Aaark, non. Alors elle piqua le dos de sa main, une fois, deux fois et encore. Elle hurla. Elle accepta la douleur qui crevait son horreur et son angoisse. Le sang jaillit.

Le gémissement qu'émit Gunther ressembla à celui du tamisier lentement déraciné par une force irrésistible. L'arbre doit perdre tout lien avec ce qu'il a connu, sinon il explose. Sa colonne vertébrale allait-elle se briser là, sur le lit ? Son gémissement trahissait un désespoir viscéral et ultime.

— Ukoooooo...

L'oiseau messager s'envola. Il disparut.

Le sang gouttait de la main de Bertha. Hébétée, elle contemplait le mal qu'elle s'était fait pour son maître.

— Bouillon, bouillon, babilla-t-elle. Fort et chaud.

Certains sont capables de regarder un être que l'on torture jusqu'au point où les yeux fous de la victime reconnaissent la mort avant son arrivée. Ou pire, jusqu'au point où toute trace d'intelligence quitte ces yeux. Certains le peuvent. Elle non. Elle partit vers la porte comme une somnambule. Elle l'ouvrit à toute volée, sans rien voir, plus par instinct que par volonté. Elle quitta la salle de torture.

Pasquil s'était évanoui. Il avait lâché prise et s'était effondré sur le sol.

Gunther ne pouvait ni fuir ni s'évanouir. Il gémissait de façon abominable, labouré par le chagrin.

— Oncle...

Il y avait un intrus à la fenêtre ouverte.

Comme si l'oiseau était revenu sous la forme géante d'un jeune homme.

Un robuste gaillard. Loqueteux. Chemise en lambeaux, chausses crottées et déchirées. Son visage était crasseux. Une horrible croûte défigurait son front large. Des brindilles s'accrochaient à sa crinière. Il souriait d'un air dément.

— Je connais un arbre. Je connais une liane. Je connais un rebord...

Déjà il sautait dans la chambre.

Qui était ce corps par terre ? Avait-il déjà tué quelqu'un ? Remarquant la porte ouverte, Cully tire le corps dans le couloir sombre et l'y abandonne. Il revient dans la chambre, ferme la porte à double tour. De sa ceinture, il sort un couteau.

— Combien de coups de couteau faut-il pour tuer un longue-vie ?

Gunther concentre un regard incrédule sur l'intrus.

— Cully ? Cully ? Merci, Mana, que tu sois venu. Tue-moi, Cully, tue-moi ! supplia-t-il. Mets fin à mes jours. Tue-moi.

Cully s'arrête, les mâchoires pendantes.

— Tue-moi, mon neveu ! croasse le seigneur des rêves.

— Quoi... ?

— Tu es sourd, mon garçon ? Tue-moi.

Cully fixe son couteau. Non, le couteau de la fille.

— Te tuer ? Te tuer ? répète-t-il, ahuri.

Comment la chair pouvait-elle inviter la lame ? La prière était de mèche avec le charme qui l'envoûtait, elle le prenait par le revers, le secouait, lui faisait perdre l'équilibre. Il trébuchait, partait en vol plané. La main de Cully lâcha la lame. Il repoussa en arrière ses cheveux en bataille. Un terrible étonnement l'étourdit. Comme l'homme couché sous la couverture était éprouvé et émacié...

— Mon oncle, je ne peux pas te tuer...

— Il le faut, mon garçon. J'ai perdu Anna pour toujours. Ils lui ont enfilé des bottines rouges qui l'ont brûlée jusqu'à ce que mort s'ensuive. Elle était revenue dans le monde et maintenant elle n'est plus.

Grattement à la porte. Verrous agités. Mains frappées à plat sur le bois.

— Allez-vous-en, hurla Cully. Restez dehors... Pasquil !

Il savait où il était maintenant. Il savait qui il avait traîné à l'extérieur.

— Laissez-nous tranquilles, mon cher. Je suis avec mon oncle. Il est en sécurité. Laissez-nous !

Au début, Gunther ne fit que répéter sa prière d'être libéré de la tragédie. Mais bientôt, ses paroles devinrent une quête du fondement anéanti de son être, une inquisition dans la dévotion...

Gunther se rappelait clairement ses relations intimes avec Anna jeune. Et ensuite, dans son âge mûr. Et finalement dans sa vieillesse. Oui, même alors. Leurs ébats étaient moins fougueux, mais pleins de tendresse. Il avait été pour elle un amant jeune, dans son âge mûr, et dans ses dernières années aussi. Il l'avait adorée.

(Récemment, dans la neige, ils avaient rejoué un semblant d'intimité frissonnante. Kennan avait joui d'elle davantage ! Mais seulement une fois. Que valait le vol d'un grain de blé dans un boisseau ?)

Gunther avait été un passionné de son Anna.

Pendant que Bertha était dans la chambre à lui donner du bouillon, elle avait murmuré des choses à sa broche à l'effigie de Fortunée. Lui, il avait vénéré Anna, rajeunie dans son souvenir. Elle perdait ses taches de mélanine, les rides de son visage. Elle correspondait enfin parfaitement à l'Anna qu'il avait rerencontrée un jour à l'intérieur de la petite Ukko, dans le lit de Minkie.

Le rôle posthume d'Anna dans sa vie, omniprésente comme l'air qu'il respirait, et pourtant invisible, sinon dans la succession de ses portraits, était sans doute une énigme pour lui-même autant que pour les serviteurs qui ne l'avaient jamais connue. Les portraits stimulaient-ils la mémoire de Gunther ou l'embrouillaient-ils par leur constance, par leur permanence statique ? Les yeux peints d'Anna continueraient-ils à brûler d'un feu ardent ? Anna avait sanctifié — non, exalté — son esprit, si bien que la monomanie ou la mélancolie des longue-vie ne le touchaient guère.

(Pauvre Bertie !)

Elle avait doté Gunther d'une armature. *(Oh, ses ossements reposaient dans leur cercueil !)* Sa présence perpétuelle (à l'intérieur de l'absence) l'avait obligé finalement à rêver son chemin jusqu'à elle.

Avait-il vraiment pensé réussir sa réincarnation ? Ou seulement réveiller une revenante visionnaire qu'il irait voir, ou qui lui rendrait visite comme un succube nakki ?

Kennan l'avait abandonnée au bûcher. Maudit soit-il ! Et pour toujours ! Quelle vengeance serait assez totale ?

Cully voudrait-il retrouver Kennan et le tuer à petit feu ?

— Pourras-tu lui infliger la mort pendant une année ? Pendant un mois ! Pendant une semaine ! (Quelle capacité d'endurance avait le corps humain ?) Le feras-tu rôtir vivant ? Est-ce que tu le ficelleras et le plongeras dans de l'eau glacée puis dans de l'eau bouillante jusqu'à ce que sa peau s'enlève comme celle d'une anguille de mer ? Le fouetteras-tu et mettras-tu des braises ardentes dans ses chairs lacérées ?

Ravagé, les tétins déchirés, Gunther semblait avoir subi la torture.

Cully aussi. Pourquoi Cully hésitait-il ? Pourquoi inclinait-il la tête ?

Pouvait-il détourner le désir de vengeance qu'il avait dans l'âme sur celui qui avait anéanti les espoirs de son oncle ? La vengeance avait déjà été détournée. Comme il était dangereux de penser une fois encore à tuer.

— Le faire rôtir tout vif ? dit le neveu à l'oncle. Mais ce n'est pas cruel. Tu n'es pas cruel du tout.

Et Gunther pleura comme un veau.

Le savant des rêves ! Le désir était un rêve. La dévotion également. Sa vénération pour Anna était-elle un produit de son habileté à rêver — ou l'inverse ?

Les serpents avaient implanté le plus faux des cauchemars dans le cœur de son neveu. Le jeune homme avoua avoir été un esclave rebelle à ces rêves. Gunther était un maître du rêve, à moins que son amour pour Anna ne fût le symptôme d'une servitude profonde.

Pas étonnant que la rebutante bonne femme de pain d'épice se soit moquée de lui. Pas étonnant qu'elle l'ait obligé à la téter. Gunther s'était enfoncé profond en elle. C'était une femme. Il n'était pas un sensuel superficiel de la trempe de Kennan !

Voyez ce que Gunther avait fait de sa personne ! L'ancien amoureux maladif se consumait. Malade à en mourir. Était-ce son but ? Sa dernière preuve de dévotion ? Entraîné à cette extrémité par sa brève liaison avec Marietta !

Comment pouvait-il exprimer ses intuitions désordonnées ? Si seulement il était poète !

Pourquoi cette poétesse Solœil avait-elle fait la guerre au lieu de s'exprimer dans un chant douloureux ? Il le savait. La raison s'appelait Kennan. Le tuer. Lentement. Solœil comprendrait les sentiments de Gunther.

Vue au gala, mortifiée et poignante, puis aperçue en rêve... Solœil était remarquable.

Solœil...

Un nouveau et impossible béguin allait-il envahir Gunther pour apaiser le déchirement de son cœur ? Pour le distraire ?

Pour atteindre Anna en rêve, il lui avait fallu échapper à maintes distractions. Un rêve pouvait vite se transformer en un rêve différent, pivotant sur l'axe d'un événement ou d'un autre, d'une rencontre ou d'une autre. L'art consistait à guider les transformations. Il fallait être le pivot de la décision, guider le rêve dans une direction plutôt qu'une autre, avec adresse plutôt que force.

Les rêves les plus délicats étaient ceux qui nichaient à l'intérieur de rêves malléables. Telle avait été sa route tortueuse vers Anna et sa demeure — où le rêve devint réalité, se repliant sur lui-même. Oui, comme un morceau de verre fondu que l'on souffle à l'intérieur d'un récipient de verre malléable jusqu'à ce que le morceau devienne plus gros que la bouteille qui le contient ; on se retrouvait donc à l'intérieur du flacon interne. Au lieu du verre flexible, il fallait composer avec les situations et les personnages des rêves successifs — les faire apparaître sur le chemin du pays où demeurait l'écho d'Anna, au cœur d'un lieu qui pouvait passer instantanément de l'été à l'hiver, endroit où les nakkis peuplaient le terrain incurvé des désirs et des souhaits, endroit pourtant aussi, chose étonnante, relié au monde réel aussi bien qu'aux trappes des rêves.

Si seulement Gunther avait pris la route de Solœil ! A moins que la poétesse n'ait été morte pour de vrai. Si seulement il avait pris l'itinéraire de Minkie Kennan au lieu de suivre le chemin de ses rêves.

Il pleura. Des larmes sèches.

Il n'avait plus aucun désir de rêver. Malgré la faiblesse extrême de son corps après un séjour de plusieurs mois dans la nacelle d'Elmer, son esprit galopait, affamé de stimulus. Les mots devaient sortir de sa gorge rauque.

Anna n'était plus. Quelle horreur ! Cully lui avait refusé le coup de grâce. Son Anna était partie à jamais, dans la souffrance, en fumée. Il pria qu'elle n'ait pas enduré ce qu'aurait souffert un corps ordinaire.

Jadis, à l'époque où Blomberg était premier proclamateur de Kaleva et Paul Vassian poète lauréat, Gunther avait emmené Anna au gala. Pendant leur chevauchée vers Yulistalax, le vent soufflait dans la chevelure brune de la jeune femme. Si sombre que c'en était presque une négation de la couleur en même temps qu'une affirmation appuyée de sa personnalité.

A Yulistalax, elle s'était ceint la tête d'une longue écharpe dont les extrémités tombaient sur ses talons. Ce foulard flottait derrière elle comme une bannière. Anna l'avait coincé dans sa ceinture, et il fouettait comme une queue. Des rubans colorés, passés dans les grands anneaux en argent de ses oreilles, virevoltaient sur ses épaules. Elle était une joyeuse nakkie des airs. Ses yeux, couleur de noix grillées, s'étaient embués dans le vent. Ce voile résultait-il d'un pur bonheur exubérant ?

Que dire de ses caprices de fille Sariola ? Elle avait fait voler un cerf-volant. Sous le cerf-volant, elle avait accroché un petit panier avec à son bord un chaton, pour apprendre la maîtrise des airs à ce futur chasseur d'oiseaux. Elle avait enfermé ce même chaton dans une bonbonne de verre et l'avait plongé dans les eaux du lac pour le familiariser avec l'élément naturel des poissons. Oh, pas longtemps ! pas jusqu'à ce que l'animal étouffe. Anna n'était pas cruelle. Ses expériences étaient charmantes, plus symboliques qu'efficaces. Des expériences de composition, selon les circonstances. Anna avait enfermé son petit oiseau chanteur dans une autre bonbonne qu'elle avait aussi plongée sous l'eau, à côté du chaton. L'oiseau avait agité ses ailes comme des ailerons. Il n'y avait pas eu de bobo. Le moment avait été magique.

Gunther entrait dans ses inventions. Pour jouer, elle le pourchassait comme un esclave pendant une journée. Une autre fois elle jouait la Juttahate aux ordres de sa voix de serpent. Ou elle incarnait une des statues de son beau-père, Frederick. Elle organisait à Castlebeck des bals masqués et des fêtes. De son vivant, la forteresse était prospère. Les espaces compris entre les saillants et les murs, aujourd'hui étouffés par les mauvaises herbes et la broussaille, comprenaient des parterres de fleurs. Des gardes patrouillaient sur les murs d'enceinte.

Regardez-la dans son pantalon jaune et sa veste brodée de perles ; avec ses rubans, ses rubans passés dans les grandes boucles de ses oreilles !

Quand l'âge avait commencé à dessiner des rides sur son visage, ce n'étaient que des marques d'amour et de rire, gravées plus profondément au fil des ans.

Mais voilà que le terrain intérieur de Gunther avait glissé, malmené par un séisme qui avait ouvert un abîme dans lequel, embrasée, elle était tombée pour disparaître irrévocablement. Son impossible grand projet avait réussi. En s'accomplissant il avait salement échoué.

Zombie. Cadavre vivant. Combien de temps aurait-elle duré dans cette situation ? Dix ans ? Trente ans ?

En zombie, aurait-elle partagé avec lui ce lit aux oiseaux sculptés ? Lui aurait-elle rendu ses étreintes ? Se serait-il complu dans une sorte de nécrophilie pour lui offrir une consolation physique ? Pouvait-il imaginer que ses caresses lui transmettraient une dose de vitalité ? Dans son sommeil, se serait-il échappé dans un monde imaginaire où elle aurait semblé guérie — seulement pour se réveiller auprès d'un tas de chairs grises et putrides animé du souffle faible des zombies, si dissemblable de la perfection ridée de son âge mûr ?

Est-ce qu'Anna la zombie serait descendue dans la crypte avec lui, main dans la main — une paume moite d'appréhension, l'autre de putréfaction —, pour regarder son squelette d'antan, elle que ses os nakkis soutenaient à présent ?

Tout cela il l'aurait accepté.

Maintenant elle n'était plus.

Il avait connu un grand amour, n'est-ce pas ?

Gunther éprouva un sentiment fugitif de rage à l'encontre d'Anna... elle l'avait trahi. Comment l'avait-elle oublié au point de permettre à Minkie Kennan d'écarter ses cuisses ? De laisser Kennan caresser son intimité et s'y plonger alors que c'était le sanctuaire de Gunther ?

Pour garder sa raison, Gunther commençait-il à rejeter son image ? Ne plus jamais rêver !

— Il va bien, criait de temps à autre Cully à travers la porte verrouillée.

Les deux Martin devaient être là avec Pasquil, silencieux, un gourdin à la main pour assommer Cully. Bertha était-elle revenue avec un bouillon plus fort dans lequel elle aurait saigné ?

Peu à peu, la cascade grinçante (misérable lamentation et requiem) changea de cours. Sous les murmures rauques, Cully découvrit, bien plus qu'il ne l'avait jamais fait auparavant, la passion forcenée de la longue vie de son oncle ; une image d'Anna Sariola, plus complète que sur ses portraits, en cette heure où il la perdait. Cette anamnésie d'Anna, ce retour de mémoire, cet adieu préludaient-ils à une sorte d'amnésie ? La rêverie était aussi poignante que ce jour d'automne. Gunther reposait là, presque épuisé et pourtant éveillé comme par obligation. On aurait dit un arbre qui avait coupé le flux de sa sève vers les feuilles pour survivre à un long hiver spirituel obscur. Un hiver à passer au coin du feu, et à nourrir de quelle chaleur ?

Âtre et cœur, corps et chaleur... Que pouvait proposer Cully ?

Sa mère avait toujours été persuadée qu'elle avait été honorée et aimée, jusqu'à ce que survienne la culpabilité. La ressemblance de Marietta avec le portrait du milieu (Anna à l'âge mûr) ne l'avait pas simplement établie en tant que remplaçante, en Anna de procuration. Elle avait été estimée pour elle-même.

Une mère déshonorée pour consoler le seigneur des

rêves ? Installée pour lui servir de pute pendant un temps ? Non, non. Surtout pas.

Le mirage d'un viol remonta à la mémoire de Cully. Une fille dans la forêt. Qui prétendait être sa sœur... Ah non. Non plus qu'une nakkie. Une fille de fermiers, déflorée et honteuse. Cette fille avait essayé d'aider Cully comme l'avait fait Dame Eva Loxmith.

Si sa mère entrait à nouveau dans la chambre à coucher de son oncle, si elle grimpait encore dans le lit aux oiseaux de Gunther, cet acte de charité (arrangé par Cully) risquait d'effacer pour lui son crime contre la fille ! La dernière trace de son envoûtement disparaîtrait.

— Oncle, tu as trop souffert. Je vais faire venir ma mère. Cette fois, elle restera ici.

Gunther hocha faiblement la tête. Avait-il compris ?

— Je vais lire, grinça le seigneur des rêves. Je vais plonger mon talent dans un lac de mots. Les mots des autres. Captifs et captivants. Je ne dirigerai pas mes propres rêves. Trouve-moi un livre dans la cave, Cully.

Il était certes grand temps de déverrouiller la porte.

Des mouches à feu s'engouffraient par la fenêtre. Bientôt, elles mourraient de froid. Un magnifique feu de menthier brûlerait dans l'âtre de Gunther.

— Nous avons eu de la visite, marmonna Gunther. Ces gens sont partis quelque part, n'est-ce pas, mon neveu ? Tu les as vus ?

— Je les ai observés du haut d'un arbre.

— Je ne crois pas qu'ils reviendront. S'ils le font, renvoie-les. Je ne veux pas être impliqué dans leurs quêtes et leurs querelles. Elle n'était pas cruelle. Ni jalouse. Elle... n'était pas.

Exactement, elle n'était pas. Elle n'existait pas. Son absence était totale.

L'aérocolombe avait volé jusqu'au crépuscule pour atteindre les environs de Kaukainkyla. A cette heure, il était impossible de repérer du ciel un village. Gurrukal survola la région pendant la demi-heure de chien et loup tout en scrutant, ainsi que Wex, les vallons boisés pour repérer une lueur de lampe à huile ou de feu de bois. Cette ligne était-elle un groupe de bâtiments ou simplement un bosquet d'arbres ? Ce terrain dégagé était-il une prairie ou une aire de brûlis ? Le fait d'allumer leurs phares ne leur apporta que déception. Les nuages étaient parsemés, ouvrant des fenêtres sur la faucille céleste qui jetait un faux éclat sur la forêt. Si Kaukainkyla était dans les environs, le village était complètement éteint. Peut-être que tout le monde se couchait tôt. Ou bien les gens gardaient leur huile pour les jours les plus sombres de l'hiver quand on risquait de devenir fou de mélancolie.

Gurrukal s'était posé sur un îlot au milieu d'un fleuve. Longue et basse, l'île était une langue de roc nu. Les crues de printemps devaient régulièrement la nettoyer de tout arbrisseau tentant d'y prendre racine.

Ils passèrent la nuit là, cernés par des douves d'eau vive. Le seigneur Beck était confiné dans son lit, incapable de dormir, en attendant leur retour imminent ? Il semblait peu probable qu'ils reviendraient à Castlebeck. Ils iraient plutôt à Finisterre avec leur trophée.

Le lendemain matin, Gurrukal décolla de nouveau, et avant dix lieues ils aperçurent un modeste village dans une combe boisée.

D'en haut, c'était bucolique. Au sol, c'était atroce : ils trouvèrent les cendres d'un bûcher, comprirent ensuite la nature de ces cendres. Les villageois n'étaient pas accueillants. Lorsque l'aérocolombe atterrit, les gens restèrent cachés jusqu'à ce que Gurrukal tire deux fois en l'air avec les canons latéraux, avant de les pointer sur la maison la plus proche.

Quelques femmes sortirent en courant. Elles agitaient leurs mains vides en geste conciliatoire. Lorsque le danger sembla écarté, un gros homme chauve aux pieds immenses et nus se montra. Gurrukal ouvrit la verrière du cockpit, et Wex interrogea le porte-parole du village. Malgré son évidente personnalité de brute pugnace et charismatique, l'homme se tordait les mains de façon obséquieuse.

Un éclaireur vêtu de noir, sur un destrier de métal, qui pouvait disparaître dans le néant... Du nom de Minkie Kennan. Sa prisonnière, une zombie, l'avait appelé par son nom...

Quelle zombie ?

Une zombie... Sans nom. Un cadavre vivant n'était plus un être humain.

Que lui était-il arrivé ?

Le guerrier en noir avait lâché le cadavre dans le vil-

204

lage, pas vrai ? Et qu'est-ce qu'on fait avec un cadavre qui risque d'être contagieux ?

Un monceau de cendres dans le chemin défoncé...

Ils l'avaient brûlée vivante ?

Elle était morte. Elle arrivait juste à se tenir debout.

Quelle diabolique stupidité !

Ils avaient disposé d'Anna Beck. Ils avaient disposé de sa connaissance de l'enfant Ukko, quelle que soit la valeur de ces informations.

Dans quelle direction Kennan avait-il dirigé sa sauto en partant ?

Le porte-parole se dandina sur ses pieds. Oh, il le savait bien. Jureraient-ils, sur le nom de Fortunée, de s'en aller ?

— Ou sur le nom de la reine Menuise ? demanda Wex avec amertume.

Sa quête déviait fort.

Au nord. Le destrier noir s'était dirigé vers le nord.

Niemi se trouvait à l'est. *[Désinformation, Roger. Seul un imbécile laisserait voir sa vraie direction. Kennan se serait dirigé n'importe où sauf au nord.]*

Ce n'était pas à Wex de se venger de ces brutes.

Deux cents lieues et deux heures et demie plus tard, Gurrukal posa l'aérocolombe sur le promontoire situé à un jet de pierre de la porte de la forteresse des Kennan.

Le lac Lasinen sommeillait sereinement sous un ciel bleu où s'effilochaient quelques nuages. Sur la rive, des silhouettes nues prenaient un bain de soleil sur le sable. La ville était parée pour son propre petit festival, une semaine avant le gala des voix à Yulistalax. L'église manéenne, les fontaines, les magasins et les maisons étaient pavoisés. Une fanfare jouait sur la place du marché. Des gamins déguisés couraient dans les rues ; petits guerriers munis d'une épée ou d'un fusil de bois, faux chamans, marins pootariens noircis au charbon (ou bien ces enfants bronzés prétendaient-ils être des Juttahats de teinte velours ?). La guerre se déroulait loin d'ici. Combien y avait-il de petites Fortunée endimanchées, combien de minuscules Menuise ?

Selon le wetware de Wex, c'était la fête locale des moissons.

Ce n'étaient certainement pas des réjouissances en l'honneur du retour de Kennan. Aucune bannière ne flottait sur la tour principale de la forteresse. Aucune guirlande ne pendait aux fenêtres de la grande salle. Elles étaient bouclées, tout comme le grand portail de tamisier. Le fantôme pâle d'une main rouge marquait la porte. Que disait-il ? « Sang sur tes mains » ? « Ne te risque pas dehors, toi qui es à l'intérieur » ? Quelqu'un l'avait frotté très fort. Peut-être y avait-il un œil sur la main : « Nous gardons l'œil sur toi. »

Les gens de la ville se rassemblaient au bout du promontoire pour regarder l'aérocolombe. Les falaises tombaient à pic dans le lac à partir de la chaussée où l'herbe poussait depuis longtemps à travers le gravier. Les falaises tombaient des murailles de granit de la demeure négligée perchée sur sa langue de terre.

Wex tira sur une poignée de fer sur le côté de la porte. A l'intérieur, une cloche résonna.

Ils attendirent.

Bientôt le volet intérieur d'un regard coulissa en grinçant. Un visage fraise écrasée apparut. Des bégaiements explosèrent, comme si les barreaux rouillés de la grille diffractaient chaque mot.

Quelle scène de famille dans la salle au toit en ogive ! Un bébé dans un berceau. Une vieille nounou toute ridée et édentée. Deux jeunes garçons, l'un joli, l'autre maigre et plein de boutons. Une jeune femme hautaine en robe de dentelle et mousseline très décolletée, ses anglaises dorées descendant en cascade sur ses épaules. Un paresseux blond plein d'acné. La grande dame en noir, parée de babioles et de bracelets.

Les deux garçons étaient accourus avec un plaisir évident, attirés par un intermède qui interrompait leurs querelles monotones et leur frustration de ne pouvoir profiter de la fête en ville !

— Pouvons-nous aller dans votre aéronef, monsieur ?

— Vous nous ferez faire un tour dans le ciel ?

Kyli Kennan était arrivée dans le hall avec ses airs, reconnaissante de recevoir des visiteurs de la forteresse terrienne, rien de moins.

Les sourires de bienvenue de Dame Inga étaient excessifs, presque séduisants ; peu importait la lueur de calcul dans ses yeux noisette, ou la ténacité suggérée par la saillie de son grand nez.

— Messieurs, fit-elle avec enthousiasme, un cordial ? Du vin, de la vodka ? Vous déjeunez ? Vous coucherez ici cette nuit ?

Il était à peine midi...

— Un dîner intime, enchaîna pensivement Kyli. Chandelles. Évocation de pays lointains. Avez-vous vécu sur la Terre ? Oui, certainement.

— La Terre, vous nous parlerez de la Terre ? clamèrent les garçons.

— Il nous faudra de l'alcool pour remplir notre réservoir, madame, dit Gurrukal.

Inga fit un geste de la main.

— En ville.

Comme si sa parole était loi, indépendamment de l'empreinte sur la porte.

Du carburant pour l'aérocolombe, oui. Combien de sauts pouvait faire une sauto avant de s'arrêter ? *[Selon mon hypothèse, ces engins se rechargent d'eux-mêmes par leurs bonds à travers l'espace manéen, Roger. Toutefois, il leur faut peut-être une révision périodique. Effectuée par des ingénieurs juttahats. Apparemment, les Isis n'ont pas essayé de construire d'engins spatiaux ni même d'aéronefs volant selon le même principe. Peut-être seuls les engins comparativement petits peuvent ainsi sauter.]*

Kennan aurait-il pu sauter à l'intérieur de la forteresse, de nuit, sans être vu ? Oui, mais Dame Inga proposerait-elle de les héberger pour la nuit si son fils se cachait au même moment dans une chambre de l'étage ?

Wex avait quelques sévères déclarations à faire à Dame Inga. Son fils avait émergé de sa cachette — elle ne lui était plus d'aucune utilité. Il avait kidnappé une femme. Celle-ci était de la plus haute importance pour le seigneur Beck de Castlebeck. Minkie l'avait ensuite abandonnée dans un village dont les habitants superstitieux l'avaient mise au bûcher. Wex raconta cela carrément, devant Kyli et les garçons. Il lui fallait parler à Minkie Kennan — non pour des raisons de justice, mais pour obtenir de lui certaines informations.

— Quelle chose affreuse ! s'exclama Dame Inga. J'ai peine à y croire. Mais si vous jurez que c'est vrai... *Je vous en prie, n'entrez pas dans les détails.*

Kyli Kennan rougit.

— Qui était cette femme qu'il a kidnappée ? Est-ce que Minkie l'a séduite ?

La vieille gouvernante siffla les garçons et se claqua les mains sur les oreilles comme si cela devait les rendre sourds.

— Pourquoi ces culs-terreux ont-ils brûlé la femme ? demanda Inga. C'est terrible de brûler une femme, ne trouvez-vous pas, ma belle-fille ? Pourquoi ont-ils fait ça ?

— Il se trouve, répondit Wex, qu'elle se changeait en zombie.

— Allons bon ! Ainsi mon fils prit cette âme infortunée sous sa protection, mais fut terrifié par son état. (Inga décocha à Kyli un large sourire rassurant.) Quel beau jeune homme chercherait à séduire un cadavre vivant ?

Kyli se rongeait un doigt.

— Elle se changeait en zombie, avez-vous dit. Mais quand Minkie l'a-t-il kidnappée ?

— Ss-ss-c'est sssimplement pppar ouï-ouï-ouï-dire, fit loyalement Snowy.

— Ça te va bien de parler de ouï-dire, jeta Kyli, avec tes bourdons dans la tête.

— Je vvvous l'ai-l'ai dddit, ils sssont pa-pa-partis. (Un large sourire s'étala en travers du visage fraise écrasée.) Et voi-voi-voilà pour la ma-ma-malédiction du ch-ch-chaman. Je pen-pen-pense droit maintenant.

— Comment s'appelait cette femme ? voulut savoir Kyli.

— Anna, répondit Wex. Mais cela n'a aucune importance.

Il ne pouvait guère expliquer que, dès le départ, Anna était morte.

— Cela n'a pas d'importance ? Oh, que si ! Dire qu'il m'a abandonnée ici enceinte... !

Le bébé s'éveilla et vagit d'une voix perçante.

— Goody, emportez ce porcelet.

Les couinements s'intensifiaient.

Gurrukal fit la grimace.

— Je crois que ce bébé a des coliques. Des crampes dans le ventre.

— Pourquoi ne l'examinez-vous pas ? suggéra Wex. Vous pourriez aller avec la nurse et faire un massage à l'enfant.

— At-at-attendez une mi-mi-minute, prévint Snowy. Ne por-por-portez pas la-la-la mmmain sssur 'tit Jo-Jo-Johannes.

Le bébé hurla.

— Oh ! emmenez-le et donnez-lui son biberon, Goody, supplia Kyli.

Gurrukal jeta un coup d'œil appuyé sur son décolleté.

— Vous ne l'allaitez pas ?

— Mêlez-vous de vos oignons. Quelle était la relation de Minkie avec cette Anna ? Se changeait-elle vraiment en zombie ? Est-ce qu'elle l'aura infecté ?

— Y a rien à redire au lait de bique, déclara Goody.

— Cela dépend de la race de la chèvre, rétorqua Gurrukal.

— Y a rien à redire à Boulette. Elle mange très bien dans notre arrière-cour. Et elle a donné du lait deux ans de suite, oui, elle fait ça, Boulette.

Laissez tomber le sujet des zombies et des dames.

— Oui, mais la teneur en matières grasses est trop forte pour la digestion d'un nourrisson. Trop de protéines, trop peu d'eau. Je pense que devriez couper le lait avec de l'eau. Je ne porterai pas la main sur l'enfant, assura Gurrukal au serviteur couvert d'acné. Ma méthode consiste à masser du pied — très doucement dans le cas d'un si petit corps. Oui, massages légers pour soulager les crampes ; et changement de régime.

Snowy cligna de l'œil vers sa maîtresse.

— Hé, je-je-je sssuis con-con-content que vous sssoyez venus, les gars, dit-il. Jo-Jo-Johannes co-co-commençait à nous ta-ta-taper sssur les nnnerfs.

— Moi, j'ai allaité mes enfants, rappela Dame Inga à Kyli, heureuse de la diversion.

— Si seulement j'avais pu consulter une sorcière ! répliqua Kyli. Si les gens nous parlaient !

— Al-al-allons, dit Snowy avec amabilité, on ne nnnous boy-boy-boycotte pas vraiment tant qu-qu-qu'on a-a-achète. Mais d'un autre cô-cô-côté... (L'autre côté étant l'empreinte rouge de la main sur la porte. Snowy s'abstint de développer.) C'est vvvraiment bbbien, mes-mes-messieurs, d'être venus.

— Nous ne sommes pas venus pour cela, cria Wex pour couvrir les hurlements du minuscule Johannes. Gurrukal, je vous en prie, occupez-vous de ce perturbateur.

Le pilote rechignait à quitter la salle. Gurrukal voulait être témoin de l'interrogatoire. Celui-ci ne pouvait guère se dérouler pendant que le bébé braillait. Wex lui chuchota :

— C'est exaspérant. Voulez-vous, je vous prie, remplir votre fonction de médecin !

Gurrukal et Goody étaient sortis avec le berceau. Les vagissements s'étaient estompés. Les garçons traînaient là. Ni Dame Inga, ni Kyli, ni Snowy ne les poussaient à partir. Ainsi commença un match d'escrime mentale prolongé entre Wex et l'indomptable Dame Inga. Le duel passait sans doute au-dessus de la tête de Kyli et de Snowy, mais ils l'interrompaient tous les deux et leur faisaient perdre le fil. L'enjeu concernait le lieu où se trouvait Minkie, et plus important, celui où se trouvait sa cachette.

— Ja-ja-jamais sssu où était pa-pa-parti le ch-ch-chef, fffranchement.

— Il ne voulait même pas confier son secret à sa Kiki-liki !

Inga fixa un instant un regard noir sur Kyli avant de recouvrer sa douceur :

— Le secret confié par son père. Un mystère masculin, monsieur Wex ! N'est-ce pas, Kyli ? Nous serons toujours frustrées par les mystères masculins.

— Oh ! fit Kyli.

— Oui, opina Snowy. J'aurais bbbien vou-vou-voulu être avec le ch-ch-chef. J'ai pppresque l'im-l'im-l'impression que-que-que j'y étais. Si seu-seu-seulement j'étais a-a-avec lui maintenant ! Ssseul Mi-Mi-Minkie sait où il est, ou était, hein, ma-ma-madame ?

Le fils d'Inga avait été berné par le prince Bertel. Son invitation au mariage d'une de ses filles avait été sournoise ! De toute façon, à qui importait ce genre de noces ? Longue-vie, bah ! Et alors ? (Dame Inga marchait sur des œufs, mais Kyli ne semblait pas s'en apercevoir.) Un homme pouvait se faire provoquer. Comme la mort du prince n'était pas entièrement la faute de Minkie, il méritait une protection. Minkie avait besoin d'un sanctuaire, d'un refuge sûr. La forteresse terrienne, par exemple. Sa sécurité garantie, contre... une certaine information qu'il fournirait. Quant à cette femme zombie, quelle que soit son identité, on ne pouvait tenir Minkie pour responsable de l'action des culs-terreux. Le seigneur Beck condamnerait-il Minkie ? Ce serait injuste. Minkie avait doublement besoin d'un asile, en retour d'un service.

— Ramenez-moi mon fils sain et sauf ici dans votre aéronef, monsieur Wex. Je le raisonnerai. Il écoutera sa mère. Emmenez-le dans votre forteresse terrienne, et je sais qu'il se rendra très utile.

— Où pensez-vous qu'il soit, Dame Inga ? Vous devez en avoir une idée. Ou vous ! dit-il en se tournant vers Snowy.

Snowy se dandina d'un pied sur l'autre. Snowy gratta son front boutonneux. Comment fallait-il décrypter l'expression de Dame Inga ? Où était allé son chef ? Penser aux chasses aux Juttahats... Plusieurs possibilités.

Si Minkie parvenait à rester hors de vue, il serait plus en sécurité ainsi. Si on l'apercevait quelque part, ce Wex s'y précipiterait.

— Il est vital pour le bien-être de ce monde de retrouver Minkie et de localiser sa cachette, insista Wex.

— C'est vvvrai ?

Les garçons se querellèrent tout bas.

— Et la carte sur le tambour... ?

— Tais-toi... !

— Peut-être qu'il en a fait une autre qu'il a finie...

— Les garçons ! rugit la dame.

Plein d'impatience, Kosti écrasa son poing sur le nez boutonneux de Karl. Karl hurla :

— Maman, maman, je parlais simplement du chaman Sven !

— Ce chaman ne sait rien d'important, s'empressa de déclarer Dame Inga. Mon Minkie ne l'a jamais beaucoup aimé. Ni Ragnar.

— Mais il faisait une carte manéenne, maman, pleurnicha Karl, jusqu'à ce que Snowy tire une balle dedans...

— Les garçons, je suis sûre que ce monsieur bronzé fait du mal à votre petit-neveu avec ses pieds ! Allez vite voir. ALLEZ VITE.

Interprétant correctement le ton de leur mère, les deux garçons filèrent vers la porte.

Wex s'était raidi. Une voix fruitée sortit de ses lèvres.

— Un chaman local dessinait une carte... révélant la cachette de Minkie ? Où puis-je trouver ce chaman ?

Surpris par la transformation, Snowy bredouilla :

— Sven l'a pa-pa-pas fffinie, bon sssang !

— Où puis-je trouver ce chaman ?

— Dans la fo-fo-forêt, bbbien sssûr !

Le wetware de Wex demanda des détails plus précis.

— Sven Hartzell a très bien pu s'en aller en déplacement, fit Inga. Vous perdriez votre temps à vouloir le rencontrer.

— Je ne considère pas cette rencontre comme très satisfaisante, Dame Inga. Vous êtes fine diplomate, pour une cause futile ! Vos talents ont été gâchés dans cette famille.

— At-ten-ten-tendez. Qu-qu-qu'est-ce que vous vou-voulez dire par là ?

Wex ne tint aucun compte de la question.

— Dame Inga, l'éthique de la société harmonieuse m'empêche de faire trop forte pression là où existe une solution alternative. Nous trouverons ce chaman, ou alors votre maudit fils.

— A qui exactement ai-je l'honneur de parler ? demanda la dame avec fermeté.

— Vous ne comprendriez pas. Vous iriez laisser sombrer ce monde pour protéger votre horrible rejeton.

— Je tiens à savoir qui est cette Anna, insista Kyli.

— Vous ne restez pas déjeuner ? demanda la dame.

— Je ne le pense pas, répondit Wex de sa voix normale.

13 — Recherche de Minkie, et séduction de magicien

JUKE NURMI FUT À L'ORIGINE DE L'EXPÉDITION QUE LA REINE lança à des centaines de lieues de Loxmithlinna, au royaume de Saari, interrompant la guerre contre les rebelles...

Perché sur le monceau de verre brisé, dans la cour de la bâtisse en H, un coucou avait caqueté que Minkie Kennan s'était enfin pointé. Dans un village. Sur une sauto. De plus, Kennan avait avec lui une captive zombie qu'il avait libérée dans le village en question. Il avait rapidement disparu vers le nord, sur quoi les villageois avaient mis le cadavre vivant au bûcher.

Lorsque l'oiseau s'était posé là dans la cour, Paavo Serlachius discutait de la nature du mystère avec un Moller éprouvé par son châtiment. Le pasteur de guerre de Fortunée fut le premier à lui porter la nouvelle.

Fortunée s'était empressée de monter au dernier étage avec lui, pour avoir, de la longue galerie, un panorama et une perspective plus élevés. Elle congédia les gardes qui faisaient le guet côté lac. Elle en envoya un quérir Juke, un autre chercher Viktor Aleksonis et Ben Prut ; et Jack et aussi Lyle Melator.

Des couchages s'alignaient sur les tapis verts élimés. On avait décroché les tapisseries pour s'en servir comme couvertures ou, roulées, comme traversins. On s'était débarrassé de la plupart des débris dans le lac. La moitié des fenêtres étaient revitrées, d'autres restaient béantes pour tirer en cas de besoin. Par les trous du toit bombardé, la pluie avait suffisamment trempé la combe tissée pour qu'il y pousse de vrais champignons. Un nain de cuivre, trapu, les yeux rouges, gisait sur le flanc.

Une fois les conseillers de Fortunée arrivés, Serlachius répéta l'histoire du coucou. La reine arpentait la galerie de long en large, enjambant les couchages, contournant l'automate défunt. Elle continua son manège avec ses confidents.

Où s'était donc caché Kennan pendant tout ce temps ? Sûrement pas dans une grotte avec une horrible petite colonie de zombies. Cela ne lui ressemblait pas ! Il avait dû lui arriver malheur pour qu'il s'encombre ainsi d'une zombie.

Où était-il allé ensuite ?

Où s'était-il caché ?

Où avait-il sauté ?

Qui était la femme zombie ? Pourquoi ?

Selon Serlachius, la clé de l'énigme, c'était la zombie. Kennan s'était caché dans le site secret des mâles Kennan. Cet endroit était sans doute celui que Sa Majesté recherchait depuis toujours : la demeure de sa jumelle, et des échos d'autres personnes aussi. La demeure de reflets, d'images, dans le royaume manéen qui existait à l'intérieur du rejeton de cet Ukko où elle était entrée jadis. Si ces êtres quittaient leur havre ou en étaient arrachés, ils devenaient inévitablement des zombies. Serlachius avait réfléchi à la question. Voilà sûrement ce qui s'était produit. Kennan n'aurait jamais kidnappé une zombie !

Kennan avait violé le sanctuaire de l'alter ego de la reine. Il y avait enlevé une habitante. Pourquoi ? Par désir ? Ou pour un profit ? Le coucou n'avait pas révélé le nom de la zombie. La poule ravie par Kennan ne pouvait pas être...

Non, impossible...

L'autre moi de la reine ? Abandonné par lui pour finir en cendres.

Fortunée cria le nom de son double.

— Paula ! Paula !

Elle criait son propre nom en marchant. En proie au tourment, elle donna un coup de pied au robot de cuivre. L'assassin de Bertie avait-il aussi anéanti son autre moi ? Non, non, impossible ! Elle ne trouverait jamais paix ni raison.

— Grand-mère, grand-mère, l'implora Jack.

Kennan l'avait violée.

— Je sais où il pourrait être, dit soudain Juke.

— Ah oui ? Où ?

— Quelque part dont personne ne se douterait. Lorsque ma... Lorsque ma...

— Lorsque votre sœur, lui souffla Fortunée.

— Lorsqu'elle et moi sommes allés dans le nid des Isis de velours au-delà de la hutte en os de Hermi, Kennan chassait les Juttahats dans les bois enveloppés de brumes manéennes. La route est un labyrinthe, là-bas, les bois aussi. Aucun humain sensé ne s'y aventure. Kennan et son copain Snowy devaient connaître leur chemin...

D'une poche, Fortunée tira une carte sépia montrant la hutte en os et l'Ukko suspendu au-dessus.

— C'est ça la signification, n'est-ce pas, Paavo ? Celui qui connaît l'existence de l'enfant Ukko se cache dans cette cabane. Il se cache là, c'est certain. Le chaman loufoque n'est pas arrivé ici par hasard, pas plus que la fleur manéenne le jour de ton mariage, Jack.

Lyle toussa pour attirer l'attention.

— Excusez-moi, mais Hermi n'avait pas l'esprit tellement dérangé quand il a débarqué ici la première fois. Soit la créature étrangère lui a embrouillé les sens après cette farce blasphématoire de couronnement, ou alors c'est Roger Wex.

Quelle importance ? Oh, mais il y avait le couronnement impie ! Menuise et van Maanen ! Fortunée avait encore des comptes à régler. Si elle ne le faisait pas, quelle sorte de reine serait-elle ? Une perdante. Lyle ne souhaitait pas qu'elle néglige la guerre contre Maananfors où Elmer avait trouvé refuge. Pourtant...

— A supposer que la créature dorée ait volé l'objectif manéen, continua Lyle, pour le compte des Isis d'airain.

Non pas pour le compte des Velours qui gardaient un bouton de fleur manéenne dans leur nid. (Ils n'auraient jamais envoyé cette fleur à Fortunée.)

Ni pour celui des Tavelés dont la magicienne mutante s'était en quelque sorte fait avoir par Menuise ; ces Tavelés qui lui fournissaient des armes à elle et à son outrecuidant parvenu...

Fortunée marchait toujours. Dans quelle direction se tourner ?

Qu'impliquait Lyle quand il mentionnait les Isis ? Réfléchis.

Pense à ce bouton de fleur dans le nid des Velours. Juke l'y avait vu. Le nid des Velours était assez proche de l'endroit où Kennan avait fui.

— N'oublions pas, dit Lyle, que Hermi s'est présenté comme un intermédiaire entre les gens et les Isis de velours...

Et si Kennan échangeait son information contre un asile ? Et s'il donnait la position de la petite Ukko aux serpents ? Kennan avait peut-être assassiné bon nombre de leurs Juttahats dans le passé, mais une telle information valait de passer l'éponge... s'il osait la tractation.

Il fallait s'emparer de Kennan et le presser comme un citron. La guerre n'avait qu'à attendre. Les mouches pestifères auraient bientôt davantage de ressort. Dans une semaine, une quinzaine. On sentait déjà bien l'automne, mais les mouches manéennes devaient tolérer le froid, même les températures hivernales — non que la guerre dure tout ce temps. Fortunée ne devait pas quitter la forteresse. Ce serait une preuve de faiblesse ou d'intérêt insuffisant, comme si une guerre où mouraient tant de gens n'était qu'un caprice.

Aleksonis en personne avait mené l'expédition pour la capture de la machine à tout faire, mais dans la situation présente il devait rester à proximité de Loxmithlinna.

On combina une expédition : une excursion qui traversait le pays de part en part. Ben Prut prendrait la direction des aspects militaires. Qui mieux que Jack serait au commandement général ? Il avait été élevé dans un nid isi. L'expédition devait s'adresser non seulement à Kennan, mais aux Isis de velours. Jack — mais en lui adjoignant l'influence modératrice de Juke.

L'aéronef royal (que Jack ne piloterait pas) aurait à son bord des gardes de la reine, quelques soldats de bois (le capitaine Bekker resterait avec le gros de ses hommes) et deux sautos pour pourchasser Kennan s'il tentait de s'échapper dans un entre-deux.

Devait-on aussi envoyer la forteresse volante ? Aleksonis fit objection. La reine ne devait pas rester démunie d'appareils. A son avis, le contingent devrait consister principalement en troupes de Jaeger ou en Volontaires de la défense de la bâtisse en H, plus des soldats de bois. S'il fallait lancer une attaque contre un nid isi de velours, les troupes de Jaeger avaient l'habitude des régions souterraines, non ? Quant aux Volontaires de la défense...

Lyle fit remarquer que ses propres hommes — les hommes de Haxell — avaient récemment été malmenés. Cela faisait loin de les envoyer dans le royaume de Saari. Personnellement, il se portait volontaire, non pas tant dans le rôle de combattant que dans celui de mécanicien si jamais un aéronef royal nécessitait une réparation. Les vaisseaux surchargés allaient peiner en vol.

Le débat continuait. Fallait-il se séparer de la crème des gardes du palais récemment acquis à la reine Fortunée ? D'un autre côté, ne devaient-ils pas prendre la tête de cette entreprise ? Le plan initial se compliquait.

Le compte final à bord de l'aéronef serait un nombre égal de gardes royaux, de soldats de bois, d'hommes de Jaeger et de Volontaires de la défense. Jack aurait la responsabilité des soldats de bois et des gardes, dont deux étaient des pilotes capables et trois des sautards expérimentés. Juke aurait la responsabilité des soldats de Jaeger et des Volontaires, qu'il pourrait toujours contraindre par la parole si besoin était. Ben Prut serait coordinateur. Lyle Melator resterait à la bâtisse en H.

Le lendemain, l'aéronef bondé peina dans un ciel morose.

Sa première escale fut Yulistalax. Il se posa au pied de la forteresse à la fine tour de granit rose de Lord Burgdorf ; ce fut un arrêt technique pour remplir les réservoirs de carburant.

Yulistalax ! Lieu où Juke avait vu Solœil vivante pour la dernière fois. Lieu où il avait vendu sa sœur pour garder la vie sauve. Il l'avait trahie de façon impardonnable. Par la faute de l'outrecuidant Lord Osmo van Maanen. Et par la sienne aussi, par la sienne...

L'aéronef sentait le renfermé, la sueur, les pets. On avait enlevé les sièges en cuir, sauf celui du pilote et du canonnier. Les hommes étaient serrés comme des sardines. Accroupis au milieu des armes, des rations et des deux volumineuses sautos, il y avait les gardes de Fortunée en uniforme de cuir vert et brun ; les soldats de Jaeger — cuir de buffle épais ; les hommes de la bâtisse en H — cuir vert bouteille ; et les soldats de bois aussi, en bleu bordé d'orange, shako à visière surmonté d'un pompon blanc. L'odeur de ces derniers, légèrement résineuse, rafraîchissait un peu l'atmosphère.

Juke souffrit le martyre quand l'engin arriva en vue de Yulistalax. Il était au service de la reine, maintenant. Il faisait partie du groupe punitif lancé contre van Maanen. Contre van Maanen et Menuise. Menuise qu'il n'avait jamais vue, même s'il l'avait abattue.

Souhaitait-il causer autant de dommage à une autre femme qu'à sa propre sœur ? Peut-être intercéderait-il en faveur de Menuise afin que son châtiment ne soit pas trop extrême. Peut-être serait-il en mesure de lui offrir une protection — surtout s'il réussissait à rattraper Minkie Kennan.

Cette protection serait-elle de même nature que celle qu'il avait prodiguée à Jatta ?

Protéger une femme rachèterait un peu la façon dont il avait trahi Solœil, dont il l'avait trahie pendant des années dans ses coupables désirs, même avant le terrible dénouement final...

À quoi ressemblait Menuise ? Il n'avait jamais posé les yeux sur elle. Elle était la complice de van Maanen ! Pourquoi cette méditation provoquée par la vue aérienne de la Vallée des Orateurs ?

La cuvette en terrasses, large de trois lieues, ne contenait déjà plus de moutons. On les avait conduits dans les bois. Rien de tel que des moutons pour nettoyer une forêt. Plusieurs chapiteaux, stands et tribunes étaient en place. Les charpentiers montaient une deuxième rangée de stands imbriqués les uns dans les autres. Ne pas penser à la fille qui avait seulement souhaité réciter ses poèmes pendant que son frère proclamait de façon plus puissante, plus risquée...

— Tu es bien pensif, cria Jack à Juke par-dessus le grondement des moteurs et le hurlement des prises d'air. Je me souviens aussi de cet endroit. Tu te rappelles les moutons en feu ? Bêêê...

Juke se rappelait trop bien Yulistalax. Son gala, but de ses ambitions de jadis, et aujourd'hui fer qui tournait dans sa plaie.

Si seulement... Si seulement...

La ville se parait déjà de pavois dans le dédale de ses venelles. Auvents et couloirs de toile rayée comme des sucres d'orge reliaient les rangs de maisons en bois, les transformant en hostelleries pour les visiteurs qui investiraient bientôt la ville. Le gala commençait dans quatre jours. D'ici là le ciel plombé se serait sans doute dégagé. Un campement de tentes se dressait sur la rive du lac pour loger les festivaliers dont la bourse trop modeste ne permettrait pas une nuit à l'enseigne de la Chèvre ou de la Digitale. Pour l'instant, le port et les berges n'étaient pas obstrués par les bateaux. Néanmoins, Yulistalax bandait ses forces pour le flot lucratif qui allait multiplier sa population par six. Ou seulement par quatre en cette année de guerre ? Ou par trois ?

Quand l'aéronef royal descendit, poussif, vers la prairie au pied de la forteresse, les habitants de la ville levèrent les yeux et agitèrent la main, sans savoir que ce grand vaisseau blanc aux yeux vermillon ne leur rendait qu'une petite visite en passant.

Gala en vue ! Comme le souvenir du gala tourmentait Juke !

Si seulement il y avait un moyen d'effacer le passé :

l'incestueux désir sournois inassouvi devenant par trop explicite — au point que van Maanen le lui avait hurlé au visage. Juke n'eut alors de cesse que sa sœur horrifiée en perde la connaissance par quelque moyen que ce soit... Il s'enfonçait dans des sables mouvants. Il aurait saisi n'importe quelle branche...

Un acte de galante protection suffirait-il à effacer cela ?

S'il le pouvait seulement... S'il le pouvait...

Les gestes grandioses... C'était le point fort de van Maanen. Lord Osmo était même parvenu à faire applaudir son bannissement de Solœil.

Devenir héros par la capture de Kennan. Par l'invasion d'une place forte isie.

Minkie Kennan avait désiré Solœil de façon ponctuelle et triviale. Sans la dévotion de Juke...

Il avait été aisé de contraindre ce type à l'impuissance. Si seulement Juke pouvait se contraindre lui-même à apaiser son âme et guérir le mal qui la rongeait.

Comment lui, qui méprisait les seigneurs pour leurs airs et leurs privilèges, était-il devenu le docile serviteur d'un monarque ?

Pourquoi n'avait-il pas suivi Solœil ? Pourquoi ne lui avait-il pas emboîté le pas dans sa longue marche vers la mort, pour la sauver au bord du précipice ? Eh bien, à cause du regard de son œil, de son œil vivant.

Peut-être devrait-il s'arracher un œil, chasser la douleur par une proclamation, ou au contraire l'accepter. Non, pas tant qu'il servait la reine, les deux yeux intensément fixés sur son but ! Van Maanen se moquerait de lui s'il se mutilait. Tant que Lord Osmo ne serait pas mort, il ne le ferait pas.

Fortunée lui donnerait-elle Menuise sur qui dispenser ses gentillesses ? (Serait-il aimable et gentil envers une personne qu'il n'avait jamais rencontrée ?) Quelle folie ! Il n'avait pas de forteresse où rentrer. Seulement une couchette, dans une maisonnette d'un village de semblants d'hommes. Son papa pourrait même la lui refuser. Il était la créature de Fortunée, à présent. Sa créature de confiance.

Tandis que Ben Prut organisait le remplissage des réservoirs, la plupart des soldats se dégourdissaient les jambes, s'aéraient, pissaient ou buvaient une gorgée d'eau. Ils risquaient de rester au sol pendant une heure. Puis ils continueraient vers Niemi via Keskikyla. Ils se rendraient droit à la forteresse des Kennan pour s'assurer que leur proie ne s'y était pas réfugiée. Puis ils repartiraient vers Saari pour y faire escale la nuit. A moins qu'ils ne soient retenus à Niemi. Le matin : route vers le nord-est, vers la cabane en os que Juke connaissait.

Sur la prairie de Lord Burgdorf stationnait un seul aéronef, au milieu des herbes hautes, un vieil engin déglingué appartenant à Lord Maxi lui-même. Dans quelques jours, y en aurait-il une demi-douzaine parqués là ? Ou aucun, si les seigneurs craignaient de faire le voyage quand les coucous caquetaient au sujet de la guerre des reines rivales ?

Ils se posèrent lourdement ; le fuselage vibrait.

Magicien Imbriqué être mal à l'aise. Perdre gouttes de musc amer des glandes anales.

Raison incomber à sauvage humain sautard. Libérer ce magicien de la grotte sous palais de la reine Fortunée. (Tanière tolérable, bien que captivité devenir lassante.) Dans clairière au-delà du Grand Fjord humain fou se débarrasser du magicien et de son serviteur comme d'une vieille peau, flanquer coups de coude violents et coups de tête. Casser côtes d'Imbriqué. Déchirer muscles.

Caché dans les bois, Magicien Imbriqué avoir guéri ses blessures en deux-trois jours grâce à maîtrise manéenne. Serviteur corporel transporter maître meurtri avec précaution pendant trois-quatre semaines à travers bois, régime de poisson et champignons, direction : nid isi le plus proche (Velours).

Magicienne Muskular des Velours recevoir Imbriqué en prisonnier estimé. Rester sous ce statut. Aujourd'hui, Imbriqué être invité dans la tanière de Muskular pour partager succulent porcelet gigotant.

Imbriqué être à présent habitué au nid des Velours ! Doux carillons, atmosphère fruitée, tiède et sèche. Folâtres petits Juttahats noirs assurer Velours futurs serviteurs avec voix isies dans leur tête.

Pourtant monde de serviteurs humains, encore sauvages, attendre. Milliards de domestiques potentiels supplémentaires, ailleurs. Jeu magnifique pour remporter maîtrise sur humanité, et sur mystère aussi. Deux jeux en un.

Voir tanière de Muskular sous chaude clarté jaune. Magicienne être lovée sur plate-forme rocheuse. Glyphes indigo sur sa peau pourpre intimer métavision et survoix. Debout près d'elle : son serviteur corporel en livrée sable, un Tulki capable parler avec humains. Juttahats assis derrière bureau. Floreille crème d'un Ukko isi dans flacon nutritif sur piédestal près d'un grand Ukkoscope de verre. Éclairs bleus et étincelles rouges scintiller dans Ukkoscope, fouiller manasphère pour trouver Ukko de service.

Muskular se délover avec souplesse. Se contorsionner sur sa profonde plate-forme avec naturel. Même dans cet espace restreint, adopter éclat magnifique, sinistre, sinueux. Ensuite se lover, anneau par anneau, et dresser haut la tête. Yeux brillants évaluer Imbriqué. Langue carmin jaillir sous écailles rostrales pour sentir grossière marque anale d'Imbriqué. Muskular émettre bouffée de caramel comique, coupée de sympathie au miel.

Livrée cuivrée, runes noires sur l'épaule, serviteur corporel d'Imbriqué porter son poids d'anneaux. Sentir aigre en relation avec Imbriqué.

Douleur vague de blessure n'être pas raison réelle de détresse, mais pur faux-semblant ! Cause réelle être empreinte de main. Écailles avoir été déchirées par humain à perruque et deux cerveaux dans la tête. Lui sortir Imbriqué de sa mue. Marquer Imbriqué de l'empreinte de sa main ! Marque indélébile jusqu'à la prochaine mue.

D'où amusement supérieur de Muskular.

Avant Imbriqué rassembler esprit, odeurs et mots intérieurs à projeter à Muskular, porte-parole de Muskular parler. Pas en langue précise claquante et sifflante mais en langage humain gargouillant et cancanant.

— Converser en kalevan, insista le Tulki noir. Humains approcher Ukko en attente plus que nous avec notre floreille. Ukko être accordé à actions humaines, écouter récits humains. Ukkoscope révéler violence rouge, état volatile.

Imbriqué répondre par intermédiaire de son porteur :

— Position Ukko toujours inconnue.

Imbriqué mépriser stratégie des Velours, avec fleurs et squelettes ! Converser en kalevan ? Nid concurrent changer perspective en cours de jeu ? Adopter imitation vocale d'humains ? Utilisation de babil étranger être peut-être allusion à honteuse empreinte de main imprimée sur peau d'Imbriqué !

Trois nids rivaux...

— Velours être renommés pour utilisation des fleurs sensibles d'Ukkos comme détecteurs. (Imbriqué constatait l'évidence.) Magicienne mutante tavelée utiliser fleurs aussi. Cette stratégie n'être pas unique aux Velours.

Airains aussi éternellement expérimenter avec fleurs sensibles trouvées à l'intérieur d'Ukko. Imbriqué s'abstenir d'avancer autres détails sur nid personnel. Lui poursuivre :

— Velours se procurer chez humains tous squelettes trouvés dans Ukko originel, et jusqu'ici unique, à dessein de nécromancie.

Naïf de la part des humains, cet échange d'ossements d'Isis et de leurs serviteurs. Quel succès récompenser Velours ?

Muskular osciller. Comme fleur cireuse dans vase. Fleur avoir bu trop de venins mineurs et autres humeurs de la magicienne ?

— Velours collectionner et goûter artefacts humains à la manière des oiseaux escamoteurs...

— Étudier produits du comportement humain ! répliqua Muskular.

— ... tandis que coucous d'Ukko rassembler puissance de récits.

— Dompter coucous d'Ukko être interdit. Alors : étudier.

Oui, étudier, de façon sinueuse et circulaire.

Procédure tavelée : commercer, et même proposer coopération afin de prendre humains (pas si naïfs) au filet. Pendant ce temps-là leur phénix-paria méditer et gonfler dans abri sûr et isolé.

Carillon d'harmonisation résonner dans tout le nid.

Imbriqué reposer la tête d'un air contemplatif sur la tignasse rousse et mousseuse de son serviteur. Frotter son menton ici et là. Serviteur émettre petite toux rauque. Musc dégoutter des glandes de son menton. Bouffées de lumière pastel monter des cornes d'Imbriqué.

moment ? Ses écailles recommencer à faire mal. Deux cloaques frotter l'un contre l'autre. Se caresser, se barbouiller.

14 — Tomi, Goldi et Ambré

LE DÉNOMMÉ TOMI FUT CERTAINEMENT LE SAUVEUR DE Goldi. Malgré les premières apparences, il n'était pas l'homme doré qu'Osmo l'avait contrainte à rechercher.

Son sauveteur précédent, qui lui avait donné son poney (l'homme à deux cerveaux et un coucou sur l'épaule), avait aperçu l'objet de sa quête grâce à la lentille manéenne. Il avait été incapable de lui montrer ce qu'il avait vu. Mais il lui avait assuré avec force que ses recherches ne seraient point vaines. Lorsque Tomi avait débarqué dans sa vie, il aurait pu être celui qu'elle cherchait...

Elle était descendue de Flambeau pour se baigner dans une mare au milieu des bois. De doux coussinets de mousse rose ornementés de touffes d'herbe dentelée tapissaient les rives. Un pétillant ruisseau alimentait la mare avant de continuer plus loin à travers un chaïeu de fougères et de roseaux. De grosses mouches creuses paressaient sur les fougères, les ailes vibran... Chacune traînait derrière elle un tube gros comme fil, leurs antennes leur faisaient de monstrueux cils. Les insectes ne l'attaquaient pas si elle choisissait de sentir l'insecticide. Les arbres aux alouettes à es en forme de pique partageaient les abords de la avec les lépriers à ramures tombantes et les buismustiers pourpres aux baies presque mûres. La tion et l'eau luisaient sous le soleil. Un nuage vola tant son éclat au décor, mais ce ne fut que pas...

avait ôté son manteau de futaine gris. Elle s'était assée de ses mocassins.

roit semblait intime. Pourtant, deux paires avaient suivi la silhouette emmitouflée sur son hirsute. Les ramures des lépriers s'inclinaient u, agitées par un doux zéphyr. Flambeau hen-

Rappeler à son hôtesse et geôlière :

— Stratégie des Airains être plus variée et plus vigoureuse. Entraîner humains revêtus d'un maillot en mue de mage. Élever jeune mutant manéen humain. (Cela être bien connu grâce aux potins de coucous.) Élever Juttahat extraordinaire de forme humaine possédant libre arbitre et fidélité...

Muskular siffler avec dédain.

— ... lui séduire une Sariola donneuse de longue vie, elle devenir enceinte d'un mutant. Virtuellement hybride !

— Virtuellement...

Vanille érotique, mêlée à un sirop aigre.

— Aussi élever sœur envoûteuse de forme humaine. Moi-même infiltrer le palais de Pohjola.

— En captif, être cela mission de magicien ?

Raillerie être inutile.

— Apporter à Kaleva machine à tout faire.

— Machine à tout faire être capturée.

— Moi-même être capturé par toi, magicienne ? Non ! Venir de mon propre chef. Chercher hospitalité. Airains être très près de contrôler humanité et ensorceler Ukko en attente.

Fleur osciller. Muskular aussi. Langue fourchue de magicienne jaillir, perlée d'une rosée huileuse. Voix esclave sortir langue grenat entre quenottes bien rangées.

Muskular faire des grâces.

— Annoncer exploit presque parfait, beau magicien ! Poétesse borgne venir ici chercher œil factice de fabrication isie haut de gamme. Même femme être reliée par rêve à Ukko en attente ! Nous percevoir elle en potentielle nouvelle Fortunée Sariola. Ha ha ! (Siffler satisfaction.) Être sœur du proclamateur Juke Nurmi opposé à Osmo de Maananfors. Velours créer spécialement œil espion pour Solœil Nurmi. Œil artificiel signaler à nous sa position et tout ce qu'elle voir. Ha ha !

Quel choc !

Imbriqué baisser tête au niveau de tête du serviteur.

— Admirer avec jalousie, magicienne. Où être poétesse maintenant ?

Pause.

— Lord Osmo l'avoir contrainte à se noyer l'année dernière...

— Alors elle se noyer ?

Imbriqué lever tête lentement.

Pause. Odeur de chien mouillé.

— Pas savoir.

— Pourquoi pas regarder par œil factice ?

— Elle avoir arraché et écrasé œil.

— Ah ah... tragique fiasco !

— Technique efficace ! Sinueuse. Velours fournir missiles pour se débarrasser du proclamateur Osmo, utiliser proclamateur Juke. Ainsi Velours guider situations.

Et devenir manipulateurs, oui, oui.

Manipulateur ou manipulatrice devenir harmonisé à Ukko en attente. Ukko en attente se nourrir d'événements. Son influx manéen nourrir envoûtements et folies. Manipuler être sorte d'ensorcellement. Héros et héroïnes devenir poupées de Mana. En fin de compte tous humains devenir marionnettes des Isis, comme les excellents Juttahats. Oui, oui.

Carillon d'harmonisation.

Muskular sembler vouloir provoquer Imbriqué.

Imbriqué ressentir démangeaisons furieuses là où main de l'homme à perruque déchirer ses écailles.

— Beau magicien être manipulé par humains, être marqué par homme.

Bouffées de lumière pastel jaillir des cornes de Muskular. Roses, violettes.

Imbriqué flotter dans bras du serviteur, colère disparaître, voguer sur resplendissant sentier d'illumination. Entendre couinements étouffés de porcelets derrière trappe sur côté de tanière. Imaginer gargouillements frénétiques et dodus dans ventre, spasmes de suffocante chair rose, satiété. Bouffées de lumière pastel. Vanille, sur porc cru. Douce vanille !

Son hôtesse ensorceler lui. Serviteur se balancer d'avant en arrière. Serviteur de Muskular tendre main. Pour inviter. Étonnant.

Muskular déclarer de façon aguichante par lèvres du serviteur et dans tête d'Imbriqué :

— ¡ Kex'qi sukoo qa'zuvi th'raan ¡ kexi ¡ kikaxi shaaai...

Comment cela arriver ? Lui du clan Airain, elle du clan Velours ! Juttahat noir caresser peau ambrée du serviteur d'Imbriqué. Le tenir, yeux nictitants, narines

224

tressaillantes, perles liquides dégouttant des glandes du menton. Mâle noir et mâle airain. Aussi paradoxal que femelle isie de velours et mâle isi d'airain.

Aussi contraire que geôlier/détenu. Elle pasticher, imiter séduction humaine par Juttahat mana-massé spécialement élevé ?

Imbriqué mâle accomplir dominance et liberté — soumission — dans anneaux de Muskular ?

Ou être raillé ?

Lumière manéenne jaillir des cornes d'Imbriqué. viteur noir attirer serviteur d'Imbriqué plus pr plate-forme de Muskular. Couinements de por Promesse de festin après caresses et titillements, ries et tortillements, pour réunir deux cloaques pents bien mouillés.

Fleur d'Ukko fléchir ses pétales. Aucun mot maintenant. Mais toujours l'empreinte de la la peau d'Imbriqué.

Muskular être royale. Déployer ruse éroti cieuse. Son jeu échapper à Imbriqué. Jeu joué, pour découvrir raison d'accouplemen magiciens rivaux, dont un être défiguré.

Caresser, reculer, câliner.

Serviteurs se cajoler, baver.

Muskular se révéler impossible à devi devenir l'illuminée précieuse.

Ah ! Voilà ! Grande narration immine

La façon dont magicienne Muskul maîtresse des floreilles, a séduit Imbri Toutes situations précédentes et suiva libre autour de ce pivot.

Ceci être raison pour laquelle elle i lation ! Comportement unique englob nelle d'Imbriqué en elle. Donc com des Airains dans manœuvres des Ve un porcelet.

Muskular empressée dans appr saire. Sinon longue présence d' Velours risquer égaler... préam' tion contre penchants de son cl

(Narration poser peut-être ce

Avaler, comme porcelets en per lui. Attirer Airain en Velo

Imbriqué devoir se désis

226

nissait doucement. Deux gars émergèrent de leur cachette.

Ils sifflèrent. Chacun apprécia du regard la courte tunique argentée révélant les mollets et les cuisses moulées comme dans du beurre, le beurre doré des épaules, dont l'une s'ornait d'un grain de beauté en forme d'ornithogale.

Ces deux frères — ou cousins —, trapus et musclés, se déplaçaient avec légèreté. Ils portaient une chemise et une culotte d'un vert terne ; un feutre marron. Un couteau à la ceinture. Des poils sortaient de leurs narines, telles des hamaquiennes noires comme du charbon.

— Qu'est-ce qu'on trouve donc ici dans nos bois, hein ?

— Faut payer pour passer sans problème, j'dirais.

— Payer pour se baigner, aussi.

— Elle va plonger, hein, Stig ?

— Quand on y aura plongé not' dard, j'dirais.

Ils se marmonnaient mutuellement des paroles de justification. Un éclat lubrique allumait leur regard.

— J'parie que c'est une nakkie ?

— Jamais vu sa pareille ! (Remontant son pantalon.) J'en verrai plus jamais non plus, j'dirais.

— Elle va garder ses jolis gants, hein, des fois qu'elle aurait des ongles.

Goldi poussa un cri strident. On aurait dit un accord démesurément amplifié sur sa harpe, sauf qu'elle avait perdu la harpe à Loxmithlinna. Quelque part, un oiseau hurla par sympathie, ou de peur.

Les narines tressaillaient. Les hammaquiennes poilues flairaient l'air.

— Elle pue, c'est pas d'la tarte.

— Plutôt d'la pisse de cochon.

— L'a besoin de s'laver d'abord.

— Non, c'est un sortilège nakki qu'elle produit. D'après moi, c'est supportable. Quelle poulette, quelle belle poule bien chaude ! Danse-nous quelque chose, mignonne. Tourne, montre-nous ton croupion. Gonfle tes plumes, après on jouera au sandwich, un devant, un derrière.

— Pas dans le trou du cul, Stig, ça schlingue.

Un coup de coude dans les côtes :

— Ah, c'est tout dans la tête, Alf. On t'excite pas, fillette nakkie ? Les obscénités, ça les allume, les poulettes.

Les mains poilues débouclaient les ceintures. Excitation ? Quelle horreur !

— Ça serre, ça chauffe, hein ?

— Chatte juteuse.

Goldi hurla de nouveau. Ses huit jours de mutisme s'étaient écoulés. Mais y avait-il besoin de paroles ? Ses yeux se remplirent de larmes. Ils auraient aimé qu'elle coure, qu'elle essaie de sauter sur Flambeau. Elle ne l'atteindrait jamais. Cela ne ferait qu'ajouter de l'épice à leur viol.

Comme les humains pouvaient devenir bestiaux ! Des voix isies devraient les contrôler. Si elle restait muette et molle, cela frustrerait-il ses agresseurs, cela les conduirait-il à des excès ?

Pourquoi sa puanteur ne les repoussait-elle pas ? Parce que la vue de son corps dominait les effluves de ses glandes. Ils la dévoraient des yeux, fous du besoin de la posséder. Sans la puanteur, Stig et Alf auraient déchargé dans leur froc.

— Uung, grogna Stig.

Ce bruit ne signifiait absolument rien. Il résumait son existence impérieuse.

Son pote et lui s'approchèrent lentement, d'une démarche maladroite déterminée par le renflement de leur sexe toujours prisonnier. Si Goldi fonçait dans une direction quelconque, ils se précipiteraient sur elle. Elle avait été conçue pour attirer les mâles étrangers. Manipulée dans ce but. Voilà le résultat. Oh, l'approche insistante et bombée de ces animaux !

C'est alors qu'il était arrivé d'un pas vif.

La première pensée de Goldi fut que c'était un copain de Stig et d'Alf. Même lorsqu'il cria : « Reculez, les gars ! » Elle supposa qu'il exigeait de passer en premier vu sa musculature plus imposante. Voilà qu'elle devrait endurer les attentions d'un taureau en plus de celles des deux buffles.

Serait-il moins dangereux et plus insultant de se faire violer par trois brutes plutôt que par deux ? A deux elles pouvaient s'aiguillonner l'une l'autre pour éliminer la preuve de leur horrible comportement. Une troisième risquait d'ajouter une dimension publique à la chose.

Le nouveau venu portait des chausses collantes en

228

cuir blanc — le renflement proéminent du sexe sur la gauche. Sa veste de cuir blanc, déboutonnée, exposait un magnifique torse doré sans poils. Se rasait-il afin que le tatouage du champignon phallique bleu enguirlandé de fleurs ne frisotte jamais ? Ses pectoraux étaient si développés qu'on aurait pratiquement dit des seins — aux tétins ronds et roses (troués chacun d'un anneau doré) avec aréoles brunes. Seins de muscles et non de graisse. Peau hâlée, dorée. Cou musculeux presque plus large que la tête. Les cheveux bruns, courts, rejetés en arrière, bouclaient en vaguelettes. Il avait les traits en lame de couteau. Son menton, rasé de près, faisait penser à deux petites fesses séparées par une fente. Son postérieur gainé de cuir était compact. Sa taille fine, son ventre musclé presque petit. Ses sourcils arqués bien dessinés, sa moustache large et nette, son sourire impudent, interrogateur, sournois...

Il était doré. Quelle ironie amère que le compagnon qui lui était destiné soit un brigand des forêts, un roi des violeurs !

Mais non...

De son épaule, le nouveau venu descendit un genre de gaffe servant à attraper le bois flotté. Aux dents de l'outil pendait un sac de marin.

Il laissa glisser le sac par terre. Il tapa la gaffe, crochet vers le bas, dans la mousse rose épaisse. Il ferma ses grandes mains.

— Arrière, les gars. Laissez la dame en paix.

— Uuung ? demanda Stig, étonné.

— T'es quoi, mon con ? demanda Alf.

Le sourire du jeune homme doré s'élargit.

— Z'avez jamais été attachés à un arbre et sodomisés, les gars ? demanda-t-il.

— Hey, c'est pas des façons de causer, cria Alf avec indignation, la main sur le manche de son couteau.

Le bûcheron — c'est ce qu'il devait être — se rua en avant. Il attrapa le violeur manqué de Goldi par les couilles et l'envoya valser sur le côté, braillant comme une bête. A terre, Alf remonta ses genoux jusqu'à son menton et éructa des obscénités.

Le gars se tourna vers Stig, la main en position, pour recommencer.

— Tu fais une partie de boules, mon gaillard ?

Stig fonça vers le poney, se hissa en vitesse sur son

dos et le piqua des talons. Flambeau s'ébroua et partit comme une flèche à travers la forêt, avec son cavalier.

D'une main, le bûcheron redressa Alf, le tirant par sa ceinture débouclée et la taille du pantalon.

— Non, non, je vous en supplie, me faites pas ça ! bredouilla Alf, suspendu en l'air, gigotant et souffrant.

— Tu allais le faire à la dame.

— Non, c'était une blague, on voulait seulement pisser.

— Tu l'as bien raide pour pisser, à ce qu'il me semble ! Comme tu ne me plais guère, je te donne trente secondes pour suivre ton copain.

Sans cérémonie, le bûcheron laissa choir Alf sur le dos.

Celui-ci se releva, décampa à bonne vitesse, la main à l'entrejambe.

— Mon poney, s'écria Goldi.

— Reviens ! brailla le gars doré.

Flambeau avait disparu. Stig avait disparu. Alf aussi.

Son sauveteur se nommait Tomi. Goldi imagina qu'il était l'amant qui lui était destiné — mais il la détrompa.

Il se rendait à Portti, sur la côte, au sud, au-delà du domaine de Tapper Kippan. Son ambition était de jouer du piano dans les bars fréquentés par les marins de Pootara. Tomi était obsédé par l'image de matelots noirs et musclés. Les regarder le regarder, les admirer tandis qu'eux admiraient l'agilité de ses doigts courant sur les touches noires et blanches : voilà qui était devenu un rêve dévorant. Après la fermeture du bar, il y avait pas mal de possibilités pour un gars ayant une chambre confortable dans la rue et un goût pour les beaux garçons frais débarqués d'un long séjour en mer et ne dédaignant pas la fréquentation du célèbre claque de la mère Rakasta. Si la jeune femme le suivait...

Elle était libre de l'accompagner pendant un temps. Elle avait eu un tel choc, pauvre jeune femme... En plus, on l'avait délestée de son poney. Les types à grosses bites ne devraient pas s'imposer aux délicates créatures du sexe opposé sauf quand il faut faire des bébés. Les mecs devraient aller avec des mecs vu qu'ils comprenaient mieux leur nature et leurs besoins.

Quel choc pour elle ! S'était-elle (il s'excusa) souillée ?

230

(Il fronça le nez.) Désirait-elle se laver dans la mare pendant qu'il aurait le dos tourné ?

Déjà l'odeur épouvantable s'évaporait mystérieusement. Elle fut remplacée par une senteur de lamelles de champignons, de levure et de douceur.

Tomi sortit une blague à tabac de son sac. L'herbe avait un parfum fort mêlé à une odeur de térébenthine. Le jeune homme se mit à rouler une longue cigarette fine dans une feuille de papier gommé aussi lisse que possible. L'invitant à s'asseoir, il lui offrit le joint. Intriguée, elle le prit et le renifla.

Il roula une seconde cigarette et la mit entre ses lèvres. Il sortit des allumettes.

— Quel coup ! dit-il. Le camphre rétablit le calme et la pudeur, demoiselle. Il calme la fièvre et la surexcitation. Je l'utilise parfois pour m'apaiser. Mais pas à des moments comme celui-ci, avec quelqu'un comme vous, si vous me suivez.

La fumée s'échappa de ses lèvres. Il lui tendit la flamme et elle copia ses gestes.

Elle toussa un peu.

— Le camphre, répéta-t-elle d'un air de doute. Qu'est-ce que c'est ?

— Ça provient de l'arbre à goudron qui pousse dans la région du seigneur des forêts. Beaucoup d'arbres là-bas ne poussent pas ailleurs, vous savez ? Une espèce, l'arbre collant carnivore, peut piéger et manger de la chair d'oiseaux et de petits mammifères. C'est l'opposé du léprier. Il se penche vers vous, oui. Ne vous en faites pas. Les adultes arrivent facilement à se dégager.

Elle inhala de la fumée.

— Vous êtes déjà venu par ici ?

— Jamais jusqu'à Portti. Je fumais un joint et je faisais demi-tour. Il y a une fable selon laquelle, quelque part dans le royaume de Kippan, pousse un arbre remarquable. Il n'a pas de nom, parce que personne ne l'a encore trouvé.

— Comment peut-on le connaître alors ? En quoi est-il remarquable ?

Il eut un grand sourire.

— Je crois qu'il ressemble aux autres arbres. Au menthier ou peut-être au jaunier. Ce n'en est pas vraiment un. Il ne fait que les imiter, pour cacher sa différence. Comme vous, en fait, demoiselle. Très belle pour un regard ordinaire, je suis sûr.

Sous les sourcils arqués, son regard jaugea le visage plein et ovale, les yeux ambre foncé rapprochés, les fossettes creusant le menton.

— Je ne suis pas une nakkie.

— Bien sûr que non. Maintenant, le moutapou, voilà celui qu'il faut chercher. Sa sève peut changer les gens. Kippan a des soldats de bois qui le protègent. Faites attention à la sève fermentée du menthier. Une lampée de cette sève vous emporte la tête si on n'est pas habitué à cette substance. Oh non, vous n'êtes pas une nakkie. Mais vous n'êtes pas non plus une femme humaine ordinaire.

— Je suis Juttahate, avoua Goldi. J'ai été spécialement élevée par les Airains comme une imitation de femme. Je suis une étrangère.

Il cligna, et la salua de sa cigarette camphrée.

— Bien sûr, vous en êtes une. Pour moi.

Tout en cheminant vers Kip'an'keep avec Tomi, Goldi révisa son concept de sauveteur et de compagnon doré. Le sort jeté par van Maanen gardait sa force. Pourtant, la présence de Tomi produisait en elle une sérénité certaine.

Elle avait été entraînée à penser en termes de soumission dynamique, à se voir à la fois en ravisseuse et en captive, sur le plan sensuel. Tomi pouvait-il représenter, et son destin, et l'impossibilité de ce même destin ? Le sort qui l'envoûtait l'empêchait simplement de percevoir cela... pour l'instant. En fait, Tomi incarnait peut-être ses espoirs et la négation de l'espoir de façon que, dans sa frustration, elle découvre l'harmonie.

Pouvait-elle l'accompagner jusqu'à Portti ? Pouvait-elle, image de femme humaine qu'elle était, vivre près de lui sans qu'il la touche, telle une sœur ? Dans ce cas, elle ne serait plus obligée de vagabonder en vain. Tomi accepterait-il sa présence étrangère près de lui comme une affirmation de ses propres désirs à jamais dirigés ailleurs ? Serait-elle la pierre de touche non touchée de ses inclinations, les authentifiant par cette antithèse ultime : imitation de femme, à lui absolument étrangère ?

Cela sèmerait la confusion chez les matelots qu'il

inviterait chez lui. Ah, mais elle ne resterait pas dans ses jambes à ces moments-là...

Goldi commença à faire des allusions détournées.

Que ferait Tomi l'hiver, quand le port serait pris par les glaces, quand il n'y aurait plus de marins à peau noire ?

Un solide gaillard pouvait toujours trouver du travail. La gaffe sur son épaule témoignait de son habileté à crocher les grumes.

Gagnerait-il assez d'argent, l'été, à jouer du piano ? Et si ces matelots préféraient passer le temps avec leurs casse-tête ? *Et si son rêve — pour lequel il avait sculpté son corps — était une illusion ?*

Les pensées de Goldi se tournèrent vers l'établissement de la mère Rakasta. Tomi ne le connaissait pas personnellement. (Il n'était encore jamais allé à Portti.) Il n'éprouverait d'ailleurs jamais le désir d'y aller. Il avait mentionné le bordel pour souligner que certains marins pootariens avaient à combler des désirs autres que leurs sempiternels casse-tête. D'autres matelots — point de mire de ses rêves — nourrissaient des appétits équivalents mais différents.

Goldi pourrait trouver un emploi chez la mère Rakasta...

Un simple emploi ? Avec son physique et ses parfums, elle deviendrait reine des courtisanes, enivrant le genre de matelots que Tomi devrait toujours s'abstenir de toucher.

— Quoi ? murmura Tomi. Moi, un maquereau ?

Il lissa ses cheveux noirs ondulés. Il souriait de façon comique. Il s'arrêta pour rouler deux cigarettes camphrées.

Oh, Jarl, Jarl ! Jarl était perdu. Il avait perdu son individualité. Goldi ne nourrissait plus aucun espoir de piquer une graine de longue-vie pour restaurer Jarl dans sa vitalité. Quel mirage que cette idée ! Son chevalier servant doré était plus substantiel. Il remplissait certainement les critères de Lord Osmo, même si elle ne l'avait pas immédiatement reconnu en le voyant.

Continuer son chemin avec Tomi l'affranchissait des impératifs de la passion... Loger à Portti sous son regard indifférent, pas plus étrangère à ses yeux que n'importe quelle autre femme...

Mais cela ne se passerait pas ainsi.

Dans la forêt, les hameaux se constituaient de solides baraques de tamisier calfatées avec de la mousse : tanières identiques et sûres. Leurs fenêtres étaient petites, les portes basses, le seuil élevé pour résister aux froidures de l'hiver. Pour se protéger de la boue aux autres saisons, plusieurs villages étaient fiers de leurs chaussées de bois serpentant entre les arbres non abattus.

A l'extérieur d'un hameau, la cour d'une scierie était remplie de bois déjà empatté, mortaisé et marqué pour un assemblage futur. Une nouvelle maison pour une poule et son mari serait montée en une heure ou deux. D'autres pièces de charpente pouvaient rapidement devenir un fortin après transport sur des charrettes tirées par de solides juments de trait, sur les sentiers forestiers jonchés de copeaux.

Les villageois portaient en général des souliers d'écorce et un pourpoint en tissu d'écorce chiné brun, vert et noir. A leur large ceinture de cuir brut, ils passaient en général un grand couteau, dont le manche en bois était sculpté en forme de main aux doigts minces enserrant la lame, pour ne jamais la lâcher. Les femmes, fleurs de la forêt, arboraient des tabliers aux couleurs criardes sur leur robe en tissu d'écorce.

Tomi et Goldi suscitèrent des regards admiratifs. Quel couple assorti ! Splendide ! Un héros et sa poulette. La gaffe sur son épaule inspirait le respect. Si un Stig ou un Alf se trouvaient dans les parages, ils restaient à bonne distance. Tomi avait assez de sous (sans mentionner la poignée de marks d'argent) pour acheter du ragoût, du pain, des œufs durs et du poulet grillé. Il partagea volontiers avec Goldi.

Parce qu'ils semblaient aussi exceptionnels ensemble, Tomi et Goldi furent deux fois arrêtés et questionnés par des soldats de bois armés de fusils et de pistolets laser — hommes durs au visage grainé qui semblaient imperméables aux susceptibilités ordinaires. Leur uniforme et leur casquette étaient faits d'écorce brune tissée.

Tomi répondit avec aise : Goldi et lui étaient frère et sœur, ils allaient sur la côte pour trouver du travail comme artistes, lui jouait du piano, elle chantait. Spectacle à deux, laissa-t-il à entendre.

La première patrouille leur soutira un serment de loyauté envers Tapper Kippan qui serait valable tant qu'ils seraient en transit. Il était connu que le seigneur des forêts tenait à sauvegarder sa peau de longue-vie, expliqua plus tard Tomi à Goldi.

Sa peau de longue-vie...

Rêvait-elle encore de séduire un longue-vie pour engranger sa semence en elle ? Non, non. Elle avait abandonné cet espoir. La chasteté, sauf dans des bras dorés, faisait partie du sort que lui avait jeté Osmo. *Va-t'en jusqu'à ce que tu trouves un partenaire doré pour t'apporter de la joie.*

Tomi jouerait-il ce rôle ne serait-ce qu'une fois, de manière exceptionnelle, charitable — même involontaire, ensorcelé par ses odeurs ? Si elle violait ses préférences et l'aliénait, cela lui apporterait-il de la joie ?

La patrouille suivante conseilla aux voyageurs de ne pas s'écarter de la route commerçante et de ne pas troubler les colonies de fileuses qui rongeaient des champignons dans la forêt et filaient la soie précieuse pour la récolte.

Attention : une des amendes pour infraction sérieuse à la paix de Kippan consistait à être attaché à l'arbre carnivore, comme à un pilori, jusqu'à ce qu'il ait consommé un morceau de votre peau — ou à porter un masque de moutapou enchanté jusqu'à ce que vos traits aient définitivement pris la forme grotesque du masque !

Maintenant qu'ils cheminaient sur la route commerçante — couverte d'écorce par-dessus les pavés —, ils devaient s'écarter de temps à autre pour laisser passer une grosse charrette, ou un chapelet de poneys lourdement chargés. Tous les marchands ne choisissaient pas cette route. Beaucoup préféraient la voie des lacs, au sud-est, ils utilisaient radeaux ou bacs et louaient des charrettes tirées par des chevaux pour aller d'un lac à un fleuve ou au lac suivant. Il fallait quand même s'écarter du passage de temps en temps. Mais pas trop. Pour ne pas déranger les fileuses.

En raison de la pluie qui tombait à verse, Goldi et Tomi passèrent la nuit dans l'hostellerie d'un de ces villages. Par nuit normale, Tomi préférait bivouaquer. Il n'était pas pressé. Se heurtait-il encore une fois à une barrière mentale, à un barrage imaginaire, à l'approche de Kip'an'keep ? Son moral semblait gonflé à bloc. Mais n'appréhendait-il pas la réalisation de ses songes érotiques, de ses rêves de pianotage ? Ruminait-il au sujet de la voluptueuse créature étrangère envers qui il s'était engagé ?

Dans le voisinage de Kip'an'keep, les sources chaudes abondaient, stimulant une végétation exubérante. On était là dans une région de volcans éteints — chaîne dont le fjord Porttivuono, sur la côte, constituait un autre vestige. (Tomi était lui-même une sorte de volcan bouché, dont jaillirait une éruption de plaisir quand il atteindrait le port ; du moins le pensait-il.)

La route commerçante longea un petit lac bouillonnant. Des avenues de feuilles grandes comme des selles s'étendaient sur le bouillon fumant. De pépiants échassiers bleus couraient sur les selles, picorant des larves gigotantes qui semblaient constamment remonter du bouillon. Sur les rives poussaient des champignons jaunes gros comme des rocs d'or, sur lesquels perchaient d'autres champignons parasites lilas. Des cornes d'abondance faisaient de hauts vases gris. D'autres champignons, couleur miel, hauts comme des tabourets, bavaient une huile visqueuse à odeur fruitée. Des vénéneux, en forme de grand parapluie rouge à lamelles vertes sentaient trompeusement la noix de kasta. Des lianes entrelacées formaient de profonds hamacs.

A quelques centaines de pas plus loin, les horzmas familiers, les jauniers et les arbres aux alouettes se réaffirmaient. Vienne l'hiver, une grande partie de l'exubérante végétation aurait pourri, sauf aux endroits où le sol tiède et la vapeur les nourriraient toujours.

L'atmosphère était à présent étouffante et le ciel plombé. Il y avait de l'électricité dans l'air. Après une telle journée on souhaitait qu'éclate l'orage.

Finalement, ils arrivèrent à Kip'an'keep et restèrent à la contempler tandis que Tomi discourait.

La ville était construite selon un plan géométrique entre un long lac d'eau fraîche au nord-ouest, alimenté par une rivière, et un plus petit lac d'eau chaude, au sud-est d'un îlot rocheux d'où jaillissait un geyser toutes les deux heures environ.

Le jour de l'An, des âmes athlétiques prenaient un bain bouillant, couraient dans les rues enneigées pour aller se plonger dans le lac froid avant de retourner dans l'eau chaude. Les rues étaient toutes pavées de bois. Sur les côtés, les bastaings montaient sur un mètre et les marches qui y étaient creusées menaient à des allées de planches. Avant la naissance de la ville, la zone centrale consistait en un marécage où les eaux chaudes se mêlaient aux froides. Aujourd'hui les deux lacs étaient bordés de berges sur une longueur considérable. On avait installé des vannes sur les deux quais. Lorsque la poussière de l'été ou la boue de l'automne s'accumulaient, ou quand les fontes de printemps engluaient les rues de neige fondue, l'une ou l'autre s'ouvrait pour inonder les avenues. Un bataillon de citadins armés de balais pataugeaient dans les rues et repoussaient l'eau vers un immense puits de gravier dans les faubourgs sud-ouest. Le soir de la Saint-Jean, et de nouveau à la Sainte-Fortunée, Kip'an'keep restait inondée toute la nuit. On faisait la fête jusqu'à l'aube sur les bateaux, les radeaux et même les allées de planches, ensuite on ouvrait les vannes du bout des avenues sud-ouest et le puits de gravier asséchait la ville.

Les maisons en rondins de Kip'an'keep étaient splendides. Les cadres de fenêtres, les pignons et les porches étaient sculptés de motifs compliqués et peints de couleurs vives. Rouge, noir, or, argent, bleu. Dans chaque arrière-cour s'élevait un grand arbre à belle ramure. Vu d'un tertre, au nord, on avait l'impression qu'une grille arborée s'entremêlait aux toits en bardeaux d'écorce, comme si les planches des rues avaient bourgeonné. Une fois que l'on était dans le centre de la ville, où voyait-on un arbre vivant ? On voyait des ramures, oui. Mais tiges et troncs ? Les arbres poussaient derrière les bâtiments. Devant, il n'y avait que du bois transformé en pavés, planches et planchers.

A la lisière nord-ouest de la ville, près du lac d'eau froide, un bâtiment s'élevait au milieu des feuilles. L'église manéenne en bois, avec son dôme en bulbe, se dressait au milieu d'un bosquet de solides grands arbres.

A l'est du tertre, entouré d'une palissade ouverte de temps à autre par un portail jouxtant une petite guérite, s'étendait un parc densément boisé : l'arboretum des Kippan. On n'y avait fait pousser que deux exemplaires de chacune des espèces et sous-espèces d'arbres et de buissons natifs de Kaleva.

Entre l'arboretum et le lac d'eau chaude se dressait l'édifice de tamisier pourpre des Kippan. Des barbacanes défendaient une résidence centrale composée de vérandas empilées les unes sur les autres et surmontée d'un dôme. Des ponts couverts reliaient les différents modules entre eux. Protégeant les barbacanes, des fortins en bois que l'on pouvait rapidement démonter pour les remonter ailleurs. Il y en avait toujours un en cours de réaménagement pour lui trouver la meilleure situation et le meilleur profil. Tapper Kippan avait obtenu longue vie en épousant Édith Sariola un peu plus d'un quart de siècle plus tôt. Depuis il était obsédé par la question de sa protection. Le réaménagement perpétuel des défenses occupait ses soldats de bois et les autres en permanence.

Tomi et Goldi étaient arrivés par une fin d'après-midi brumeuse et chaude, et flânaient sur une route à flanc de colline d'où l'on avait la meilleure perspective de la ville. Charrettes et piétons passaient. Tomi semblait peu enclin à descendre dans la ville elle-même. Il ne voulait pas trop s'engager dans Kip'an'keep. La dernière fois, il s'était laissé distraire de son but en faisant du tourisme, comme si c'était là la raison de sa venue. Il avait travaillé pendant un temps. Dans une scierie, regarde, là-bas. Derrière le lac d'eau chaude, au sud de la ville. Tu vois le toit orange ? Tu le distingues ? (Non, elle ne voyait pas.) Il avait traîné. L'année s'était écoulée, jusqu'à ce qu'il soit trop tard pour rencontrer les marins à peau noire, à deux cents lieues plus au sud. Tomi était retourné au nord dans son campement de bûcherons, son rêve intact mais inaccompli.

Jouxtant la scierie invisible, se trouvait, également invisible, l'imprimerie. Tomi utilisa sa gaffe comme un harpon pour la montrer, mais ne put la crocher au regard. L'imprimerie produisait des livres pour ceux qui savaient lire, aussi bien que pour ceux qui ne savaient pas, et pour les pasteurs manéens qui accomplissaient leur noviciat au bord de la mer, à Tumio, où relâchaient aussi les matelots.

Tomi était d'avis que les livres assèchent l'esprit.

— Avec les livres, les engouements d'autrui te possèdent. C'est bel et bien ce qui se passe en ce qui concerne le *Livre* — le *Livre du Pays des Héros*, tu sais ? Les prêtres l'apprennent par cœur et transportent le volume. En fait, ils s'appliquent à ce qu'aucun mot ne soit imprimé dans les environs de Tumio... (Il baissa la voix.) Certaines personnes, ici à Kip'an'keep, écrivent de petits livres qu'elles font imprimer à quelques exemplaires.

Oui, accuser la proximité de ces livres (non lus et illisibles) pour expliquer sa précédente dépression. Quelles utopies contraires étaient sorties de leurs pages ? Fallait-il accuser le *Livre* lui-même, imprimé si près de la scierie ? Que disait le *Livre* à propos des désirs d'un homme pour un autre homme ? Des envies d'un blond pour un type nécessairement noir ?

Oui, noir. Sinon comment affirmer l'authenticité de l'objet de ses désirs autrement que par l'antithèse évidente du noir et du blanc ? Tomi était persuadé qu'aucun Blanc ne pourrait le satisfaire. Il ne ferait alors qu'adorer une pâle copie de sa personne. Tandis qu'un Noir représentait pour lui un homologue véritable, unique et indépendant de lui.

Goldi hocha la tête.

— Tu sais lire ? lui demanda-t-il à brûle-pourpoint, presque accusateur, comme s'il cherchait une excuse pour se débarrasser d'elle.

— Non. Je chante. (Et je fais aussi d'autres choses...) J'ai faim. Pas toi ?

De la fumée montait d'une cheminée de guingois, sur la guérite du portail nord de l'arboretum. Derrière la grille, un tortueux sentier jonché d'écorce se perdait hors de vue. Les visiteurs achetaient souvent un casse-croûte à la vieille blottie dans la cabane. Les amants passaient parfois toute une nuit d'été dans le parc. Des couples venaient s'y courtiser, dans ce parc qui ne contenait que deux arbres de chaque espèce.

— Nous ne serons pas déplacés là-dedans, ce soir, dit Tomi. (D'un ton fripon, il ajouta :) Si un visiteur cherche l'arbre sans nom, comme j'ai dit, l'arbre imitera une essence différente. Il faudra alors découvrir s'il y a trois arbres de la même espèce. Lequel sera le vrai et lequel ne sera que son image ? Voilà pourquoi les Kippan ne permettent que deux arbres de chaque variété.

Goldi elle-même était une imitation, non ? Elle resserra autour d'elle son manteau pour cacher sa tunique argentée et sa peau de beurre sculpté ; elle tira son capuchon pour dissimuler son charmant minois.

— Tu te moques de moi. Parce que je suis la seule de mon espèce.

— Et moi de la mienne ? demanda-t-il.

A la porte de la cabane près de la palissade, Tomi acheta des friands au poisson et une bouteille de cordial de baies de la vallée que Goldi glisserait dans son havresac. Une fois la transaction accomplie, la vieille boutiquière s'offusqua de la gaffe de Tomi.

— C'est pour quoi, ça ? Pas pour graver vos emblèmes sur l'écorce ! (Elle bigla son champignon tatoué.) Sinon gare à ton cuir !

— Ce ne serait pas facile de dessiner quelque chose, grand-mère, dit Tomi, pas avec un crochet au bout d'un bâton.

Elle ne voulait pas s'adoucir.

— Je sais que tu songeras à graver deux cœurs en hauteur, là où tu crois que personne ne les remarquera ! Tu ferais mieux de laisser ton crochet ici, en attendant. (Plongeant dans le décolleté de sa robe de crêpe noir, elle exhiba un sifflet accroché à une chaîne.) Sinon j'appelle un soldat de bois.

Haussant les épaules, Tomi décrocha son sac de la gaffe qu'il appuya au mur de la cabane.

— Prenez-en bien soin, hein.

La vieille saisit la perche comme si c'était une canne qu'elle retrouvait après longtemps.

— Reprends-la quand tu rentreras te coucher. (Elle gloussa.) Sinon demain matin.

— Cette vieille peau est jalouse de nous, murmura Tomi en entrant dans l'arboretum. J'ai à moitié envie de lui dire que mon cœur bat pour des beaux matelots...

Et l'autre moitié ? L'autre moitié de son cœur ? Du moins une parcelle ? Les fossettes étaient humides au menton de Goldi, mais Tomi ne semblait pas s'en apercevoir. Il inspira la senteur des arbres.

— N'y a sans doute pas tant de bois près de la côte, fit-il, songeur. Tiens, voici un larix albinos... C'est curieux, tu ne trouves pas, que chaque arbre soit différent du voisin ? Les paires ne sont jamais plantées ensemble. Étant retenus par les racines, ils ne peuvent jamais se retrouver. Mais ça leur importe peu, aux arbres.

Bizarre aussi fut leur rencontre avec un type en sarrau d'une laideur telle que son apparence transcendait presque la catégorie du beau et du laid. Il avait dû sacrément pécher contre la paix du seigneur des forêts et recevoir un châtiment. Il avait un long bec à la place du nez. Son menton avait reculé presque jusqu'à disparaître. Sur son front, des bosses suggéraient des cornes naissantes. Ses yeux saillaient de manière atroce. Le sang gouttait d'une coupure au milieu de son appendice nasal. Des cicatrices faisaient une toile d'araignée sur ses joues creuses. Sa voix résonnait en un couinement pressant.

— Arbre-fouettard là-bas, attention ! Approchez de trop, et il vous gifle. Gardez les yeux fermés, sinon il va vous aveugler.

Comment pouvait-on faire attention à quelque chose en fermant les yeux ? Le type — dont la tête ressemblait à celle d'un énorme rat — ferma ses yeux globuleux. Sa main pleine de cicatrices se plaqua sur ses calots pour une plus grande protection et il s'obligea à avancer dans la direction du danger, avec hésitation, toutefois.

Pensait-il que les gifles de l'arbre-fouettard efface-raient l'œuvre du masque de moutapou ?

— Il faut vraiment se trouver très près des branches du fouettard pour être en danger, déclara Tomi à Goldi pour la rassurer. Le masque a dû écraser le cerveau de notre ami. Viens.

Il la guida sur des sentiers d'écorce et ils s'enfoncè-rent dans le jardin d'arbres et de buissons jusqu'à ce qu'ils rencontrent un banc sous un musquier. Des plumets roux en décomposition jonchaient le sol alentour. C'est là qu'ils mangèrent leurs friands. Deux amants passèrent, main dans la main. Le garçon regarda Tomi avec étonnement. Tomi fit un clin d'œil et haussa l'épaule. De loin parvint un faible cri. Le rat avait dû rencontrer la douleur. L'atmosphère était étouffante et capiteuse dans l'arboretum.

Humides de rosée, Tomi et Goldi se réveillèrent tôt le lendemain matin, baignés de soleil. On aboyait un nom.

— Tilly !

— Tilly !

— Tilly !

Une grosse voix maladroite dénuée pourtant d'un souffle adulte. Entendaient-ils un jeune garçon dont la voix aurait mué avant l'heure ? Ou l'appel d'un nain ?

Sur la mousse qui leur avait servi de couche bondit une épagneule chocolat et crème. Elle fixa Tomi d'un œil noir et gronda. Puis elle dévisagea la créature dorée. L'animal était très soigné. Il portait autour du cou un collier de pierres rouge foncé. Ce n'était pas un accessoire ordinaire. C'était un bijou — un collier de grenats. Sur un animal !

— Tu as vu Tilly ? demanda l'épagneule à Goldi.

— Tu parles ?

— Je suis Dehors, répondit la chienne.

Tomi se redressa sur le coude.

— Tu es dehors ? Comment cela ?

— Dehors ! Dehors ! lui aboya la chienne.

Elle retourna son regard liquide vers Goldi.

— C'est un bâtard mutant, chuchota Tomi. Une jolie dame doit l'aimer à l'excès. Tilly... voyons, mais c'est la fille de Lord Kippan, la benjamine...

Et qui arrivait pour sa promenade matinale, sinon cette même jeune dame, escortée pour l'occasion par deux soldats de bois ?

Tilly avait le visage large et candide. Le front généreux. Ses mèches d'un blond doré flottaient sur sa robe de soie brodée d'une centaine de feuilles différentes de toutes les nuances de vert. Elle était l'âme même des bois.

L'épagneule bondit et tira sur sa jupe, puis elle relâcha la soie pour japper :

— Tilly, viens voir.

Torse nu, Tomi se leva. Comme Goldi en faisait autant, son capuchon s'ouvrit et révéla sa chevelure noir d'encre — apercevait-on une nuance de roux à la racine ? La nouvelle venue contempla ce visage, imitation de Sariola, puis les longs gants de dentelle, souillés par le voyage. Les deux hommes de bois se tenaient à distance, immobiles, gardant l'œil sur le compagnon musclé.

— Viens voir !

— Attends, Dehors. Attends, dit Tilly. Qui êtes-vous, tous les deux ?

Une étrange et jolie femme dont émanait un parfum de fleur. Un garçon magnifique et pourtant ordinaire avec des anneaux aux tétons, une moustache de m'astu-vu, un impertinent renflement à l'entrejambe, sous le cuir blanc serré, un provocant champignon comme tatouage.

— Je traverse simplement votre ville, gente dame, dit Tomi à Tilly. Je fais route vers Portti pour jouer du piano dans un bar. Mon amie, Goldi, est sous l'influence d'un charme proclamé par Osmo van Maanen...

Encore un charme ! Imposé à une nouvelle jeune femme ! A la fête de Fortunée, à Maananfors, Osmo avait déjà contraint l'infortunée Jatta Sariola. Et voilà qu'il avait ensorcelé quelqu'un de même apparence...

Tout le monde savait aussi qu'Osmo avait contraint la poétesse — celle qui avait refusé ses avances frénétiques — à aller se noyer très loin. Sans parler de l'enlèvement de la princesse Menuise que les coucous avaient rapporté. Reine Menuise à présent, le croirez-vous — après une violente bataille livrée par Osmo à Loxmithlinna, contre son ami d'enfance ! Édith, la mère de Tilly, avait imploré sa fille de partir pour trouver un mari convenable au lieu de simplement passer son temps à s'amuser. Bien que pimpant et courtois, Osmo n'avait pas tout à fait plu à l'esprit indépendant de Tilly. Il semblait envoûter trop de gens. Peut-être était-ce dans la nature d'un proclamateur.

Tilly s'apitoyait-elle outre mesure sur son père reclus ? Peut-être. Pourtant il ne la gâtait pas...

Les Sariola étaient inconstantes et obstinées. Peutêtre Tilly en avait-elle hérité un trait du côté maternel. Maintenant qu'Édith approchait le demi-siècle, l'amertume la rendait revêche. Apitoiement sur soi ; rancunes et griefs. Papa restait aussi jeune que jamais, mais se préoccupait tellement de sa protection qu'il ne parvenait presque jamais à se détendre sauf en compagnie de Tilly, sa fille favorite. Toute l'attention excessive d'un vieil homme marchant sur des œufs. Lui, le seigneur des bois ! N'aurait-il pas mieux valu qu'il n'épouse jamais une princesse Sariola et qu'il ne reçoive point longue vie ? Alors Tilly ne serait pas née. Une autre fille d'une autre mère se serait promenée dans cet arbore-tum ce matin. Ou mieux, serait restée couchée dans le manoir des filles. Oui. Elle n'aurait certainement pas rencontré ce couple exceptionnel de voyageurs.

Tout d'un coup se cristallisa en Tilly la conscience d'avoir reconnu la femme.

Non, ce n'était pas une femme à proprement parler ! Un coucou l'avait mentionnée, mais Tilly n'aurait jamais songé... !

— Allons, tu es la créature juttahate, non ? Tu es la fausse beauté qui a essayé de déstabiliser Osmo au cou-ronnement.

Goldi baissa les yeux sur la mousse.

Tomi dit :

— Sa beauté est réelle. (Mais il semblait ambigu.)

— Tu es la fille étrangère airain ! La chanteuse qui a failli ensorceler Osmo avec sa harpe...

— D'accord, elle est étrangère, opina Tomi avec un sourire très bizarre.

— Je n'ai plus de harpe, murmura Goldi.

— Tilly, viens voir, insista l'épagneule.

— Non, attends !

Que pouvait-il y avoir de plus important que cette unique étrangère qui avait presque réussi à ensorceler un proclamateur ? En cela, la fille dorée surpassait tou-tes les humaines. (Pourtant, Menuise pouvait vous cou-per l'herbe sous le pied quand il s'agissait de s'emparer du cœur d'un certain seigneur — sans parler de déjouer une magicienne isie... Quel phénomène, cette petite reine rebelle !)

— Viens voir...

— Nous allons tous y aller, ordonna Tilly.

Ses hommes de bois escortèrent Tomi et Goldi.

Goldi comprit.

Elle comprit du premier coup.

Un frisson parcourut son être tout entier à la vue de l'extraordinaire silhouette dorée affalée sur la branche basse d'un moutapou. Le sortilège tenace qui l'avait gouvernée (sans tenir compte de sa rencontre avec Tomi) fut remplacé par l'irrépressible certitude de reconnaître enfin celui qu'elle cherchait. Ceci éliminait d'un coup ses idées d'un Tomi partenaire doré d'une relation platonique.

Ce qu'elle voyait là balayait toute illusion et le tourment de l'incertitude.

D'écorce douce beige, comme un vélin, et incliné de tous côtés, c'était le moutapou. Ses belles branches basses posaient un coude ou une phalange gonflés sur le sol. Elles s'étalaient plus largement que les ramures du haut et abritaient des champignons sulfureux. De la résine suintait en pendeloques orange des fissures du vélin. Au-dessus, sur les branches courtes, minces et vives s'enroulaient des rameaux plumeux vert petits pois. Le moutapou ressemblait moins à un arbre qu'à quelque créature marine effondrée, aux nombreux tentacules, colonisée par un corail jaune vif, et au fourmillement d'algues jaillissant de ses épaules voûtées...

La silhouette assise sur la branche basse était d'ambre, d'un ambre nuageux, sombre et luisant. Elle était d'ambre souple. Cette personne de miel cireux et gélatineux balançait ses jambes. Ses traits avaient beaucoup de grâce, d'élégance et, pourtant, une grande autorité aussi ! Le menton saillant, les joues taillées à la serpe et la bouche ferme étaient définitivement masculins — et jeunes. Bien sûr, à cet égard, on remarquait la virilité de la musculature et du sexe. Ses muscles (de mauviette, comparés à ceux de Tomi) et le renflement de ses bourses et de sa verge le déclaraient masculin — pourtant, s'il avait porté un habit, le doute aurait été permis. Son crâne était aussi chauve et nu que le reste de son corps ; et sa nudité révélait une énigme. Son ventre, moins opaque que le reste de son corps ambre, renfermait comme une matrice où s'enroulait une fantomatique forme fœtale. On aurait dit qu'il attendait un bébé...

Goldi comprit.

Une vibration, presque perceptible à l'oreille, passa entre elle et lui. L'air devint lourd et capiteux. Tomi eut le souffle coupé. Tilly rougit. L'épagneule gémit comme si elle pleurait des chiots perdus. Même les soldats de bois remuaient avec raideur. Les oiseaux trillaient avec transport. Goldi avait dû libérer tout son répertoire d'odeurs d'un seul coup : parfum de fleur, levure, chocolat et plus — même la puanteur repoussante, tant sa réponse était totale. Réponse qui informait cet individu doré qu'elle l'avait identifié totalement et s'identifiait entièrement à lui.

Elle laissa glisser son manteau pour mesurer son anatomie de beurre doré sculpté à son physique lisse et ambré...

Il était excité, oh oui. Descendant de sa branche, dissimulant son érection des deux mains, il resta muet. Ce fut Tomi qui ramassa le manteau de Goldi pour en draper le jeune nu doré.

Tilly s'agenouilla près de l'épagneule. Elle ne semblait pas choquée. Excitée, plutôt. Pas tellement par le spectacle du jeune homme. Plutôt par les senteurs. Par l'événement.

— C'est Ambré, dit-elle à sa chienne. Nous l'appelons le fils de la forêt.

En fait, elle informait ses deux compagnons.

— Il ne s'est pas montré à Kip'an'keep depuis une éternité. Sa mère (oh ! je suis désolée, Dehors) a senti venir la fausse couche malgré tous les charmes de son oncle chaman. Tu m'entends, Dehors ? Son mari s'était noyé dans un accident de bateau, elle aussi, ses eaux allaient la trahir. Son oncle l'a emportée au cœur du plus grand moutapou des bois. Là, tandis qu'il chantait, elle fit une fausse couche — dans une mare de douce résine. Il l'a renvoyée, mais lui est resté dans l'arbre. Tu m'entends ? Bientôt la résine a pris la forme du corps d'un petit garçon — avec en lui le fœtus vivant capable de bouger ses membres d'ambre, de respirer par ses lèvres d'ambre, et capable, plus tard, de parler par sa bouche d'ambre.

« Et capable de grandir, aussi, quand c'était nécessaire, en s'immergeant de nouveau dans la résine du moutapou. Voilà comment c'est arrivé, Dehors, voilà. C'est un garçon qui a grandi. Peut-être qu'il y a une fille à l'intérieur de l'homme. On le dit.

Le front perlé de transpiration, Tilly regarda Goldi puis Ambré.

— Tu es une splendide oiselle, dit à Goldi un Ambré émerveillé.

— Cou-cou, appela Tilly vers les arbres voisins avec exubérance. Venez, coucous, venez. Soyez témoins, chantez la chanson, racontez l'histoire. Cou-cou, claironna-t-elle.

Oyez, oyez comment l'étrangère seulette rencontra le fils solitaire de la forêt.

Quelle fille normale aurait volontiers cédé ses charmes à cet Ambré, contenant en lui un fœtus de sexe indéterminé (miniature et pourtant avancé) qui manœuvrait son imitation de chair ? Ambré était vraiment masculin (nonobstant son service trois pièces) ? Ou féminin ?

Ou bien était-il d'un troisième sexe, d'un sexe étranger, étonnant même aux yeux d'une créature juttahate élevée pour aguicher les mâles étrangers ?

Lorsque Tomi reprit enfin son chemin vers Portti (la gaffe sur l'épaule, et sifflotant), il devait se demander si, plutôt que d'aider la mère d'Ambré, le vieil oncle chaman ne lui avait pas jeté un sort pour lui faire faire une fausse couche, dans un effort magique pour créer une nouvelle variété de vie.

Ambré ne possédait aucun pouvoir manéen spécial sauf qu'il était lui-même l'incarnation, l'ambration, d'une différence. A bien des égards, Ambré était un simple enfant de la nature, même pas un villageois du plus petit des hameaux. Il était capable de rester assis dans une combe pendant une demi-journée, à respirer le monde autour de lui. Le chaman avait mis au monde un nakki, malgré ses parents humains. Et ce nakki pétrifiait la créature dorée, tout comme elle le captivait.

Goldi n'était pas une créature des bois ; elle était plus ou moins artiste.

Par conséquent, Tilly — par charité et fascination — engagea la créature dorée comme servante au manoir des filles, attenant (par un pont) à la masse principale de la forteresse familiale. Ses deux sœurs aînées étant mariées et parties, Tilly en avait la responsabilité. Sans trop de cajoleries, la fille de Tapper amena son papa cloîtré mais indulgent à lui permettre d'héberger l'étrangère — à condition que la fille juttahate ne passe jamais le pont pour venir dans le bâtiment principal. La créature était le plus beau jouet de Tilly, qu'elle traiterait avec encore plus de gentillesse que l'épagneule douée de la parole qu'elle avait recueillie chez Lord Osmo.

Parfois, le soir, dans la propre chambre de Goldi, au manoir des filles, Ambré, admis en deçà des fortins, rendait visite à sa compagne pour conclure et reconclure leur alliance ; pour affirmer leur réciprocité.

247

Ensuite il retournait dans la forêt et y restait un ou plusieurs jours. Ces absences n'altéraient en rien le rapport de ces deux rares curiosités.

De quoi parlaient-ils ? (Fallait-il que les coucous s'y intéressent ?)

Ils parlaient de Jarl. Même si Jarl était pour ainsi dire mort. De Tomi : que ses rêves de marins noirs se réalisent. D'arbres, de sève, d'ambre. De serpents, d'esclaves, de chair. Parfois ils se fredonnaient simplement l'un à l'autre une chanson sans paroles accompagnée de senteurs embaumantes. D'autres fois, Ambré trillait des chants d'oiseau. Goldi carillonnait, en crescendo, les notes du nid isi. On aurait dit qu'ils avaient un bois invisible autour d'eux (de fait, le plancher, de marqueterie complexe, impliquait bien une forêt) — pourtant, par l'odeur, ce bois semblait aussi souterrain, chtonien, un débordement de racines, avec des oiseaux et des insectes volant à travers le sol moisi aussi éthéré que l'air.

Ambré était le maître d'airain — et doré — de Goldi ; et sa maîtresse aussi, selon elle (davantage peut-être que Tilly). Car, dans les bras de son Ambré, Goldi ressentait les spasmes sinueux d'un fœtus-fille dans son ventre. Dans son âme, dans sa chair, Goldi était le réceptacle du côté masculin et du côté féminin d'Ambré, catalysant (et donc engendrant) une sexualité aussi nouvelle et étrangère à elle-même qu'à tout humain, homme ou femme, et qu'à tout Juttahat.

Et Goldi connut enfin une joie aussi sereine qu'ingénue, même si, ailleurs, le tumulte fermentait.

15 — Mort par proclamation

LES QUATRE SEMBLANTS D'HOMMES ÉTAIENT RESTÉS PLUsieurs semaines dans la hutte en os. Le rhume de Lama avait guéri après quelques jours au sec sous le toit de bardeaux-mâchoires, mais les pieds d'Arto continuaient à protester à la perspective du trajet final via Saari, Troislacs et Niemi pour retrouver les taudis qui leur servaient de foyer.

L'autre raison qu'ils avaient de rester là était que des Juttahats noirs venaient parfois. Leur première apparition fut tout à fait alarmante car l'ensemble mutant n'avait jamais rencontré d'étrangers. Les visites suivantes furent déconcertantes, d'une façon différente.

A la fin de leur première semaine de récupération, deux non-hommes identiques nommés Tulki-neuf et Tulki-vingt s'étaient présentés et s'étaient mis à les bombarder de questions.

— Quand magicien Hermi revenir... ?

— Rapport de vous à lui être quoi... ?

— Relation entre vous être quoi... ?

— Vous être envoyés ici, à la maison de trêve, par Lord Helenius... ?

Ces serviteurs des serpents semblaient très intrigués par ces quatre types si disparates, dont l'un avait la peau noueuse, l'autre la croûte d'une tourte, le troisième les jambes arquées et des oreilles de bouc et le quatrième la peau lainée.

Lord Helenius avait-il envoyé ces quatre énergumènes pour la collection des Velours ? Dans ce cas, en échange de quoi ? (Non, non ! Arto et ses amis n'étaient certainement pas des articles devant compléter une collection étrangère de curiosités humaines.) Comment des humains ordinaires considéraient-ils les mutants ? Mutants être non-hommes, façon de parler. Il y avait là une zone de rapport potentiel entre les Juttahats et les semblants d'hommes...

— Alors toi être chanteur, Mouton... ?

Un chanteur, oui, de tangos.

— Toi chanter, toi chanter.

Neuneu avait déniché son violon dans le fatras de la cabane — poupées, chronomètres, outils, pelotes de ficelle, casse-tête pootariens. Croûton retrouva ses cymbales. Arto enfila la paire de gants de chevreau blanc qu'il avait remarquée dans un tiroir. (Il lui fallut d'abord pratiquer une fente sur les côtés, avec des ciseaux, pour pouvoir passer ses doigts supplémentaires.)

Lama avait retrouvé sa douce voix (pourtant, tôt le matin il parlait toujours d'une voix rauque et crachait des mollards). Quand Neuneu râpa ses cordes, que Croûton siffla et frappa ses cymbales et qu'Arto agita ses mains gantées, le lainé avait roucoulé en y mettant toute son âme :

> Je suis pareil aux autres en dedans,
> Ne peux-tu, ne veux-tu m'appeler frère ?
> J'ai perdu ma bien-aimée par-delà l'océan,
> Par-delà l'éther,
> Par-delà les étoiles bleues.
> Elle seule m'a une fois embrassé
> Sur ma curieuse peau bleue,
> Sur ma profonde peau bleue, avec tant de pitié...

La peau de Lama n'était certainement pas bleue — pas plus que celle des Juttahats — pourtant il chantait la quintessence de l'étrangeté. Les étrangers noirs dans leur livrée sable écoutèrent avec la plus grande attention, les yeux luisant par intermittence, comme mouillés par des larmes. Une bouffée d'odeur de cannelle était-elle signe d'appréciation ?

— Vous savez ce qu'est l'amour ? demanda Arto à Tulki-neuf, dont le hiéroglyphe argenté sur l'épaule était plus compliqué que celui de son compagnon.

Et Arto, savait-il ce que c'était ? Il connaissait l'amour des pénates, l'amour de sa maisonnette remplie de craquements. Et l'amour familier pour Ester aux yeux de chèvre. Il pouvait pleurer Solœil. Oui, mais il ne le faisait pas. Il laissait exprimer à Lama les sentiments de perte et de vide. De ses mains gantées il dirigeait l'expression de sentiments tandis que lui-même vivait son chagrin en silence.

Bougon, Arto insista auprès des non-hommes :

— Vous comprenez l'amour, vous ? (Ça soulageait de renverser la vapeur et d'interroger les visiteurs.) Alors, vous savez ce que c'est ?

— Chérir la voix d'un seigneur dans sa tête, récita le Juttahat. Être complet.

— Mais, demanda Croûton, est-ce que les garçons juttahats aiment les jeunes Juttahates ?

Ah, est-ce qu'une fille mutante avait jamais aimé Croûton au corps si dur, corné et raviné qu'une étreinte la grifferait et l'égratignerait à moins qu'elle n'ait le cuir aussi dur que lui ?

— Nous aimer uns autres mutuellement, vint en réponse.

250

— Qu'est-ce que ça veut dire ?

— Aimer, être état incomplet, suggéra Tulki-vingt. État incomplet être aimer. Projeter vide intérieur sur autre personne de façon à capturer cette autre personne. Seul Juttahat incomplet pouvoir vouloir ça, déployer convulsivement émotions vers autrui.

Ainsi seul un non-homme sans voix dans la tête pouvait projeter ses sentiments, volontés et souhaits... Employer sa volonté à la façon d'un proclamateur, peut-être ? Seul un non-homme dépourvu de guide pouvait concevoir les passions, manies ou attachements sentimentaux communs au cœur humain ?

Dans cette hutte d'os — que de toute évidence les Juttahats respectaient comme un sanctuaire —, Lama, le laîné, chanta pour eux, une chanson sur mesure, inspirée par sa notion du cœur de ces étrangers et par leur façon de parler :

> Ma tête perdre ta voix, mon seigneur,
> Tes doux commandements s'évanouir,
> Laisser moi seul sans jamais
> Une parole à dire
>
> Sauf à un enfant, une sœur, un bien-aimé
> Au lieu de toi, toi disparu, mon seigneur.
> Quelle perfection moi manquer
> En échange d'une étreinte et d'un baiser ?

Tulki-vingt demanda intensément :

— Et vous danser sur chansons pareilles ?

— J'ai composé cette chanson spécialement pour vous, lui répondit Lama.

— Alors : montrer nous les pas.

Lama et Neuneu firent une démonstration de danse. Bientôt sur les carpettes de cheveux humains à motifs en spirale, dans les bras l'un de l'autre, concentrés et solennels, les deux Juttahats en livrée dansaient le tango ; on marche quelques pas, on s'écarte, on se promène sur le côté...

Les quatre semblants d'hommes avaient consommé presque toutes les provisions qu'ils avaient trouvées dans la hutte : les bocaux d'anguille de mer et de caviar, le poisson séché, les fromages et les biscottes. Celui qui avait apporté du lait frais et des tartes à la cabane avait cessé de le faire. Arto et compagnie avaient cueilli champignons, baies et noix aux alentours. Ils avaient attrapé du poisson dans une mare proche.

A leur deuxième visite, les deux Juttahats avaient apporté des biscuits étrangers très nourrissants ; et de nouveau à la troisième occasion.

Rester, voilà quel était le message.

Sinon... être collectionnés comme curiosités ?

Lama roucoulait. Les non-hommes écoutaient, dansaient le tango et s'en allaient. Les semblants d'hommes jouaient avec les casse-tête sortis des placards débordants. Dehors, les pins sylvestres restaient aussi bleus que jamais, mais les plumets des courbiers tournaient à l'orange et au bronze. Les jours s'égrenaient.

Tard un soir, la porte cintrée de la hutte s'ouvrit à toute volée. Un instant, les musiciens au bout du rouleau imaginèrent qu'un important Juttahat venait apprendre à danser. Que de noir ! Combinaison de cuir noir à clous de cuivre ! Grands revers, manchettes larges, col montant !

Pourtant le visage était clair. Les cheveux bouclés, châtains. Les yeux noisette.

Aucun doute possible, c'était leur ancien compagnon de voyage à bord de l'aéronef royal, quand le prince Bertel les avait emmenés au mariage de la princesse Eva ! Minkie Kennan (qui les avait arrosés de son mépris, même s'il lorgnait les seins de June). Kennan, l'assassin.

La dernière fois, il était atourné de ses chausses lavande, bas écarlates et gilet rayé vert vif et vermillon. Aujourd'hui, il était en combinaison de cuir noir, comme un dur.

Il pointa son pistolet laser à la ronde à l'intérieur de la hutte. Lentement un sourire s'épanouit sur son visage.

— En voilà une bonne, le quatuor monstrueux ! (La suspicion assombrit son humour.) Au nom de toutes les merveilles, qu'est-ce que vous fichez là, les zigotos ? Qui vous a amenés ?

— On s'est amenés tout seuls, dit Croûton. A pied.

Son ton était peut-être bourru, mais ils avaient tous le cœur qui battait fort.

— Vous êtes venus à pied, de Sariolinna ?

— Tout du long.

— Vous en avez l'air !

Rangeant son arme, Kennan recula.

— A pied, hé bé !

Dehors, se dressait le tricycle noir à double selle. Kennan entreprit de le rentrer. Une paire d'affreux canons saillaient du guidon. Il fit pivoter l'engin afin que les canons soient face à l'entrée.

— Touchez pas à ça, vous m'entendez ? Je suis vanné. Quelle journée ! Vous auriez pas une goutte de vodka, par hasard, les gars ?

Quatre têtes se secouèrent.

— Alors, dites-moi : comment connaissiez-vous cet endroit ?

Ils n'en avaient jamais entendu parler. Ils étaient simplement tombés dessus.

Notre Minkie ne s'y attendait pas. Comme c'était fâcheux ! Il était désorienté. A en juger par l'amas de bocaux vides, ils avaient avalé toutes les victuailles disponibles.

Maintenant, qu'est-ce que c'était que cette bouffe qu'ils lui proposaient pour l'apaiser ? Des biscuits compacts ! Des rations juttahates concentrées, s'il ne s'abusait. Dans le passé, il en avait trouvé de similaires sur des non-hommes qu'il abattait — avant de promettre à Kiki-liki de ne plus tuer d'étrangers.

Avec une amabilité bourrue, Minkie soutirait les nouvelles aux semblants d'hommes.

Les Juttahats venaient régulièrement à la hutte de la trêve pour apprendre à danser le tango ! Le lainé improvisait des chansons pour les esclaves des serpents ! C'était tellement bizarre que ce devait être la vérité. Tout compte fait, les monstres mutants et les non-hommes avaient sans doute bien des choses en commun.

Certes, Croûton était tout à fait franc sur le fait que les Juttahats étaient des clients assidus de l'ensemble de tango et qu'ils s'occupaient de leurs intérêts. S'il arrivait malheur au quatuor, les Juttahats en seraient fort irrités.

Compris. Ce n'était pas tombé dans l'oreille d'un sourd.

Malgré l'aspect trêve de cette hutte, Minkie ne projetait pas d'y rester longtemps. Y dérober toutes ses victuailles et filer dans la forêt ; voilà quel était son plan. Ne se fier qu'à la petite tente pliée dans son coffre.

— Alors, où est l'ermite ?

Au moins, il ne serait pas obligé d'estourbir le curieux bonhomme. Non, il n'avait que quatre semblants d'hommes dans les pattes, maintenant.

Un ermite ? Quel ermite ? La cabane était inhabitée depuis un moment quand ils étaient arrivés. Bien. Parfait.

Néanmoins, Minkie ne pouvait guère rester dans un lieu connu des gens du coin. Même s'il était pour eux un peu un héros, vu qu'ils vivaient à la frontière difficile entre les territoires humains et étrangers ! Tôt ou tard on découvrirait sa présence. Les langues se délieraient. Un coucou pouvait arriver.

Minkie avait toujours considéré les Juttahats comme une horde d'animaux étrangers jacassants (mais malins) entraînés par les inhumains serpents sournois, comme des bêtes démunies de cervelle et méritant donc d'être exterminées.

Et s'il pouvait négocier avec les deux non-hommes des Velours qui apprenaient à danser le tango ? S'ils faisaient affaire ? Contre quoi il leur dirait un certain secret de famille...

Le secret ne lui était plus d'aucune utilité. Il devait l'être encore pour les Isis ; assez pour les pousser à accepter ses conditions.

En échange... Non, il ne pouvait supporter d'être enfermé dans un nid de serpents. Ils devraient l'installer dans une hutte sûre — quelque part dans la forêt où personne ne le retrouverait jamais. Oui, dans un de ces petits dômes de métal noir qu'ils construisaient, qu'il avait essayé de forcer une fois ou deux.

Comme pour ses précédents méfaits avec Snowy, il faudrait que passe beaucoup d'eau sous les ponts. Pardonner et oublier. Cela ferait partie du pacte. Peut-être que les étrangers parviendraient même à lui amener Snowy pour lui tenir compagnie. Et pourquoi pas une compagne, aussi, vu que les Juttahats ne rechignaient pas à enlever une fille de fermier de temps à autre ? Il était clair que Snowy et lui ne pourraient pas continuer à chasser le Juttahat. Ils auraient besoin d'un jeu de cartes. De caisses de vodka. Ils se raconteraient des histoires. Il avait certainement des choses à raconter à Snowy sur son séjour au paradis avant que cette garce de Solœil ne gâche tout. Pucelles à la demande. Fête perpétuelle. Lutte héroïque contre des hommes-verrins et autres monstres.

Le mutant aux jambes arquées et oreilles de bouc n'était autre, bien sûr, que le papa de cette maudite Solœil. Ces monstres étaient tous de son hameau.

— Maintenant, écoutez-moi, vous autres, dit Minkie. J'ai besoin de fermer les yeux. Y en a qu'ont eu une rude journée. Vous vous tenez tranquilles, et toi là-bas, Arni...

— Arto.

— Arto, Arti, qu'importe, si je suis content de toi, alors je te dirai quelque chose d'intéressant sur ta précieuse fillette.

Le visage du nain exprima une grande détresse.

— Sur... ma fille ? Quelle sorte de chose ? Elle est morte, bon sang. Ma Solœil est morte.

Minkie rit.

— Oh, que non ! Je l'ai vue de mes propres yeux très récemment, c'est vrai. De loin, d'accord. On a eu ce qu'on pourrait appeler un différend.

— Vivante ? (Arto tordit ses mains gantées de blanc, ses doigts en trop sortant de la peau de chevreau.) Où est-elle ? Où est-elle ?

Minkie secoua un doigt.

— Vivante comme toi et moi, mais très loin d'ici. Ma sauto parcourt beaucoup de lieues en un jour. Ta récompense pour ta bonne conduite sera ce que je choisis de te raconter. C'est tout pour le moment.

Ménager ses effets. Garder le contrôle sur ces mutants. Jusqu'à ce qu'il ait conclu un accord avec les Juttahats danseurs de tango, il lui était difficile de révéler où se trouvait la garce. Il leur déverserait des bribes au compte-gouttes à Arti, non, Arto, et ses copains.

Quelles informations spéciales sur Solœil ? Ses copines ? Son gang de monstres ? Ses chausses de cuir marron à ceinture dorée ? Son antipathie rageuse contre un petit jeune homme qui ne faisait qu'essayer de prendre des vacances ? Son tout nouveau pouvoir de virago ? Ils n'avaient pas vraiment échangé de confidences tous les deux... Il lui faudrait choisir ses révélations.

Arto émit un grognement.

— Vous me dites la vérité, Minkie Kennan ?

— Aussi sûr que tu apprends aux Juttahats à danser. Aussi sûr que je suis marié à Kiki-liki Kennan, née Helenius.

Il était bien tôt pour se pieuter pour notre Minkie ! Mais il était épuisé, avec la sacrée tripotée prise au paradis, l'horrible déception au sujet de l'otage et tous les sauts qu'il avait faits. Jambes-cerceau devrait rester dans la détresse. Mais en silence !

Aux petites heures, Minkie se réveilla au son de murmures furtifs. Arto marmonnait-il pendant son insomnie ou conspirait-il avec un de ses semblables ? Un brusque « Taisez-vous ! » suffit à rétablir silence et tranquillité.

Le lendemain matin, Minkie fut plus retenu dans ses affirmations, à savoir que la fille du gantier vivait et trottait. Cavalait même. Tous les deux ne pouvaient pas se sentir. Si je mens, je vais en enfer. En fait, sa réticence se révéla plus convaincante que ne l'aurait été sa faconde — bien qu'Arto fût toujours tourmenté par la frustration.

— Mais où est-elle donc, et comment ça se fait que personne n'en a entendu parler ?

— Je t'assure, vieux grigou, que Solœil est aussi maîtresse de sa situation que la reine elle-même. (Maudite garce.) Éventer l'endroit où elle se trouve risquerait de ne pas lui rendre service, à ta fille, si tu me suis. Remarque, je ne lui ai rien fait. C'est elle qui s'en est prise à moi. Bien sûr, elle a une dent contre les hommes vu la façon dont l'a traitée van Maanen.

Et si les serpents et leurs esclaves rendaient une petite visite au domaine d'où elle avait chassé Minkie ? Comment le gang des monstres nakkis de Solœil se comporterait-il devant une invasion d'étrangers et de magiciens manéens ? Bien fait pour elle ! Vendre le secret de famille aux Velours aboutirait à une jolie revanche fortuite sur cette mégère rabat-joie.

La journée avança jusqu'à sa fin sans qu'on ait vu de visiteur juttahat. Notre Minkie avait besoin de distraction. Pas besoin d'aller loin, vu la présence des musiciens, mais quel dommage qu'il n'y ait ni vin ni alcool fort !

Dans un effort pour lui soutirer davantage d'informations, Lama dirigea certains de ses chants vers la fibre tendre de l'âme de Minkie — à supposer qu'elle existât, et sans oublier que c'était un assassin, dont l'attitude vis-à-vis du peuple des semblants d'hommes était au mieux condescendante.

Sur l'air de *La Fille perdue* :

> Oh, où est ma fille borgne ?
> Elle s'est détournée, elle ne voit point
> Que je la cherche avec désespoir.
> Elle croit que je joue à colin-maillard
> Mais c'est moi qu'elle a abandonné un soir.

> Oh, où est ma fille sourde ?
> J'appelle mais elle n'entend pas
> Que je crie comme un fou.
> Elle croit que je lui joue des tours
> Bien que mon cœur cogne comme un tambour.

> Oh, où est ma fille muette ?
> Est-elle partie au nord, ou au sud... ?

— Tu ne pourrais pas chanter une chanson sur une princesse sauvée par un gars qui allait en tirer plein de bonnes choses ? demanda Minkie. Hélas, quand il l'emmène chez lui, elle devient zombie.

Lama gratta sa tête laineuse.

— C'est une variation sur l'histoire de Georgi...

Alors il chanta :

> Il la sauva d'un serpent,
> Il le fit pour elle
> Mais ce fut une erreur ;
> Elle aimait le reptile.

— Je ne veux pas de serpents dans la chanson ! (Minkie se mit à astiquer la selle du passager de son tricycle avec son mouchoir.) Mais tu peux mentionner les Juttahats.

Lama inclina la tête.

— Que penses-tu de ça :

Il la sauva d'un Juttahat ;
Oh, il le fit par devoir...
Mais il brûlait de l'avoir...

Le chanteur s'interrompit.

— Non, ça ne va pas, pas du tout. Je n'aime pas le mot Juttahat, monsieur Kennan. La chanson est toute de traviole. Je suis sûr qu'ils ont un cœur comme vous et moi. Sauf qu'ils ne savent pas penser par eux-mêmes. Non, ça ne va pas...

— Ne te gêne pas pour me faire un sermon, dis donc, Mouton.

Néanmoins, avant de marchander avec les non-hommes, il pourrait être utile d'engranger quelques aperçus de leur psychologie, dans la mesure où ces mutants faisaient autorité sur le sujet.

— Non, continue, j'écoute.

— Je ne peux pas dire les paroles, je ne peux pas chanter.

— Fredonne, si ça te fait plaisir.

Lama prit une pose pensive.

Comment puis-je embrasser les lèvres en imagi-
[nation
Quand ces mêmes lèvres m'avalent ?
Comment puis-je partir à la recherche de l'amour
Quand il n'y a pas de vide en moi ?

Ça n'allait pas non plus. Lama essaya autre chose.

Comment puis-je embrasser les lèvres en pensée
Quand ces lèvres m'avalent...

— J'ai faim, cria Minkie.

L'accord concernant son refuge devrait spécifier que le garde-manger était approvisionné d'autre chose que de biscuits concentrés.

Il fit un effort pour écouter Lama — et l'idée lui vint à l'esprit de danser avec un Juttahat pour sceller le contrat auquel ils arriveraient. Tandis qu'il danserait (et il était expert en cela), les mutants joueraient de la voix et du crincrin. Minkie aurait à déployer tout son charme pour danser avec un non-homme. Dernièrement, son charme s'était légèrement rouillé. Il aurait bien besoin d'un bon coup de brosse.

Il sourit de façon engageante.

— Tu sais, Lama, tu es vraiment formidable. Je suis impressionné. Je suis ensorcelé. Je ne parviens pas à écarter l'estime qu'il y a dans mon cœur. Impossible. Et toi, Arto : tu devrais être fier de ta fille. Elle est arrivée à quelque chose. Pour te dire vrai, j'ai toujours eu le tort de trop admirer les gens, tellement que ça les vexe. C'est pourquoi je me bats contre les sentiments, comme tu as pu le remarquer. Sinon, je suis submergé par mes émotions.

Pourquoi ne s'était-il encore jamais aperçu de la chose ?

— On ne pourrait pas essayer une chanson pour séduire les Juttahats, de ma part ? Quelque chose du genre : Il cherche un asile loin du monde, avec du vin, des jeux et une fille, une fille.

Minkie pouvait tourner une phrase quand il s'y mettait.

Croûton remarqua, bourru :

— Un asile aussi loin des reines que possible, hein ? Tu ferais bien de t'entraîner à parler à l'infinitif. Chercher asile. Vouloir une fille pour l'hiver.

Minkie minauda.

Combien de temps lui faudrait-il se cacher ? Il n'avait pas envie de danser pendant des mois en solo avec une Miss Bouteille. Pensez, si même la Miss Bouteille était absente du refuge !

Une fille de paysans. Un fidèle Snowy. Un abri bien approvisionné. Des désirs simples. L'essentiel.

Lama, cherchant ses paroles, ses vides, ses bides, lui rappela que Kiki-liki avait pondu un bébé. Son vide avait été bien rempli, oui. Un beau jeune homme nourrissait un vide différent — des appétits turbulents qui lui faisaient montrer les dents, sourire et mordre dans le monde.

Ce qui était arrivé à la forteresse des Kennan dégoûtait Juke.

A cause du retard pris dans le ravitaillement et de la dégradation de la visibilité, l'aéronef royal avait atterri sur la falaise de Niemi en fin d'après-midi, plus tard que prévu. Des écharpes de brume s'étiraient au-dessus du lac Lasinen. La rive opposée était floue.

Conduit par Juke et Jack, un groupe d'une douzaine d'hommes — gardes, soldats de Jaeger et de la bâtisse en H — s'approcha de la forteresse, l'humeur irritable.

Les expéditions royales tiraient-elles les sonnettes ? Les crosses de fusil cognèrent et dessinèrent un tatouage sur la porte, un préliminaire avant de la défoncer. Cette porte, en solide tamisier, était marquée du fantôme d'une main. Les coups de crosse n'auraient peut-être guère d'effet. Mais un visage fraise écrasée encadré de boucles blondes se pencha par une fenêtre de l'étage.

— Qu-qu-qu'est-ce que c'est ? Qu-qu-qu'est-ce que vou-vous voulez ?

Le propriétaire de la voix aperçut, plus loin, le grand aéronef entouré d'hommes en armes qui faisaient de l'exercice.

Juke inspira profondément avant de brailler :

— Descends immédiatement, Snowy ! *C'est prononcé !* Tu te souviens de moi ? Ouvre cette porte !

— Ah ah, bégaya Snowy.

Il s'accrochait au rebord, épouvanté. Si son visage n'avait pas déjà été si rouge, il serait sûrement devenu cramoisi par l'effort du bonhomme pour rester en place.

— Ahahah, gémit-il.

— Nous n'allons tuer personne, Snowy ! Descends ! *C'est reprononcé !*

Snowy se ressaisit assez bien.

Que devait faire une douzaine de soldats dans une forteresse, sinon la fouiller de fond en comble en grand tapage, tandis que Jack se précipitait ici et là ? Que devait-on faire de Dame Inga, et de Karl, de Kosti et de Kyli Kennan, sinon les conduire dans la salle principale avec Snowy ?

Juke le proclamateur devint Juke l'inquisiteur. Son premier sujet fut le copain à visage fraise écrasée de Minkie. Bégayant et bredouillant, Snowy ne savait vraiment rien de son chef, ni où il était, ni où il était allé. Savait-il que Minkie avait reparu ? Oh, ou-ou-ouiii. (Un coucou nous l'a annoncé, intervint Dame Inga.) Minkie était-il revenu ici ou avait-il envoyé un message ? Oh, n-n-nooon.

Juke se tourna ensuite vers la solide Dame Inga. Il

rencontra chez elle une résistance glissante. Contraindre Jatta à déverser les secrets de sa vie avait été comme de plonger la main dans un étang pour y chatouiller une truite et la sortir de l'eau, docile et haletante. Contraindre la mère de Minkie ressemblait plus à une tentative pour agripper une berge de glace en dégel avec des mains grasses.

Connaissait-elle le secret de la cachette de son fils ?

Elle redressa la tête.

— Je n'ai aucune idée de l'endroit où il se cache, jeune homme.

Juke n'avait pas demandé où se planquait Minkie en ce moment.

— Où se cachait-il avant, Dame Inga ? Vous le savez ? Dites-le-moi ! *C'est prononcé.*

— Faites vite, ajouta Jack.

Des étincelles et des flocons de neige dansaient autour de lui.

— Faire vite. Nous sommes pressés ? Où se cachait-il avant ? Avant quoi ? Que voulez-vous dire ? répétat-elle en accélérant son débit.

La transpiration perlait à son front.

— Le pauvre garçon se cache dans une hutte. Une ondine nakkie est tombée amoureuse de lui. Elle risque de l'entraîner au fond de son lac et de le noyer, tout au fond de son lac.

Ses paroles déviaient du but qu'elles devaient atteindre.

— Comme les gouttes d'eau, elle est arrivée par le toit et a trempé son lit. Elle s'est cousu une peau aquatique. Quelle beauté soyeuse ! Lisse, satinée ! Il a plongé en elle avec sa verge raide et l'a crevée...

— Où se cachait Minkie ?

— Dans le lac, dans le lac nakki. Voici venir l'ondine qui l'inonde. Voici la nymphette soufflant dans sa trompette...

Il y avait dans les yeux noisette d'Inga une résolution téméraire. Sa chevelure grisonnante s'agitait tandis qu'elle jacassait à cent à l'heure. Elle secouait la tête, non non non. Sur son corsage de dentelle noire, les paillettes luisaient comme si Jack y avait allumé des petit feux qui brillaient à chaque parole haletée.

Quel mal y avait-il à dire à son interrogateur où s'était caché Minkie avant ? Elle n'osait pas s'arrêter pour réfléchir de peur que l'envoûtement de Juke ne l'enveloppe complètement. Connaissait-elle le lieu où se trouvait son fils ? Elle n'osait pas faire de pause.

Lac lac plonger dans un lac... Non, babiller à propos d'un autre lac !

— La catin trempée l'a serré dans ses bras aqueux. De sa verge il l'a remplie de petits poissons. Ablettes, civelles, menuises. Tous nagent dans sa matrice. C'est bien, il aura à manger sa vie entière, une femme qui, chaque jour, donne naissance à un gros poisson, pour son dîner...

Ses fils la dévisageaient, les yeux écarquillés. La main délicate de Kyli, devant ses lèvres, refoulait le cri muet.

Écume sur les lèvres sensuelles d'Inga. Filets de sang dans ses yeux. Soulèvement de sa poitrine.

Que pouvait faire Juke ? Crier « Silence » et « Chut » pour la faire taire... et perdre ainsi le bénéfice de son envoûtement ?

Une bourrasque soufflait dans la salle, entraînant la poussière et les insectes morts dans un tourbillon. Lorsque Juke, Jack et Jatta étaient sur le dos de la sauvage védelle, Vif-Argent avait babillé ainsi. Bourré de tics et d'étincelles, Jack semblait contaminé par ce souvenir. Sa présence aidait-elle la dame à se remonter ainsi, avec cette frénésie ?

Si seulement Jack ne lui avait pas dit de se dépêcher. Juke était le proclamateur du charme. Cet envoûtement lui avait filé entre les doigts à cause de la détermination farouche d'Inga de suivre le courant, même vers une fausse destination.

La dame devait suffoquer — comme Juke lui-même avait suffoqué quand van Maanen l'avait fait aspirer par les sables mouvants. Elle était sur le point d'éclater ! Dans une telle situation, on finissait par hurler une terrible révélation.

Juke lui cria presque d'arrêter.

Presque.

— Sa matrice était un lac. Sa poitrine une falaise avec de gros rochers à la place des seins et un poisson chaque jour dans l'assiette de l'amant...

Lèvres couvertes de bave, yeux exorbités, congestionnés.

Inga étouffait.

Le sang jaillit de sa bouche et de ses yeux fracassés.

Un instant elle resta debout puis elle s'effondra comme une masse, morte.

Kyli hurla. Un des garçons s'évanouit.

Juke avait quitté Niemi écœuré. Quand lui avait été comprimé jusqu'à la faiblesse par un proclamateur plus fort que lui, quand il avait suffoqué dans les sables mouvants, n'avait-il pas hurlé sa trahison totale à celle qu'il chérissait le plus ?

Jack était réticent et nerveux. Lorsque le soldat Ben Prut, celui à l'haleine fruitée et au champignon tatoué sur le cou, voulut lui donner un coup de coude, un clin d'œil, et dire : « Voilà qui fait un joli acompte sur l'affaire Kennan », Jack lança un coup de poing.

— Tu la fermes là-dessus, compris ?

Cet accès de mauvaise humeur ne diminua quand même point l'agréable frisson qu'avaient ressenti Ben et les autres témoins devant le destin de Dame Inga. Le sujet alimenta les messes basses dans l'aéronef, jusqu'à ce que, dans la bruine nocturne, ils atteignent enfin Saari, au grand soulagement du pilote. Ces derniers temps, ils avaient volé dangereusement bas, pleins phares allumés. Même ainsi, le large fleuve Murame avait semblé difficile à suivre. Ben Prut avait conseillé de faire escale à Troislacs pour la nuit. Juke le contraignit doucement à se taire et encouragea le pilote. Jack psalmodia un refrain à propos de bon vent et de bonne lumière.

Laisser Niemi loin derrière.

Qu'avaient-ils appris par la mère de Minkie ? Rien de sensé, rien de valable. Elle savait très certainement où était son fils. Le sachant, elle était morte. Se trouvait-il près d'un lac ? Dans un lac ? Sous un lac ? Lequel parmi les dix mille que comptait la région ? Y avait-il des falaises près de ce lac ? Allons, ç'aurait pu être le lac Lasinen même. Mais ce n'était pas ça.

Faux indices, fausses pistes. Dame Inga avait réussi à brouiller ses propos.

Plutôt mourir que révéler la vérité.

Les quartiers confortables et la nourriture chaude dans les casernes de Lord Helenius justifiaient la décision d'atteindre Saari. Bon nombre des gardes du maître de la Monnaie furent déplacés dans les écuries. Prut,

Jack et Juke mangeaient et dormaient avec leurs soldats. Pas besoin de chambres dans le palais, merci, mon seigneur ; pas besoin de places à la table d'honneur. Ces visiteurs d'une nuit — qui volaient à bord de l'aéronef royal en plein milieu d'une guerre contre les rebelles — étaient en mission confidentielle pour la reine. Il devaient garder un profil bas.

Des événements de Niemi, garder bouche cousue. Le maître de la Monnaie détestait probablement Minkie. Mais comment réagirait-il à la nouvelle de la mort de Dame Inga ? Belle-mère et protectrice de sa fille, après tout...

Comment se débrouillerait Kyli en compagnie du bègue et des deux jeunes Kennan ? Personne au palais de Saari ne semblait au courant de la récente réapparition de Kennan. Les coucous caquetaient où et quand ils le souhaitaient, à moins d'être contraints à délivrer des messages spéciaux.

Au matin, la dépression avait presque disparu vers l'ouest. Jack piqua un sprint autour de Saari pour admirer les magnifiques canaux, fontaines et ponts enjambant le fleuve animé. Juke ne le suivit point. Bientôt l'aéronef décolla poussivement de la place de gravier rose derrière l'immense palais aux mille fenêtres situé au bord de la rivière.

Ils survolèrent des forêts. Des champs et des prairies s'étalaient autour des villages. Désormais, chaque village était une place forte palissadée. Des bâtiments serrés et interconnectés formaient ce qui n'était virtuellement qu'une grande ferme à l'intérieur d'une barricade de bois.

La forteresse rustique là-bas au loin, était-elle la dernière que Juke (et sa sœur) avaient atteinte lors de leur randonnée vers le nid isi ? Oui, c'était elle. C'était ça.

La cabane en ossements devait se trouver à une douzaine de lieues de ce côté, enfoncée dans les bois. Un peu plus loin, l'horizon était embrumé, par des brumes manéennes.

Juke éprouvait une angoisse folle. Jack avait un grand sourire tout excité.

16 — Désarçonné

C'EST AU MILIEU DE LA MATINÉE QUE MINKIE ENTENDIT UN laborieux vrombissement dans le ciel.

— Restez à l'intérieur, cracha-t-il aux mutants.

Il se précipita à une fenêtre encadrée de fémurs, sa vitre gondolée mastiquée à l'argile séchée.

Les nuages s'étiraient en lâche dentelle au crochet. Une vague flaque de bleu flottait. La joue contre la vitre, il regarda l'aéronef passer lentement, amorcer un virage.

Il connaissait parfaitement la carlingue blanche aux hublots cernés de vermillon. La rangée d'yeux : pupilles de verre noyées dans la conjonctivite. L'aéronef royal. Celui de Fortunée Sariola. A la recherche de qui, sinon lui ? Il écouta le vrombissement. L'engin tournait, cherchant un espace dégagé où se poser.

Personne d'autre que les mutants ne savait où il était. L'un de ces monstres était-il tombé sur un coucou en soulageant un besoin naturel, à l'extérieur ? Les Juttahats dont les musiciens parlaient avec tant d'exubérance s'étaient-ils infiltrés pour écouter aux portes ? Les non-hommes ne pouvaient guère alerter la reine par communicateur — ou alors le monde ne tournait plus rond.

Pourquoi donc essayer d'atterrir près de la hutte ? L'appareil était-il en détresse ? Avait-il subi des dommages dans la guerre dont causaient les stupides villageois ? Une guerre livrée bien loin d'ici ! Pourquoi un important véhicule se trouvait-il à des centaines de lieues de l'endroit où il aurait dû être ? Comment diable Fortunée avait-elle découvert où était Minkie ?

— Merde de merde, fit-il.

Grand temps d'enfourcher la sauto. Il avait déjà stocké la moitié des biscuits des mutants dans les coffres au cas où. Mieux valait toujours contrôler les rations. Devait-il sauter en direction du nid des Isis de velours, dans l'espoir d'une rencontre avec des non-hommes pour pouvoir négocier ? Et s'ils étaient incapables de parlementer ? S'ils ne comprenaient pas le kalevan ? Et lui qui ne serait plus à l'abri dans la hutte de trêve.

Mieux valait se cacher quelques jours dans la forêt. Au nord-ouest d'ici, peut-être... Au nord-est il y avait les routes étroites, noires et caoutchouteuses, les brouillards manéens et le nid lui-même.

— Écoutez-moi, les zèbres, cria-t-il, c'est l'aéronef de la reine qui atterrit. Le même qui nous a déposés à Sariolinna. Ça ne présage rien de bon...

— Pour toi non, dit Croûton.

— ... parce qu'il se trouve que je suis au courant d'une guerre sérieuse livrée à l'ouest. Quand il y a la guerre, les innocents comme vous se font blesser. Quelle que soit la raison de cette visite...

— C'est un mystère pour nous, dit Neuneu.

Le Cordé faisait-il de l'ironie ?

— Quelle qu'en soit la raison, il vaudrait mieux pour vous que vous ne disiez rien de ma présence ici. Et ne comptez pas que je vous emmène gratis à vos cahutes de mutants en échange du bobard que vous raconterez.

Rouler le tricycle dehors. Le tourner. Leur tirer dessus pour les faire taire... ? (A quelle distance étaient les hommes de la reine ? Assez près pour entendre le crépitement d'une arme à feu ?) Quatre cadavres équivaudraient à une signature. Cela ne ferait qu'irriter ses poursuivants, vu l'estime dont avaient joui les musiciens au palais de Pohjola. En outre, ce serait un assassinat. Minkie n'avait jamais tué personne, à part les pruneaux logés dans le corps du prince Bertel qui, en réalité, s'était suicidé lui-même. Tuer des non-hommes ne comptait pas. Ni des nakkis, d'ailleurs. Jusqu'ici, il s'était montré correct envers les mutants. Ils lui avaient donné des tuyaux sur la façon de parler aux Juttahats autrement qu'avec un carreau d'arbalète. Ce serait dommage de gâcher une relation cordiale.

Il poussa l'engin par la porte.

— Nos rations !

— Je vous laisse la vie, c'est déjà pas mal, cria-t-il, et il tourna la poignée bleue.

Éclair négatif familier de complète obscurité. Presque immédiatement, Minkie se retrouva au milieu de menthiers écarlates.

Tourner le tricycle. Où se cache le soleil ? Où est le nord, où est l'ouest ? Un oiseau escamoteur craqua. Regardez ces brillants clous dorés !

266

Poignée bleue.

Cette fois, l'entre-deux dura un temps plus long et suffocant, semblable à la fois où il avait sauté avec l'horrible magicien manéen. Ses poumons éclataient. Le vide noir le comprimait. La panique monta.

Lumière et air ! Un arbre aux alouettes balançait ses feuilles rouille en forme de pique, elles allaient tomber et pourrir. Ramures cuivre terni d'un horzma. Véra aux aiguilles vertes. Buissons roux couverts de baies ridées. Une douzaine de petits leppis décampèrent dans toutes les directions pour échapper à ce noir prédateur géant apparu si soudain.

Pffit.

Bien, quoi qu'il se soit passé, il fallait à nouveau tourner la poignée bleue.

Exécution.

Rien ne se produisit.

L'engin resta silencieux. Plus de vrombissement, plus de compression. Il talonna le flanc de la machine inerte, comme on inciterait un poney ; en vain. Essayer les canons. Juste une fois, attention, doucement. C'est bruyant, ces choses.

Très brièvement, il tourna la poignée rouge. Aucune éruption ne fracassa le silence. Aucun éclat ne vola des troncs d'arbres. Aucune feuille ne valsa.

Il tourna de nouveau, violemment. Rien ne se passa.

Et merde !

— Allez, sauto, exhorta-t-il.

Il la frappa, lui flanqua des coups de pied.

En l'absence de meilleur dégagement, l'aéronef royal s'était posé sur un étang. La rampe de descente n'atteignait pas la rive moussue. Pour débarquer, les soldats, menés par Prut (qui avait chaussé ses lunettes), durent patauger puis vider leurs bottes une fois sur la terre ferme.

Leur départ libéra l'espace pour Juke qui s'échina à positionner un tricycle face à la sortie. De là il pointait l'engin dans la bonne direction. Son coéquipier, derrière lui, armé d'un fusil à lumière, était un homme de la bâtisse en H, un certain Karlo qui avait eu la joue droite entaillée par un éclat d'obus pendant le deuxième siège.

Juke sauta au milieu des bois. A part quelques parcelles de blanc derrière les troncs et les feuillages rougeoyants, on ne voyait plus l'aéronef.

Jack suivit une minute plus tard, emporté par sa sauto, accompagné de Ben qui serrait un fusil à lumière dans son giron.

Ben avait supplié pour aller à sauto. Ses pieds le démangeaient de façon perpétuelle. De petits ulcères lui posaient problème. Patauger dans l'étang aurait eu des conséquences fâcheuses. (« Désolé pour ce que j'ai dit sur Kennan. J'le ferai plus. »)

Tout en se déployant dans les bois en direction de la hutte de Hermi, les soldats iodlaient comme des grands-mères à la chasse aux champignons.

— *Minkie... !*

    — *Kennan... !*

        — *Minkie... !*

            — *Kennan... !*

Ces cris coordonnaient l'avancée, unifiant les Vert et brun, les Buffle, et les Vert et ombre. Ils pouvaient servir à avertir leur proie, mais aussi semer en elle la panique. Le silence eût été plus discret. L'aéronef avait-il atterri en silence ? Prut n'avait pas donné l'ordre de se taire. Ses hommes avaient besoin de savoir où ils étaient les uns les autres.

Juke sauta devant, Jack suivant immédiatement derrière.

Juke entra dans la hutte en proclamant :

— Kennan, haut les mains ! Pas un geste !

Pistolet laser à la main, cheveux fauves rejetés en arrière comme par le vent, yeux bleus droit sur une cible. Jack, dans sa livrée cuivrée, se précipita derrière lui. Karlo et Ben étaient restés sur les sautos.

— Fils ? s'exclama Arto. Mon fils ?

Le petit homme aux oreilles de bouc agita ses gants.

— Elle est vivante ! Notre Solœil est vivante !

L'information partit comme la foudre du père au fils. Elle n'aurait pu rester enfermée dès lors qu'Arto avait posé les yeux sur Juke. Impérativement, elle se proclama d'elle-même.

— Solœil est vivante.

Juke vacilla.

Jack se précipitait de-ci, de-là, regardant, fouinant,

flairant comme un chien les semblants d'hommes et l'abondant fatras de la hutte.

Le cœur de Juke cognait. Trouver son père ici... et ensuite entendre que...

— Vivante... ? Mais... ?

C'était impossible. Van Maanen l'avait contrainte à mourir. On n'avait plus de ses nouvelles depuis un an.

— Elle est vivante, mon gars, autant que toi et moi. Elle va bien.

Juke s'appuya à un placard rempli de poupées et de pendules démontées.

— Elle est... à la maison ?

Le spectacle étonnant de son père, ici, signifiait la maison, le foyer. Mais ici n'était pas la maisonnette pleine de craquements d'Outo. C'était une hutte de chaman, construite en os.

Arto n'était pas à la maison.

— Comment le sais-tu, papa ?

— Où est Kennan, où est Kennan ? demandait Jack à Croûton, Neuneu et Lama réunis.

— Kennan ? C'est Minkie Kennan qui me l'a dit, mon fils. Il allait me dire exactement où. En échange on l'aurait aidé à communiquer avec les Juttahats qui viennent ici...

— Kennan était là ? demanda Jack.

— Il dévidait son histoire pour qu'on se tienne tranquilles.

— Il y a combien de temps qu'il était là ?

— Cinq minutes, dit Croûton. Ou six ou sept. Avec un engin exactement pareil à ceux qui sont dehors...

— Il mentait au sujet de Solœil, hurla Juke.

Son nom sortit de sa gorge comme un carreau d'arbalète.

— Non, il ne mentait pas, mon garçon. Elle est quelque part très loin, là où il se planquait. Et la preuve, la voilà : il a souffert quelque chose d'horrible de la part de notre Solœil. Je ne sais pas quoi, mais il n'aurait jamais avoué une chose pareille si ce n'était douloureusement vrai, si ça ne lui était pas resté sur le cœur. Pas lui !

— Arto a raison, dit Neuneu.

— De quel côté a-t-il sauté ?

Jack bouillait d'impatience. Cinq minutes, six, sept ! Quelle direction ?

— Un jour, je lui ai jeté un sort pour qu'il se ratatine si jamais il s'approchait à nouveau d'elle... dit Juke.

Ah, le frère jaloux et concupiscent ! Envoûter Kennan pour ravir sa sœur.

— Kennan sait réellement, mon fils. Et puis vous arrivez, vous autres, alors il fout le camp. Il disparaît sur un engin comme ça.

Comme si Juke avait provoqué la perte de sa sœur une deuxième fois !

— Six minutes, sept, huit ! Dans quelle direction ?

Croûton pointa le bras par la porte. Jack s'élançait déjà vers sa machine où l'attendait Ben.

— Suis-moi, Juke ! lança-t-il.

Jack Démon était en selle. Poignée bleue. En disparaissant, la sauto aspira un flot de feuilles dans l'entre-deux.

Juke hésita encore un instant.

Attraper Kennan, et lui soutirer des informations sur Solœil... Ces Juttahats en visite à la hutte... ! Fortunée — ou était-ce Melator ? — ne s'était pas trompée en pensant que Kennan risquait de vouloir échanger une information sur l'emplacement de l'enfant Ukko avec les Isis, contre une protection... *Solœil était dans la petite Ukko où Minkie s'était caché. Elle s'y trouvait toujours. Dans la petite Ukko !* Cette prise de conscience ravit et ravagea l'âme de Juke.

La retrouver, la supplier de lui pardonner ! Effacer ce qui était arrivé entre eux. Racheter le souvenir des furtifs désirs incestueux...

Comment pouvait-elle oublier, elle, l'atroce découverte de ce qui grouillait dans son cœur et l'avait amené à la rejeter ? Cela, en plus de sa terreur de suffoquer dans les sables mouvants ! Pourrait-elle comprendre les pressions ?

Élevée dans le peuple des semblants d'hommes d'Outo — qu'il ne mépriserait jamais, par qui il ne se sentirait jamais aliéné —, elle avait été son vrai miroir, son reflet féminin, sa cible... d'attentions, de camaraderie et... de passion. Et aussi d'amour de soi. Son amour pour lui-même surpassait son amour pour elle ! Pourtant, elle avait aussi été son alter ego, le moi qui n'était pas lui-même. Il l'avait adorée d'une façon qu'aucun Minkie ne comprendrait jamais. Il l'avait chérie trop profondément.

Pouvait-elle comprendre — à supposer qu'il la fasse sortir de l'enfant Ukko ? A supposer qu'il la ramène au monde, dans un monde où van Maanen serait convenablement puni ?

(Voulait-elle être sauvée ? En avait-elle besoin ? Sinon, comment pourrait-elle lui pardonner ?)

— Pour l'amour de Mana, mon fils, vas-tu rêver toute la journée ? Elle est vivante, je te dis !

Vivante. Vivante. Kennan savait où.

— Voilà ta chance de faire amende honorable, fils. Sinon tu ne seras plus jamais bienvenu à la maison. Le cœur de ta maman restera brisé, et le mien aussi.

Le vieil homme connaissait-il réellement toute la profondeur de la trahison passionnée de Juke ? Comprenait-il ?

— Je te la retrouverai, papa, c'est promis.

Juke s'en alla.

— Et nous ? brailla Croûton derrière lui.

— Pfftt, fit Lama à son compagnon croustillant. Pfftt !

Branches rousses et brindilles dorées. Mousse rouge intacte. Aucun récent passage de roues.

— Alors où est-il parti ?

— Tais-toi, Karlo.

— Je n'entends aucun...

— Tais-toi. Respire. Et tiens-toi.

Le jeune Jack pouvait aller par bonds désordonnés, espérant retrouver Kennan par impulsion pure. Pas Juke. Il rassembla ses esprits ; il inspira profondément.

— Sauto, ton origine est isie, inspiration d'un magicien manéen. Ta matière est l'acier forgé par leurs serviteurs. Ton chemin est à travers l'espace manéen ; que Mana remplisse mes paroles de force.

« Sauto, porte-moi comme le Juttahat porte le magicien des Isis ! Tu sens le sillage de Kennan dans l'entredeux. Emboîte ta roue à la sienne ! Suis Kennan !

Ne doute pas un instant que tu le retrouveras. Le retrouver est une certitude.

Poignée bleue.

Dans le noir, la sauto dérapa. Dans l'ombre, une main s'agrippa à la hanche de Juke.

Buissons roux. Ramures cuivrées d'un horzma. Grandes feuilles rouille des arbres aux alouettes.

Une sauto à proximité.

Son sautard porte une combinaison de cuir noir à clous de cuivre. Manchettes et revers larges, col officier. Oh, les charmantes boucles noisette ! Il secoue sa machine, l'insulte. Pas étonnant que la sauto refuse de bouger.

La main agrippée à la taille de Juke se desserre au moment où Karlo glisse du siège du passager. Même avant le bruit mat de la chute, le pilote en noir se retourne. Ou il avait senti une bouffée d'air, ou entendu le ronronnement du moteur malgré ses jurons.

Quels charmants yeux noisette...

Les canons jumeaux du guidon de Juke pointent droit sur Minkie. Minkie écarte les bras. Pas d'arme, pas d'arme.

Minkie écarquille les yeux devant l'incroyable apparition.

— Juke Nurmi ! J'ai des nouvelles de ta sœur, Juke ! Ne me tire pas dessus sinon tu ne sauras jamais ce que je sais !

Son regard effleure Karlo. Karlo est accroupi, les deux mains sur le sol pour s'assurer de sa solidité. L'homme de la bâtisse en H a perdu son fusil laser. Pas ici, non. Dans l'entre-deux...

— Oui, j'ai des nouvelles de ta Solœil. Elle est vivante. Elle va bien. Il y a toutes sortes de monstres nakkis autour d'elle. Des choses terribles. Des hommesverrins !

Cela, le papa de Juke ne l'avait pas mentionné.

— Je peux descendre de cette machine, Juke ? Je suis tout tordu.

— Vas-y doucement. Garde les mains en l'air.

Minkie mit pied à terre au ralenti, les mains très écartées, l'âme soumise et affable.

— Qu'est-ce que c'est que cette histoire de monstres ?

— Ainsi tu sais déjà que j'ai vu ta sœur ? Je suppose que les zèbres là-bas, dans la cabane, m'ont trahi. Ah mais, ils sont de ta famille. Bien sûr, Arto est ton papa. Comment pourrais-je leur en vouloir ? Des types charmants. En fait, je leur suis reconnaissant de t'en avoir parlé. Autrement, tu aurais pu actionner ton canon...

— Qu'est-ce que c'est que cette histoire de monstres ?

Presque sur un ton de proclamation. Presque. Pas tout à fait.

Minkie lorgne Juke.

— C'est une longue histoire, mon ami. Tu te souviens que je ne pouvais m'empêcher d'éprouver une certaine affection pour Solœil, en fait, le moment était mal choisi. Tu n'imagines pas à quel point j'ai été démonté en voyant la façon dont ce porc de van Maanen l'a traitée au gala. Mais que pouvais-je faire pour l'aider ? Tu m'avais contraint à ne plus l'approcher. Toi, malheureusement, tu n'étais pas vraiment en position de l'aider non plus. Tu étais englué jusqu'aux genoux, hein !

Est-ce que Juke rougit de honte ?

— Ça nous arrive à tous, parfois, hein, Juke ! Mon cœur a bondi de joie quand dernièrement je l'ai vue si épanouie et si vigoureuse. Non que j'aie pu l'approcher de trop près — pour les raisons que tu sais.

— Où est-elle, Minkie ? Et qu'est-ce que c'est que cette histoire de monstres ?

— Ah, ceux-là... Ils composent son entourage, pourrait-on dire. Je suppose que, vu ses origines, elle se sent à l'aise au milieu de monstres. En ce moment, elle les contrôle. Je ne peux pas garantir que ça durera.

— Où est-elle ?

— C'est que... tu vois mon dilemme ? J'ai besoin de... prendre de la distance... d'ici. Tu es venu ici me capturer pour la reine, n'est-ce pas ? Juke, mon ami, pour l'honneur des Kennan — et par respect pour ta sœur qui pourrait avoir quelques ennuis vu le choix de ses compagnons — eh bien, si tu me jures au nom de ta sœur et de Mana elle-même de m'échanger ta sauto contre la mienne, eh bien, je te le dirai.

— Ta sauto est cassée, non ?

Karlo semblait toujours ahuri d'avoir échappé à une chute dans le néant...

— Donne-moi une chance, Juke. Je t'en offre une à toi et à ta sœur. Sois juste avec moi. Je le serai envers toi. (Minkie regarda la splendeur des feuillages.) Quelle splendeur ! (Une larme implorante dans l'œil.) Dommage, je ne verrai plus d'autre automne — tout ça parce que le prince m'a provoqué. C'est ce qui est arrivé, tu sais. Bertel voulait mourir. Je n'ai été que son instrument. Il voulait échapper à Fortunée. Et moi aussi.

— Tu vas m'emmener à elle, Minkie Kennan.

— A elle ? Ah oui, Solœil. C'est difficile de prononcer le si joli nom d'une jolie fille, même s'il lui manque toujours un œil ! Elle m'a réellement eu avec son globe de verre, à notre première rencontre — pas très loin d'ici, d'ailleurs.

— Tu veux dire qu'elle n'est pas très loin d'ici ?

Est-ce que Juke tremblait, malgré le réchauffement de la température ?

— Non, non, c'est assez loin.

Contraindre Minkie à parler. Ensuite filer sur sa propre sauto à l'endroit indiqué. En gardant la place du passager pour sa sœur. Simplement contraindre Minkie. Juke inspira profondément. Les tatouages de lèvres autour de ses tétons le démangèrent.

La mère de Minkie suffoque, éclate, meurt... par amour et loyauté pour ce vaurien enjôleur. Loyauté dont Juke était cruellement dépourvu...

(— J'ai tué ta mère, Minkie.) Il s'abstint de le dire. Si Juke parlait du sacrifice maternel à Minkie, comment réagirait-il ? Le grand garçon d'Inga pourrait se forcer à verser des larmes pitoyables. Aurait-il un chagrin affreux ?

Juke avait fait exploser la mère de Minkie. Il n'avait jamais imaginé que la dame crèverait plutôt que de céder. Mais voilà. Solœil serait-elle écœurée par la brutalité de son frère ?

Il ne put se résoudre à contraindre Minkie.

Minkie le scruta plus intensément, étonné de voir poindre un espoir.

— Je te guiderai presque jusqu'au bout, ensuite tu me laisseras la sauto. Jure-le, sur son nom et celui de Mana.

Pour Juke, jurer par Mana et se parjurer l'affaiblirait. Il s'envoûterait lui-même, puis casserait le sort.

Karlo souffrait toujours du choc.

— En chemin, Minkie, tu me diras où nous allons !

Pas à portée d'oreille de l'homme de la bâtisse en H. C'était un sujet privé. Une affaire de famille. Abandonner la cause d'un monarque dément pour celle de sa sœur montrerait le vrai dévouement de Juke.

Alors il jura au nom de Solœil (qu'il réussit à prononcer très vite), et au nom de Mana. Karlo se mit à protester, mais Juke le fit taire. Le soldat n'avait plus son arme pour renforcer ses paroles.

Minkie piloterait la sauto. Pas Juke. Lui seul connaissait la destination. Mais en chemin il la lui dirait.

La sauto fit une vingtaine de bonds, émergeant dans la forêt, dans un champ, près d'un lac, près d'une route. Du vide noir raccordait ces aperçus.

— La prochaine fois, arrête et dis-moi où on va ! brailla Juke pendant une brève émergence.

— Je n'ose pas encore ! Au cas où tu me tromperais.

— J'ai juré !

Poignée bleue, ils sautèrent.

Ce qui arrive une fois peut arriver plus facilement une deuxième fois.

Dans un grand vacarme, notre Minkie actionna ses canons contre un menthier couronné d'écarlate comme s'il se parait déjà d'une guirlande de flammes. Un instant plus tard, il donnait un coup de tête en arrière. Choc et cri satisfaisants. Son coude droit s'enfonçait dans des côtes. Son bras gauche balayait en arrière. Et le proclamateur mutant basculait, les mains au visage.

Poignée bleue. Adieu.

Finalement, Minkie arrêta la sauto dans une pâture clôturée, provoquant un petit affolement de poneys. Une ferme en bois offrait la promesse de rations supplémentaires et d'un repas convenable. D'alcool fort aussi. N'oublions pas. Dans cette vie, un gars a besoin d'alcool fort pour survivre. Un type du genre soldat, en combinaison de cuir noir, des canons sur son impressionnante sauto, devait pouvoir obtenir ce qu'il voulait sans trop de mal.

Le fermier avait-il une appétissante fille, mûre pour l'aventure ? Prête au plaisir, à quelques mois de bonnes parties de jambes en l'air dans une cabane juttahate, au fin fond des bois ?

Oui ! Au fait, et le plan ? Un peu détourné, pour le moment. Les troupes de la reine traînaient aux abords du territoire des Velours : avaient-elles parcouru tout le chemin pour Minkie ? Fortunée était assez dingue. Avaient-elles une autre mission ? Avant longtemps, le territoire velours serait un brin trop animé pour le confort de Minkie. Et si la sauto tombait soudain en panne, comme l'autre ? Si elle le lâchait en plein trajet vers Velours-ville, au beau milieu des patrouilles royales ?

Le traité avec les Juttahats devrait attendre.

Minkie s'étira, Minkie bâilla. Quel plaisir de chevaucher ce destrier noir, aux infinies possibilités ! Le troupeau nerveux des canassons trottait ici et là, lorgnant sur l'intrus avec une hystérie équine. Un poney risquait d'être plus fiable que cet appareil étranger ; et plus discret.

Comment se débarrassait-on d'une sauto ? On sautait à terre, juste avant qu'elle ne bondisse dans un entre-deux ?

Un peu délicat.

La couler dans un lac ?

Minkie regarda vers la ferme. Mieux valait peut-être le charme plutôt que la fureur. Mieux encore : un judicieux mélange des deux.

Juke se releva en chancelant, le nez pissant le sang.

— Douleur, disparais ! Sang, arrête de couler !

Il avala une écœurante mélasse aigre-douce et proclama à nouveau jusqu'à ce que le flot se fige. Le milieu de son visage était ankylosé. Minkie avait dû le frapper dans l'entre-deux. Malgré les balles, le menthier n'avait pas explosé. Juke aurait presque souhaité qu'il s'embrase.

Non ! Il aurait servi de repère.

Pour qui ?

Voilà qu'il se trouvait à des lieues et des lieues de la hutte en os. *Il ferait mieux de continuer à s'en éloigner* — dans l'espoir désespéré que Kennan avait vraiment dirigé son engin dans la direction où se trouvait Solœil, quelle que soit la distance.

Plus rapide en aéronef ? Retourner à pied à la hutte ? Y arriver dans un jour ou deux, pour découvrir que l'expédition avait continué vers la prochaine étape, le nid des Velours ?

Revenir vers Prut et Jack ? Alors qu'il avait laissé échapper Kennan ? Quand il avait emporté la proie de la reine sur sa propre sauto ! Il avait trompé la reine. Berné tous les hommes sous son commandement. Et le jeune Jack aussi.

En ce moment même, Karlo devait cheminer vers l'aéronef. Bientôt, l'homme de la bâtisse en H répandrait la nouvelle de la défection et du sabotage de Juke. Juke ne recevrait pas un accueil à bras ouverts. Plutôt une balle dans la peau ou un coup de rayon laser.

Avoir entraîné Kennan au diable, alors qu'il connaissait l'emplacement de l'enfant Ukko...

... et l'avoir perdu.

L'angoisse monta. Le visage de Juke enfla aussi. Le chagrin qu'il ressentait était d'une qualité impossible à chasser par des mots. A combien de lieues se trouvait-il de Solœil s'il allait à pied ? Manger des champignons, chatouiller le poisson pour le sortir des lacs, chaparder dans les fermes. Comment reconnaîtrait-il la cachette de l'enfant Ukko en s'en approchant ? La passerait-il sans s'en apercevoir ?

Jette-toi dans le lac le plus profond que tu trouveras... Il entendait ces paroles comme s'il avait les oreilles pleines de boue.

Comment sonder la profondeur d'un lac ? Où ?

Qu'est-ce que c'était que ces hommes-verrins qui cernaient sa sœur ? Aimables pour l'instant — mais enclins à un comportement bestial ! Comment l'accueillerait-elle s'il arrivait jusqu'à elle ?

Lorsque Kennan s'était débarrassé de Juke, la sauto pointait droit sur le menthier. Juke n'était pas tombé très loin. Sur les feuilles mortes, il y avait les empreintes des roues.

Bien repérer le citron du soleil. Le cap devait être au sud-est.

S'il marchait pendant une centaine de lieues, entre eaux et forêt, de combien dévierait-il ?

A supposer qu'au départ Kennan ne l'ait pas mené dans une mauvaise direction...

Juke se laissa tomber devant le menthier et, un moment, il pleura.

17 — La bataille de la fleur

Dans une tanière de sable : une table de jeux à deux étages. Les deux niveaux être en forme de losanges. Plan supérieur transparent. Plan inférieur opaque. Mince pilier central transparent soutenir plan supérieur au-dessus du plan inférieur. Fines lignes noires diviser les deux plans en rangées de losanges.

Trente losanges multipliés par trente égaler neuf cents espaces disponibles en haut (y compris position au sommet de la tour). En bas, à cause de la tour, huit cent quatre-vingt-dix-neuf espaces disponibles.

Côté nord et côté sud, Imbriqué et Muskular lovés par terre. A genoux près d'Imbriqué, en livrée sable, Pelki-trois, pour déplacer les pièces et mémoriser les coups. Avec Muskular : Pelki-deux. Derrière chaque mage se tenir un porte-parole.

Silhouettes en verre rouge et vert occuper échiquier supérieur, représenter humains dont deux reines et des soldats, des Juttahats, des Isis et des coucous — ainsi que deux œufs bleus, symboles d'Ukkos.

Sur échiquier inférieur pièces être tortillons abstraits en métal brillant. Nature des pièces et signification des déplacements être différentes en bas.

Muskular envoyer pensées. Pelki-deux déplacer un serpent de plusieurs cases. Puis soulever un coucou en oblique vers espace tour.

Attentif à Imbriqué, Pelki-trois passer la main en dessous pour retourner pièce miroir abstraite, puis en déplacer une autre sur losange contigu. Finalement, au-dessus, Pelki-trois bouger un personnage rouge, un personnage vert et un œuf bleu vers un point de convergence.

— Encore trop loin d'espace tour ! dit l'esclave de Muskular.

Serpent à peau pourpre et runes indigo osciller de façon imperceptible et pourtant provocante.

— Reine fantôme être renversée, précieuse hôtesse, affirma l'esclave d'Imbriqué.

Sur espace tour, quand rouge, vert et bleu faire triangle, transférer pièce sur échiquier inférieur où significations et déplacements être différents !

Muskular bâiller, gouttelettes dorées suinter de ses crochets.

— Coucou fantôme être voilé, beau magicien. Être aveuglé.

Langue d'Imbriqué jaillir.

— Chose être à débattre.

— Précédent être dans Résumé de grande narration sur Origine du port des ancêtres Isis par leurs Juttahats. Alors : réciter, et contre-réciter ?

Imbriqué rechigner à une heure de pause dans la partie. Donc concéder point.

Doux être le carillon dans nid des tanières...

Deux jours avaient passé depuis le rapport qu'avait fait Karlo de la disparition de Kennan et de Juke en sauto.

Comment l'associé de Jack avait-il pu berner ainsi tout le monde ? Pourquoi n'avait-il pas contraint Kennan à venir au pied et à japper tout ce qu'ils souhaitaient savoir ? Le tricycle du fugitif était même tombé en panne. Il fallait que Juke soit l'âme de la fourberie et de l'obsession. Fou, en tout cas, en ce qui concernait sa sœur. Dément.

Quant aux semblants d'hommes de la hutte en os — le propre père de Juke et ses copains —, eh bien, ils ne savaient rien de valable. A voir Arto, avec ses jambes arquées, ses oreilles de bouc et ses doigts en trop, on se disait que Juke avait toujours joué à paraître celui qu'il n'était pas. Après toutes les faveurs qu'on lui avait accordées, ainsi qu'à l'ensemble de musiciens !

Les soldats royaux allaient-ils donc expédier vite fait les mutants ? Jack, conscient d'être lui aussi d'un genre assez bizarre, intercéda pour qu'on ne harcèle pas les quatre semblants d'hommes ni qu'on arrête Arto. On les laisserait vaquer à leur guise — après une nuit passée dans les alentours au cas où Juke reviendrait. (Ce qu'il ne fit point.)

Prut était sceptique sur le bien-fondé d'une attaque du nid des Velours — maintenant que le proclamateur s'était fait la malle, avec l'une des deux sautos, sans parler de sa connaissance de la forteresse des serpents. Pourtant, l'expédition ne pouvait pas simplement faire demi-tour et rentrer bredouille chez la reine. La carrière de Prut — sa peau même — serait en sérieux danger.

D'un autre côté, Jack restait tout à fait confiant. A cause de ses années comprimées, il manquait sans doute d'expérience. (Même s'il était papa de quatre terribles fillettes miniature !) Mais il savait provoquer les vents violents, la lumière et le froid qui vous engourdissent. De plus, il avait été élevé dans un nid isi. Les nids des Airains et des Velours ne devaient pas tellement différer.

Le lendemain matin de la défection de Juke, Jack avait briefé l'assemblée des Vert et brun, Vert et ombre, Buffle, soldats de bois et Bleus.

Ils se trouveraient devant des chambres, des couloirs courbes, de l'air fruité, des carillons, de la lumière pastel, des hibernacles, des casernes de serviteurs, des pièces à mettre bas, des jardins hydroponiques, des ateliers, un hangar à navettes. La ville étrangère se déployait sous terre. Elle comprenait plusieurs entrées cachées ainsi qu'une porte principale.

Ils avaient abattu deux jauniers qu'ils avaient ensuite émondés et tirés pour faire un pont jusqu'à la passerelle de l'aéronef. C'est donc bottes et chausses sèches que la troupe décolla pour se rapprocher du nid.

Pendant l'escale, personne n'avait aperçu de Juttahats dans les bois près de la hutte. L'effet de surprise jouerait pour les soldats royaux. Tant mieux. A la connaissance de Prut, pareille force n'avait jamais encore attaqué un nid de serpents.

— Air, porte-nous en silence, psalmodia Jack tandis qu'ils survolaient les bois, aussi bas que possible. Air, sois notre eau. Brise, emporte notre vrombissement dans le ciel hors de portée d'oreille, entendu ?

L'appareil sembla effectivement pétarader moins bruyamment.

Aperçus de routes étroites et noires, d'embranchements, de carrefours...

Des brumes montaient caresser le pare-brise du pilote et les hublots. Brumes manéennes.

Jack y mit toute sa concentration. Ses mains remuaient doucement, moulant les brumes pour que leur vapeur enrobe rapidement la carlingue tout en laissant un voile diaphane devant leur ligne de vision. A mesure de l'avancée pétaradante de l'aéronef silencieux, enveloppé dans son nuage personnel, il récita :

— Cache-nous

Et guide-nous
A travers ce labyrinthe
De brouillards...

Qui avait besoin de Juke Nurmi ? Certainement pas Jack Démon.

Les lieues s'égrenaient — et le pilote repéra, droit devant, un vide brillant dans la forêt.

Ne pas se poser sur ce terrain exposé devant l'entrée du nid. Ni trop près de là non plus !

Le pilote fit obliquer l'appareil. Bientôt un nuage s'effilocha sur une clairière carbonisée et embrumée où un bosquet de menthiers était réduit en cendres.

Prut envoya des soldats de bois en reconnaissance dans une direction, les hommes de Jaeger dans une autre. (Lentement : prenez votre temps — prenez toute la journée.

Ne cassez pas une branche, surtout vous, les gars des hautes terres pelées. Repérez les trappes dissimulées, ou les conduits d'air par lesquels pourraient se terminer les longs tunnels. Marquez-les, mais sans que ça se voie. Gare aux pièges.)

A la fin de l'après-midi, tous les éclaireurs étaient revenus sains et saufs. Rapports, rapports. Personne n'était tombé sur un piège. Personne n'avait trouvé de trappe.

La nuit, les soldats de bois firent des quarts de veille. La plupart des Vert et brun bivouaquèrent avec Jack, là où le brouillard dense devenait froid et collant.

Au milieu de la matinée, les soldats étaient tapis à l'orée des bois. A part Jack, tout le monde s'était noirci les mains et le visage pour ressembler — au moins superficiellement (malgré l'uniforme) — à un Juttahat de velours. Jack, revêtu de la livrée cuivrée qu'il affectionnait depuis si longtemps, était l'image même du Juttahat d'airain. Derrière la lisière de la forêt, la brume bouillonnait sur la chaussée noire et lisse. Dans la lumière diffuse et nacrée, ils surveillaient les deux petits dômes gardant l'entrée du repaire des Velours.

Un groupe de quelques Juttahats sortit au trot et se dirigea vers la route caoutchouteuse qui s'enfonçait dans les bois — loin de l'endroit où guettaient les attaquants de Fortunée. Quatre non-hommes. Laissons s'éloigner la patrouille.

La substance de la zone vide semblait vitreuse mais souple. Jack marmonna en lui-même jusqu'à ce que des silhouettes de brume y marchent entre les écharpes qui s'étiraient. Il enjôla les images fantômes de la patrouille disparue, mannequins de vapeur pour embrouiller les guetteurs postés dans les dômes.

Il avait apporté la sauto jusque-là. Mais à cause de la défection de Juke, il ne pouvait utiliser l'engin pour l'attaque. Il ne pouvait se permettre un tel avantage sur les hommes qu'il avait menés au danger. Il ne pouvait les laisser croire que lui aussi risquait de filer d'un saut quelque part ailleurs, au gré de sa fantaisie. Il gagnerait le cœur du nid à pied. Ben (et ses ulcères) resterait avec la sauto. Si la patrouille étrangère revenait à un moment délicat, Ben devrait sauter et amener les Juttahats à portée des canons du guidon...

Bientôt, Jack, Prut et les soldats se mirent à trottiner à découvert. La brume les masquait. Dans le brouillard ils étaient devenus fantômes...

... jusqu'à ce qu'ils atteignent l'ouverture de la galerie souterraine que flanquaient les dômes. Là, un rayon brûlant jaillit d'une fente dans le dôme de gauche. Un soldat de Jaeger hurla.

Comme si le soleil faisait son apparition dans le brouillard à l'endroit même où était Jack, le jeune homme resplendit. Un éclat l'irradiait. Par contraste, l'obscurité inonda les dômes. Une brume d'encre les ensevelit, formant une croûte de glace sombre. Les occupants seraient aveuglés, figés, engourdis pendant une heure.

En poussant des cris, Jack entraîna les soldats dans la tanière tarabiscotée. Ils tiraient des rayons brûlants et des balles sur les Juttahats rencontrés dans les couloirs, plus pour les décourager que pour les tuer ou les blesser. Ceux qui étaient près, Jack les figeait et les pétrifiait.

Cela donnait sans doute l'impression qu'un Juttahat airain investi d'un pouvoir manéen envahissait la demeure, à la tête d'une troupe de silhouettes ambiguës habillées d'uniformes divers. S'agissait-il plutôt d'humains déguisés ? Le plus ostentatoire des uniformes affublait des individus imperméables qu'un couteau égratignait à peine.

Aucune explication pour ce qui arrivait. La réaction adéquate était problématique ! Les jeunes en barboteuse noire détalaient. Un vacarme métallique résonnait dans l'air. Ni carillons ni cloches, mais des sonneries stridentes, insistantes.

L'intention n'était pas de tuer gratuitement. Si seulement les soldats pouvaient se le rappeler, une fois emportés par la passion ! Les tueries sans motif provoqueraient une réponse puissante. Des Juttahats indemnes afflueraient en masse pour submerger les envahisseurs et même pour les déchirer à mains nues. Pouvoir se retirer du nid à la fin demandait le maximum de confusion — et un otage isi à libérer quand ils atteindraient l'aéronef royal.

Un serpent dans une tanière de sable oscillait ; son esclave babillait.

Capturer cet Isi-ci ? (Éviter ses crochets. Les hommes de bois devaient être imperméables au venin, du moins à leurs effets immédiats.)

Il était trop tôt pour s'encombrer. Trouver d'abord la fleur, la fleur que Juke avait vue.

Un Juttahat se précipita d'une arche et leva son arbalète. Une balle explosa dans la poitrine d'un homme de la bâtisse en H. Le cadavre s'effondra — et le tireur non homme resta sans énergie, sans rien faire de plus. Témoin sous contrôle.

— Ne tirez pas ! cria Jack à son groupe désordonné.

Arbalète à un coup. Ce Juttahat ne faisait aucune tentative pour recharger, ni pour se mettre à couvert sous l'arche. Il regardait simplement, les yeux nictitants, les narines tressaillantes.

— Ne pas tuer lui !

Les armes s'agitèrent.

— Juttahatphile ! s'exclama un homme de la bâtisse en H.

Un pistolet laser se tourna vers Jack.

Jack gifla l'arme pour l'écarter rapidement.

— Ne pas tirer ! On était d'accord !

— Même éduqué, un non-homme restera toujours un non-homme.

— Une violence excessive, espèce d'imbécile, et nous sommes tous morts, cracha Prut.

Un peu plus tôt, les verres de l'adjudant étaient tombés et on les avait piétinés. Il cligna devant le protestataire puis regarda le Juttahat qui restait planté là. Était-il terrifié et incapable de faire un pas ?

— Nous ne prendrons pas une vie pour une vie, tu m'entends ? Si tu n'arrives pas à comprendre, ce sera la tienne, pour insubordination.

Les Vert et marron de Sariolinna grognèrent leur accord.

Épargnant le tireur d'élite, ils continuèrent leur progression ; et aucun Juttahat ne leur tendit plus d'embuscade.

Dans une longue cuisine pleine de vapeur, des cuisiniers en livrée triaient et empilaient des biscuits. Ils claquaient et sifflaient les uns pour les autres. Tout d'un coup, les esclaves se turent et s'immobilisèrent.

— Se rebeller et nous rejoindre ! cria quelqu'un, en vain.

Jack bouscula un non-homme sans rencontrer de résistance, s'empara de plusieurs biscuits et les fourra dans sa bouche. Les miettes se répandirent. Il resplendit. Un soldat de Jaeger tira sur une dame-jeanne de sirop, brisant le verre et libérant un flot visqueux. Les intrus continuèrent leur chemin.

Jeu manquer de résultat clair, pourtant avoir commencé à carillon tôt. En conséquence magiciens retourner, portés par serviteurs, dans tanière de la fleur.

Magiciens rivaux se frotter l'un l'autre. Douce vanille, caresses mutuelles des serviteurs mâles, mélange de lumière pastel.

Muskular espérer Imbriqué fertiliser œuf en elle ? Capturer son code et l'incarner. Œuf être lointain parent d'Ukko par métonymie tirée par les cheveux. Muskular être penseuse multiple. Imbriqué être ingénieux aussi !

Muscles onduler, massages mutuels, éviter autant que possible l'horrible empreinte de main, signe de honte. Muskular être stimulée par cette marque ? Comme si Imbriqué faire partie d'un cheptel ? Alors qu'Isis devoir contrôler humains ! Main être outil de manipulation. Splendides Isis manquer de manipulateurs jusqu'à ce que serviteurs obéissants écoutent cerveaux isis. Ceux de la Main être ordonnés comme outils de forme rationalisée parfaite. D'où excitation/risque pour Airains quand élever agents autonomes « Jarl Pakken » et « Goldi ». Néanmoins, ces serviteurs se révéler loyaux. Agile Muskular ressentir frisson comparable devant emblème autonome étranger sur peau d'Imbriqué ?

Sonnerie discordante !

Pensées confuses de nombreux serviteurs :

(Intrusion... !

(Confusion... !

(Humains en livrées diverses, menés par un en livrée airain...

(Familiarité avec habitat isi...

(Juttahat airain à pouvoir manéen ressemblant à humain...

(En livrée juttahate, oui... !

(Aveugler spectateurs, ha...)

Un puissant serviteur airain — un serviteur autonome — envahissait le nid des Velours à la tête d'une flopée disparate d'humains qu'il devait ensorceler !

Un serviteur qui ressemblait à un humain...

Un serviteur capable d'ensorceler.

Jarl Pakken, guéri de son état de zombie ! Bien sûr.

Les parents magiciens d'Imbriqué rendaient sa vigueur à Jarl Pakken. Le serviteur autonome ne recouvrait pas seulement sa vigueur, il atteignait un grand pouvoir manéen. Il menait des soldats envoûtés pour sauver Imbriqué, dont on connaissait donc la captivité/hébergement dans son nid d'origine.

Il ne menait pas des combattants venus de son nid d'origine. Naturellement. Cela aurait provoqué la guerre entre les nids ! Persuader humains à la place. Humains le servir. Serviteur savoir comment parvenir à cela !

Projet airain réussir.

Pas grâce aux magiciens mais grâce à un serviteur. Lui être élevé pour indépendance puis subir mort-vivante. Recevoir mort-vivante d'une princesse donnant longue vie. Pourtant guérir. Gagné ascendant sur foule d'humains. Venir loyalement libérer être à l'origine de son existence : Imbriqué.

Imbriqué osciller contre Muskular. Muscles contester. Lumière manéenne bouffer de leurs cornes.

Imbriqué projeter :

Oyez, serviteurs de Velours : ne pas maltraiter serviteur

airain et accompagnateurs ! Permettre accès à magicien Imbriqué ! Qi'sukou ku xou'si zi'kaxi...

Formidable de se diffuser de pareille façon vers serviteurs de teinte différente. Indécision devrait en fin de compte résulter.

Serviteur personnel d'Imbriqué lutter avec celui de Muskular. Ne pas cogner l'Ukkoscope ! Ne pas renverser la fleur !

Imbriqué comprendre son erreur. Le rayonnant garçon en livrée familière être le rejeton de Jatta Sariola ! Jack Vif-Argent, doté à présent de quelques poils sur la lèvre supérieure.

Lumière étourdir Imbriqué. Muscles mous même si esprit alerte. Serviteur personnel rester paralysé, mains enlacées avec mains du collègue. Toujours capable d'émettre.

Condition de Muskular être semblable.

— Tous les deux rester tranquilles, ordonnait Jack.

Combien de temps ce Jack pouvait-il maintenir son pouvoir manéen ? Il avalait un biscuit et en serrait un autre dans sa main.

Autres uniformes dans la tanière, et à l'extérieur.

Cuirs, visages, armes. Yeux scruter magiciens réunis sur plate-forme rocheuse. Regards fixer serviteurs inactifs mains entrelacées, console déserte de l'Ukkoscope. Piédestal de marbre blanc. Dessus, grande forme ovoïde en verre contenant tubes et cellules dans lesquels clignoter lumières bleues. Regards fixer fleur cireuse à longue tige dans son flacon de liquide nutritif. Pétales en forme de cuiller bouger lentement.

Contempler la fleur. La fleur. Les magiciens. L'un aux jolies écailles chatoyantes décorées de runes ocre et fer, sauf sur la partie déformée. L'autre pourpre, avec volutes indigo.

Relent de sueur humaine — et de résine. Hauts shakos surmontés de pompons blancs coiffer personnages au visage à grain de bois. Chair s'être muée en bois. Bois être devenu flexible. Humains métamorphosés par Mana.

Jack exécuter grand sourire devant la difformité d'Imbriqué. Essuyer miettes sur ses lèvres, soutenir regard noir brillant du magicien d'un œil pétillant.

— N'est-ce pas le grand magicien Imbriqué ! (Regard

de Jack s'étonner, se durcir.) Minkie Kennan vous a amené ici depuis le palais de Pohjola ? C'est lui qui vous a amené ici, magicien ?

Incompréhension.

Kennan être le nom du sautard délivrant Imbriqué des oubliettes avant de se débarrasser de lui violemment ?

Profondes implications ?

La réponse du serviteur d'Imbriqué être ambiguë :

— Oui, nous nous être échappés.

Le méprisant officier aux chevrons en argent et au baudrier chuchotait de façon pressante à l'oreille de Jack :

— Kennan a amené le magicien airain ici ? Alors il est allé où vous savez... Les Isis doivent déjà savoir exactement où c'est !

— Pourquoi n'ont-ils pas encore...

— Peut-être qu'ils ne peuvent pas. Peut-être qu'ils n'ont pas l'autorisation, malgré tous leurs efforts.

Un coup d'œil à l'Ukkoscope et à la fleur dans son vase.

— Je vais vous dire, ils sont tous ensemble pour ça. Kennan agissait pour les Isis. Sinon pourquoi aurait-il sorti le serpent d'airain des oubliettes du palais après avoir assassiné le prince ?

— Vous emmener mon maître avec vous ? demanda le serviteur d'Imbriqué d'un ton faussement inquiet. Magicien Imbriqué avoir résisté à vos questions.

Bonne idée d'échapper à l'hospitalité des Velours par cette ruse ? Mériter autant d'analyse qu'un mouvement vers espace-tour ! Malheureusement, pas le temps de réfléchir. Oh, mais être manipulé par humain une fois encore !

Fugitive bouffée de caramel amusement émaner de Muskular...

Serviteur de Muskular constater :

— Prisonnier déjà, prisonnier encore.

Muskular ne s'opposait pas au départ forcé d'Imbriqué. Elle ne souhaitait pas l'enlèvement elle-même.

Jack fourra le dernier biscuit dans sa bouche pour libérer ses mains. Il souleva le vase et la fleur avec délicatesse.

La voix de Muskular prévint :

— Notre trésor devoir faner sans le bénéfice de mes venins.

Jack répondit :

— Moi avoir connu pareilles fleurs avant, et moi avoir une influence sur elles.

Surprise chez sa tortueuse splendeur.

— Être quand ?

— Dans nid airain, magicienne de velours.

Imbriqué déduisait que Brille-Estivan avait supervisé l'éducation de Jack Pakken... Fleur risquer quand même de périr privée des habituels sucs de crochets.

— Dernière fois moi en voir une être soir de ma nuit de noces, en fait.

(Il était tellement préoccupé à ce moment-là, il se souciait peu de bouquets, tout à son envie de June.)

Muskular exhaler faible lumière manéenne. Jack briller. Muskular arrêter.

— Combien d'Ukkos dans la mer stellaire ? (La voix de la magicienne était songeuse.) Beaucoup. Peut-être.

— Ah oui ? demanda le grand officier osseux. Combien ?

D'autres voix s'élevèrent pour savoir. Ces envahisseurs sentaient la nervosité, mais entendre des allusions si révélatrices de la voix d'une magicienne isie ! De plus : on avait temporairement un tel sentiment de sécurité dans cette petite grotte bondée. Tandis qu'une fois sortis de ce sanctuaire... Ça être une autre affaire !

— Précieuse Isie contrôler huit Ukkos, avouait Muskular. Desservant Étoile-serpent et sept mondes parents à nous. Moi raconter récit ?

Grande narration imminente ? Muskular gagner du temps par appât délectable en attendant diminution du pouvoir de Jack Pakken ?

Un uniforme vert et ombre osait demander :

— Excusez-moi, mais n'y a-t-il que des serpents et des Juttahats dans vos autres mondes ?

Uniforme buffle :

— Y a-t-il d'autres sortes d'étrangers ?

Ces humains s'imaginaient-ils en audience chez un magicien, accordée par le seul fait de leur témérité à envahir la tanière ?

Muskular exhaler vapeurs de caramel.

Sa voix disait :

— Si un seul exemple de vie savante exister — nous,

y compris serviteurs élevés par nous — un exemple être le nombre total. Vu rencontre avec humains, beaucoup espèces savantes exister. Si deux, alors beaucoup !

« De plus, vous demander vous : avant arrivée des Ukkos à Étoile-serpent, quoi Ukkos faire ? Quelles narrations occuper leur attention ? Vous considérer nature du mystère. Ces véhicules manéens naviguer sur mer stellaire et distribuer pouvoirs ainsi que folies pour leur plaisir afin que récits être exubérants. Histoires de quelles espèces avant ?

Buffle interrompait :

— Est-ce que les Ukkos ont amené des coucous dans votre monde ?

Langue sortir en vitesse.

— Brillante question. Certains grands insectes volants natifs de notre monde cliquer et striduler en imitation des voix de serviteurs à nous. Ces insectes être les coucous de nos mondes.

Jack gigotait, Jack ne tenait pas en place. La tige de la fleur d'Ukko se courbait d'un côté, de l'autre. Jack ne voulait plus perdre de temps.

Quel magicien emmener comme sauf-conduit ? Lequel ? Velours, qui cancanait ? Ou Airain le messager dont Minkie était complice ? Airain qui refusait la coopération, et par conséquent en savait davantage ?

Le capturer uniquement comme sauf-conduit ? Ou le ramener à la bâtisse en H et rendre son fugitif à la reine ?

Quelle cacophonie assourdissante dans l'atmosphère ! Comme pour une invasion imminente.

Trois soldats de bois passer armes à leurs camarades. Maladresse de mains humaines inexpérimentées saisissant le corps d'Imbriqué. Pire que la poigne humaine, plus dure ! Retenir ce précieux-ci. Trois être nécessaires pour manipuler ses anneaux. Hideux et dégradant. Ventre douloureux, odeur fétide sourdre des glandes anales. Se retenir quand même !

Aucune contre-attaque ne fut déclenchée lors de la retraite précipitée et tortueuse du nid. Jack, illuminé, portait le soliflore. Trois hommes de bois se dépatouillaient avec le serpent étiré.

Le groupe des attaquants sortit entre les dômes jumeaux de surveillance, dans une brume moins épaisse. Les hommes eurent la stupeur de découvrir qu'une partie de la zone synthétique qui s'étendait entre eux et la forêt avait gonflé et formait une colline.

Cette colline grossissait toujours. Sa peau craquait. A l'intérieur apparut la carcasse noire d'un obus à la verticale.

Une navette isie décollait de son hangar souterrain.

— Douce Mana, regardez-moi ça !

— Regardez, mais regardez donc !

Se dépêcher. Bientôt chaleur se répandre et brûler. Tonnerre assourdissant gronder. Velours sortir vaisseau comme arme pour enflammer uniformes et soldats de bois, cramer viande et magicien captif, dessécher fleur d'Ukko.

Décamper, courir.

Imbriqué se tortiller dans effort pour propulser ses geôliers. Aucun autre moyen de communiquer, intrus avoir commis gaffe — si comique caramel juste un carillon plus tôt — de ne pas avoir emmené aussi sa voix.

Comment le questionner alors, une fois lui captif ? Enlever un Tulki d'airain par la suite ?

Prut s'efforçait de voir ce qui à présent obstruait la route de leur retour. Les flancs de la colline se retiraient. Ils se fondaient à la plaine. Reconstituaient le sol sous la navette. Le vaisseau se tenait prêt à décoller.

— La route ! cria Jack. Courez vers la route !

S'éloigner de la navette. Gagner la route noire et caoutchouteuse. Un blizzard spasmodique et localisé accompagna Jack et les soldats. Les trois hommes de bois portant le magicien étaient à la traîne, ralentis par le fardeau qui les reliait les uns aux autres.

Si Imbriqué pouvoir se lover autour de poitrine et épaules, seul un porteur serait nécessaire ! Porteur pouvoir trotter.

Alternative : file indienne comme pour porter Isi malade.

Imbriqué émettre bouffées de lumière.

Porteur s'emmêler les pieds. Trébucher sur autre porteur. Imbriqué glisser. Soldats de bois s'étaler, magicien avec. Échec total.

A califourchon sur la sauto, Ben, derrière le rideau d'arbres, observa le vaisseau noir à la verticale. Des pulsations faisaient trembler le sol. La vibration croissante lui fit grincer les dents. Ses ulcères aux pieds se mirent à le démanger furieusement.

Après l'éclair et l'obscurité qui s'étaient produits aux alentours des dômes — une demi-heure avant ? — les fantômes pièges avaient disparu. Depuis, les brumes s'étaient effilées. Des silhouettes empressées étaient clairement visibles, accompagnées de tourbillons de cendres soulevées par le vent. Non, de la neige. Le chef vêtu de bronze devait être Jack Démon. Derrière lui couraient les Vert et brun, les Buffle et les autres.

Ces fichus pieds ! Il ne serait bientôt plus utile à rien ni à personne. Seulement capable de geindre et de boiter. Ne pourrait jamais piquer un sprint comme les gars là-bas. Ça leur faisait une belle jambe !

Encore jamais vu une navette décoller. Mais il imaginait. Vvoush : tempête de feu. Jet de gaz brûlants et de vapeur capables de vous renverser et de vous peler. De faire fondre des flocons de neige, ça oui. Ils n'arriveraient jamais à atteindre les bois !

Bon sang, ce maudit battement dans ses guibolles, aggravé par la fusée. Ça arrêtait l'inquiétude. Ça arrêtait les pulsations. Ben fit rouler la sauto dans un creux de la surface synthétique puis sur une bosse. Tourné maintenant vers le haut, il s'appuya en arrière. Oh, ce que ça grattait !

Poignée rouge, et feu. Poignée bleue.

Au milieu du grondement de la navette, Jack entendit un bruit nerveux de ferraille, comme si au loin un mendiant furieux secouait ses quelques pièces dans sa sébile d'étain. Un soldat de Jaeger le rattrapa.

— Vu une sauto par là. (Il montra la direction, écartant les flocons.) Elle a disparu...

Le faible cliquetis avait cessé, mais le bruit plus important du moteur diminuait.

La navette n'allait pas décoller après tout. Elle restait là.

— Prendre à droite, à droite ! cria Jack.

A peine avaient-ils changé de direction que la patrouille juttahate reparut là où la route noire sortait des bois. Les non-hommes ouvrirent le feu. Un coup de rayon brûlant. Un carreau, trop court. Une balle fila au-dessus des têtes. Une autre balle, et un autre rayon.

Un homme de la bâtisse en H tomba. Un soldat de bois vacilla mais continua à avancer. Son shako était tombé, exposant sa tête chauve et cirée. Les soldats en fuite retournèrent quelques coups de feu imprécis pour décourager l'ennemi.

D'autres Juttahats se déversaient de la bouche du nid. Loin derrière, les trois hommes de bois cessèrent de s'efforcer de reprendre le magicien airain qui se tortillait. Ils n'eurent d'autre choix que d'abandonner le serpent, et de foncer dans une nouvelle direction.

Lorsque les forces de Jack et de Prut arrivèrent à l'aéronef, l'effectif de départ était réduit d'un quart. Ben à l'haleine fruitée avait de toute évidence héroïquement sauté dans la navette. Il n'y eut même pas une sauto à embarquer avant le départ précipité. Quatre soldats étaient blessés. Seule une victime, un homme de Jaeger, dut voyager couchée, calmée par engourdissement de Jack. Au voyage de retour, on serait moins serrés.

Le pilote était resté sur place, avec quatre compagnons, pour garder le véhicule royal. Quand il fit décoller l'engin, Jack caressa la fleur dans son vase. Bientôt les pétales cireux se replièrent vers l'intérieur. Au bout d'un moment, ils s'écartèrent de nouveau. Comme s'ils cherchaient péniblement à respirer, mais à un rythme végétal. Jack murmura des mots doux à la fleur, trophée de l'attaque.

18 — Gala arrosé

YULISTALAX S'ÉTAIT PEUT-ÊTRE ARMÉE DE COURAGE POUR recevoir l'habituel flot des festivaliers — c'était optimiste, étant donné la guerre ! — mais c'est un flot différent qui descendit du ciel. Le gala devait être arrosé comme jamais auparavant.

Le soleil d'automne brillait presque toujours pendant les trois jours de fête. Cette année, des rideaux de pluie s'abattaient sur Yulistalax, trempant les pavoisements, transformant le labyrinthe des ruelles en dédale de torrents.

Les averses inondaient la cuvette large de trois lieues de la Vallée des Orateurs. L'eau dégoulinait sur les terrasses. Les tribunes face à la scène des proclamateurs étaient sous l'eau. La butte centrale devenait une île entourée d'une douve marécageuse et peu profonde. Sur la crête, les harpiers bronze et or étaient trop mouillés pour vibrer. L'acoustique était épouvantable, le martèlement des gouttes pénible.

Le public aurait été plus clairsemé si bon nombre de festivaliers n'avaient pas eu de considérables distances à parcourir pour venir.

Parfois la pluie s'arrêtait dix minutes. Le temps d'une récitation sur la terrasse des poètes. Puis la sinistre masse nuageuse grise pissait de plus belle. Le chaman de Lord Maxi Burgdorf s'était bien égosillé et avait creusé une cuvette de taille à force de danser pour assécher le ciel.

Une aubaine pour les vendeurs de poisson rôti et de crêpes, ou pour les diseurs de bonne aventure et colporteurs ; même si la demande allait davantage vers les grogs. Un seul coucou trempé perchait sur un mât-mangeoire. Les oiseaux cancaniers semblaient avoir décidé qu'il ne se passerait rien de particulièrement remarquable cette année. Seuls quelques proclamateurs avaient fait le déplacement.

Peter Vaara et sa troupe de comédiens allaient donner un spectacle dans la plus grande des tentes, sous abri, hurlait un crieur.

C'est vers ce chapiteau que Bosco escortait Pénélope Conway, sous un grand parapluie bleu ciel à joli manche de bois ivoire. Y avait-il un autre pépin semblable en vue ? (Quand avait-on eu besoin de pareil accessoire au gala ? En apporter un était défaitiste.) Ce parapluie conférait un aspect cérémonieux à leur progression à travers les terrasses détrempées : consul pootarien et résidente terrienne sous un dais mobile.

(— Qui sont ces deux-là... ?)

(— Noirs comme les Juttahats des Velours... !)

(— Tu ne sais pas, mon gars, c'est la châtelaine de la forteresse de la Terre...)

(— Qui sort avec un marin pootarien...)

(— Non, c'est le patron de la boutique de casse-tête

à Finisterre, crois-moi. J'lui en ai acheté un un jour pour les gosses...)

(— Alors pourquoi qu'ils marchent bras dessus, bras dessous... ?)

C'était le meilleur moyen de rester raisonnablement secs. Même ainsi, le bas du sari olive de Pénélope était trempé, et pareil pour le boubou or et safran de l'homme.

— Pénélope... (La belle voix de basse de Bosco roulait sous l'abri partagé. Que ce nom était noble et succulent !) Comprenez bien que ce temps pourri ne juge pas votre décision de m'amener ici. Allons, c'est pour vous que je suis resté si longtemps dans ce pays de fous.

— Je ne peux me permettre de céder à de tels sentiments, Bosco. Je vous ai demandé de m'accompagner en raison de votre... sérieux.

Éclat de rire sonore.

— Nous en avons tous les deux. Imposant comme pas deux. C'est bien. Je ne voudrais pas avoir plus de poids que vous. Miriam ne vous désapprouve pas. Elle veut simplement que je rentre chez nous, dans l'île ; que je cesse de tourner des idées dans ma tête. (Du manche en bois d'ivoire il effleura son tarbouche à perles.) Des idées sur vous. Une idée peut en amener une autre.

Bien sûr, il savait que la femme grisonnante et ronde à ses côtés avait renoncé à garder sa matrice, en gage de neutralité émotionnelle.

— Dernièrement, avoua-t-elle, j'ai rêvé que la forteresse terrienne brûlait comme une chandelle allumée par Wex. J'ai vu une lune brillante suspendue dans un ciel de midi, juste au-dessus de la flamme. J'ai rêvé de combats, sur le champ d'harmonie, entre des Juttahats agitant des épées et des brutes bizarres qui soufflaient des flèches enflammées de leurs trompettes. Protégez-moi de ces visions maladives, Bosco.

— C'est pourquoi je suis ici, répondit-il, et il décrivit un panache chevaleresque avec le parapluie.

— Il y a un immense potentiel de folies ici au gala. Vous ne le sentez pas ?

— En dépit de la douche que prennent ces gens ?

— Le temps lui-même est détraqué.

— Maladie manéenne. Je vois.

— Fièvre dans cet omphale manéen.

Il examina la cuvette et ses terrasses.

— Il n'y a pas trop de monde dans ce nombril, aujourd'hui.

— En fait, ce n'est pas l'omphale. C'est l'endroit où se trouve la petite Ukko. Si Fortunée vient, ce sera le dernier jour. Demain. Quand les proclamateurs entreront en lice.

— Vous pensez toujours qu'elle va quitter son champ de bataille pour venir ici essayer d'utiliser le gala pour convoquer l'enfant Ukko ? Si elle existe.

— Elle doit exister dans un rayon d'une centaine de lieues d'ici, sinon Pootara serait également affectée par Mana.

— Le gala ne semble pas vouloir coopérer, Pénélope.

Ils avaient deux chambres contiguës, au Dame Fortunée. Si la reine arrivait et cherchait à se loger pour la nuit, quelle autre auberge choisirait-elle pour elle-même et son entourage ? Elle n'accepterait certainement pas de chasser la résidente de la Terre de son logement. Pénélope risquait de se retrouver voisine de Sa Majesté.

Yu gardait l'aérocolombe sur le terrain d'atterrissage de Maxi Burgdorf, avec une petite équipe bien armée. Pénélope avait préféré la présence à ses côtés de Bosco plutôt que celle de son assistante chinoise en cas d'une rencontre, ou d'une confrontation, avec la reine. Yu aurait pu avoir une attitude trop doctrinaire. Elle risquait d'agir comme si la Terre devait contrôler, de droit, la petite Ukko — à supposer que Fortunée réussisse à la faire apparaître.

Des idées dans ta tête, ma fille. Réfléchis.

— Le plus grand dramaturge de Kaleva va incessamment commencer son spectacle... !

Bosco referma le parapluie bleu ciel et, avec Pénélope, entra sous le chapiteau. Il y avait déjà bon nombre de spectateurs mouillés à l'intérieur. Ils tendaient le cou. Bosco utilisa sa corpulence pour se frayer un passage — mais pas jusqu'au premier rang où les Burgdorf se consolaient bruyamment à propos de l'averse. Le tout petit Lord Maxi, en habit de velours bourgogne, portait une haute toque de fourrure. Mitzi, plus grande que son mari, avait le tact de ne rien porter sur ses cheveux trempés. Pénélope ne souhaitait pas être mêlée à leurs griefs météorologiques. Maxi et Mitzi se firent taire l'un l'autre quand le spectacle commença.

Il faisait sombre sous le chapiteau. De quelle largeur était cette caverne de toile ?

Une toile de fond nocturne, grenat ou noire, donnait une impression d'infinie profondeur, attirant à elle les comédiens vêtus de noir si bien qu'ils semblaient minuscules et lointains. Il y avait de grands espaces ouverts, la scène était assez profonde, assez vaste pour rassembler une kyrielle de protagonistes. Dans les profondeurs où évoluaient les acteurs, le corps gainé d'un justaucorps noir, la chevelure recouverte d'une cagoule, on ne voyait flotter que leurs mains et leur visage.

Un instant plus tard — un souffle plus tard —, la reine Fortunée était présente sur la scène...

Des voix parlaient en chantant. Malgré la distance et le tambourinement de la pluie, on entendait les voix des homoncules presque à l'intérieur de sa tête.

Pénélope reconnut la silhouette volontaire, non pas tellement d'après ses portraits, mais avec une certitude impérieuse.

— Elle est déjà là ? s'exclama-t-elle à l'oreille de Bosco.

— Comment... ?

— Fortunée est là, elle participe à...

Pénélope se mordit doucement la lèvre, et Bosco lui serra le bras pour la réconforter.

— Illusion, illusion...

Oui, une illusion. Et pourtant aussi une révélation des événements récents, conjurés de façon si vivante que l'on ne voyait pas des mains et des visages seuls, mais des corps, des robes, des uniformes. Peter Vaara avait rencontré la reine quelque temps auparavant...

Vaara — le dramaturge en personne — incarnait un infâme van Maanen très séduisant.

Qui avait-il séduit, sinon la petite princesse à son côté ? Comme Menuise marchait fièrement. Comme elle faisait du chiqué. Un Juttahat s'approcha d'elle. Humble et obséquieux, l'étranger titubait sous le poids d'un Isi de taille intimidante, entr'aperçu, dont les rouleaux s'entassaient en hauteur. Ce monstre était aux petits soins pour Menuise — malgré lui, mais elle lui avait soutiré un serment. Sinon il l'aurait volontiers décapitée.

Fortunée semblait très loin de Menuise et d'Osmo. Proche dans la réalité, elle était loin dans la fiction. Son pasteur de guerre priait. Quelques instants plus tard, il se muait en soldat de bois, tenant une grappe de bébés dans ses bras...

— Et demain les sœurs l'horreur

« La peste répandront...

Qu'est-ce que c'était que ces nymphes hurlantes que faisait apparaître l'acteur ?

Vaara et sa troupe excellaient, non seulement à envoûter l'auditoire témoin de choses déjà connues, mais à lui faire découvrir une version de ce qu'ils avaient récemment vu eux-mêmes — et les conséquences de ces événements. Il semblait qu'une séance de divination se produisait là, sous le chapiteau, où l'espace était réduit à un mouchoir de poche, et où l'image des comédiens se multipliait sur la rétine en une foison de gardes royaux qui livraient bataille, de villageois qui mouraient, de soldats malades et d'hommes de bois en marche.

Tournant et tremblant, une sphère fantomatique de lumière pendait sous la voûte de toile. Chandelier accroché haut. Lune déformée. La reine l'appelait. Elle se démenait de toutes ses forces. L'autre reine, Menuise, essayait de repousser la lumière tandis que le serpent bouffi apparaissait au-dessus d'elle.

L'éclat faiblit d'un coup ; et bien qu'à terre il n'y eût que de l'herbe, on entendit comme un fracas de verre brisé sur de la pierre.

Des éclats de lumière jaillirent dans le public. Les spectateurs battaient des bras comme s'ils étaient assaillis par une nuée d'insectes phosphorescents.

Qui était ce lumineux comédien apparu de derrière la toile de fond ? Son jeune visage et sa livrée airain étaient illuminés. A la main, il tenait un vase contenant une fleur fanée couleur de mildiou.

Même Osmo/Vaara et sa troupe s'interrompirent, stupéfaits.

Et qui était ce type aux boucles noires, trempé, en manteau, qui fendait le public, accompagné d'un chauve très bronzé en uniforme olive ?

— Wex ! s'exclama Pénélope. Gurrukal !

Le pilote indien visa, puis vira vers Pénélope et Bosco.

— Ah, madame, ainsi vous êtes là.

— Monsieur Gurrukal ? Mais comment... ?

— Nous avons posé notre aérocolombe près de la vôtre. Ce n'est pas le temps idéal pour voler ! (D'un ton urgent et confidentiel.) Nous n'avons pas retrouvé Cully, voyez-vous, madame, mais nous avons aidé le seigneur des rêves à se réveiller, et ensuite nous avons appris que Minkie Kennan avait reparu...

— Vous voulez concurrencer les coucous ? demanda Bosco.

— Plus tard, vous nous raconterez cela plus tard, dit Pénélope au pilote.

Wex était arrivé près des comédiens.

— Jack Pakken, appela-t-il. Jack, c'est toi.

Il y eut une agitation dans le public.

— C'est le petit-fils démon de la reine !

Une paire de gardes de Maxi Burgdorf, en uniforme de serge et casquette à cocarde cramoisie, se frayèrent un chemin vers l'avant. L'un brandissait un gourdin. L'autre une arbalète.

— Votre Seigneurie, annonça tout haut le premier, l'aéronef royal a atterri tout près...

— Quoi ? Quoi ? cria Maxi Burgdorf.

— Des soldats de bois ont transporté un blessé dans une cabine, appelé un médecin...

— Trouvez-en un. Trouvez-en deux...

— La reine est là, souffla Pénélope à Bosco.

Le dramaturge avait levé ses deux bras enveloppés de noir en triomphe. Ses mains blanches faisaient comme deux oiseaux planant au-dessus de lui. Quel jour merveilleux, malgré la pluie ! Sa pièce manéenne attirait des protagonistes. Les modèles de sa mascarade à ce qu'il semblait.

— Vous, dit Jack à Vaara, prenez ça.

Il lança le soliflore dans sa direction. Son éclat s'estompait.

Baissant les bras, Vaara accepta comme un étrange tribut floral l'offrande de cette fleur molle et languissante, à deux doigts d'expirer.

— Faites que la fleur reprenne des forces, Peter Vaara. (Un tremblement dans la voix du Vif-Argent.) Rendez-lui la santé, vous voulez bien ?

Malgré sa moustache, il redevenait un petit garçon qui faisait appel à un illusionniste.

Sans se démonter, Vaara scruta les pétales malades, la tige faible.

Wex, ou son wetware, tendait la main pour l'attraper.

— Tu as cueilli ça dans l'enfant Ukko, Jack ? Non, c'est impossible... Elle vient bien de là, non ? Est-ce qu'elle indique la direction, comme une baguette de sourcier ?

Dès que la main de Wex effleura la fleur, un pétale tomba. Puis un autre. Rapidement la corolle se désagrégea. La tige pendouilla comme une ficelle mouillée.

Jack Pakken fila à travers le public qui s'écarta pour éviter son contact étrange. Sous la pluie, on le vit s'emparer de deux casse-croûte fourrés de porc et de poisson grillé à un stand. Peu après, il était à bord du grand aéronef aux yeux vermillon. Malgré les averses, de nombreux spectateurs l'avaient suivi dehors, pour regarder et faire des commentaires.

— L'est apparu comme par enchantement, pas vrai... ?

— Imbécile, y a une entrée à l'arrière du chapiteau...

— Fortunée est à bord... ?

Wex n'avait pas tenté de poursuivre Jack. Au lieu de cela, il questionnait Peter Vaara. Le dramaturge semblait tout à fait anonyme maintenant que son spectacle était arrêté. Mathavan Gurrukal, à côté de Pénélope, brûlait de lui raconter son histoire. Devait-elle l'écouter d'abord ? Devait-elle accrocher Wex ? La reine, la reine était dans son aéronef juste dehors.

— Je dois rencontrer la reine, dit-elle à Bosco.

— Pénélope, si j'allais d'abord m'assurer qu'elle est bien là ?

Sa voix sonore, raisonnable, inspirait une telle confiance.

— Vous avez raison. Je ne devrais pas laisser Wex livré à lui-même.

Précédés de leurs deux gardes, Lord Maxi et Dame Mitzi étaient impatients de traverser la foule des spectateurs. Bosco, devant eux, ouvrit son pépin, comme un grand oiseau bleu à une seule patte blanche et pied tordu qui s'élevait vers le ciel.

— Merci, mon brave ! fit Maxi, ravi. Humm, un manche en bois ivoire, si je ne m'abuse, et vous êtes noir comme du cirage.

Le minuscule Maxi détailla l'habit du splendide géant, puis son tarbouche.

— Qui êtes-vous, le prince de Pootara, honorant mon gala de sa présence ? Mes excuses pour la pluie, mais vous êtes venu bien préparé. Un sceptique pootarien ! Merci, merci.

— Chez nous il n'y a pas d'aristocrates, monsieur.

— Vous avez certainement la nature d'un gentilhomme !

— En fait, monsieur, je suis consul à Finisterre.

— Vrai ? Vous le méritez bien.

Le seigneur Burgdorf tendit la main — pour saisir le parapluie.

— Laisse-moi le tenir, Maxi, dit sa femme.

La boulotte Mitzi le dépassait encore d'une demi-tête.

— Pourquoi ne pas me laisser le faire ? proposa Bosco. Je suppose que vous vous rendez à l'aéronef royal.

Ainsi le consul pootarien brandit le pépin au-dessus du seigneur et de sa dame. L'eau lui rebondissait sur le visage et gouttait de son fez. Arrivés à mi-chemin, ils furent interceptés. Un homme à lunettes, d'âge avancé, le menton en galoche, leur barra la route. Des fils d'argent ornaient sa robe de brocart vert. Une toque à quatre pointes, en velours noir, coiffait sa tête grise. Ruisselant, il cligna derrière ses verres éclaboussés.

— Votre Seigneurie, je me vois contraint de retarder le concours de poésie.

— Contraint ? Contraint par qui ?

— Par ce déluge !

Un éternuement lui monta au nez et explosa.

Maxi tremblait.

— Venez avec nous, Lutainen, dit Dame Mitzi. Si nous allons voir la reine, que notre poète lauréat nous accompagne. Peut-être pourrez-vous réciter une ode.

Lorsqu'ils arrivèrent à la rampe d'embarquement, un grand officier, à décorations en argent, descendait. Il avait le regard myope.

— Lord Burgdorf ? Mes compliments, pouvons-nous solliciter votre accord pour faire le plein ?

Aucun compliment de la reine. Non.

L'aéronef, qui s'était posé un court instant dans le champ d'atterrissage de Lord Maxi une petite semaine plus tôt, ne contenait pas non plus la reine.

Ben Prut révéla que l'expédition revenait d'une attaque contre un nid isi de Velours. La surprise de leur côté, et à l'aide de Jack Pakken, les forces unifiées de la reine avaient envahi la tanière des serpents et réussi à en ressortir, quelques hommes en moins. Une attaque sans précédent. Exceptionnelle. Un acte héroïque. Van Maanen et sa puce rebelle seraient bien avisés de prendre garde.

Le pourquoi et le comment de cette attaque contre les Isis, loin de Loxmithlinna et de Maananfors, restèrent opaques. Son but principal était-il de démontrer à van Maanen l'invincibilité de Fortunée ?

Jack Pakken était resté à bord. Il ne pouvait se présenter à Sa Seigneurie. Trop fatigué ! Les forces royales devaient retourner à Loxmithlinna dès que possible, après la pluie, après le plein.

C'était un exploit d'être arrivés à Yulistalax par ce temps de chien !

Pourquoi l'aéronef s'était-il posé dans la Vallée des Orateurs plutôt que d'atterrir plus commodément au pied de la forteresse des Burgdorf ? Il faudrait ramener l'alcool de la ville pour les moteurs. Le pilote avait-il eu peur de s'écraser sur la mince et haute tour de granit rose qui, par temps clair, servait de phare ?

Non... Jack Pakken avait insisté pour qu'on atterrisse ici. Il avait senti une étrange affinité avec le lieu. Un tourbillon manéen rôdait autour d'un certain chapiteau. Il lui avait semblé entendre des moutons en feu bêler.

Ainsi parla l'adjudant du général Aleksonis.

Le minuscule seigneur Maxi avala une nouvelle déception.

Pénélope alla interrompre Wex qui interrogeait Peter Vaara et sa troupe en noir.

— Cette fleur est fichue, dit-elle. Elle pourrit presque.

— Oh, bonjour, Pen, fit Wex. Nous avons essayé de retrouver un chaman qui dessine les cartes manéennes, du côté de Niemi.

— J'espère que vous avez recouvré vos sens, monsieur Wex.

— Mes sens ?

— Je veux dire...

Wex sursauta.

— *Je protège toujours mon associé de la douleur, miss Conway.*

Vaara dévisagea Wex avec un intérêt considérable.

— Curieux cas de ventriloquie. Ses lèvres bougent, mais c'est quelqu'un d'autre qui parle.

— Que sont au juste les sœurs l'horreur ? demanda Pénélope à Vaara.

Eh bien, c'étaient les quadruplées d'une mutante et de Jack Démon. Les quatre fillettes miniature et malignes savaient faire venir des mouches porteuses de la peste et les lancer contre les ennemis de Fortunée. Peter Vaara avait donné un spectacle, commandé par la reine, après leur baptême manéen. Les fillettes étaient plus grandes maintenant, presque prêtes à répandre leurs maladies — peut-être qu'on les emporterait même en territoire ennemi sur les sautos, imagina Vaara...

La peste, à lancer contre Menuise. Torture abominable et défigurante. Forcée d'être laide, effrayante. Mort rapide et lente ? La peste.

{Douleur des bubons qui éclatent. Rictus de la bouche béante. Courbure de la colonne vertébrale jusqu'à ce qu'elle casse. Voilà les symptômes de la peste.}

Il fallait prévenir Menuise de la menace — par communicateur, à Maananfors.

{Pour que n'importe qui entende ? L'agent de la Terre intervient dans le conflit des reines rivales !}

Il fallait faire quelque chose. Menuise, attention aux mouches. Accroche du papier collant. Suspends des pommes d'ambre. Dors sous une moustiquaire.

{Cette peste ne sera peut-être pas très grave. C'étaient des puces et non des mouches qui transmettaient la peste bubonique.}

— Mathavan, que savez-vous de la peste ?

— Pourquoi en saurais-je quelque chose ? rétorqua l'Indien. La peste est une maladie du Moyen Âge ; et quand je parle de Moyen Âge, je me réfère à notre propre héritage culturel.

— Connaissons-nous un remède ? Une prophylaxie ?

— Peut-être espérez-vous me voir piétiner le corps des victimes, les guérir à la sueur de mes pieds ?

Gurrukal se frotta vivement le cuir chevelu. Ses cheveux commençaient à repousser, grains de poivre noir sur sa caboche.

— Connaissons-nous une façon d'arrêter la peste ? Nous. A l'intérieur. Wex tressaillit.

— *Je n'ai pas plus d'information sur une maladie aussi archaïque, Roger,* choisit de répondre à haute voix son wetware.

— Au moins je ne sentirai rien si j'attrape la peste ! rétorqua Wex de sa voix à lui.

— Excusez-moi, monsieur, dit Vaara, je crois que je pourrais augmenter l'effectif de ma troupe avec un comédien tel que vous. Deux pour le prix d'un, façon de parler.

Ne tenant aucun compte de la remarque, Wex se tourna vers Pénélope.

— J'ai besoin de retourner à Maananfors pour observer le déroulement de cette guerre...

Bosco était revenu, trempé et sans le parapluie.

— Je suis désolé, Pénélope, mais la reine n'est pas là. Et de plus... (Il tendit devant lui ses belles mains bien soignées.) Plus de parapluie. Le petit Lord Burgdorf avait besoin d'un prix de consolation. Nous allons être trempés à moins de rester ici jusqu'à ce que le déluge se calme...

Lorsque la pluie diminuerait enfin, l'aéronef royal retournerait à la base de Fortunée, à Loxmithlinna.

Roger Wex serait-il autorisé à prendre l'aérocolombe pour se rendre à la forteresse de van Maanen — par un itinéraire différent ? Pénélope se trouva incapable de prendre la décision. En compagnie de Bosco, elle sentait sa position compromise.

Un observateur de la Terre devrait certes observer le conflit d'un côté ou de l'autre. Wex n'était pas attaché à Fortunée. A Menuise ? Allons, c'était une autre histoire.

— Ce que je pense, murmura le consul pootarien, c'est que ce serait mieux si l'enfant Ukko restait cachée...

Oh, mais Minkie Kennan avait déjà trouvé la petite

Ukko. Et, selon Gurrukal, le seigneur Beck y avait rencontré en rêve sa défunte épouse, ou sa copie. Une certaine Paula Sariola nichait là également — l'alter ego que cherchait la reine. Gunther Beck dévoilerait-il ce qu'il savait ? Est-ce que Kennan vendrait son information aux Isis, et la race humaine par-dessus le marché ?

Fortunée avait envoyé son petit-fils démon attaquer les Velours, ceux-ci étant les plus proches Isis de Niemi... où Wex avait échoué dans sa mission pour retrouver Kennan. Wex était arrivé trop tard à Kaukainkyla pour y voir davantage que les cendres du bûcher d'Anna Beck. Pénélope ne souhaitait pas s'appesantir sur le sujet. (S'il ne l'était pas déjà, Lord Beck deviendrait-il fou en apprenant la nouvelle ?)

Quant à Roger Wex, peut-être qu'une routine se dessinait. En suivant ses impulsions — et les conseils de son wetware —, Wex arrivait presque au bon endroit au bon moment. En persistant, finirait-il par parvenir sur un pivot crucial, un axe d'événements ?

Sinon, que la peste l'emporte !

Tambourinement des gouttes de pluie. Main ferme de Bosco sur son bras.

Le soldat blessé, dans la tente, avait participé à l'attaque contre les Velours. On pourrait l'interroger pendant sa convalescence. En remerciement pour le parapluie de Bosco, Lord Burgdorf leur permettrait certainement d'avoir un entretien avec lui.

— Monsieur Gurrukal, dit Pénélope, seriez-vous prêt à piloter notre aérocolombe jusqu'à Maananfors, avec M. Wex, malgré la guerre et les menaces de peste ?

Wex hochait la tête de façon rassurante.

L'Indien se massa le crâne et scruta Pénélope.

— Je verrai davantage de la Kaleva que je ne le pensais...

Elle comprit qu'il acceptait la mission. Certes, c'était une commande de la résidente de la Terre.

— Entre-temps, demanda-t-elle, utiliseriez-vous vos compétences médicales pour soigner le blessé de la tente ? Jusqu'à l'arrêt de la pluie ?

— Jusqu'au décollage de l'aéronef royal, dit Wex. Merci, Pen.

DEUXIÈME PARTIE

Lever de lune

19 — Fartage des skis

CE JOUR-LÀ, EN FIN DE MATINÉE, À L'HEURE OÙ ROGER WEX et le médecin indien venaient régulièrement prendre des nouvelles de l'état de santé d'Osmo, Menuise, assise en tailleur sur son trône en bois ivoire, s'appliquait à farter un ski...

La neige réverbérait la lumière à travers les croisées, au-delà de la bande d'ombre projetée par la demeure — le manoir de Menuise, ainsi que l'on avait rapidement baptisé l'auberge. A l'arrière se trouvait le manoir des jeunes filles où vivait Tilly Kippan, avec, au nombre de ses domestiques, la créature dorée airain ! La reine Menuise, Osmo et leur entourage n'étaient pas les seuls exilés dans les parages.

La salle du trône de Menuise, au rez-de-chaussée, était modeste mais donnait sur un panorama partiel de Kip'an'keep enveloppé de blanc, avec, au fond, le lac dit « froid » dont la surface gelée brillait. La vue était en partie occultée par un fortin en tamisier que l'on reconstruisait à la hâte. Des fenêtres, on voyait sur la gauche la saillie d'une barbacane. Dans l'autre direction, au-delà un autre fortin pourpre, se trouvait le célèbre arboretum.

Emmitouflée dans son gros manteau marron, les jambes repliées sous elle, Menuise aurait pu sembler grelotter, malgré le poêle qui réchauffait l'air. Comme souvent, sa couronne de cuir et de perles penchait sur le côté. Le ski, semelle de jaunier tournée vers le haut, reposait sur les bras du trône. Avec son chiffon imprégné de cire, elle paraissait déterminée à faire chanter le bois qui restait muet à part quelques couinements occasionnels. Une pile d'autres skis s'entassait sur le parquet, ainsi que des boîtes de fart de différentes couleurs.

L'authentique harpe isie reposait dans le tiroir à demi ouvert sous le trône. Sa musique apaisait considérablement les accès de fièvre d'Osmo, mais elle ne parvenait pas à en bannir la cause. Pas encore.

La pièce puait le mustoreum. Ainsi que la plupart des bâtiments et des vêtements à Kip'an'keep, ces temps-ci. On avait mis partout des pommes d'ambre, par terre et dans les meubles. Dans les poches. Dans des sachets. Mélange de gousses de vigne curative, de glandes anales de musti (ou de champignon écœurant), d'urine de chèvre et de térébenthine de l'arbre à goudron — béni ensuite par un chaman ou par un curé de l'Église dans les arbres —, ces pommes d'ambre constituaient un insecticide efficace contre les mouches pestifères de Fortunée. (Ou plutôt, de ses diablesses d'arrière-petites-filles.)

Ces nuisibles insectes manéens survivraient-ils au gel soudain descendu sur le royaume de Tapper Kippan ? Les mouches avaient été en grande partie responsables de la chute de Maananfors...

Y aurait-il ici aussi un désastre similaire ? En dépit de la puanteur du mustoreum ? D'après l'odeur, on aurait dit que Kip'an'keep était pourrie, qu'elle invitait les forces de Fortunée à venir la disséquer.

— Comment va-t-il, ce matin ? demanda Wex.

Wex portait une pochette de toile autour du cou, avec l'approbation de son wetware. Il parlait d'un ton soucieux, circonspect et d'une galanterie pincée qui se niait elle-même. N'avait-il pas fait le voyage spécialement pour avertir Menuise du danger des fléaux imminents (bien qu'un coucou ait déjà caqueté) ?

Lorsque les maladies transmises par les mouches étaient arrivées à Maananfors et qu'Osmo avait été contaminé, Wex n'avait-il pas proposé d'évacuer le couple van Maanen dans son aérocolombe ? Malgré les mérites d'une telle proposition, Osmo se vit obligé de refuser. Il ne voulait pas s'avantager par rapport aux autres ; il ne pouvait décamper en avance sur ses partisans. La seule option possible était une retraite en ordre — par les routes et tous ensemble. Même si c'était pénible.

Maintenant que Wex était dépouillé de ses sensations physiques, cette incapacité ajoutait-elle une dimension tragique ou au contraire grotesque à son persistant béguin pour Menuise (incontestable en sa présence) ? Son alter ego considérait peut-être avec bienveillance ce sentiment absurde. Il permettait au pauvre Roger de ne pas perdre la raison, lui que la puanteur du mustoreum laissait aussi indifférent que le fumet d'un rôti d'agneau ou le parfum d'une chevelure féminine.

Wex avait très vite confié son handicap à Osmo et à Menuise afin de ne pas s'attirer les piques du seigneur. Il était aussi inoffensif qu'un chapon. Il pouvait en toute sécurité tenir compagnie à l'épouse d'un autre. Un baiser ne lui serait pas plus agréable qu'une cuillerée de porridge.

Un tel aveu attirait la sympathie. Il fascina même Osmo. Le Terrien possédait un proclamateur intérieur capable d'engourdir ses sens aussi sûrement que lui-même l'avait fait pour la créature dorée.

Wex espionnait aussi sans aucun doute le couple. Vu qu'il n'agissait certainement pas pour le compte de Fortunée, quelle importance ?

En fait, cela importait à Osmo, de façon très positive. Si Finisterre (et même la Terre) les soutenait Menuise et lui, même à peine, il pourrait s'ensuivre certains avantages. Pour l'heure, tout atout était une bénédiction.

— Il a beaucoup transpiré, annonça Menuise à Wex, et il a dû souvent se rendre aux toilettes. Les deux dernières fois il a pissé du sang brun. Il a bu beaucoup d'eau sucrée au sirop. Ce matin il a pissé rose, ensuite son urine est redevenue claire. Il se repose, mais il se sent ballonné. Le gâteau au colostrum n'a pas fait grand bien.

Dans la confection de ce pudding, on avait utilisé le premier lait (riche en éléments immunitaires) d'une vache dont le veau était mort-né. Lait conservé en bouteille depuis l'été dans une chambre froide. Mais Osmo ne semblait guère en avoir tiré bénéfice.

Il ne pouvait se contraindre lui-même à aller mieux. Son état n'empirait pas — il était tout de même loin d'être bon. Si seulement Osmo était longue-vie ! Alors il se serait défait du fléau. Ses efforts de proclamation, alliés à la musique de harpe de Menuise, devaient avoir un effet salutaire puisque la mort ne semblait pas l'atteindre. Ce n'était que cette fichue maladie ! Pisse rouge et ballonnements. Son pouvoir de proclamateur était quand même sérieusement entamé ; et aussi, par défaut, son autorité de chef. Il lui fallait feindre de son mieux et avec autant de courage que possible.

Inutile de feindre devant Menuise. Ou devant Wex et Gurrukal.

Mais devant Sam Peller, c'était une autre affaire. Heureusement, Sam était la plupart du temps dans la forêt, à combattre auprès des troupes pour résister à l'avance des hommes et des soldats de bois de Fortunée.

Devant Tapper Kippan, ce pourrait être aussi une autre paire de manches, mais le seigneur des forêts se cantonnait dans son sanctuaire pendant des jours d'affilée. Sa fille, Tilly, connaissait la vérité sur Osmo, mais apparemment elle n'en parlait pas à son père. C'est elle qui avait proposé le colostrum.

Quant à Elmer et à Eva... Elmer, authentique longue-vie, avait des forts et des fusées pour jouer. S'il se sentait un avantage sur Osmo, Eva ne souhaitait pas qu'il en tire parti. A quoi cela les mènerait-il ? Aux sarcasmes de sa mère. Les coucous caquetaient souvent l'histoire de la famille Loxmith. Fortunée l'avait dépossédée de sa suzeraineté sur la bâtisse en H tant que vivrait Lyle Melator. Saper l'autorité d'Osmo n'apporterait rien sinon une amère satisfaction. Et cela ne tentait plus Eva maintenant qu'elle avait retrouvé son équilibre et qu'elle était parvenue à un drolatique accommodement avec sa petite sœur.

Tapper Kippan ayant donné son consentement du bout des lèvres, le souffrant Osmo restait nominalement commandant en chef de la malheureuse guerre contre Fortunée.

Pendant un temps les événements avaient possédé leur propre élan. Tant mieux. Sinon Kippan aurait-il accepté de coopérer ?

Il serait faux de dire que les scintillants insectes étaient descendus sur Maananfors par nuées. Il n'y en avait jamais eu beaucoup. Une demi-douzaine ici. Une douzaine là. Deux douzaines ailleurs. En plus des solitaires — les plus sournois. Il n'avait jamais dû y en avoir plus de quelques centaines, un millier peut-être, assiégeant Maananfors — nombre ridicule comparé à celui des insectes normaux en été, mouches suceuses, mouches à feu, à pollen et gobe-sueur. Mais quand la mouche pesti-fère piquait quelqu'un, en général les conséquences étaient sinistres.

Certaines victimes avaient des maux de tête, à croire qu'elle allait éclater. Les yeux injectés. Une humeur vis-queuse suintait des cheveux. Ceux-ci se dilataient pour admettre des globules sanguins si bien que les mèches gorgées pendaient, lourdes et grumeleuses. Si un patient désespéré portait un couteau à ses cheveux, les bouts gouttaient sans arrêt.

D'autres victimes, piquées sur les membres, voyaient ceux-ci enfler de façon abominable. Les gens se muti-laient pour soulager leur souffrance. Ces blessures s'in-fectaient et se gangrenaient.

D'autres victimes souffraient d'hémorragies internes. Intestins et reins faisaient mal. Constipation, diarrhée, nausées...

Toutes les piqûres, même répétées, ne tuaient pas. Les gens étaient affectés à des degrés divers. Néanmoins, des vingtaines et des vingtaines de citadins jeunes et vieux mouraient dans une détresse extrême. D'autres deve-naient fous. Davantage restaient invalides. Écrasez une mouche, et une autre venait bientôt bourdonner autour de vous.

Le percepteur Septimus perdit du sang par sa peau devenue poreuse et hypersensible. Le petit gros hurla jus-qu'à sa mort sur un lit trempé. Venny, la cuisinière, avait une tignasse gorgée. Sourd et pris de vertige, le préposé au sauna se noya.

Inévitablement, la défense de Maananfors vacilla. L'at-taque des troupes immunisées et des soldats de bois s'in-tensifia.

Per Villanen, beau-frère de l'ancienne maîtresse d'Osmo (dont le père était mort au service du seigneur de Maa-nanfors), commença à mener publiquement campagne contre la mort et la misère provoquées par la rébellion. Il apparaissait au bord du lac ou dans le parc aux sculptu-res pour haranguer les citoyens apeurés. Ensuite il se fai-sait rare.

Hans Werner aussi s'était mis à inciter au désordre. Pendant l'assaut par le lac contre Loxmithlinna, Werner, le pêcheur, avait peut-être battu le tambour pour les van Maanen, mais seulement parce que le seigneur Osmo avait contraint sa main à se pétrifier. A présent il brandissait son poing inutile et vitupérait contre la forteresse. On l'écoutait, malgré l'apparence maligne de la tache noire sur sa joue, enjolivée par le tatouage qui l'encadrait. On se rappelait aussi qu'il avait lacéré Anna Vanio et son cousin à coups de couteau. Alourdi par son poing de pierre, Werner fut saisi par des hommes de la Garde Bleue et enchaîné au pilori dans le parc aux sculptures. Bâillonné pour l'empêcher de parler, pâture pour les mouches à peste (qui, néanmoins, semblaient l'éviter).

Et Osmo fut piqué à son tour.

Au début, Sam Peller essaya de nier l'évidence des effets de la piqûre sur son seigneur. En même temps il insistait sur la nécessité d'évacuer les lieux et de se retirer au sud, dans le domaine de Tapper Kippan. Il fallait battre retraite en masse, tant qu'on avait encore des forces. Le seigneur des forêts serait obligé de les combattre ou de leur donner accès à son territoire pour continuer la lutte contre un tyran dément qui risquait de sacrifier la liberté d'esprit de chacun. Équipées d'armes des Tavelés, de sautos et de fusées, la Garde Bleue et les Sentinelles Bleues ne seraient pas faciles à repousser. Si elles restaient bloquées, elles combattraient comme des verrins. Tandis qu'ensemble, les hommes de bois de Kippan et les soldats de Maananfors auraient une bonne chance de résister à Fortunée. Les mouches à peste ne trouveraient pas aussi facilement de victimes dans les forêts que dans une ville isolée et exposée.

De plus, un coucou avait annoncé que pendant les semaines de guerre lente, avant l'arrivée des insectes, on avait laborieusement fait venir de Sariolinna, par ferries et par routes, un certain chariot de guerre pour soutenir l'assaut contre Maananfors.

Se retirer — et attirer Fortunée plus loin. Communiquer avec Kip'an'keep à cet effet ? Allons, et risquer un refus ? Non. Se retirer en masse. Prendre le seigneur des forêts au filet. Une fois qu'il aurait concédé le passage aux hommes d'Osmo, Kippan deviendrait automatiquement l'ennemi de Fortunée. Sam en assura son seigneur, sans vraiment regarder le malade droit dans les yeux.

Armes et provisions furent chargées sur des charrettes. Certaines voyageraient par lacs et rivières. Le trône de bois d'ivoire accompagnerait la reine Menuise, bien entendu. Hargneux, le vieil Alvar choisit de rester dans la forteresse avec ses tonnes de notes et ses Chroniques en perpétuel développement. Ce serait ridicule de les charger et de les emporter dans les bois où n'importe quel soldat illettré risquait d'y mettre le feu pour chauffer sa soupe quand il aurait le dos tourné.

Sans aucun doute, Fortunée déposséderait les van Maanen de leur seigneurie une fois qu'elle occuperait Maananfors — tout comme elle l'avait fait avec Elmer. Tout bien considéré, elle ne s'était pas beaucoup vengée sur les parents Loxmith ni sur la sœur d'Elmer. Le péché d'Osmo était plus grand, mais serait-elle mauvaise envers Alvar — historien sans préjugés ? Elle respecterait les chroniques du monde qu'elle avait créé. Il fallait les sauvegarder. Tout le travail d'Alvar avait été fait dans son studio, dans la forteresse de Maananfors. Alvar avait la hantise de ne pouvoir écrire ailleurs — même à Kip'an' keep, pourtant source de son papier et de ses crayons.

Avant qu'Osmo n'abandonne son père et sa forteresse, père et fils (tordu par des crampes dans les boyaux et le crâne dans un étau insupportable) s'étaient étreints tendrement.

— Il te faut un héritier, lui avait doucement conseillé Alvar.

Oui. Et un héritier en gestation courroucerait encore davantage Fortunée ! Menuise ne montrait pas encore de signes de grossesse. Quand Osmo serait-il capable d'agir de nouveau dans ce domaine ? Même s'il bandait, un malade ne devait pas tenter de féconder. Cette tentative risquait de produire un curieux phénomène à cerveau bancal.

Avant le départ définitif, les rites pour les soldats devant quitter leur famille et leurs foyers furent assurés par Pappi Hakulinen. Même si le pasteur d'Osmo était parfois nul, là il excella dans la veine mélancolique qui convenait — peut-être parce que lui ne partait pas et que, si les troupes s'en allaient, les mouches à peste aussi. Oui, le pasteur devait rester à cause d'une crise de goutte, étrange affection chez un type tel que lui, et triste considération sur l'efficacité de l'amulette en corne de védelle qu'il portait autour du cou.

Le cygne vole, avait entonné Hakulinen.
Qui rassemblera les plumes qu'il perd ?

Qui rassemblera vos ossements dans la forêt loin-
taine ?
Vous laissez sur l'étagère votre harmonica ;
Vous laissez au mur votre filet de pêche.
Comme le pin sylvestre blanc ou le bois d'ivoire
Les filles restent, pour pleurer... (Certaines, les che-
veux ensanglantés !)
Au printemps, lorsque les coucous parleront de
désirs
Où serez-vous, mes gars,
Prunelles de nos yeux ? Et les nuits de sauna
Quelles poulettes espéreront les délices ?
Pour la dernière fois votre mère vous bat
Et vos sœurs prennent soin des bêtes.
Mère, oh mère, pourquoi pleurer... ?
(Pourquoi ? Peur de mourir de la peste ! D'être vio-
lée par l'armée d'occupation !)
Les jouets de vos fils restent là !
Je vous couche dans un cercueil ;
Je vous enterre dans une tombe.
Ne vous coupez pas l'orteil pour vous mutiler
Sinon notre seigneur vous tondra le crâne.

C'était comme lorsque Eva avait épousé Elmer : les
fléaux, le rejet, les affronts — afin de s'attirer protection
par la ruse et, dans le cas des soldats, un retour sain et
sauf...

— Dois-je l'examiner, Majesté ? demanda Gurrukal.
Menuise secoua la tête. Elle frotta le ski, et un instant
le bois chanta faiblement.
— J'ai une autre idée...
— Reliée aux skis ? demanda Wex. Pourquoi les frot-
tez-vous ainsi ?
— Pour m'occuper les mains pendant que je réfléchis ! Et pour paraître utile pendant que les autres sont
au combat, ajouta-t-elle avec franchise. Le fartage n'est
pas simple, vous savez. J'ai eu les conseils d'un expert.
Que m'a envoyé Tilly Kippan. En fait, mon informateur
a composé un petit livre intitulé : *L'Art du fartage*. Il l'a
dicté à un scribe et en a fait imprimer quelques exemplaires à ses frais. Il m'en a récité des passages à haute
voix, pleins d'esprit, de beauté et d'aperçus glissants
mémorisés pendant des années de fartage ! Je le quali-

fierais de philosophe. Lorsque je serai reine à Sariolinna, je l'inviterai à la cour. C'est vraiment important d'avoir un philosophe à la cour pour ne pas devenir timbré comme ma mère. N'est-ce pas ? se demanda-t-elle.

— Serez-vous reine à Sariolinna, Majesté ? demanda Gurrukal. Pas à Maananfors ?

— Là où se trouve le palais, bien sûr. N'est-ce pas l'idée ? Devrais-je abandonner la Noroisie ? Entre les mains de qui ? (Elle frottait avec vigueur.) Je suis la vraie reine. Les reines règnent dans des palais. Lorsqu'elles remportent la victoire.

Pour l'instant, rien de tout cela ne semblait réalisable. Bien sûr, il fallait qu'elle fasse comme si. Chiffon à la main, elle ajusta sa couronne. Wex faillit l'aider. Elle avait replacé la couronne de travers, dans l'autre sens.

La chevelure de la jeune femme n'aurait aucun parfum. Les doigts de Wex étaient insensibles. Le mari et amant de Menuise reposait, malade, dans la pièce voisine. Situation délicate. Wex devait garder son équilibre. Son alter ego l'y aidait toujours.

— Le fartage ne rend-il pas les skis dangereux ? demanda-t-il.

Il se souvint de la statue de Fortunée que Menuise l'avait persuadé de démonter. Grâce aux efforts enthousiastes et mal dirigés de la jeune reine, il imaginait des soldats glissant confusément comme les hareldes qui atterrissent sur la glace. Qui était cet expert que la fille du seigneur des forêts lui avait envoyé ?

— Mais, cria Menuise étonnée, il faut farter les skis ! Pour les rendre imperméables, d'abord. Et, plus important, pour qu'ils collent à la neige, de façon temporaire, sans vous retenir une fois que vous bougez. Coller, glisser ; coller, glisser — c'est là toute la vertu du fart. Les cristaux de neige s'incrustent légèrement dans le fart sous le poids du skieur chaque fois qu'il s'arrête. Ensuite il glisse en avant doucement. C'est vraiment essentiel.

— Je ne me rendais pas compte, dut admettre Wex.

— Aucun de vous deux ?

Irrité, Wex s'adressa à lui-même :

— Ainsi nous savons tout des perruques, n'est-ce pas, mais rien du fartage des skis !

Menuise le gratifia d'un bref sourire de sympathie.

— Mais, Majesté, demanda Gurrukal, de quelle utilité sera le fartage du prince Osmo ? (Dernièrement le pilote tamoul avait acquis un goût pour les titres.) Votre Grâce, il est trop mal en point pour un massage.

— Farter Osmo ? Ce n'est pas mon intention ! Je pensais avoir recours à l'aide de... la créature dorée, conclut Menuise dans un murmure. J'aimerais beaucoup vous avoir sous la main, Roger. Elle ne doit pas se sauver avec la harpe, voyez-vous.

Il ne voulait vraiment pas avoir l'air de refuser, mais Wex demanda :

— Des gardes ne seraient-ils pas plus efficaces ? Pourquoi moi ?

Exaspérée :

— Voulons-nous voir le monde entier jaser sur la maladie d'Osmo, et sur les remèdes désespérés ? Avons-nous envie d'entendre les gens babiller sur le fait que j'ai appelé une catin juttahate pour l'aider ? La fille même qui a essayé de l'ensorceler à mon couronnement ! Goldi pourrait méduser n'importe quel garde avec ses parfums — tandis que vous, Roger, vous ne sentez rien. Vous êtes mort aux odeurs. Qu'importe, vous êtes formé à la pacification, non ?

L'invitation était rudement intime ! Quelle confiance elle lui témoignait !

— Me servirez-vous de messager, Roger ? Irez-vous chercher la créature ? Dans ma position je ne puis la faire venir. Elle risquerait de refuser. Osmo l'a sévèrement contrainte. Même si les choses ont bien tourné pour elle, n'est-ce pas ? (Menuise fronça le nez.) Comment réagira-t-elle devant la puanteur d'ici ? Il faut que je me débarrasse de ce mustoreum avant notre rencontre. De chaque boule ! Si seulement il y en avait eu autant à Maananfors !

— Qu'est-ce que cela aurait changé ?

— Oz était la cible principale, vous voulez dire ? Pourquoi, je n'étais pas victime moi aussi ?

— Je pense que votre confrontation avec Vipère vous a immunisée contre les piqûres manéennes.

— Je crois que vous avez raison. Mais je ne peux pas guérir Osmo toute seule, je peux seulement empêcher son état d'empirer.

En toute innocence Gurrukal prit la parole.

— Il est doté de longue vie, Majesté...

— Voulez-vous vous taire ! cria Menuise au masseur. Allez-vous-en. J'essaie de réfléchir. Allez ouste !

Cet accès était-il un signe de l'instabilité des Sariola ? Avec une révérence et une grimace pleine d'amertume, le médecin pilote entama sa retraite.

— Plus vite que ça, allez ! (Puis elle se tourna vers un Wex imperturbable.) Pas vous, Roger, pas vous, je suis désolée, je suis toujours en train de réfléchir à la façon de récompenser la créature si elle aide...

Gurrukal était sorti, troublé par la royale brusquerie.

— Goldi a déjà son Ambré, n'est-ce pas ? Comme Osmo l'a proclamé ! Peut-être pourriez-vous lui dire que ses paroles l'ont bénie — même s'il était furieux du tour qu'elle avait essayé de lui jouer. En fait, Oz est son bienfaiteur. Il a pressenti ses facultés pour le bonheur. Ne lui laissez pas croire que sa rencontre avec Ambré a été une heureuse coïncidence. C'était fixé, n'est-ce pas ? Osmo l'a aidée à trouver, malgré son irritation. (Menuise frottait furieusement le ski en travers de ses genoux.) Tomber amoureuse d'une telle bizarrerie ! Elle est étrangère, bien sûr. Les goûts ne se discutent pas... Ne la laissez pas douter, Roger.

— Au fond, elle a déjà été récompensée, grâce à Osmo.

— Je ne sais comment faire appel à elle sinon pour lui rendre sa harpe. (Dépliant une jambe, Menuise ferma le tiroir d'un coup de son pied déchaussé.) Elle pourrait l'utiliser pour amplifier ses talents. Je ne peux la lui rendre.

— Vous risquez d'avoir à la lui rendre temporairement, en marque de confiance.

— Ciel. Soulignez le fait qu'elle doit son bonheur à Osmo, même si elle a essayé de le berner.

Wex sursauta et cligna de l'œil.

{Votre époux n'est jamais devenu longue-vie, n'est-ce pas, Menuise ? Quelque chose a tourné de travers...}

Menuise éclata en sanglots. Elle faillit cacher son visage dans le chiffon à cire mais se retint à temps.

— Zut ! Oui. (Elle pivota.) Oui, oui, oui. Je ne vous dirai pas ce qui est allé de travers, si c'est ce que vous espérez ! Il ne faut rien dire à Gurrukal — ni à personne.

Wex était de nouveau lui-même.

— Bien sûr que non, promit-il.

— Je n'ai pas transformé Oz en zombie ! Sa maladie n'a rien à voir avec ça. Une mouche l'a piqué. C'est pour ça qu'il est malade.

Comment consoler Menuise au mieux ? Lui passer un bras autour des épaules ? Le ski faisait barrière. C'était bien peu convenable de passer le bras sur les épaules d'une reine sur son trône. Ce serait odieux d'exploiter cet instant de vulnérabilité.

Les grands yeux mouillés de Menuise luisaient.

— Il ne faut pas en parler dans la forteresse terrienne !

D'une poche intérieure de son manteau, Wex sortit un morceau de soie noire avec lequel elle se tamponna le visage.

— Il ne le faut pas, Roger.

— Promis.

— Est-ce que votre alter ego le promet aussi ? Dis-moi, wetware !

— *Une telle révélation risquerait de sérieusement compromettre votre position. Quelqu'un d'autre est-il au courant, à part vous et Osmo ? Est-ce qu'il sait, lui ?*

— Oh, Oz comprend. Il est tellement plus ouvert que je ne l'aurais cru possible.

C'était dit avec une tendresse passionnée que Wex ne put que lui envier.

— *Moi aussi, je comprends Roger de la même façon, Menuise. C'est pourquoi je le protège de la douleur, sauf en ce qui concerne la douleur sentimentale. Sans émotions il serait un robot, et moi je ne serais qu'un programme.*

— Pauvre de vous, incapables de sentir.

— *Nous éprouvons des sentiments. Je les ressens plus vivement depuis que son sens du toucher et du goût sont déconnectés.*

Fugitivement, le visage de Menuise trahit de l'horreur. Le wetware était-il en train de berner Wex de façon à le remplacer ? Un instant la soie voila le visage de la jeune femme. Lorsqu'elle laissa tomber le mouchoir, son visage était recomposé.

— C'est pourquoi je vous demande votre aide, parce que vous ne sentirez pas les parfums de Goldi. C'est réellement important, s'assura-t-elle à elle-même. Qui d'autre sait ? C'est ce que vous me demandez, n'est-ce pas ? En fait, Eva et Elmer sont tous les deux au courant. Ils n'en tireront aucun bénéfice. Elle gardera le bec cousu, et celui de son mari aussi. Sam sait. Sam Peller. Et en même temps, il ne sait pas. Il n'a pas pu l'accepter. Il n'a pas voulu l'admettre. Vous persuaderez la créature dorée, n'est-ce pas, sans rien mentionner de tout ceci ?

Wex hocha la tête. De sa voix propre il lui assura :

— Osmo devra se rétablir.

Comme Menuise semblait seule à ce moment-là, même si Osmo était couché dans la pièce voisine. Seule, comme si elle n'était pas en compagnie de Roger. Elle adoptait un masque avec lui. Avait-il laissé passer quelque chose de vital ? Son ouïe se dégradait-elle ? Ou sa mémoire ?

{Om}, fit son alter ego. *{Je suis avec toi comme Menuise avec Osmo. Inséparable. Naturellement elle se sent seule quand il n'est pas là. Nos sentiments pour elle ne seront jamais comblés, même s'il meurt. Nous devons nous consoler mutuellement, Roger. Tu comprends ?}*

Si seulement il pouvait connaître une souffrance atroce juste un instant, une seconde, pour retrouver une sensation physique. Juste un instant ; un éclair de douleur, trop rapide pour provoquer un cri, trop soudain pour le distinguer de l'extase. Saisir un charbon ardent, sentir sa chaleur sans pourtant éprouver de douleur sur le moment — jusqu'à ce que l'ankylose revienne en un clin d'œil. Si ses nerfs pouvaient s'embraser une fraction de seconde en présence de Menuise !

{Attention : la créature risquerait de considérer cela comme un point faible dans notre armure. Nous pourrions décevoir Menuise.} Cela ne devait pas arriver.

— Pour vous, dit Wex à Menuise, je fais le sacrifice des sensations.

Elle se pencha pour appliquer davantage de cire au chiffon et il ne vit que le casque de ses bouclettes, d'où faillit tomber la couronne.

— Je vous en prie, gardez le mouchoir, lui dit-il, avec vos larmes dessus.

Il ne devait pas désirer un souvenir fétichiste.

Elle refusait de croiser son regard. Penchée en avant, elle frottait, frottait le ski bien plus qu'il n'en aurait jamais besoin.

Garder le contrôle, pensa Sam Peller, tandis qu'il glissait sur le chemin enneigé vers un fort bloquant la route vers le sud, barrière anti-feu glacée comme un gâteau. Sous ses skis et sur les arbres un blanc de laine froide. Le froid enserrait son cœur. L'aspect laineux adoucissait son jugement si bien que le monde semblait silencieux et matelassé, non pas crissant et menaçant. La bouillasse fuligineuse des nuages amorphes était si basse qu'un carreau d'arbalète aurait pu y disparaître. Ce ciel de laine sale niait toute possibilité d'une vraie lumière du jour. N'y aurait-il que cette demi-clarté déprimante pendant des mois ? Le soleil brillerait quelque part, un soleil bas qui éclairerait la terre tout en restant étrangement insaisissable.

Contrôle des troupes et contrôle de soi...

Comment pouvait-on garder le contrôle de soi quand on était en proie au doute ? Depuis l'arrivée de l'hiver, si abrupte et prématurée, Sam portait sur son uniforme de cuir bleu un manteau blanc molletonné avec des chevrons rouges cousus aux épaules. Une toque de fourrure, blanchie, augmentait ses cheveux argentés. Sa chevelure semblait s'échapper d'un brouillard dense et collant. Avec son visage de papier mâché et sa barbe blanche il aurait pu se fondre dans le décor, mais il y avait les chevrons : lèvres de feu, de sang.

Il s'arrêta pour examiner les défenses — et pour se reprendre en main. Son souffle sortait en plumes pareilles à des mots muets mais visibles, flous, vides de sens.

Il n'avait rien entendu dans la grande salle de Maananfors, le jour où Dame Eva s'en était prise à Osmo.

Oh mais si.

— *Mourir : voilà ce qui arrive aux hommes qui ne sont pas longue-vie. Vous n'êtes pas longue-vie, prince Osmo !*

Ce qui s'était avéré lorsque Osmo avait succombé à la piqûre de la mouche pestifère.

Sam était si sûr qu'Osmo était devenu longue-vie grâce à l'offrande de Menuise ! Longue-vie et plein de ressort. Cela n'aurait pas dû avoir tellement d'importance qu'il échoue et ne soit qu'un mortel ordinaire. Jusqu'à l'arrivée des mouches manéennes !

Maintenant c'était important. Le choc de la découverte avait effiloché le tissu de ses certitudes sur sa propre personne. Un sortilège disparaissait, qui avait soutenu son âme pendant près de deux décennies.

D'une manière ou d'une autre, Osmo avait fait un faux pas. Ou alors Menuise n'était pas vierge. Peut-être que la magicienne mutante isie l'avait transformée ; lui avait piqué son offrande. Menuise s'était confiée à sa sœur aînée, allez donc savoir pourquoi. Par repentir après la capture de la bâtisse en H ? Peu importait. C'était le résultat qui comptait.

Le résultat, c'était qu'Osmo vieillirait et mourrait.

Et donc, Sam aussi.

Sois vieux pour toujours. Ainsi Osmo avait contraint Sam après que ce dernier lui eut maintenu la tête sous l'eau dans une mare, quand ils étaient enfants. Et Sam avait effectivement vieilli sur le chemin du retour à la forteresse. L'adolescent qui était parti se promener revenait sous l'apparence d'un sexagénaire grisonnant.

Vieux pour toujours. Garder éternellement cet âge. Jamais plus, jamais moins.

Longue-vie, au prix de sa jeunesse et de ses années de maturité, sautant d'un coup à l'état vénérable qu'il ne quitterait plus. Vieux, tout d'un coup ; mais jamais plus vieux

C'est ainsi que Sam avait assumé la chose. Il le fallait, sinon il serait devenu fou. Peut-être que son vigilant dévouement aux intérêts d'Osmo était une folie de toute une vie.

Sois vieux pour toujours.

Mensonge, tromperie. Ces paroles possédaient en fait un sens totalement différent. Sois vieux jusqu'à la fin de ta vie. Vis la vie d'un vieil homme. Perds ta jeunesse, perds ton âge mûr ; sois vieux avant l'heure. Simplement. Malice d'un garçon furieux. Paroles de colère prononcées à la hâte.

Sam vivrait simplement jusqu'à l'âge de son apparence physique. En fait, il avait encore quelques années à passer sous cet horrible contrat. Et une fois qu'il aurait atteint la soixantaine, il entamerait son déclin physique... vers l'infirmité et la tombe.

À supposer qu'il ne meure pas à la guerre ! A supposer que Fortunée ne mette pas un terme à sa vie. Ni à celle d'Osmo, de Menuise et de combien d'autres, par un coup de fusil, de mouche à peste ou d'obus, dans un moment d'inattention de Sam.

Ensemble, le restant des forces d'Osmo, les hommes de Tapper Kippan et les hommes de bois dans leur forêt devraient parvenir à continuer la résistance contre Fortunée et à arrêter son avancée sur Kip'an'keep. Les munitions des Tavelés arrivaient toujours à l'armée résistante par aéronef isi. Le mustoreum de Kip'an'keep éloignait la plupart des mouches. Au bout d'un temps on s'habituait à l'odeur à moins d'être par trop délicat.

Sam ne pouvait se permettre de l'être sinon il n'irait jamais jusqu'au bout de son contrat. Le lien absurde le protégeait peut-être. Pouvait-il mourir avant d'arriver à l'âge approprié ?

Ah, cette logique était une fois de plus une façon de légitimer faussement la proclamation originale d'Osmo !

Mensonge. Tromperie.

Pourtant, il fallait persévérer dans la ligne choisie. Sinon on n'était rien, on était ridicule. Même si cette ligne était absurde. Oui, même ainsi. Fermeté, constance. Les années avaient filé. Il n'y avait aucune façon de les revivre de manière différente. Une loyauté de tout instant au prince Osmo et à sa jeune reine était la seule voie possible vers l'intégrité et la maîtrise de soi, la seule route à suivre. Un relâchement, et l'identité de Sam se désagrégerait. Il perdrait tout, y compris lui-même, la coquille qu'il s'était péniblement sécrétée.

Plus tôt ce matin-là, un des sautards avait tiré sur un chien au cours de la patrouille. Un loulou s'était précipité hors de sa cachette et avait bondi à la gorge du sautard. La réaction instinctive aurait été de se protéger du bras, mais cela aurait entraîné des morsures. Alors le sautard avait tourné la poignée bleue et sauté un petit bout de chemin, puis il avait fait pivoter son engin et calmement avait tiré sur l'animal. Il avait rapporté le cadavre ensanglanté avant que le froid ait eu le temps de le rigidifier. Sam avait regardé dans les yeux vitreux du loulou et avait entr'aperçu, très loin, un visage qui n'était pas le reflet du sien. Un instant, il avait imaginé que c'était son autre visage : celui du type qu'il aurait été si Osmo ne l'avait pas contraint à vieillir. Mais le loulou était l'un des espions canins de Fortunée. Le visage qui s'effaçait était celui du dresseur, regardant dans un miroir manéen quelque part à dix ou vingt lieues de là. Le dresseur avait perdu son chien espion et des années de travail. Le sautard n'avait même pas été mordu.

Ne confisque pas toutes ces années d'harmonisation, Sam, pour une petite morsure impulsive.

20 — La mère du monde

MÊME SI LE GROS DES TROUPES DE FORTUNÉE S'ÉTAIT PRESSÉ dans le domaine du seigneur des forêts, la reine elle-même était restée à Maananfors. Elle y demeura avec Jatta, Serlachius, un bon nombre de gardes et quelques soldats de bois afin de ne pas avoir l'air d'une vagabonde à camper dans les bois. Après tout, Osmo et la petite garce avaient un toit sur leur tête à Kip'an'keep. La reine légitime ne devait pas recourir à une tente ou à un bivouac.

La trahison de Juke l'obsédait. A qui pouvait-elle le mieux exprimer son chagrin et sa frustration sinon Jatta ?

Les poêles chauffaient le hall qui jusqu'à tout récemment avait fait la fierté d'Osmo. Et de Menuise aussi ? Peut-être que la forteresse était un brin modeste pour elle comparée au palais maternel ! Les gens de petite stature ont parfois la grosse tête.

Le décor des tapisseries suggérait un jour d'été. Pourtant, la cascade de lumière entrant par les fenêtres n'était pas dorée comme le miel. La veille, le jour avait à peine lui, remplacé par un linceul crépusculaire. Aujourd'hui, la lumière était dure : une lumière de neige. L'hiver prématuré avait même déjà gelé le lac turquoise.

La salle paraissait hostile et vide. Vide aussi, la fameuse niche ménagée dans le mur. Dans ce creux de granit rose, s'était autrefois dressé Cammon le tyran, pétrifié. Avant l'évacuation précipitée, quelqu'un (Menuise ?) avait cassé la barre de cuivre soutenant la tapisserie. Fortunée, assise dans le fauteuil abandonné par Osmo, contemplait l'alcôve. A côté d'elle, un espace béant où s'était trouvé le trône en bois d'ivoire. On ne l'avait pas laissé pour qu'elle en hérite !

— Tu crois qu'elle a voulu me laisser par là un message ? demanda Fortunée à Jatta. La niche t'attend, maman. Si jamais mon mari arrive à te contraindre ! (La reine rit.) Je n'ai pas peur de l'essayer, pour la taille. Et toi, Jatta ? Tu as été humiliée dans cette salle. Tu devrais t'en approprier chaque recoin.

Jatta, dans sa tunique bordée de feutre aux couleurs variées, vermillon, vert petits pois et orange, portait la même tenue que lorsque deux étés plus tôt elle s'était engouffrée ici, chez Osmo, pour le supplier de lui donner asile. Cette fois-là sa tunique était souillée et déchirée, son pantalon de peau crotté et ses cheveux noirs massacrés. Aujourd'hui, sa chevelure, courte, était soignée, même si Anni n'était pas là pour s'en occuper avec amour.

Dans un remous de sa robe pourpre, Fortunée descendit jusqu'à l'endroit où Jatta s'appuyait contre un arbre aux alouettes tissé dans la tapisserie, prenant de la distance. Elle saisit sa fille par le bras, et la poussa vers l'alcôve vide.

— Grimpe, Jatta, et babille-moi des choses.

De mauvaise grâce, Jatta obéit. Se sentant idiote et vulnérable, elle posa tandis que sa mère l'observait. La grande salle haute de plafond semblait encore plus déserte.

— La plus réussie de mes filles ! Grand-mère des merveilleuses garces la menace, qui m'ont donné cette ville ! Nous devrions être amies et confidentes, nous deux, comme quand tu étais petite.

Oui, la fillette grelottant dans sa chambre, effrayée, désireuse d'apaiser cette mère de tant de filles...

Fallait-il flatter l'aïeule des guignes et poisses miniature qui dépêchaient dans les airs des mouches pestifères sorties de leurs méchantes menottes ?

— Je peux descendre ?

— Non, pas avant que...

Semblant entendre un bruit, Fortunée s'inclina et tira un poignard de sa botte de daim rouge.

— Il ne vient personne, protesta Jatta. Il n'y a personne d'autre ici. Tu es en sécurité à Maananfors.

— Qui a dit le contraire ?

La forteresse capturée était bien gardée. Les serviteurs survivants n'oseraient pas faire de mal à Fortunée. Ni les citadins indemnes qui n'avaient pas fui avec

Osmo. Trop effrayés par les maladies. Les victimes — les victimes survivantes — saignaient toujours des cheveux, des boyaux et de la vessie. Les agents de la vengeance de la reine (et leur maman, June) étaient avec le gros de l'armée ; elles avaient laissé leur marque.

Le sort jeté par Osmo sur la ville était châtré. Deux mécontents, Per Villanen et Hans Main de pierre, servaient d'« administrateurs ». Le vieil Alvar, enfermé là-haut dans son bureau, ne représentait guère de menace. Le couteau resta dans la main de Fortunée, bloquant la descente de Jatta.

— Pas avant de m'avoir dit ce qui est arrivé quand l'homme de pierre s'est ranimé.

— Je l'ai à peine vu, maman ! On m'a jetée dehors. (Jatta gigotait. Restait-il là une trace du tyran qui s'était imposé à des femmes de bien plus horrible façon que celle de Jarl ?) Ensuite je suis partie.

— Ah oui, avec Juke.

— Non, Juke m'a suivie.

— Le traître...

Fortunée imaginait-elle que Jatta gardait pour elle un indice essentiel sur la conduite de Juke ? Au retour de son intrusion dans le nid isi de velours, les mains vides, Jack avait annoncé que Juke avait emmené Minkie Kennan en lieu sûr parce que Solœil était censée être vivante, à l'intérieur de la petite Ukko, qui pourrait se cacher sous un lac bordé de falaises. Jack en avait-il dit davantage à sa mère, une chose apparemment anodine mais en fait essentielle ? Que Jatta devait s'efforcer de se rappeler, à la pointe d'un couteau ? A sa nuit de noces, Jack n'avait pas dit à sa grand-mère qu'il savait des choses sur les fleurs d'Ukko, et elle avait brûlé la fleur !

— Ma petite Ukko est cachée à l'est, murmura Fortunée d'un ton rêveur.

Elle ne se trouvait pas au sud de Maananfors. La reine devait interrompre sa poursuite de van Maanen et de Menuise ; il ne fallait pas qu'elle soit inaccessible dans les forêts de Kippan. Son armée, Jack, les filles et les soldats de bois du capitaine Bekker s'occuperaient des rebelles.

Dans la cour intérieure se trouvaient l'aéronef royal, la forteresse volante et deux nacelles volantes. *Ne pas envoyer ces engins où des fusées pourraient les abattre.*

Fortunée risquait d'avoir besoin d'un moyen de transport rapide. Elle ne pouvait s'envoler vers l'est avec ses gardes et Serlachius sans une destination précise. Elle devait rester à proximité de son armée. Donc ici, où elle s'était promis de s'afficher ainsi que Jatta. Elle imaginait Osmo mourant. Et Menuise ? Elle n'avait encore jamais tué une de ses filles. Son couteau trembla.

Kennan et Juke étaient-ils à l'intérieur de l'enfant Ukko en ce moment ? Est-ce que les Isis de velours scrutaient dans leur Ukkoscope, attendant de saisir leur occasion ? Pourquoi l'expédition n'avait-elle pas détruit l'appareil ? Juke avait sans nul doute compris le propos de l'Ukkoscope. Juke, le traître !

Comme sa victoire était creuse ici, à Maananfors. Qu'elle était seule !

— Nous devrions organiser une nouvelle fête, déclara-t-elle à Jatta.

Oui ; comme après l'occupation de Maananfors ! Trois chaudrons de ragoût, du poisson farci aux chanterelles, de l'oie rôtie, de la soupe au sang — pendant qu'en ville les gens saignaient de la tignasse. Qui pourrait-elle inviter ? Les participants de la dernière fois étaient partis guerroyer. Prut, Aleksonis, Nils, Bekker, Jack.

Faire venir Lyle Melator de Loxmithlinna ? En contournant le lac gelé, pas en le traversant. Non, pas Lyle. Elle risquait de se retrouver au lit avec lui. Il l'appellerait Paula en privé. Grâce à lui les coucous caquetaient dans Maananfors qu'Elmer Loxmith avait fouetté Eva. Mais ils colportaient aussi qu'Elmer était longue-vie et de nouveau allié à Osmo. Là-bas, à Kip'an'keep, les oiseaux devaient jaser sur Elmer et son fouet, et sur la revanche de la Noroisie, et sur la façon dont Jack avait appelé le gel pour durcir le sol afin que puisse passer le chariot de guerre.

Jack avait-il vraiment provoqué l'arrivée du froid, la chute vertigineuse de température ? Si oui, il devenait un prodige.

Trois matins plus tôt, la neige tombait dru. Le communicateur de la forteresse sonna. Aleksonis devait parler sur-le-champ à la reine.

Le général lui avait raconté que Jack avait appelé le froid ; et que le froid était arrivé du jour au lendemain —

ce dont elle était bien consciente. Les petites avaient besoin de linge. Les troupes avaient un besoin urgent de skis et de traîneaux. En attendant d'être approvisionnée, l'armée royale piétinait. Aleksonis laissa même supposer un recul, sans toutefois en parler de façon claire. Les forces de Kippan, au contraire, n'avaient qu'à ouvrir leurs magasins d'hiver pour s'équiper et équiper les rebelles d'Osmo.

Jack n'était certainement pas un saboteur, même s'il n'avait pas rapporté la fleur d'Ukko. Qu'est-ce qui lui avait pris ? Il avait bavardé avec le général, mentionné la védelle de guerre en train d'avancer péniblement vers la zone de conflit. Sol gelé et doux coussin de neige pour ses grandes et larges roues ! A présent il ne disait plus rien, comme si le froid lui avait gelé la langue.

Le véhicule blindé irait sans doute s'enfoncer dans une congère, les roues recouvertes de neige compactée. Qu'est-ce qui lui avait pris, à Jack ?

Fortunée lui avait parlé par radio, d'un ton sévère mais patient. Peu à peu, il avait retrouvé sa voix.

— Les guerres ont besoin d'hiver, avait-il répété. Boucherie dans la neige. Éclosion de fleurs de sang. C'est ainsi qu'il faut combattre pour la victoire finale. J'ai vu ça hier soir ! Alors j'ai crié, j'ai chanté, j'ai virevolté, j'ai appelé le gel et la neige. Les flocons ne m'ont pas seulement entouré. Ils se sont déversés du ciel entier. La guerre est belle en hiver, grand-mère.

— Écoute-moi, mon excellent garçon, le supplia-t-elle, qu'est-ce qui t'a poussé ?

— Les paysages de neige, murmura-t-il, et les fleurs de sang ; et un sentiment, si puissant, qu'il y avait déjà eu une guerre, comme celle-ci, et que c'est ainsi que ça devait recommencer.

— Quand se passait cette autre guerre ? Où était-ce ? insista-t-elle.

— C'était une guerre manéenne, grand-mère, une guerre invisible que personne d'autre n'a vue. Alors j'ai chanté, j'ai virevolté. Qu'est-ce que j'ai fait ? demanda-t-il, prenant soudain conscience de la situation, des craquements dans la voix. (Électricité statique ou émotion ?) Comment ai-je pu en faire autant ? Toute cette laine, et ce froid... Mes petites arrivent quand même à faire sortir les mouches de leurs moufles !

Elle l'avait calmé, de loin. Oui, elle l'avait réconforté.

Après tant d'efforts pour faire venir le chariot de guerre de Sariolinna, arriverait-il jamais dans la zone des hostilités ?

Cela tombait bien que la vengeance de la Noroisie sur les rebelles se déroule dans un décor de glace et de froid.

Fortunée avait félicité Jack.

Quelque chose de prodigieux s'était passé : une éruption de flux manéen dans le monde. Jack en avait été le pivot, le gond sur lequel tournait une plus grande porte, une porte fermée qui s'ouvrait. Il allait se passer quelque chose.

Fortunée avait rassuré Aleksonis.

— Jack sera capable de frigorifier van Maanen, et Menuise aussi. Une fois que vous serez arrivé, il les brisera. C'est l'enfant de Mana, Viktor, voilà ce qu'il est.

Il fallait qu'elle se rassure elle aussi.

— Je t'ai un jour demandé de m'appeler Paula, rappela-t-elle à sa fille. Tu te souviens ?

— Oui !

Oui, elle se rappelait, la pièce froide, là-haut, dans la tour, l'anxiété, l'obligation de raconter une histoire qu'elle, petite fille, comprenait à peine.

— C'est toi que je veux appeler Paula un instant. (Toujours le couteau dans sa main.) Même si tes cheveux ne sont pas blonds. Il le faudrait pourtant.

La chevelure de Jatta devait-elle blanchir, sous l'effet de la peur ? Attentive à chaque indice, la jeune femme inspira l'arôme maternel de brioche aux épices et de crevette.

— Comment vas-tu m'accueillir, Paula, quand tu me retrouveras ? lui demanda Fortunée d'un ton voilé. Comment vais-je te recevoir ?

Quelle réponse satisfaisante pouvait bien faire Jatta ? Ce n'est pas sa fille que sa mère voyait devant elle, debout sur un socle de granit rose. Avait-elle jamais vu une de ses filles en tant qu'individu ? Au palais de Pohjola, la galerie des portraits était remplie de portraits d'elle, et d'elle seule. Ses filles étaient des portraits déformés qui allaient leur propre chemin, abandonnés, vendus à des soupirants, faux visages qui pelaient et s'envolaient.

Paula : la jumelle de Fortunée, le double immaculé et sensé en qui Fortunée croyait avec tant de fougue.

— Tu m'as manqué, ma chérie, suggéra Jatta.

— *Ma chérie* ? Qu'est-ce que ça veut dire, Paula ? (La voix de Fortunée était une lame en elle-même.) Me confondrais-tu avec quelqu'un d'autre ? Avec une certaine Anni, par exemple ! Une pute paysanne qui couche avec des étrangers et le premier venu !

Jatta aurait pu gifler sa mère. Elle enfonça ses ongles dans le gras de ses paumes.

— J'éprouve des sentiments pour Anni, chuchota-t-elle, comme tu en ressens pour ta jumelle.

— Ohhh ! (L'exclamation lui échappa comme une grande vague ascendante.) Comparer une chose si ponctuelle avec... un désir de retrouvailles qui dure depuis des siècles ! En outre, jolie Paula, tu es ma jumelle. Ne l'oublie pas !

Sinon le couteau pourrait frapper...

Dans une crise de folie, Fortunée blesserait-elle pour de bon la mère du prodigieux Jack, la grand-mère des garces la menace ? Ferait-elle mal à cette fille très à part ? A qui il était permis d'incarner pour un temps l'égale de Fortunée, son double.

— Nous nous sommes tellement manqué, essaya Jatta.

— Je t'ai manqué ? demanda Fortunée d'un air sombre. Tu pensais à moi, peut-être, pendant toutes ces années, tu enviais mon pouvoir, le palais et ma kyrielle de filles ? Et mon beau prince aussi. Plus besoin de l'envier à présent. Que savais-tu de moi dans les rêves et les miroirs ? *Tu m'enviais ? Tu voulais me retrouver ?*

— Nous nous retrouvons, ma sœur. C'est doux, c'est pur, c'est neuf.

— Ah, mais je t'ai manqué... à Kaukainkyla, Paula ? (Je grillerai l'endroit.) C'était toi, là-bas, tirée hors de ton rêve par Kennan, pourrie, réduite en cendres ? C'était toi ? (Le couteau s'abaissa. Il tomba sur le plancher de jaunier ciré. Fortunée tremblait violemment.) Ne devrais-je pas ressentir une douleur atroce si mon alter ego était détruite ?

Jatta parla avec hésitation.

— Mère, tu te fais du mauvais sang à ce propos depuis des semaines. Tu as besoin d'en parler maintenant. Papa est mort. Tu n'as plus ton Bertel à qui te confier. Veux-tu mon amour à la place du sien ? Est-ce pour cela que je suis là comme une statue ranimée ?

Veux-tu ramener une amie à la vie mais sans savoir comment faire, après nos différends ?

Fortunée fixa sur Jatta ses yeux embués.

— Quand mes filles ne cessent de vieillir et de mourir, comment les aimer ?

Avec hésitation, Jatta descendit de son piédestal sur le parquet qui brillait sous la réverbération de la neige. Elle poussa du pied le poignard qui valsa plus loin.

— Arrête la guerre, plaida-t-elle. Pardonne à Menuise et à son mari.

— Quoi, quand elle se déclare la vraie reine ? Comment peux-tu parler ainsi, Paula ?

Bien que toute proche, la mère de Jatta lui semblait à des lieues. Fortunée arracha le chapelet de ses cheveux — qui tombèrent en désordre — et malaxa les perles d'ambre dans ses mains. Elle avait besoin d'agripper quelque chose.

— Je défends notre légitimité. Pour la gagner, je t'ai échangée pour moi, moi incomplète.

— Si tu me retrouves, tu pourras... te détendre, enfin.

— Étais-tu à Kaukainkyla, Paula ? Était-ce toi ?

— Juke doit savoir laquelle Kennan avait enlevée, dit Jatta. Il a dû le découvrir.

— Et il m'a trompée... (Poings serrés sur les perles.) Comme tu en sais sur ce Juke, ma pipelette ! (Fortunée se recula.) Tu ne seras pas Paula. Tu ne sais même pas faire semblant.

Ç'avait été un jeu infantile de peur et de feinte, comme au palais dans le passé. Jatta eut le cœur serré en pensant à Menuise que son démon d'enfant miracle transformerait en statue de glace, s'il le pouvait. Jatta avait peut-être un jour refusé de se marier, pour agacer sa mère. Menuise, elle, s'était coiffée d'une couronne de fouets et de perles. Dans les yeux noirs et resserrés de sa mère, Jatta vit briller la folie sous la forme d'un mince ver rouge et gigotant.

Anni, Anni, reste en sécurité à Sariolinna !

— Les rapides risquent d'être immobilisés par les glaces, fit Jatta sur un coup de tête.

N'importe quoi pour distraire sa mère.

Fortunée réfléchit à cette observation comme si elle recelait un sens secret.

— Les rapides, répéta-t-elle.

Peu après la chute de Maananfors, tandis que la ville infestée par la peste et démoralisée était occupée par les gardes royaux, les soldats de bois, les troupes de Jaeger et les hommes de la bâtisse en H, on avait organisé un pique-nique royal à la cataracte, à deux lieues de la forteresse, hors de vue des cadavres dans les rues et des misérables chevelures sanguinolentes — un pique-nique pour les fillettes.

La cascade les avait remplies de joie. Jack et June avaient confectionné des bateaux en papier auxquels ils avaient épinglé un ruban brillant, et ils avaient vogué entre les rochers éclaboussés d'écume. Le papier venait du bureau d'Alvar van Maanen. Mais les pages en question n'avaient pas encore été griffonnées. Qui sait ce qu'une avalanche de mots inconnus aurait donné comme tournure à la régate ?

— Rapides immobiles, c'est une contradiction, dit Fortunée. Pourquoi es-tu toujours aussi résolue à me contredire ?

C'est alors que Paavo Serlachius entra dans la salle. Venant de la cour, le pasteur aux joues rubicondes souffla dans ses mains. Il tapa des pieds pour se débarrasser de la neige collée à ses souliers et annonça qu'un coucou caquetait de curieuses informations sur le toit de l'abri à l'extérieur de la grande grille.

Des nouvelles de Castlebeck : Beck, le seigneur longue-vie, veuf depuis un siècle et demi, allait épouser une certaine Marietta, femme d'âge mûr et mère de Cully, celui-là même qui avait arraché son œil à Eva Loxmith Sariola.

Tant mieux pour Cully, se dit aussitôt Fortunée. La nouvelle de ce mariage semblait ridicule.

Pas pour Serlachius. A Loxmithlinna, après sa libération du pilori (il avait eu le malheur de présider au couronnement de Menuise), Moller, le pasteur manéen d'Elmer, avait confié à Serlachius que son seigneur avait construit une nacelle spéciale pour Gunther Beck. Toujours envoûté par le souvenir de son épouse Sariola morte depuis des lustres, Gunther, le seigneur des rêves, espérait hiberner et rêver son chemin jusqu'à sa défunte Anna adorée.

Anna ?

Fortunée se rappelait à peine cette Anna capable de susciter une telle adoration et une telle fidélité.

Beck s'était évidemment réveillé de son sommeil prolongé. Ce qu'il y avait d'étrange dans la nouvelle, c'est que la dévotion du seigneur des rêves avait dû essuyer un fameux déboire ou un puissant refus. Un revers dévastateur.

Serlachius était très préoccupé par le mystère, tout autant que par l'arrivée soudaine de l'hiver dont Jack, à l'en croire, était le vecteur. Serlachius voulait un congé pour aller retrouver Jack, le conseiller et le guider. Un pilote de nacelle prendrait peut-être à son bord le corpulent pasteur pour un aller simple au front. Un prêtre militant devrait être avec l'armée, et non à cent lieues de l'action. Hélas, la reine refusait de quitter Maananfors et insistait pour qu'il reste avec elle. Serlachius n'utilisait-il le potin sur Gunther Beck que pour agacer Fortunée ?

Pas du tout. Si le seigneur des rêves avait trouvé son épouse défunte quelque part, c'était sous la forme d'un écho dans la petite Ukko où résidait la jumelle de Fortunée. Qu'est-ce qui avait constitué une défaite totale pour le seigneur des rêves au point qu'il souhaitait oblitérer, désacraliser, tout souvenir de sa quête ? Il aurait sans nul doute continué sa recherche s'il avait encore simplement essuyé un échec, s'il n'était arrivé à retrouver son Anna.

Donc Beck avait réussi. Mais ensuite tout espoir avait été anéanti.

L'Anna de Beck devait être une zombie, l'écho en décomposition que Kennan avait enlevé et que ces culs-terreux de Kaukainkyla avaient brûlé. Ce n'était pas l'alter ego de Fortunée, mais Anna Beck Sariola. La jumelle blonde de Fortunée survivait toujours dans la demeure secrète.

La joie de Fortunée fut démesurée. Elle éclata de rire. Elle dansa. Saisissant le grand Serlachius par les mains, elle le fit tournoyer. Empoignant Jatta, elle partit en sautillant dans la salle. Elles se cognaient contre les tables et les bancs. Cette étreinte maternelle était presque un châtiment. Fortunée s'arrêta, haletante ; Serlachius insinua alors que peut-être le porteur de la nouvelle, ou plutôt son interprète, pourrait s'envoler pour le sud et rejoindre Jack...

Ah, mais la gratitude de Fortunée avait des limites.

Gloussant, elle secoua sa tête ébouriffée. Comment pouvait-elle se passer de son précieux Paavo ? Il fallait qu'elle s'informe plus avant sur Gunther Beck. S'il avait trouvé (et perdu) son Anna, pouvait-il aussi avoir rencontré l'alter ego de Fortunée ?

Beck de Castlebeck, à plusieurs centaines de lieues d'ici... Un vieux bonhomme copain de son défunt Bertie ! Bertie l'avait par hasard rencontré au gala où il avait amené Eva pour appâter Loxmith. Et l'affreux van Maanen aussi.

Il fallait envoyer un message radio à Castlebeck. Non ! Et si un Isi écoutait les souhaits les plus secrets de Fortunée ? Oh non.

Elle devait elle-même partir pour Castlebeck dans l'aéronef royal.

Il ne fallait pas encore quitter Maananfors. Dans un camp voilé de neige au milieu de nulle part, est-ce qu'un coucou avait craché une telle information ? Il était plus sage de rester.

Son Paavo pouvait s'envoler vers Castlebeck... Pas dans une nacelle, assurément ! A bord de l'aéronef royal, ou de la forteresse volante. Non, on risquait d'en avoir besoin. Contre Kip'an'keep, quand les forces royales y entreraient. (Quand. Ou si. Satané hiver précoce. Même si le froid et l'obscurité étaient séduisants.) Si l'emplacement de la petite Ukko était découvert, les aéronefs seraient nécessaires ici, et tout de suite, pour la transporter elle et des gardes.

Elle devait s'informer au sujet de Beck.

— Moller connaît Beck, dit-elle, songeuse. Lyle Melator doit tout savoir du projet nacelle !

Pourquoi Lyle ne lui en avait-il pas parlé ? Malgré sa perspicacité, il n'avait sans doute pas perçu la portée de l'entreprise. Paavo pouvait foncer à la bâtisse en H en traîneau, en contournant le lac, bien sûr, et non en coupant à travers, sous peine de basculer dans des trous de glace trop fine.

— C'est donc pourquoi Beck était si vorace ! s'exclama Jatta. Il engrangeait des réserves pour pouvoir dormir une éternité.

Fortunée pirouetta.

— Tu l'as rencontré ?

Pas vraiment. Lorsque Jatta était entrée ici pour demander asile, elle avait d'abord salué le gros blond à face de chérubin, le savant des rêves (« Ici même, à la table d'honneur, mère ! »), le prenant pour Lord Osmo. Juke lui avait plus tard dit qui c'était, pendant le trajet qu'ils avaient effectué ensemble. Mais Juke ne savait pas grand-chose de lui.

A côté de qui se trouvait Beck ? De qui était-il le plus près ? Fortunée voulait tout savoir.

Voyons, Beck se trouvait près d'un dandy plus âgé, en gilet rayé noir et or, des taches noires sur les doigts. Alvar van Maanen.

Lui, là-haut : le papa d'Osmo, retenu prisonnier avec ses *Chroniques*. Un intime de Gunther Beck.

Sur un mur, au pied du grand escalier — comme dans la salle elle-même —, était accroché un portrait de Fortunée. Le cadre de tamisier était sculpté de feuilles assez semblables à des langues de feu pourpres, même si naturellement le tamisier était incombustible. Lors d'une fouille approfondie des lieux avant que la reine ne les occupe, on avait trouvé ces deux tableaux dans la chambre froide souterraine creusée dans le granit. Ils étaient cachés au milieu de carcasses congelées — les avait-on mis là pour frigorifier la reine éternelle ? A proximité des cadavres d'agneau pour suggérer son destin ? Ou son emprisonnement dans une cellule de pierre !

Une servante en tablier blanc et bonnet de lin bien amidonnés inclinait le tableau. Ce n'était pas la première fois que ce portrait et l'autre, dans la salle, se retrouvaient de travers.

— Toi là-bas ! hurla Fortunée.

La mince jeune fille se retourna. Tresses d'étoupe, visage de poupée, regard d'un bleu perçant, qui louchait. Reconnaissant le sujet du tableau, la servante s'accroupit plutôt qu'elle ne s'inclina.

— Sainte Fortunée, balbutia-t-elle.

La mère de la Kaleva en personne, avec son pasteur manéen rougeaud et sa fille qui s'était accouplée à un étranger !

— Que fais-tu ? Comment t'appelles-tu ?

— Amélie. Je ne faisais qu'ajuster votre icône.

— Tu la mets de travers ! C'est donc toi la responsable !

La servante gémit :

— C'est pour que les nakkis s'assoient pas sur le cadre.

— Ah oui ? Les feuilles de bois leur piqueraient les fesses. A présent c'est ton derrière qui va être fouetté, Amélie. Paavo, faites venir un soldat de bois. Dites-lui de placer cette gamine en travers de ses genoux durs et de la fesser de sa main.

La servante se traîna par terre. Écarquillés, ses yeux fixaient le vide à côté de leur cible.

— Sainte Fortunée, battez-moi vous-même, je vous en supplie. Touchez-moi pour que j'attrape pas de sata-nées douleurs.

— Personne d'autre ne souffrira plus maintenant, bécasse, fit Jatta. Pas ici. Plus maintenant.

— Je vous en prie, fouettez-moi vous-même, Sainte Fortunée, supplia Amélie.

— Pourquoi le ferais-je ?

— Pasque, pasque... C'est moi qu'a mis vos icônes dans la glacière pour les protéger. Autrement elles auraient été barbouillées ou pire.

— C'est vrai ?

La servante louchait à l'excès.

— Aussi vrai que j'm'appelle Amélie. J'ai fait ça y a longtemps, juste après que Sam Peller les a tournées face contre le mur au cas où vous auriez vu ce qui se passait. Oh, on a remarqué qu'elles avaient disparu mais personne savait qui les avait prises ni où elles étaient passées.

— Ma loyale petite !

— Certains ont accusé Seppy Hakulinen pasqu'y voulait pas partir avec la flotte à la bâtisse en H...

Serlachius renifla. Le médiocre pasteur manéen d'Osmo avait été relégué à l'église de la ville.

— Certains ont même accusé le papa d'Osmo, parce que les portraits sont une sorte de chronique en pein-ture. Mais je les ai cachés pasque vous êtes ma sainte. C'est vrai, vous êtes la mère du monde. Ma sainte qui arrive ici, c'est magique. Je vous en prie, battez-moi de vos propres mains, si... (et sa voix traîna)... si je dois être battue.

Bien sûr que non. Fortunée la fit relever en tirant sur ses tresses et elle planta un baiser sur l'œil bleu qui louchait — ce qui fit souffler à Amélie :

— Oh, merci, merci !

Fortunée adressa un clin d'œil suggestif à Jatta. *C'est comme ça entre Anni et toi ?*

La mère du monde ! Ce qu'avait babillé la servante était vrai. Pendant des siècles, les filles de Fortunée avaient porté des enfants qui portaient ou engendraient des enfants. Aujourd'hui leur sang devait couler dans les veines de nombreux Kalevans nés ici. Des dizaines de milliers de gens devaient lui être apparentés, de façon lointaine et diluée. Des hommes et des femmes de Saari, Tumio, Portti, Yulistalax, Verrinitté, Luolalla. Des gens qui ignoraient totalement ce lien de parenté, tout comme elle. Des gens normaux, des gens dotés de talents manéens, des mutants même. Sa moisson dépassait les cent et quelques filles. Moisson de l'Ukko qui l'avait transformée, par la même occasion.

— Tu pourrais être ma petite-fille à la douzième génération, dit-elle à Amélie.

Les lèvres de Jatta remuèrent : Plains-toi. Elle garda le silence.

Un chat tigré se dirigea vers elles à pattes de velours, puis il s'arrêta pour regarder — non pas la servante, ni la reine, ni le prêtre, mais une ombre sur le mur où rien n'était visible. La queue de l'animal remua une ou deux fois, était-il mécontent ou avait-il peur, l'esprit obsédé par un fantôme imaginaire ? Tout d'un coup, il fila pour une raison qui peut-être lui échappait également, pris de panique ou chagriné parce qu'il n'avait aucune idée de ce qu'il fixait ni pourquoi.

— Dois-je toujours appeler un soldat ? voulut s'assurer Serlachius.

Évidemment non. Alvar attendait.

Une forte odeur de tabac parfumé au rhum et à la noix de muscade remplissait le studio chauffé par le poêle. Le soleil de midi exagérait le flux des fumées. Le premier geste de Fortunée fut de contourner le divan à moitié dissimulé sous un monceau de couvertures, et la commode où pendaient des sachets de pot-pourri, pour aller ouvrir en grand la fenêtre. Quelques flocons entrèrent sur un courant d'air glacé. Dehors, le perchoir à coucous ne contenait pas d'entrailles, seulement quelques glaçons. La fenêtre donnait sur la ville et le lac. On voyait des bateaux gelés à l'amarre et, au premier plan, le futile vaisseau amiral d'Osmo. Le *Fille de Sotko* était trop grand pour descendre au sud. Dépouillé de son armement, le vapeur à aubes était abandonné.

Serlachius fit plusieurs fois tourner la porte sur ses gonds avant de la fermer. Jatta toussa, comme si elle faisait une rechute de l'horrible mal de poitrine dont elle souffrait à sa première visite chez Osmo.

Le papa van Maanen, en peignoir couleur mûre et en mules, s'était levé de son fauteuil à bascule, derrière le bureau caché sous un fatras de livres et de papiers. Le foyer de sa pipe en tamisier fumait comme la cheminée d'un vapeur. Ses mollets nus révélaient des nœuds de varices. Autrement il était soigné, avait presque une peau de femme, délicatement craquelée plutôt que ridée. Lors de l'irruption du groupe, il écrivait sur une feuille de papier posée sur un sous-main qu'il serrait maintenant contre son cœur.

Sur une desserte, un bol de porridge sale, un coquetier et la coquille vide, un petit pain entamé, les miettes des précédents, et un verre taché de lait. Le petit déjeuner de l'historien qui attendait qu'on l'emporte. Fortunée occupa le fauteuil en cuir à haut dossier près de ce meuble.

Deux vitrines bourrées de livres flanquaient un tableau représentant un héros penché dans le vent. Un globe du monde. Des piles de carnets noirs. Des liasses de papiers attachés avec des rubans. Des registres numérotés. De grosses chandelles dans des bougeoirs, cordées de cire. Depuis peu, il n'y avait plus d'huile pour la lampe d'Alvar.

— Ça sent le feu de joie ici, dit la reine.

Après le choc initial de son arrivée, Alvar fit de son mieux pour ne pas sembler perturbé par la remarque. Posant son sous-main, puis sa pipe, il dit :

— Je suis sûr que mon tabac m'a préservé de vos mouches ! Si seulement mon fils fumait ! La fumée empêche aussi la démence, vous savez ? C'est ainsi que j'arrive à m'en sortir dans les nids embrouillés d'histoires.

— Asseyez-vous. Vous allez me parler de la quête de votre copain Gunther Beck pour sa défunte Anna. On m'a dit qu'il allait se remarier — avec une certaine Marietta.

— Se remarier ? s'exclama Alvar. (Il s'enfonça dans son fauteuil à bascule et chercha un carnet noir.) Je suis tellement coupé de tout, je me repose sur un marmiton qui vient deux fois par jour, et on me prive d'abats pour les coucous ! Que peut-il bien être arrivé à Gunther ?

Fortunée se pencha en avant, furieuse.

— Vous me le demandez ? Vous imaginez que c'est moi que vous allez interroger ?

Avarice et prière brillèrent dans les yeux d'Alvar.

— J'en ai terriblement besoin, Paula Sariola ! (Et Fortunée gigota irrésistiblement.) Puis-je ? Vous permettez ? J'ai tellement de choses à découvrir.

Alvar jeta un coup d'œil furtif à Jatta, qui avait évité ses questions à une occasion précédente. Jatta n'était qu'une fille parmi d'autres. Ici, dans sa chambre, tout de suite, se trouvait la source, l'origine.

— Vous oubliez votre situation, le rabroua Serlachius.

Alvar persista, stylo en attente dans ses doigts tachés d'encre.

— C'est tout ce qui donne un sens à ma vie — consigner le tissage des événements.

Fortunée laça ses doigts et fit craquer ses phalanges.

— D'après vos calculs, à combien de gens suis-je apparentée par le sang dans le monde ? demanda-t-elle à Alvar.

Étant donné que ses filles opéraient un changement physique sur leur mari en leur donnant longue vie — par une sorte d'infection —, elle-même s'était intimement associée à Osmo, Elmer et beaucoup d'hommes, en plus de sa relation de parenté avec tant d'âmes en vie.

Une perspective soudaine s'ouvrit : tous lui ressemblaient, comme si elle s'était brisée en dix mille esquilles qui la reflétaient d'une façon partielle et tordue — sur le point, en quelque sorte, de se rassembler, exactement comme elle allait être réunie avec son identité originale : le moi souffrant qui avait beaucoup vécu retrouverait le moi originel, préservé pour son salut...

Alvar frissonna sous le courant d'air venu de la fenêtre.

— Combien ? répéta-t-il. C'est une question difficile. J'ai besoin d'établir de très longues listes, et il y aura des trous...

— En voilà une plus facile, cria-t-elle. Comment Beck a-t-il trouvé mon autre moi ? Comment a-t-il trouvé Paula ? Si vous ne pouvez répondre à ça, vos *Chroniques* ne valent rien.

Alvar s'humecta les lèvres.

— Gunther a utilisé une hormone d'hibernation isie que lui a donnée un chaman nommé Taiku Setala, qui l'avait reçue d'une magicienne isie mutante connue sous le nom de Vipère, et que votre plus jeune fille... (Ne pas mentionner Menuise.) Taiku Setala est mort en rêvant les rêves des autres au lieu des siens...

— Vous voulez dire que Beck a rêvé mon rêve ? Parce qu'il vit depuis assez longtemps ? Pas aussi longtemps que moi, mais assez quand même ! Si nous vivons assez longtemps, nous rêvons du début. Le rêve deviendra réel pour nous — mais Beck s'est mis en travers de mon chemin.

Se levant d'un bond, Fortunée se précipita à la fenêtre et agrippa l'appui enneigé. Ses doigts s'enfoncèrent comme si, sous la neige aussi, la pierre était molle.

— Je suis tellement seule ! cria-t-elle dans l'air glacé.

— Mère, supplia Jatta.

— Mère du monde, dit gauchement Serlachius, singeant les paroles d'Amélie.

Fortunée se mordit la lèvre.

— C'est la tension de devoir attendre si longtemps ! (Et Alvar écrivait à toute vitesse.) Il devait se passer du temps, n'est-ce pas ? Assez pour que l'enfant se nourrisse d'histoires. Je ne pouvais moi-même me trouver jusqu'à maintenant. Beck ne pouvait concevoir un moyen de retrouver son Anna. Ils sont cruels, cruels, l'Ukko et sa petite. Dispensateurs de flux manéen, suceurs d'énergie vitale.

— Mais, protesta Serlachius, l'Ukko a fourni un monde. Le mystère nous bénit. Sinon, comment vivrions-nous notre vie ?

— Je maudis l'Ukko et son enfant, hurla Fortunée.

— Non, Majesté...

— Pourquoi pas, si je le souhaite ?

— Mana vous entend.

— Et me frustre !

— Considérez le gel. Ce n'est pas un assaut normal de l'hiver.

Elle fut d'accord, oui.

— C'est la fin de la chaleur et de la vie. Un terrible changement. Une abolition. Jack aurait dû danser pour appeler la chaleur ! Un feu étouffant... pour consumer Kip'an'keep. (Pivotant sur ses talons, elle fixa d'un regard noir Alvar qui continuait à griffonner.) Pour incendier sa fabrique de papier ! (La neige gantait ses doigts.) Je suppose que c'est le mauvais moment pour une vague de chaleur. Mon Jack a provoqué ce froid, vieillard tellement plus jeune que moi ! Espérez-vous une sorte de fausse longue vie pour vous-même — même maintenant, Alvar van Maanen — en accumulant toutes ces histoires des autres ? Jack transformera votre fils en bloc de glace. Ensuite il le fera fondre dans la soupe, et les cochons s'en gorgeront. Il aura eu la plus courte vie ayant jamais existé ! Gel et feu, gel et feu, psalmodia-t-elle.

« J'ai regardé mes portraits en bas, ajouta-t-elle d'un ton sinistre.

— Ils ont réapparu ? demanda Alvar, curieux d'avoir des informations.

— La sculpture des cadres me fait une guirlande de langues de flammes.

Alvar se souvint.

— Elle est censée représenter des feuilles.

— Des langues de feu, futile vieux bonhomme. *(L'idée d'un feu de joie avait pris racine et poussait.)* Vous êtes incapable de me dire où Beck a trouvé Paula, n'est-ce pas ?

Alvar pouvait essayer, oui, il le pouvait — dans l'affreuse extrémité qu'il sentait imminente. Il pouvait lui raconter tellement de choses sur le seigneur des rêves, sur sa défunte épouse, et sur les ramifications de ces histoires. Par où commencer ? Quand ? Regardez ces montagnes de registres, de carnets et de dossiers liés par des rubans et marqués *Chroniques*.

— Il ne le sait pas, interrompit Jatta.

Alvar semblait être intervenu en sa faveur le fameux jour de la fête de Fortunée, dans la grande salle. Un abri pour la nuit. Des habits de rechange. Sans doute il avait eu l'intention de l'interroger. Elle devait le protéger de la folie de Fortunée.

— Comment pourrait-il savoir quoi que ce soit, maman ?

— Dans ce cas, il n'est d'aucune utilité ; et ces

papiers non plus. Bons pour en faire des bateaux, oui, c'est ça... (Poussant des piles de manuscrits, Fortunée tira sur un ruban. Elle lissa une feuille noircie de pattes de mouche dégoulinantes. Elle commença à la plier.) La dernière fois que j'ai vu les rapides, c'était il y a deux cents ans, se remémora-t-elle. Est-ce que ma visite est correctement enregistrée ?

Des allumettes, pour la pipe d'Alvar, se trouvaient là en vrac sur le bureau. Elle en craqua une, visa la fléchette, alluma son aile. Elle la lança par la fenêtre ouverte. En brûlant, elle accéléra.

Alvar émit un grognement de détresse.

— C'est trop lent.

La reine attrapa tout un paquet de feuilles liées par un ruban, en alluma le bord et jeta le tout.

— Non ! supplia Alvar. C'est la mémoire de votre règne.

Vaine prière.

— Ne puis-je me rappeler ce que j'ai besoin de me rappeler ?

— Non ! Ne faites pas ça ! croassa Alvar. Osmo n'est pas longue-vie. Il ne l'est pas.

— Quoi ?

Le vandalisme cessa.

Fortunée appela à grands cris le coucou qui avait apporté la nouvelle du mariage de Gunther. Cou-cou ! Cou-couuou ! Elle frappa de la main sur le perchoir, ensanglantant la neige.

Lorsqu'il arriva, le squameux oiseau vert lorgna le studio et ses occupants de ses grands yeux jaunes, les oreilles tendues. Quelle corne d'abondance de muet babil encré ! La pièce ne contiendrait jamais rien d'autre ; non. Mais l'oiseau ne connaissait que la parole orale.

— Va annoncer dans Kip'an'keep, lui dit Fortunée, qu'Osmo van Maanen n'est pas du tout longue-vie. Sa Menuise était trop petite pour lui !

— Non, ce n'est pas ça, marmonna misérablement Alvar.

Fortunée pivota vers lui.

— Qu'en savez-vous ? Vous regardiez par le trou de la serrure ? (La reine eut un rire nigaud.) Son petit trou était trop petit, alors à la place il a utilisé son trou de balle. Parce que c'est un merdeux. Et elle un trou du cul. L'oiseau, va leur dire qu'il n'est pas longue-vie parce qu'il a salopé le boulot.

Elle regarda sa main, qui commençait déjà à guérir. La main se tendit vers une feuille manuscrite.

— Vous ne savez vraiment pas comment il a fait pour rater son coup ?

— Je le jure, avoua Alvar.

— Voyons maintenant, dit Fortunée à Jatta. Ensemble, nous devrions arriver à comprendre. Tu ne crois pas ? Une mère et une fille qui unissent leurs cerveaux. Je me sentirai moins seule.

Des années auparavant, pour soulager une pression similaire, la petite Jatta aurait pu dire avec insistance : « Je t'aime, maman, je t'aime. » Aujourd'hui elle choisit de murmurer : « Paula. »

Où était l'alter ego, la douce identité sensée ?

— Va, l'oiseau, va ! ordonna Fortunée.

Elle agita quelques feuillets vers l'oiseau avant de les replacer sur le bureau quand il se fut envolé.

Dehors, le décor scintillait, comme si la faucille céleste était descendue et baignait tout le paysage. La mi-journée semblait plus argentée que dorée. Un banc de nuages gris sale apparaissait au loin. D'ici peu, au crépuscule, on ne verrait plus la faucille, ni les étoiles, seulement des flocons d'obscurité, de la neige pareille à de la suie.

21 — Des nakkis sur le tapis

AU DÉBUT, GOLDI EUT DU MAL À SE LAISSER PERSUADER PAR Wex, même s'il lui avait dit où trouver Ambré et donné son poney.

Sa brève idylle serait-elle bientôt écourtée par un engagement dans des affaires humaines — le sort des van Maanen, par exemple, ce couple dont l'homme l'avait chassée par une contraignante proclamation ? Et voilà que Lord Osmo et sa petite dame la poursuivaient jusqu'ici. Eux-mêmes avaient été contraints à un voyage forcé. Goldi connaissait mal les détails de la guerre. Elle ne souhaitait d'ailleurs pas en avoir davantage.

Capturer le seigneur Osmo sous son charme, pour qu'il dépende d'elle ! Tel avait été son but quelque temps auparavant. Non pas son but personnel. Mais celui de ses illustres maîtres. Aucune voix n'avait eu à murmurer dans sa tête pour exiger d'elle la séduction d'Osmo. Ses maîtres avaient compté sur sa loyauté. Ils l'avaient élevée, moulée, préparée. Jarl, aussi, avait été loyal. Ni l'un ni l'autre ne se seraient imaginé pouvoir totalement s'identifier à ces humains débridés. Pourtant on ne l'avait pas rigoureusement contrainte à exécuter sa mission, pas plus que Jarl. Elle avait choisi de le faire (et elle avait échoué). Son espoir secret avait été futile. Elle cessa de le caresser une fois contrainte par le seigneur Osmo.

Néanmoins, ce que disait Wex était vrai. Osmo l'avait dirigée vers le bonheur, vers une consommation étonnante, avec Ambré. Il l'avait mise tout à fait par hasard sur sa voie, et non par intuition ou prémonition. Ce n'était pas un avenir délicieux qu'il voulait lui procurer mais plutôt une infinie frustration.

Osmo avait été trop puissant pour se faire piéger par Goldi, une fois que son épouse lui avait donné l'alarme ! Aujourd'hui qu'il était diminué par la maladie, elle pourrait l'atteindre par ses odeurs et ses chansons. On l'invitait en fait à le faire pour le guérir !

Lorsque Osmo avait voulu la traiter avec plus de dureté, la jeune reine rebelle avait intercédé en sa faveur...

Wex suggéra qu'il serait bon de renvoyer la balle. Il finit par la supplier.

— Faites-le au nom de l'amour !

L'amour qu'elle avait trouvé dans une étreinte ambrée, amour aussi unique qu'elle l'avait elle-même été.

Faites-le au nom de l'amour.

Et au nom d'un autre amour aussi, supposa-t-elle.

Un amour vain que cet homme à double cerveau nourrissait pour Menuise.

Wex était pour elle ce qu'il y avait de plus proche d'un Juttahat... Pourquoi le second cerveau de Wex ne le contrôlait-il pas avec plus de sagesse ?

Dans un domaine différent, c'était son maître absolu. Elle s'en était rendu compte.

Leur rencontre avait eu lieu dans un salon du manoir des jeunes filles. Lorsque Wex était entré, elle époussetait des bibelots en verre, vêtue d'une robe noire, tablier blanc bordé de dentelle et coiffe. Un feu de bois brûlait dans l'âtre, sans parvenir à atténuer le froid. La température ne semblait pas la gêner. Elle gardait encore la chaleur des étreintes matinales d'Ambré, avant que son amant ne reparte errer parmi les arbres enneigés de l'arboretum, aussi nu et doré que jamais. Son Ambré remarquait-il le froid quand son corps était constitué non de chair ordinaire mais de résine ? Au moment où il allait prendre congé après avoir insisté sur sa demande, Wex rajouta un morceau de bois sur le feu.

Peut-être le fit-il pour en souligner l'ardeur. Peut-être pour montrer qu'il savait ce qu'il fallait faire dans ces circonstances, vu que les mâles s'approprient souvent la tâche de faire le feu. Le morceau de bois en question était du menthier. Il n'aurait pas dû faire partie de la pile. Il s'embrasa aussitôt, avant qu'il l'ait lâché. Une odeur douce de bois vert envahit la pièce, chassant presque la puanteur du mustoreum.

Wex recula d'un bond, sans un cri d'effroi.

— Flûte, murmura-t-il.

Ce fut tout. Il ne sentit pas la douleur. Sa main paraissait pourtant cramée ! Il ne fallait pas qu'il parte tant qu'elle ne saurait pas pourquoi — sinon comment se déciderait-elle, concernant sa demande ?

Il lui fit spontanément des aveux.

Après lui avoir donné sa monture, il était allé son chemin, puis il avait tué le coucou qui voyageait sur son épaule. Il s'était alors trouvé pris dans un incendie manéen. Une fournaise avait torturé ses nerfs sans relâche. Son autre moi l'avait coupé de toute sensation corporelle, odorat et goût. Il ne lui restait plus que la vue et l'ouïe, créature réduite à deux oreilles et deux yeux.

Pas étonnant qu'il lui faille aimer — avec impuissance et en vain ! Le contrôle qu'exerçait sa voix intérieure devait admettre un degré de licence, sinon son incarcération dans une carcasse engourdie serait insupportable. Imaginons que la créature dorée soit incapable de sentir la caresse de son Ambré, le rythme de ses membres, la fille-fœtus qui, dans ses entrailles, semblait suivre ses mouvements si bien que, quand il pénétrait Goldi, son éjaculation ressemblait aux larmes de cet elfe... larmes de joie ; une giclée de liquide ambré, des perles d'une résine odorante retenues dans un endroit secret, à l'intérieur de la créature dorée, sans autre conséquence que de la faire resplendir.

Incapable de rien sentir ni éprouver ! Oh, libérer Wex de sa cruelle prison ! Elle, qui avait dû observer un mutisme forcé pendant une semaine et un jour, comprenait la détresse qu'il cachait avec tant de courage.

Pourtant si elle devait s'impliquer...

D'abord, elle devait consulter sa maîtresse.

Elle était allée trouver Tilly dans une chambre ayant autrefois servi à des enfants. Ces temps-ci, la pièce était vide mis à part le grand poêle en céramique rose. La majeure partie du sol était recouverte d'un tapis sur lequel on avait disposé de petits personnages de bois sculpté, des nakkis de la forêt.

Tilly déplaçait ces figurines dans un jeu qui durait depuis des années. Le motif du tapis représentait en ombre chinoise des branches d'arbres qui s'entrecroisaient en un labyrinthe de courbes et de sentiers tordus. Le long de ces sentiers Tilly déplaçait les petits sujets de bois au fil d'un récit devenu si compliqué que seuls les nakkis le comprenaient peut-être encore, un récit parlant d'amour, de trahison, d'ambition, de querelles et de réconciliations. Tilly s'arrêtait souvent au cours de sa narration tranquille pour interroger l'un ou l'autre de ses nakkis. Elle prenait alors une voix grinçante, bourrue ou soyeuse pour personnifier la réponse. Sur le tapis étaient également disposés plusieurs petits morceaux d'agate, d'onyx et de lapis, pierres divines censées donner le pouvoir d'envoûter ou de désenvoûter.

Le tapis était une zone interdite. Seule Tilly avait le droit de s'y aventurer. Dans sa robe verte, elle était agenouillée sur un épais coussin de velours vert mousse. Sur un coussin identique était assise l'épagneule crème et chocolat, la langue pendante. La chienne écoutait le récit de sa maîtresse. Dehors ne pouvait espérer comprendre grand-chose de ce qu'elle entendait mais elle était reconnaissante de sa place de public et grognait de temps en temps un mot bourru.

Aujourd'hui, c'était différent.

Au milieu du tapis à peu près, dans un coquetier de bois, se dressait une bougie allumée. A côté de la chandelle plusieurs figurines gisaient sur le flanc. Tilly semblait perplexe.

— Lippa, Alouette et Liane sont morts, déclara-t-elle à Goldi d'un ton empli de détresse.

— Est-ce pour cela que la chandelle est allumée ? demanda la créature dorée.

— Je ne voulais pas qu'ils meurent... C'est Musky qui a insisté pour la bougie. Ensuite ils sont morts tous les trois, l'un après l'autre.

Tilly se pencha sur une figurine pleine de bosses. Ses mèches dorées pendaient comme un feuillage cotonneux.

— Tu n'as pas insisté, Musky ?

D'une voix cassée et calme, elle répondit elle-même :

— Ah, quelle sale guerre !

— Guerre, grogna Dehors.

— Peut-être qu'ils ressusciteront...

La créature dorée s'agenouilla auprès de sa maîtresse, sur le parquet dur.

— Ressusciter... (Tilly fronça les sourcils, son grand front se plissa.) Ils n'étaient pas vraiment vivants, sauf dans mon imagination.

Elle en avait, de l'imagination ! Elle, si joviale et même coquette pour un œil extérieur, menait cette vie secrète. Elle se racontait un récit en spirale, dans son ancienne chambre d'enfant. Pourtant elle avait toujours joué à ce jeu sans se faire d'illusions. Peut-être aurait-elle dû dicter son tortueux récit à quelqu'un qui savait écrire ? Peut-être aurait-elle dû en faire un livre imprimé ? Kip'an'keep était l'endroit idéal... Ce livre risquait d'être aussi gros ou même plus gros que le *Livre du Pays des Héros*...

Avant qu'elle se décide à le faire, l'histoire se déroulait depuis des années. Impossible d'opérer un retour en arrière jusqu'au début. Qui d'autre qu'elle en connaissait les prologues ? Sans eux, les ramifications qui suivaient échapperaient à coup sûr à un public autre qu'elle-même.

Supposons que le récit de Tilly ait été mémorisé par des conteurs pour les longues veillées d'hiver, ce récit nakki aurait pu avoir une influence sur les habitants de

344

la Kaleva et rivaliser sur un mode mineur avec le *Livre du Pays des Héros*.

Là n'était pas l'intention de Tilly. Son récit était un sanctuaire personnel, qui lui donnait un délicieux sentiment d'autonomie.

— Est-ce qu'une partie de mon imagination est morte ? demanda-t-elle à la créature étrangère. Je n'ai jamais eu de don manéen, Goldi. Tout mon talent manéen est ici, sur le tapis. Dois-je mettre ces trois personnages-là dans le poêle ? Musky a insisté pour la bougie — en guise de nouvelle pierre à sortilège ! En fait, j'ai rêvé de la bougie cette nuit. J'ai rêvé que notre forteresse de tamisier flottait sur un sol et sur du rocher liquides comme de la cire fondue. Voilà que j'ai laissé mourir Lippa et Alouette et Liane. Je n'aimais pas particulièrement Liane, mais... quelque chose est en train de se terminer, murmura-t-elle. Mon histoire, je crois !

— Si je la connaissais assez bien, dit Goldi, je pourrais vous aider à la continuer à l'infini. Personne n'est encore jamais mort dans votre récit ?

— Je ne voulais pas perdre mes amis, mes voix nakkies ! Même si je ne les aime pas toutes de la même façon. Je n'aime pas la mort, Goldi. Même celle d'un chien ! Parfois mes nakkis ont changé, ils se sont transformés. Mais maintenant trois d'entre eux sont morts. Je ne peux pas les rappeler. A quoi sert cette bougie, en réalité ? C'est la lumière qui signale la fin de mon récit.

Tilly souhaitait sûrement que van Maanen retrouve la santé. Si Goldi essayait de le guérir par ses odeurs, par ses chants — et en jouant de la harpe isie... —, le père de Tilly considérerait-il son intervention comme une intrusion étrangère menaçante pour lui ? Verrait-il sa traversée du pont couvert et son entrée dans le corps principal de la forteresse comme un prélude éventuel à une attaque sur sa personne ? Goldi ne pourrait supporter d'être chassée. Malgré la détresse de sa maîtresse devant la mort des personnages de son histoire, Goldi aborda le sujet de son dilemme.

— Osmo méchant avec Dehors ! jappa l'épagneule. (La chienne s'ébroua, exposant au regard son collier de grenats.) Qu'Osmo reste malade, malade.

L'étrangère libéra un arôme de sérénité dorée, et l'épagneule soupira, ainsi que Tilly.

— Essaies-tu de m'envoûter, s'enquit Tilly avec un sourire triste, ou me demandes-tu mon avis ?

— Votre avis, maîtresse. Moi être votre servante fidèle.

— Tu as ta propre identité aussi. Comme moi. (Tilly contempla les figurines nakkies tombées et la flamme de la chandelle.) L'égoïsme apparaît quand notre moi ne suffit plus. Quand il n'est pas assez important, pas assez abondant. On renferme jalousement son petit moi dans un corset, et il rétrécit encore un peu, même s'il semble plus dense et plus fort. Mon père est comme ça, hélas, malgré son allure jeune et bien portante. La forteresse est son corset. Malgré mon amour pour lui, je le dis.

Son père n'avait pu empêcher Osmo et Menuise de s'installer chez lui car il était à l'intérieur de ce corset comme une huître dans sa coquille. Il se dorlotait tandis que les vagues déferlaient sur son royaume. On reconstruisait perpétuellement les forts et les hommes de bois patrouillaient consciencieusement, mais le centre était toujours plus vulnérable et terrorisé.

— Pour Osmo aussi, la faiblesse est... une chose misérable. Je pense que mon père doit s'en rendre compte. Écoute, Goldi : si nécessaire, je dirai à papa que je t'ai demandé d'aider Osmo. Autrement notre coquille pourrait craquer ! Je lui dirai que tu as juré de ne pas utiliser tes artifices ni (elle eut un sourire pensif) tes odeurs, mais que je t'ai persuadée, ma servante étrangère, je t'ai persuadée. Que dois-je faire pour Liane, Lippa et Alouette ? Est-ce que je laisse brûler la bougie jusqu'à ce qu'elle se transforme en flaque de cire fondue ?

— Tilly !

La porte s'était ouverte. Vêtue de pourpre foncé, plus sombre que le bois de la forteresse, la mère de Tilly se glissa dans la pièce. Quand y était-elle entrée pour la dernière fois ? Sa physionomie anguleuse la faisait paraître plus grande qu'elle ne l'était en réalité. Autrefois souple et gracieux baliveau, Édith Sariola était la princesse la plus mince depuis une génération.

Savoir qu'elle avait donné longue vie à un mari naguère débordant de vitalité et qu'il couvait son offrande comme un avare plutôt que d'en profiter l'avait desséchée. Tapper Kippan survivrait au plus jeune arbrisseau de la forêt (et à elle, bien sûr) mais sa vie serait végétative. A présent il refusait de se rendre au-delà de l'arboretum avec ses gardes de bois. Barricadé dans sa suite, Tapper s'adonnait à la consommation d'une drogue euphorisante tirée d'un champignon poussant aux sources chaudes. En plus du plaisir, elle donnait l'impression que le temps passait plus vite. Une journée semblait durer une heure, débordante de plaisir. C'était comme s'il courait plus vite que le reste du monde, mais qu'en même temps il comprimait de façon exquise ce que les mortels ordinaires devaient allonger. Par l'intermédiaire de régisseurs de confiance et privilégiés, Tapper tenait les rênes de son royaume de façon à préserver sa paix. En fait, les événements récents s'étaient produits trop rapidement pour le laisser décider d'une politique.

Avec Tilly — qui était aussi jeune que l'avait autrefois été son épouse —, Tapper se montrait indulgent et même enthousiaste. Quant à Édith... ma foi, en d'autres circonstances elle aurait pu garder son apparence parfaitement intacte dans son âge mûr. Maintenant, son visage semblait se marquer d'une nouvelle ride chaque semaine. Amère, elle se considérait comme sacrifiée à la félicité cloîtrée de Tapper.

Tapper avait la chevelure aussi dorée que celle de Tilly et de ses deux sœurs aînées qu'Édith se félicitait de savoir mariées et loin du foyer paternel. Édith grisonnait. Tapper avait depuis longtemps cessé de se soucier de sa mélancolie, sauf pour la forme. Il lui avait proposé de sa drogue pour accélérer ses jours. Elle avait refusé, résolue à endurer chaque instant morose et desséché de sa vie et à ne pas en hâter le cours pour lui faire plaisir.

— Alors, comme ça, tu joues avec ta servante étrangère ? fit Édith d'une voix triste, basse et pleine de pitié qui pouvait facilement se transformer en reproche. J'en conclus qu'elle est aussi privilégiée que... un chien qui parle. Tu octroies vraiment tes largesses, n'est-ce pas, ma fille ? Si tu avais conquis le cœur de Lord Osmo, il n'y aurait jamais eu cette violence autour de nos forêts, les mouches à peste ni la puanteur. Il faut te marier vite. Même une curiosité étrangère arrive à épouser un nakki ambré. N'est-elle pas pour toi un exemple ?

Édith fronça le nez. Goldi garda les yeux baissés.

Édith continua plus durement :

— Voilà pourquoi j'ai conseillé à ton père de te laisser prendre cette étrangère à ton service et de permettre à son amant de lui rendre visite ici dans le manoir des jeunes filles. Tu ne le savais pas ?

Tilly doutait de la véracité de la chose. Cependant, une fois que sa mère affirmait quelque chose, elle y croyait ferme — du moins jusqu'à ce qu'elle affirme le contraire.

— C'est pourquoi cela m'est égal que ces noceurs sillonnent notre territoire. Là où il y a la guerre, il y a péril. Des passions soudaines naissent. Il est grand temps que tu cesses de jouer avec tes poupées, Tilly. Toujours vierge, bien sûr.

Tilly leva la tête.

— Peut-être pas, mère.

— Qu'est-ce à dire ? La créature dorée te procure du plaisir, une bougie à la main ?

Tilly rougit d'une fureur jusqu'ici inconnue d'elle. Sa mère allait trop loin cette fois. Beaucoup trop loin. Il était grand temps de lui ouvrir les yeux.

— Laisse-moi te dire, mère, cria Tilly, j'ai couché avec des soldats qui allaient prêter le serment du bois et boire la sève ! Oui, et plusieurs fois. Des soldats fidèles aux Kippan. Ils ont apprécié ce que j'ai fait — ensuite ils n'auraient plus prise sur moi. Parce qu'ils seraient entrés dans une existence différente. Exact ? Oui, mère, j'ai fait ça — pour explorer la sensation.

Affolée, Édith chancela. Elle s'avança sur le tapis de branches-sentiers.

— Non, cria Tilly. Pardon...

Sa mère renversa les figurines de bois d'un coup de pied.

— Arrête, tu brouilles l'histoire. Je te demande pardon !

— Putain ! cria Édith.

Elle écrasa un nakki sous sa chaussure, cherchant à le réduire en poudre, à l'incorporer à la trame.

— Non, jappa Dehors.

L'épagneule se jeta sur les chevilles d'Édith. La bougie tomba du coquetier.

Une fumée blanche monta du tapis. Ou bien était-ce du feu blanc ? Tilly et Goldi se relevèrent en vitesse. Édith hurla et s'écarta du sinistre. La chose répandue ressemblait à du lait. Dehors recula en aboyant. Pendant un moment le tapis sembla être le sommet d'un immense cierge incandescent, un lac en fusion : bouillonnements de cire et de gaz incolore. L'instant d'après, seul un halo flottait au-dessus du tapis. On ne voyait plus de chandelle, seulement un coquetier vide.

La créature dorée psalmodia des mots étrangers, syllabes sifflantes et claquantes.

— Mana, gémit Édith, Mana. J'ignorais en quoi consistait ton jeu. Ma fille est une chamanesse secrète. Avec une apprentie juttahate. Ou est-ce l'inverse ? Est-ce ta créature qui t'a montré comment faire ?

— Non ! cria Tilly.

A l'intérieur du halo de lumière, les petits nakkis remuaient. Les sujets de bois commençaient à bouger. Les figurines tombées se relevaient.

— Alouette ! Lippa ! Liane... !

Des petites voix pépiaient. Tilly se boucha les oreilles. Les personnages de sa longue histoire s'animaient — espiègles petits nakkis.

Des fleurs miniature poussaient sur le tapis : corolles à cœur jaune soleil et pétales blancs — une forêt de pâquerettes — comme si, endormies depuis longtemps, des graines avaient attendu non pas l'humidité mais cette clarté cireuse pour germer.

De minuscules vers grouillaient là comme après l'éclosion d'une multitude d'œufs d'insectes. Mais c'étaient des Isis, minuscules. Le tapis sembla enfler, devenir colline à travers la lentille déformante de l'air. Les nakkis fonçaient sur les chemins du tapis, traversaient les forêts de fleurs, montaient, descendaient, suivaient le contour des tracés, se poursuivaient les uns les autres ici et là. L'histoire de Tilly se débridait. La jeune fille ne la contrôlait plus.

— Non, arrêtez ! cria-t-elle.

Arrêter avant qu'un nakki ne saute du tapis pour se retrouver dans la pièce.

Dehors, l'épagneule, s'élança dessus et fit des ravages. Elle saisit un nakki dans sa gueule. Elle le secoua furieusement, le fit craquer et le rejeta. Elle en saisit un deuxième, puis un troisième. Dehors était un monstre au milieu des petits bonshommes, un monstre à collier de pierres précieuses. Le chœur des couinements nakkis, inintelligible et rauque, résonnait en sourdine.

Tout d'un coup, le halo s'évapora. Comme une vague qui s'écrase et se retire en sifflant. Dehors s'enfuit du tapis au moment où il retombait. Les pâquerettes, devenues toiles d'araignées grises, tombèrent en poussière. Les vers rentrèrent dans la trame en gigotant. La surface était jonchée de figurines estropiées à qui il manquait une jambe, un bras, ou la tête.

A chaque extinction de vie dans la gueule de la chienne, une étincelle semblait entrer en Goldi, ainsi qu'un souffle divin. Elle se sentit exceptionnellement bénie. Elle devait à son tour dispenser des bienfaits, pour se débarrasser de ce don à la fois merveilleux et horrible. Elle n'en avait pas besoin. Son Ambré lui suffisait. Il fallait qu'elle transmette ce souffle. A Osmo. A Wex également. Il le fallait. Sans vouloir les contrôler, ou les dominer. Par pure charité.

Tilly pantelait, elle avait perdu le souffle en même temps que les figurines la vie. L'épagneule pantelait aussi. La jeune femme attira Dehors contre elle. Elle loucha sur Édith à travers ses cheveux fous. Sa mère cherchait des yeux où s'appuyer, sinon elle allait tomber. Elle vacilla vers le poêle en céramique et se laissa tomber à côté, dos au mur.

Ce que Tilly avait dit à sa mère à propos des soldats était vrai. Elle n'avait guère évoqué la totalité de l'expérience.

Deux ans avant l'acquisition de Dehors, elle se promenait seule dans l'arboretum — qui lui aurait voulu du mal ? Un jeune inconnu s'attardait près de l'un des deux moutapous, pleurant doucement. Le lendemain, il allait devenir homme de bois. Il en avait fait la requête à cause de l'ostracisme cruel des gens de son village, garçons et filles. Le jeune homme se lamentait sur la certitude de ne jamais connaître l'étreinte d'une femme en chair et en os. Bientôt cela ne le préoccuperait plus. Entre-temps il s'apitoyait sur son triste sort. Il avait entendu dire que les hommes de bois faisaient des rêves délicieux en dormant. En perdant son corps tourmenté, il trouverait peut-être un bonheur hallucinatoire.

Spontanément Tilly s'était offerte à lui. Le jeune homme ne savait pas qu'elle était la fille de Kippan. Il imaginait qu'il s'agissait d'une nakkie des bois, qui avait déjà connu la transformation qu'il subirait le lendemain.

Elle se donna à lui de son plein gré. Et ce fut aussi son premier rapport sexuel.

Le jeune homme avait regardé avec étonnement sa verge gainée de sang et le filet de sang sur les cuisses de la jeune fille. Il avait alors compris qu'elle n'était point nakkie et fut stupéfié par sa générosité, une charité qui rendait plus poignant encore son sacrifice à lui. Il avait niché sa tête au creux de son ventre tandis qu'elle lui caressait les cheveux. Il avait respiré son odeur intime avec une tendresse exquise, lui qui allait durcir de façon irrémédiable.

Par deux fois elle avait ensuite cherché des garçons à la veille de leur transformation, pour les aider à dire adieu.

Accepter un mari ? Ce ne serait point se donner, mais être prise.

Qu'avait-elle donné ici, dans cette pièce ? Et qu'est-ce qu'on lui avait pris ? Cet instant était-il un épilogue ou un prélude ? Une bougie, poussée par un cauchemar, avait débordé. Son histoire n'existait plus. Les éléments du récit avaient surgi du tapis comme d'un volcan en éruption, et gisaient à présent fracassés. Le récit se terminait de façon si abrupte qu'il faudrait des jours pour assimiler sa disparition. L'étrangère semblait animée par un dessein. Tilly devait-elle pleurer comme le jeune inconnu à deux doigts de connaître une consommation miraculeuse ?

Menuise sortit la harpe d'argent du tiroir sous son trône. Elle effleura les cordes. Des accords s'égrenèrent. Osmo soupira.

— Je suppose que vous aurez besoin de ceci, dit Menuise à la créature dorée. (Goldi n'avait pas remis sa séduisante tunique courte, elle avait gardé ses vêtements de domestique, comme preuve de ses bonnes intentions peut-être.) Je vous en suis reconnaissante, ajouta-t-elle. (Enfin, je le serai, précisa-t-elle sous cape, selon le résultat.)

La créature dorée ne trahit aucun désir particulier de se saisir de l'instrument. Pourtant elle sembla tendue en contemplant un Osmo épuisé et diminué, affalé dans son fauteuil de cuir, emmitouflé dans un peignoir de laine épaisse, ainsi que Wex, l'entremetteur dans cette affaire. Wex se serrait dans sa gabardine verte, même s'il ne sentait ni le froid ni la chaleur. En fait il faisait chaud dans la salle du trône. Essayant de paraître normal, le Terrien regardait Menuise d'un regard qui trahissait ses sentiments.

Deux lampes à huile brûlaient. Les rideaux étaient tirés pour laisser dehors la nuit et les tourbillons de neige. Les portes étaient verrouillées. Il n'y aurait ni interruption, ni entrée intempestive.

Osmo bougea.

— Je vous ai traitée avec quelque intempérance, dit-il à la créature, tout en grimaçant.

Elle eut un sourire rayonnant.

— C'est oublié. Vous m'avez mise sur la voie du bonheur. Vous auriez pu me contraindre à étouffer — à ne plus pouvoir respirer. Aujourd'hui je dois vous bercer à nouveau, pour engourdir la maladie en vous. Si je le peux ! Retirer la maladie une fois paralysée. Vous ranimer grâce à des étincelles manéennes.

— Je vais... me détendre, promit Osmo, mal à l'aise.

La créature avait jeté un coup d'œil du côté de Wex comme si elle avait une double mission.

— Ayez confiance, murmura Wex. Moi, j'ai confiance.

— Oui, mais vous avez un contremaître en vous ! marmonna Osmo.

Menuise lui adressait des sourires d'encouragement et de la plus grande tendresse.

— Une fois que j'aurai commencé, dit Goldi, n'essayez pas de m'arrêter, s'il vous plaît. N'essayez pas de vous joindre à mes exhortations, prince Osmo. Ni vous, reine Menuise.

— Il vous faudra explorer les origines de mon mal...

— Je sais, je sais.

— ... rigoureusement... Vous en savez assez ?

— Roger Wex m'en a parlé en détail, prince, y compris ce que les coucous ont crié sur les toits. (Chaque détail ? Y compris son échec à s'emparer de la longue vie ? Wex n'en savait rien, si ?) Je suis une chanteuse accomplie.

Osmo fit un geste mou : Allez-y. Il respirait à petits coups. Pendant quelques instants, la femme humaine et l'imitation étrangère partagèrent la garde de la harpe d'argent. Goldi reçut très lentement l'instrument des mains de Menuise. Elle s'affaira à ajuster les chevilles pour l'accorder.

> ... Les sœurs l'horreur, les garces la menace
> Ont dépêché la mouche qui mordit le lobe de son
> [oreille
> Et injecta le poison dans ses veines,
> Funeste toxine, fatal venin,
> Rongeant du prince les reins,
> Provoquant lésions et urine rose,
> Le dépouillant de son pouvoir manéen,
> Bâillonnant toutes ses proclamations,
> Poisse et Poissette, Guigne et Guignette
> Sont les noms de ces quatre goules,
> Filles d'une noce funeste
> Entre June la mutante poule
> Et le Vif-Argent
> Fils de Jatta qui chercha refuge
> Dans la grande salle du seigneur van Maanen...

Le renvoi de Jatta par Osmo était-il une cause profonde de sa maladie ?

Le récit de Goldi s'était déroulé pendant plus d'une heure, accompagné d'un gazouillis d'arpèges et d'accords enchanteurs à mesure que l'intrigue s'étoffait. Une senteur enivrante avait depuis longtemps submergé le vague relent de mustoreum. Les trois auditeurs étaient bercés.

L'attaque par l'odeur et le son devint orage lorsque la créature se mit enfin à déclamer de façon sinueuse et érotique :

> La mouche s'appelait...

Un instant, elle s'interrompit, avant de choisir, avant de saisir le nom parmi les éléments nécessaires à son récit...

> ... Guignette,
> Cause de la maladie du seigneur,
> Milady de son infortune,
> Qu'elle soit purgée de ses humeurs,

Afin qu'éclatent avec force les paroles de son
[cœur,
Et qu'un homme à deux cerveaux connaisse
Le goût de la nourriture, le parfum des fleurs,
Car amour a pour nom délivrance !

Des étincelles s'échappèrent des mains de la créature
dorée — ou des cordes sonores de la harpe. Portées sur
un bombardement de senteurs de miel, ces parcelles de
lumière se posèrent sur Osmo qui sursauta comme si
elles le piquaient, et sur Wex qui vacilla et inspira avec
l'avidité et la souffrance d'un nouveau-né qui respire sa
première bouffée d'air. Il se mit à éternuer dans sa
main ankylosée.

La déception assombrit le visage de Wex. Du poing,
il se tapa le front, doucement.

— J'ai senti une odeur un instant. D'une grande douceur. Elle a disparu. Je l'ai chassée en éternuant. Wetware, tu m'as confisqué l'odeur...

Son alter ego l'informa à haute voix :

— *Le cerveau des odeurs est ancien, fondamental.
Ainsi que la douleur. Je te protège des distractions.*

Lasse, la créature dorée regarda Wex de travers, ou
plutôt son wetware.

Tremblant, Osmo se leva.

— J'ai eu l'impression de me noyer, articula-t-il difficilement. Comme jadis, quand Sam m'a maintenu la
tête sous l'eau, et que je n'arrivais plus à respirer... De
me noyer dans des paroles, des ténèbres, de la musique.
Je me suis abandonné, oui, je me suis abandonné à un
esprit étranger.

— A présent vous faites surface, indemne, dit la créature dorée.

D'un pas chancelant, comme prise de vertige, elle alla
vers Menuise et lui rendit la harpe.

Le matin, Osmo se réveilla rafraîchi. Il avait dormi
toute la nuit. Ses reins ne le faisaient plus souffrir
comme s'ils étaient meurtris et pourris. Il ne craignait
plus la pression de sa vessie, ce besoin urgent aussi
familier que l'érection matinale. Il n'avait plus la tête
dans un étau. Pendant qu'il allumait une chandelle, sa
verge eut le temps de mollir, et il pissa dans un pot de
chambre un joli jet couleur paille.

— Comment est-ce ? demanda Menuise.

— Clair.

Il la rejoignit sous les couvertures.

— Flamme, meurs ! lança-t-il. *C'est prononcé.*

La chandelle se creusa, s'étrangla. La tapisserie accrochée au mur s'enfonça dans le noir. La flamme d'Osmo s'éveilla. Sa chandelle était raide, sa mèche palpitait.

— Je me sens... fécond et généreux, chuchota-t-il. Si nous faisions un bébé ? C'est le bon moment, mon oiselle ? J'ai perdu le compte.

Le bon moment, quand une armée de soldats de bois, de gardes royaux, de troupes de Jaeger et de la bâtisse en H essayaient de les atteindre ?

— Notre enfant naîtra en plein été — plein de vie. Je veux une petite Menuise.

— Tu en as déjà une, bêta !

— Que dirais-tu d'un petit Oz ?

— Je ne sais pas si j'ai envie d'être mère, vu la façon dont les mères se comportent...

— Considère l'ablette comme une sœur — mieux, comme une amie, tout comme tu es la plus chère de mes amis.

— Bon, c'est le milieu du mois pour moi... Pas de tampons en perspective, sauf le tien. (Elle se souleva, prit son membre et le serra doucement. Il gémit.) Si je viens sur 'oi, ta semence risque de couler...

Rejetant les couvertures, il la fit basculer, s'agenouilla entre ses genoux, et, dans l'obscurité, monta ses jambes minces sur ses épaules.

— On va le faire du bon côté...

Menuise ricana, comme lui.

— Dénoue le nœud de l'œuf, ronronna-t-elle ; fais un trou dans la coquille et glisse-toi dedans...

Les langues se retrouvèrent. Les paroles étaient chair, muscles et nerfs à vif.

La lumière s'imposa enfin sur une Kip'an'keep recouverte de neige. Un coucou vint se poser sur un perchoir devant le manoir de Menuise, arrachant à leur travail un groupe d'habitants qui s'assemblèrent là. Ce fut Sam Peller qui entra pour annoncer la nouvelle au couple van Maanen. Sam revenait du front et avait chevauché la plus grande partie de la journée et de la nuit. Au mépris de sa résolution précédente, il avait fait ce long voyage pour se rassurer sur l'état d'Osmo.

Il arriva juste à temps pour voir les coucous caqueter à la porte même de son seigneur. Le secret était éventé. Osmo était éphémère, et non longue-vie comme le seigneur des forêts — tout cela par manque d'à-propos, par pure incompétence. Quelle sorte de chef était-il donc ?

L'air morne, Sam alla rejoindre son seigneur d'un pas pesant — et le découvrit en pleine forme, rayonnant de vitalité. Menuise et lui, habillés, prenaient leur petit déjeuner dans leur chambre à coucher — biscottes au cumin et lamelles de gruyère. Ils riaient.

Non seulement Osmo était guéri, mais on aurait dit qu'il n'avait jamais été malade.

Sam aux blancs cheveux, couvert de neige, bleu de froid, était fourbu. S'il n'avait pas éprouvé un immense soulagement mêlé d'étonnement, il aurait pu se sentir lésé, frustré de tragédie. Il fut le premier à leur parler de l'oiseau.

Sans prendre la peine d'enfiler leur gros manteau molletonné, Osmo et Menuise se hâtèrent de sortir pour se trouver avec la foule et le coucou. Elmer et Eva s'étaient joints au rassemblement dans la neige. Le fabre ingénieur décharné se tenait là, timide, conscient des regards inquisiteurs et défiants. Comment allait-il réagir à l'humiliation publique d'Osmo ? Eva, bandeau en place pour protéger son trou du froid, semblait furieuse contre l'oiseau. Dès qu'elle repéra Menuise, elle secoua la tête, lèvres pincées, abjurant tout rôle dans ce qui arrivait. C'était la faute de leur mère. C'est seulement alors qu'Eva remarqua Osmo. Elle releva en fait son bandeau pour le voir plus distinctement avant de prendre conscience de la futilité de son geste.

Osmo planta ses mains sur ses hanches et cria :

— Tais-toi, coucou ! N'écoutez pas les calomnies, braves gens. Je vais très bien ; très, très bien. J'irai inspecter les forts aujourd'hui, et nos batteries de roquettes qui protègent votre belle ville. (Il tira sur ses boucles châtaines.) Je n'ai pas de problème avec mes cheveux, vous voyez ! Tout va bien. Je me suis débarrassé de la peste. Si cela n'est pas la longue vie, alors je ne sais pas ce que c'est.

Comme la longue vie, peut-être... Ses cheveux ne

s'étaient pas non plus gorgés de sang. L'heure était venue des hyperboles. Sortie des lèvres d'un proclamateur, une petite hyperbole serait-elle examinée de trop près ?

— En fait, je me sens sacrément bien. (Ce disant et malgré le froid, il déboutonna sa braguette.) Je pisse sur ce coucou et je pisse sur Fortunée. (Il arrosa la neige d'un jet exubérant qui creusa un petit cratère de soupe jaune dans la laine blanche.) Et de plus, annonça-t-il, ma reine et moi allons avoir un petit héritier ; et *c'est prononcé*.

— Pas possible de l'avoir grand tout de suite ! cria joyeusement quelqu'un.

Des rires enthousiastes résonnèrent.

— Pas de Vif-Argent pour nous, ni de garces la menace ! Ces monstres mutants plaisent à la vieille catégorie de reine timbrée qui a défiguré le monde avec ses caprices, et qui a fait pisser le sang par les cheveux des gens jusqu'à ce qu'ils soient aussi aliénés qu'elle. Je suis (et il sourit) pour la décence.

C'est seulement alors qu'il rentra son robinet, provoquant une approbation hilare.

Chaussée de ses bottillons à plate-forme, Menuise semblait posée sur la neige, elle souriait franchement, sa couronne de guingois — adorée par Osmo, et seulement à peine moins par la plupart des badauds.

Sam s'affaissa. Il avait besoin d'une boisson chaude, de brioches et d'un bon lit.

— Au fait, marmonna-t-il, un de nos sautards a repéré le chariot de guerre...

— Dois-je me rendre auprès des troupes, Sam, vu que je me sens si en forme ?

— La progression du chariot de guerre est lente. J'ai pensé que cela ne méritait pas un message par communicateur...

Mais plutôt un trajet d'une traite, d'un jour et d'une nuit — la nuit étant bien plus longue que le jour ? En laissant le front livré à lui-même... La vraie raison crevait les yeux : c'était le conflit intérieur de Sam.

— Dois-je m'y rendre en traîneau à poneys, Sam ?

Dix ans auparavant, Tapper Kippan avait vendu l'aéronef familial au plus riche marchand de Portti, et son fils s'était abîmé en mer. Kippan n'avait même pas besoin de l'argent. Il allait vivre longtemps, et n'avait aucune intention de voyager nulle part par voie aérienne. La nouvelle de l'accident avait conforté Kippan dans sa décision de s'enfermer.

— Mais bien sûr, il y a l'aérocolombe de Wex !

Pouvait-on engager cet appareil dans la guerre ? Non, pas tant que Fortunée s'abstenait d'utiliser ses aéronefs. Une évacuation était une opération humanitaire. Transporter Osmo en tant que chef de guerre serait de la provocation.

Sam rassembla ses esprits :

— A mon avis, vous feriez mieux de rester ici plutôt que de camper par ce froid.

— Ah, mais c'est que je suis de nouveau capable de proclamer.

Sam était trop épuisé pour donner des conseils. Lorsqu'il vacilla, Osmo le saisit par le bras pour le stabiliser.

— Sois fort, Sam, *c'est prononcé.*

Sam secoua la tête.

— Ne faites pas ça. Je sens le courant... Vous brûleriez ma chandelle par les deux bouts. C'est de nourriture et de sommeil que mon corps a besoin. (Une lueur fanatique pénétra dans ses yeux.) Mon puissant prince, chuchota-t-il.

Il n'avait pas fait le voyage pour rien.

Minkie pissa sur une touffe d'herbe givrée. Il se demanda si elle lui serait reconnaissante de la chaleur qu'il lui apportait ou serait plutôt choquée par l'attaque comme un petit jeune homme qu'on sortirait d'un bain glacé pour le jeter dans l'eau bouillante.

Châtiment prémonitoire, peut-être ? Qui punirait Minkie de quoi que ce soit ? Il avait trouvé sa fille de paysans : la nubile et maladroite Sal aux longs cheveux roux frisottés et aux taches de son. Il l'avait gagnée grâce à son charme, à la magie et au pouvoir de la sauto — il l'avait emmenée très loin de chez elle.

L'idée d'échanger la sauto contre un poney à cru avait échoué à cause de l'absence de bride et de rênes. Sal et lui avaient trouvé un cabanon désert en assez bon état près d'un étang dans les bois. Il avait fait quelques incursions dans les environs avec la sauto pour s'approvisionner en ravitaillement. Il volait, se le procurait par intimidation ou en jouant au soldat royal qui réquisitionne au nom de la reine. Pas d'alcool, hélas ! Il dut se limiter au transport de victuailles, deux fois plus que pour un homme seul — mais il n'aurait pu se passer de Sal qui lui tenait chaud au corps et au cœur.

Le cabanon recelait quelques cannes à pêche, des hameçons, une scie rouillée et une hache, rangés sous une trappe du parquet. Un âtre attendait des bûches. La tente de Minkie, bourrée de foin, servait de matelas sur lequel on tirait le manteau bordé de fourrure de Sal.

Quelle déchéance pour un jeune et beau garçon ! Ce n'était pas exactement ce qu'il avait envisagé (à part Sal). Mais à la guerre comme à la guerre. Il ne fallait pas tenter d'utiliser la sauto (comment savoir si elle ne tomberait pas en panne ?). Aussi la coula-t-il dans l'étang. Poney d'acier, poney d'acier ? Quel poney d'acier ? Jamais entendu parler d'une chose pareille. Je suis juste un amant avec sa belle. On aime bien la solitude.

Sal était subjuguée par Minkie. Elle aurait ronronné comme une chatte quand il la caressait, si elle avait pu. Elle ronronnait presque, d'ailleurs. Jamais il n'avait envoûté une fille à ce point. Sal faisait abstraction du contraste entre sa ferme et ce misérable cabanon. Elle avait la certitude absolue que Minkie était en mission royale et qu'on lui imposait de se cacher et d'attendre. Minkie connaissait bien Sainte Fortunée. Il avait séjourné au palais de Pohjola ! Il était lié d'amitié avec le prince avant son accident.

Minkie, lui, était moins enchanté par sa situation. Cependant, il résolut de se charmer lui-même, pour changer — en utilisant Sal comme miroir. Sinon il risquait de s'ennuyer de façon abominable et la naïveté de sa compagne deviendrait lassante plutôt que charmante.

Comment exerçait-il habituellement son charme ? Eh bien, en souhaitant de toutes ses forces envoûter la personne.

En plongeant son regard dans les yeux de Sal pendant longtemps, comme s'il l'adorait autant qu'elle raffolait de lui, en y voyant son reflet, il commença à éprouver une euphorie proche de celle de sa belle, un sentiment ample et caressant du bien-fondé de la situation.

Comme l'âme d'un chaman en voyage spirituel, son

âme mûrissait sûrement vers une révélation de son indépendance. Il sortirait admirablement serein de cette expérience.

Il commença à se faire un léger souci. N'allait-il pas devenir dépendant de cette poupée ? Il ne s'était encore jamais senti aussi proche d'une femme (pas même de Kyli, quand il en était amoureux). En fait, il était proche de lui-même. Il n'était pas amoureux, non. Il investissait à jamais son essence dans les yeux de Sal, se dissimulant presque en elle. Quelle cachette idéale, si l'on devait se cacher ! La fantaisie lui traversa l'esprit qu'il pourrait un jour changer de place avec elle, regarder par ses yeux, habiter son corps de femme tandis qu'elle occuperait sa place à lui. Elle serait un brin stupéfaite de la transformation, et sans doute en extase, car cela représenterait pour elle la récompense parfaite : devenir l'objet qu'elle adorait.

Bien sûr, notre Minkie ne pouvait entrer en une femme de cette façon.

Pas encore...

Avec le temps, réussirait-il à accomplir cet exploit par pure concentration — par application prolongée de sa volonté comme jamais cela ne lui était arrivé ?

Ensuite il pourrait partir librement où bon lui semblerait, sans être reconnu et impossible à reconnaître sous les traits d'une femme. En tant que fille, serait-il vulnérable à la séduction ? Il exercerait toujours ses charmes... Certes, la vraie récompense du séducteur était peut-être de devenir le sujet de ses désirs afin que celui qui désire et l'être désiré ne fassent plus qu'un. Si ses ennemis capturaient la paysanne qui l'incarnait, qui croirait ses protestations ?

Ce projet de Minkie devint une obsession. Sal exultait de l'attention qu'il lui portait.

Une obsession. Les jours passaient plus facilement.

Entre-temps, l'étang gela, de façon assez soudaine et intense. Il fallait scier un cercle dans la glace et y installer Sal avec une ligne et un hameçon. Elle ne mettrait pas longtemps à attraper quelque chose de bien. Le poisson viendrait vers le trou pour y trouver de l'oxygène.

Finalement, Juke était tombé sur le squelette d'un cheval. S'il cassait des branches de feuillus pour la recouvrir, la cage thoracique ferait une sorte de tente. La neige s'était mise à tomber dru et l'après-midi s'assombrissait vite. Il avait le ventre aussi vide que celui de ce cheval. De toute évidence l'animal s'était pris les rênes dans la branche noueuse d'un arbre tombé. Il subsistait quelques restes de cuir vieilli. Seule, sans cavalier, prise au piège par le museau, la bête était morte de faim depuis des années.

Et Juke allait connaître le même sort.

Où pourrait se blottir un pèlerin mieux que dans la créature aux sabots agiles, aux naseaux tressaillants, emblème des voyages rapides ? Sauf que ce poney avait trébuché et, pris de panique, il était mort attaché par la bouche et donc incapable de se nourrir.

Juke devait trouver la mort, un chiffon enroulé autour du front et cachant son œil gauche.

Sa recherche s'étant révélée infructueuse, il lui trottait depuis quelque temps dans la tête qu'il devait se donner la mort pour pouvoir redécouvrir sa sœur, étant donné qu'il était à l'origine de sa disparition. Aucune randonnée ou recherche ordinaires ne révéleraient sa cachette. Peut-être se trouvait-elle plus loin. Peut-être l'avait-il déjà passée. Comment savoir ?

Donc, un jour, à midi, il avait contraint le reflet que lui renvoyait une flaque d'eau prise au piège dans une petite cuvette rocheuse. Les coprophages l'utilisaient comme baignoire. Les éclaboussures brillantes de leurs ébats y avaient attiré Juke. Il avait laissé la surface redevenir lisse, ensuite il s'y était regardé, cheveux rejetés en arrière, regard perdu au loin. Il regardait trop loin peut-être, et trop distinctement, pour quelqu'un qui cherchait une sœur borgne. Donc, il ne la voyait pas.

Il ne devait pas chercher la vie — sa sœur vivante — mais la mort à laquelle elle semblait avoir échappé et qui devait à présent, puisqu'elle avait échoué à garder la sœur, appeler le frère. Lui fallait-il se rendre dans la cachette de sa sœur ? Pouvait-il courtiser la mort là où il se trouvait ? Pouvait-il se contraindre à s'étrangler, contraindre ses mains à serrer sans faiblir son cou bien musclé ? Pouvait-il contraindre son souffle à s'arrêter ?

Ainsi asphyxié, les yeux révulsés, la vision déformée, allait-il percevoir le fantôme lumineux des pas de sa sœur à travers le pays pour découvrir la direction qu'elle avait prise ?

Il prit une profonde inspiration et psalmodia tout en expirant longuement et lentement :

Souffle, meurs
Éteins-toi
Va-t'en,
Souffle, meurs...

Plus bas maintenant, penché en avant, les poumons vidés. Bientôt, les parois intérieures allaient se coller.

Va-t'en, souffle
Loin,
Souffle, meurs...

Les paroles de la proclamation faiblissaient à mesure qu'il appelait le silence final. Aucun mot n'arrivait plus à quitter ses lèvres. Avec une résolution douloureuse il refusa d'inspirer...

... jusqu'à ce que, pris de vertige, il tombe sur le rocher et s'assomme. Malgré lui, ses narines aspirèrent l'eau de la cuvette : gravier acéré dans sa poitrine. De l'air, de l'air comme des lames pour dégager le gravier et l'expulser par une toux à se défoncer le coffre.

Le monde tourna autour de lui de vertigineuse façon — terre rouge, lumineuse, soleil noir absorbant cette lumière.

Quand il retrouva son souffle douloureux et sa vision du monde, il déchira une manche de sa chemise et en fit un bandeau pour son œil gauche. C'est ainsi que sa sœur avait vu son chemin : sans relief. Comment aurait-il pu, lui, reconnaître la route qui menait à elle dans une fausse perspective ?

En plus, elle possédait un œil intérieur qui voyait ailleurs. Qu'importe, il se sentait à présent plus proche d'elle que jamais.

Peut-être revint-il sur ses pas une vingtaine de lieues ou plus pour essayer une nouvelle approche. Peut-être tourna-t-il en rond comme un canard borgne, incapable de se reconnaître dans sa mare. Cheminant comme un somnambule, Juke traversa un monde onirique. C'était le monde réel des lacs, des forêts, des brumes et des rochers, mais privé de sens. Ce décor le guidait vers un royaume alternatif, du rêve ou du cauchemar.

Parfois, dans un ciel dégagé, la faucille brillait sur lui, pont de la mort ou cascade de courant manéen, lune particulière et fracassée de Solœil, son précieux colifichet de mots éparpillés dans le ciel bas. Gelé et affamé, subsistant à peine grâce aux baies, aux champignons et aux poissons qu'il contraignait à sortir des étangs et qu'il mangeait crus, endurant les souffrances qu'avait dû connaître Solœil, Juke vibrait enfin à l'unisson avec elle. Aucune empreinte lumineuse visible. Pourtant il sentait qu'il était devenu Solœil. Il avait sans nul doute chassé son démon, en effet il ne se désirerait point furtivement lui-même...

Juke donna un coup de pied dans les restes du poney. Les côtes craquèrent et s'effritèrent. Des flocons plats se posaient là comme des pâquerettes. Peut-être allait-il mourir ce soir. Mais pas coincé dans le tonneau d'un squelette ! Un sentier de pâquerettes de neige montait vers l'obscurité grandissante. Étaient-ce enfin les fantomatiques empreintes ? Il le suivrait. Pour atteindre un site plus exposé où le froid serait encore plus mordant ?

S'infligeant cette punition, les poumons tailladés par les lames de l'air glacé, il grimpa la pente rocheuse et glissante, à quatre pattes par moments. Sa sœur devait avoir souffert pareillement. Il était elle, presque totalement enfin, approchant de la mort.

Bientôt le sol devint plan. Et un frisson manéen parcourut Juke.

Les flocons de neige phosphorescents brillaient d'une lumière intérieure. Imperceptiblement, une délicate clarté de points scintillants envahit le décor autour de lui. Il voyait sans doute avec l'œil intérieur de Solœil, dans un autre mode de vision ! La scène clignotait comme si cet œil intérieur clignait, ou qu'une paupière tressaillait dans son cerveau. Il eut quelques aperçus de la distance — sinon il serait tombé dans le précipice. Il le repéra juste à temps : le gouffre, le chaos. Il distingua d'autres choses. En bas, un lac gelé et couvert de neige. Il se trouvait en haut, sur un escarpement rocheux, suspendu au-dessus d'une croûte glacée.

Malgré l'obscurité, des giclées d'étincelles neigeuses scintillaient, révélant les reliefs. Ces visions devaient être à l'intérieur de sa tête. Il les croyait fragments de choses vues réellement.

Des géants sortirent des ténèbres. Non, c'étaient des

rochers hauts comme une maison. Les rocs étaient en équilibre à l'endroit où un glacier les avait abandonnés, une éternité auparavant. Juke pouvait se recroqueviller à l'abri sinistre de ces roches lisses et geler...

Alors, à cet instant-là, il vit pleinement ce qu'il n'avait fait qu'entrevoir. L'obscurité disparut. La surface entière du lac s'illumina. Sa croûte de glace se fendillait, craquait. L'eau monta à la surface en bouillonnant, en vapeur, en écume. En haut de la falaise, une bouffée de chaleur l'enveloppa — un flot de chaleur, une étreinte !

Il voyait à une lieue de distance, le long des falaises, en face, en contrebas. Étonné, il arracha le bandeau de son front. La véritable profondeur le frappa. La neige s'était évaporée du voisinage.

En bas, le lac montait, bouillait.

Des tremblements parcoururent la roche. L'un des gros rocs vacilla et bascula. Juke tomba à genoux. Ses tympans battaient au son d'un grondement bas et pénétrant.

Le lac enflait, s'arquait. Des vagues allèrent s'écraser sur les rives tandis qu'une chose immense montait dans l'air. Une masse rocheuse énorme creva la surface, des liquides vaporeux tombaient en cascade sur les côtés.

L'Ukko s'élevait : l'Ukko recherché par Fortunée, le refuge de Solœil. *L'Ukko se levait* : lune de pierre née d'un lac devenu déluge, centaine de cataractes qui se fracassaient dans un gouffre couronné de vapeurs et d'une profondeur insondable.

Le sommet de la lune ovoïde arriva à son niveau, coiffe pastel scintillante, comme léchée par des langues de feu blanc.

La cime s'éleva au-dessus de lui. Les yeux écarquillés, il contempla les flancs qui bavaient de la terre et de la boue.

La base de la petite Ukko dépassa le bord de la falaise. Deux rayons d'une lumière blafarde éclairèrent l'abîme bouillonnant de vapeurs. La base des falaises risquait de craquer et elles s'effondreraient dans le vide brûlant.

La sœur de Juke se trouvait à l'intérieur de cette lune. Il avait découvert sa cachette. Et elle s'en allait. Là-

haut, dans l'espace, demeure de tous les autres Ukkos ?
Il se leva, fit de grands signes avec ses bras et cria :

— Solœil, Solœil !

Autant essayer de contraindre une montagne ! La petite lune continua son ascension. Un nuage se déroula, enlaça l'enfant Ukko et la voila à la vue. Au bord d'un vide lustré bouillonnant de vapeurs, Juke, ahuri, fixait le ciel.

22 — Chant de fleurs et feu de chandelles

AU CŒUR DU VILLAGE RECONSTRUIT, AU MILIEU DES MAISONS blanches en bois, se trouvait une pelouse où picoraient des poules aux plumes argentées. On y voyait une infinité de pâquerettes. Des canards nageaient sur l'étang ovale. Au bord de l'eau : la balançoire communale. Six jeunes filles en robe de tulle et rubans y avaient pris place, côte à côte. Elles se tenaient la main et se balançaient en chantant gaiement :

> Nous sommes chez nous ici,
>   Alors pourquoi verser des pleurs
> Si jadis
>   Nous habitions ailleurs ?

> Nous sommes bien ici maintenant,
>   Main dans la main et en chantant,
> Et de jadis
>   Le souvenir est banni !

> Mettons « Jadis » dans un seau
>   Avec une poignée de grêlons
> Et jetons-le dans l'eau
>   De cet étang oblong...

— Voulez-vous arrêter ! cria Solœil.

Elle claqua sa main sur son orbite vide. Tout d'un coup, au fond de ce creux, une douleur atroce ! Enfoncer son doigt dedans, et la retirer. Non, il ne le fallait pas. La douleur, qui s'estompait déjà (calme-toi) n'était qu'un souvenir de sa blessure. La pression aiguë qui s'exerçait à l'intérieur était sûrement autre chose. La douleur avait frappé à l'improviste. Elle imagina qu'une chose petite et dure voulait sortir de sa tête — une chose ranimée au bord de la mare où se prélassait la bestiale femme rousse, dans le minuscule nombril de tout, loin d'ici. Minuscule, mais dans sa propre complexité quasiment aussi grand qu'ici...

Inga fut aussitôt soucieuse. Volettement de ses mains couvertes de taches de son.

— C'est encore cette douleur ? Asseyons-nous. Pose ta tête sur mes genoux. (Dans ce nid de taffetas azur et gris-bleu, soyeux et moiré.) Je caresserai ton front. Je te ferai un chapelet de pâquerettes. Une chaîne pour attacher ta douleur.

— Non...

— Tu pourrais me faire une couronne de pâquerettes à moi, suggéra Paula.

Sa robe était pourpre et dorée, ces temps-ci. Récemment elle avait cessé de se coiffer avec des couettes. Sa blonde chevelure flottait sur ses épaules, rivalisant avec la crinière de Solœil, mais moins jaune. Ensuite Paula avait natté ses cheveux. Elle n'arrivait pas à se décider sur la coiffure à adopter.

— Que dirais-tu de me faire une couronne, Inga ?

— Ce n'est pas à toi que je proposais des fleurs !

Solœil voyait l'âme d'Inga : une mince fleur-cheminée azur, tachetée d'insectes dorés. Paula était fleur d'âme, couleur d'albâtre et ample. En considérant sa peau de pêche, ses joues rondes, son parfum de brioche aux épices, elle était la fleur d'âme suprême.

A part dans l'auréole de chaleur du palais-chandelle, le paysage restait dévasté et glacial. Les jeunes filles-échos étaient quand même autant de fleurs dans les prairies. Des fleurs ! On connaissait la saison où les fleurs allaient éclore chaque année. Sourire, parfum, jeunesse. Les fleurs sont pour la mémoire. Les fleurs se rappellent parfaitement à vous et, en un sens, elles ne rappellent rien d'autre, elles ne changent jamais.

Pourtant, la malheureuse Anna avait recouvré le souvenir de la vie. Paula aussi. Paula se rappelait son enfance et son adolescence dans le vide froid et sombre, l'ennemi mortel qui paraissait un ami familier. Paula savait aujourd'hui qu'elle était devenue reine d'un monde, dans une existence différente, tout près. Cette étonnante prise de conscience la rendait versatile. Elle était futile, dominatrice, capricieuse et malgré tout séduisante. Elle s'imaginait en monarque, mais sans en comprendre les conséquences, inconsciente des siècles de véhémence, d'agitations et d'obsessions, de fièvres de l'âme.

Fièvres d'une fleur... ! Solœil avait jadis été pâquerette. Cette fleur avait été écrasée dans de la merde. Était-elle à présent fleur de sang ? Coquelicot ?

— Merci, Inga, je n'ai pas besoin d'une guirlande de pâquerettes.

Solœil remonta ses chausses de cuir marron tenues par une ceinture à boucle de cuivre. Elle portait les mêmes, avec une chemise blanche à jabot, quand elle était arrivée dans ce village avant qu'il soit brûlé...

Des nakkis avaient reconstruit le village comme avant. Mais avant, il n'y avait pas l'étang qui rappelait tant la mare des mots perdus où se vautrait la monstrueuse créature.

Depuis la guerre, les nakkis étaient redevenus villageois. Ils travaillaient aux potagers, dans les granges où l'on rangeait la farine, les fruits et les noix, à la boulangerie, à la crémerie. Les pucelles se joignaient parfois à eux pour sarcler quelques rangs, baratter du beurre ou pétrir de la pâte, mais elles se lassaient vite. Parfois, un écho de la guerre se trahissait dans le brusque sourire sauvage d'un nakki, dans un regard fou, dans un éclat de rire dément. Ç'aurait été tellement mieux s'il n'y avait pas eu les nakkis ! Mais on ne pouvait faire autrement. Il fallait s'occuper des réfugiées — folâtres et de nouveau insouciantes.

Paula aidait. Elle s'entraînait à donner des ordres sans très bien savoir ce qu'était l'autorité, elle arrivait à se faire obéir (au moins un temps) par les filles déconcertées, ou alors elle provoquait de cocasses protestations ou des fous rires. Inga essaya aussi d'aider, pour faire plaisir à Solœil.

La plupart des pucelles s'acharnaient à oublier le passé récent. Elles refusaient de voir le nuage charbonneux recouvrant le paysage incurvé, de regarder plus loin que leur village où tout n'était plus que désert glacé comme si personne ne devait plus jamais y demeurer. Les bêtes hurlaient au-delà du périmètre de vie. Les filles ne fronçaient pas le nez en respirant l'odeur des gaz graisseux. Elles ne s'aventuraient point aux abords de ce qu'était devenu le palais de Minkie : des murs spectraux, translucides, incandescents, source de chaleur et de vitalité de la zone. Par un entonnoir permanent percé dans les nuages, l'œil-soleil contemplait de préférence le village, oasis au milieu de la dévastation et de l'hiver. Solœil avait entendu parler de régions similaires, au sud-ouest, près de la ville où l'on imprimait les livres. Elle ne savait plus lire. La nuit, lorsque l'œil-soleil s'estompait pour devenir un disque pâle, une lune différente de toutes celles qui brillaient sur la Kaleva, le spectre du palais-chandelle faisait une aurore albinos, brillante et aveuglante qui montait, compacte, du sol.

Elle savait qu'elle devrait finalement braver le palais de lumière brûlante...

Pendant ce temps — *Pourquoi n'aurais-je pas une couronne ?* — qu'adviendrait-il de Paula, naïve et orgueilleuse, reine en herbe d'un village ? Fallait-il qu'il y ait une stupide compétition entre elles deux ?

— Écoute, Paula, lui dit Solœil, j'ai vendu des gants et de la poussière d'or à des marchands...

Elle voulait dire par là qu'elle était bien plus expérimentée. L'allusion fut beaucoup trop vague, on aurait dit le vers d'une strophe. Les mots perdus lui revenaient-ils ? La guerre l'avait rendue quelque peu proclamatrice. Pouvait-elle à la fois devenir poétesse et proclamatrice ? Un poème proclamerait-il de façon aussi évocatrice qu'une incantation au pouvoir ? (Différemment toutefois !) Le poème pouvait-il faire passer les analogies de ses images ?

Un jour, se souvint-elle, *Lune plongera
Dans la chaleur du monde...*

Solœil se souvenait de l'humeur poétique. Le soulèvement à l'intérieur de la source, le souffle du génie, la naissance de la jouissance — cette ivresse révélatrice, la joie du sens émergeant, tous les sens en émoi, la signification devenue audible ; n'être ni esclave ni maître du sens ; mots d'une telle transparence qu'ils semblent néanmoins devenir des objets en eux-mêmes, réalités, plus visibles que la chose nommée ou suggérée.

Le feu gazeux se trouvait à proximité.

Non, elle ne souhaitait pas avoir de chapelet de pâquerettes. Néanmoins l'idée s'était logée : un chapelet de fleurs, un chapelet de mots.

Le sol vibrait. Ou bien tremblait-elle ?

Sur la grande balançoire, les filles avaient repris leur refrain.

> Qu'est-ce que ça peut nous faire ?
>   Nous laverons nos cheveux,
> Draperons une soie sable devant nos
>   Yeux...

— Taisez-vous donc ! cria Paula. Vous me donnez mal au crâne.

— Oh, nous sommes désolées ! s'exclama une des jeunes filles, et elle rit.

La douleur poignarda de nouveau Solœil. La poésie émergeait en elle. Voilà ! Elle devait la libérer dans un flot. L'herbe constellée de pâquerettes palpitait sous ses pieds.

Un nakki arriva à toute vitesse. Il serrait une scie égoïne. Des boucles blondes encadraient le visage du charpentier. Un joli visage. Il avait sur la joue le tatouage d'un floricœur.

— Zolœil, Zolœil, déclama-t-il d'un ton pressant, y a des sozes à voir dans le palais ! Des sozes noires dans les murs de feu ! (Son bégaiement accentuait sa féminité.) Viens ! Viens !

Solœil l'accompagna, Paula et Inga aussi. En route, d'autres nakkis formèrent une escorte. Une bonne vingtaine de jeunes filles se joignirent à la procession, suffisamment piquées de curiosité pour braver l'approche du palais spectral. Se stimulant les uns les autres, c'est finalement une foule qui avança vers les murs blafards — toute trace de pont et de douve avait depuis longtemps disparu.

De près, la chaleur n'était pas intense. Elle s'étalait plutôt de façon régulière sur le village et ses environs. Pourtant on avait l'impression qu'on risquait de s'enflammer en traversant la frontière miroitante, qu'on pouvait se transformer en chandelle !

Conforme au rapport, l'intérieur du palais offrait une

scène gazouillante forgée dans l'obscurité. Une vue sur des hautes falaises et un lac gelé apparaissait par intermittence. Des cavalcades de nuages et de neige parcouraient la longue cuvette de ce lac, avant d'en sortir, voilant et dévoilant sa surface. Quelle bonne évocation de la région située au-delà du village ! Comme elle reflétait bien ses hauteurs et ses profondeurs. Comme ce panorama semblait inhospitalier ! Les jeunes filles frissonnaient, grelottaient. Elles faillirent s'enfuir. Mais cette apparition avait quelque chose d'hypnotisant.

— Qu'est-ce que c'est que cet horrible endroit ?

— C'est le lac dans lequel je me suis jetée, Paula...

Dire qu'un jour Solœil avait envisagé d'entrer à nouveau dans le lac pour nager vers la surface, se retrouver au pied des falaises afin de poursuivre Minkie et Anna ! Impossible.

Ragnar Kennan avait dû fuir par là...

— C'est le monde extérieur que nous voyons...

— Mon royaume ? Il y a aussi des serpents géants là-bas ? Pas étonnant qu'ils demeurent sous terre ! Quelle sorte de royaume est-ce donc ? Tu as plongé dans ce lac ?

— Du haut de la falaise. Tu vois ces rochers là-bas...

Des tourbillons de neige cachèrent les rocs, posés là comme des galets. Une personne aurait eu la taille d'un minuscule insecte.

— Ne regarde pas, supplia Inga. C'est horrible. Rentrons.

Paula fut éprouvée par le spectacle.

— Je crois que je n'ai pas vraiment envie d'être reine...

Une douleur fulgurante assaillit Solœil, à l'intérieur de la tête, sous le front. Un instant elle fut privée de sa vision. Elle cria :

— Aïe, ténèbres...

Et ce fut le premier mot de poésie à émerger depuis très, très longtemps, devant cette scène négative incluse dans la luminosité éthérée.

Près du noyau dense d'un soleil, déclama-t-elle,
Où la lumière s'écrase contre la lumière
Y a-t-il l'obscurité totale
Ou une clarté aveuglante ?

La douleur avait disparu. La pression persistait. Les mots affluèrent et se déversèrent.

> *Au cœur du cœur d'une lune*
> *Où le noir s'agrippe à l'obscurité*
> *Y a-t-il une clarté invisible ?*
> *Un rayon peut-il s'envoler ?*

Et ce n'était que le début.

> *Je me suis baignée dans une source, imaginant*
> *Un oiseau avec des entrailles dans son bec*
> *Pépiant : Le serpent et son serviteur*
> *Sont deux, et sont aussi un seul.*
> *Oh, Noirs de Pootara,*
> *Pourquoi ne pouvez-vous écouter les coucous ?*

> *Deux coucous se trouvaient dans un courbier*
> *Et caquetaient, Ukou, vers le ciel*
> *Où la faucille céleste pelait*
> *Une pomme de terre lune à l'apogée.*
> *Oh, Noirs de Pootara,*
> *Pourquoi ne pouvez-vous écouter les coucous ?*

> *Un potinier se trouvait dans un harpier,*
> *Une fleur cireuse dans le bec.*
> *Où est le nid d'amour de la reine ?*
> *C'est l'endroit même que je cherche.*
> *Oh, Noirs de Pootara,*
> *Pourquoi ne pouvez-vous écouter les coucous ?*

> *La compagne du coucou perchait dans un menthier*
> *Qui exploserait bientôt en flammes.*
> *Fleuris, intacte,*
> *Déverrouille le volcan des mots !*
> *Oh, Noirs de Pootara,*
> *Pourquoi ne pouvez-vous écouter les coucous ?*

Solœil tanguait. Les images l'assaillaient, invisibles jusqu'à ce qu'elles se proclament en sons. Un lit de reine jonché de fleurs blanches... Une fleur avait été envoyée à la reine, ce qui avait provoqué l'attaque d'un nid de serpents et il y avait une lutte impliquant son frère. Des marins noirs aux prises avec des casse-tête en bois. Un menthier qui incinérait un coucou... Histoires trouvées dans le trésor de récits de l'enfant lune.

Paula et Inga lui avaient pris le bras, non pas pour la tirer, ni pour la soutenir, mais pour se balancer au même rythme qu'elle. D'autres filles en firent autant. Des nakkis aussi. Ils formaient une chaîne oscillante. Le sol semblait bouger, dans un mouvement de scie, comme pour se déloger de ses racines.

La succession du courbier, du harpier et du menthier n'était pas juste. Énumérer tous les arbres de Kaleva ne servirait qu'à enserrer le monde dans un cadre de bois. Ne jamais oublier la guirlande de fleurs. Les fleurs représentaient la fertilité, elles ralliaient la beauté à sa cause. Les fleurs étaient des organes créateurs, teintés et parfumés avec sensualité. Les fleurs annonçaient la pensée et la parole, car leur nourrissant pollen avait un jour permis aux bêtes puis aux gens d'évoluer, de se dresser. Solœil devait être une fleur et non un arbre (même si les arbres fleurissent aussi).

Avant de percevoir la sombre vision de la falaise et du lac à l'intérieur des murs lumineux, Solœil tangua à l'unisson avec les jeunes filles et chanta tout haut une devinette :

> *Quel est mon nom sinon celui d'une fleur ?*
> *Quel est mon nom sinon celui d'une corolle ?*

Une image de la grossière truie rousse dans sa mare de mots s'imposa. La sylphide des étoiles passa. Sylphide ou truie : quelle était la vraie incarnation de la petite lune ?

Solœil continua :

> *Car les fleurs-cheminées sont mes doigts,*
> *Longues, bleues, elles se tendent loin ;*
> *Les fleurs clochettes sont mes oreilles,*
> *Qui résonnent d'histoires et entendent loin ;*
> *Les floricœurs roses sont ses ongles d'orteils,*
> *Et ses ongles de mains : jaune narcisse ;*
> *Son nombril ne serait-il point bouton d'albe ?*
> *Quels ornithogales brillent dans ses prunelles ?*
> *Que suis-je donc, sinon une lumineuse pâquerette ?*
> *Hélas, nous n'avons pas trouvé ; encore trois*
> *essais !*

Solœil et ses pucelles tanguaient, le monde tanguait avec elles. Elles oscillaient d'avant en arrière, le monde penchait pour les accompagner, perdait presque l'équilibre et se redressait. Dans sa mare, la bonne femme de pain d'épice roulait-elle sur son gros cul ? Mouvement évocateur d'un accouchement, et peut-être de constipation ! Accouchement peu ordinaire. L'œuf rocheux devait s'expulser du coquetier où il avait longtemps séjourné.

Solœil avait mal à la tête. Les mots se composaient eux-mêmes avec insistance, comme jadis lorsqu'elle disait la bonne aventure.

> *Ce que je suis, c'est la fleur*
> *Qui déplie ses pétales sanglants*
> *Dans un lit de neige vierge*
> *Perçant la douce laine glacée*
> *Pour violer sa blancheur,*
> *La déflorant en fleurissant,*
> *Parfum de viol et de meurtre...*

Le sol bascula. Les murs gazeux tremblèrent. Dans le panorama noir, le lac craquait. Un millier de pâquerettes décapitées volèrent ici et là, embrasées, scintillantes comme la neige. L'eau montait, bouillait. En haut d'une falaise, Solœil repéra le petit insecte de ses craintes, accroché à la roche — au moment où un dôme de pierre crevait la surface du lac, une lune se levait, jaillissant des eaux qui retombaient en cascades sur ses côtés.

Elle cria, alarmée :

> *Non, je ne suis pas la fleur de sang, le coquelicot,*
> *Un autre essai, il vous reste deux chances !*
> *Quelle fleur ressemble à la cire des chandelles,*
> *Pétales crème en colimaçon comme des oreilles ?*
> *Je fleuris dans les prairies de l'enfant lune*
> *Je survis aux années*
> *Je m'appelle...*

Aucun nom ne lui vint, aucun.

Coquelicot, fleur de sang, murmurait son pouls. Coquelicot, cognait son cœur.

Elle reconnut l'insecte là-haut, sur la falaise. Stupeur,

c'était son frère ! Juke qui l'avait trahie. Il se redressait, hagard. Il agitait les bras. Solœil se tendit en avant, se libérant de Paula et d'Inga. Elle se figea, afin qu'il ne l'attire point dans la flamme de la chandelle pour la brûler. Juke avait rapetissé à la taille d'un point. La lune s'élevait vite vers les nuages.

Solœil se retourna, bouche bée, cette expression stupide qu'elle méprisait chez les autres. D'étonnement elle avait failli crier le nom de Juke. Mais elle ne l'avait pas fait. Elle ne l'aurait pas fait. Le nom qu'elle souhaitait crier, le nom de la fleur, était un espace vide, un trou en elle. De ses lèvres écartées coulait un goût de sang.

Inga s'exclama :

— Ton œil saigne !

Un instant plus tard :

— Mais tu as deux yeux, tu en as deux !

Elle prit conscience d'une pression dans son orbite, d'un gonflement, d'une boule qui écartait ses paupières, comme lorsqu'elle avait eu là l'œil factice de Ruokokoski et celui des Isis. Elle tâta le globe qui comblait son orbite. Le contact de son doigt troubla sa vision. Elle ôta vivement sa main. Soudain, le monde était plein. Elle voyait les profondeurs, les distances.

A travers ses larmes, les distances étaient floues, mais elle essuya ses yeux et une tache de sang. Elle voyait deux fois plus qu'avant ; et en totalité. Son œil intérieur était sorti ; porté par le nerf optique, il avait crevé une paroi osseuse attendrie par les élancements de douleur.

— Un œil neuf, un nouvel œil, clama Inga.

— A quoi ressemble-t-il ? haleta Solœil. Il est pareil à l'autre ? Il ressemble à l'autre ?

Être capable de voir, et ne pas pouvoir voir cela !

Avec hésitation :

— Il est bleu...

Un bleu moins intense que celui des yeux perçants de son frère ?

— Une sorte de bleu perlé...

— Ah oui ?

Elle s'efforça d'écarter ses paupières.

Paula intervint :

— Ce qu'Inga essaie de dire, c'est qu'il n'y a rien d'autre dedans. Il est tout bleu, bleu perlé.

— Mais je vois avec... Sûrement il y a...

— Non.

— Rien du tout ?

— Non...

— Est-ce que j'ai l'air... ?

Grotesque ? Plus mutante qu'avant ?

Paula réfléchit et donna son avis :

— Ma foi, c'est joli... c'est ravissant. Une opale bleue.

— C'est vrai, dit Inga. Je t'assure, Solœil, c'est vrai.

Une lune était née. Au même moment, un œil était né.

— Ai-je choisi un œil, se demanda Solœil, au lieu de choisir le nom de la fleur ? Ai-je fait cela, femme de pain d'épice ? lança-t-elle.

La voix de l'enfant lune, truie ou sylphide, lui échappait.

Vue dans les murs de cire, la lune croisait à basse altitude, dans les nuages, dans un ciel dégagé, les images clignotaient. La lune avait cessé son ascension et commencé un voyage à altitude constante.

— Les coucous nous regardent du zol, annonça le charpentier.

Il fit un geste plein d'affection avec sa scie.

Les coucous devaient effectivement lever la tête pour regarder passer la lune. Ce qu'ils voyaient se reflétait dans le palais-chandelle. Le temps du dehors et le temps du dedans suivaient un rythme différent. Paula examina son royaume obscur et glacé, puis se tourna vers le nakki.

— Où allons-nous ? demanda-t-elle.

— Oui, où allons-nous ? répéta Solœil en écho.

Le charpentier épuisé semblait être devenu la voix de l'enfant lune. Il inclina sa jolie tête sur le côté. Il regarda Solœil la bouche en cœur, puis se tourna vers celle qui avait posé la question la première.

— Eh bien, nous allons finir une histoire, et la commencer. Réunir Paula et Paula. Que verrons-nous, quand tu retrouveras ton alter ego ? Qui zera la fortunée ?

Solœil se croyait maîtresse de la situation, investie du pouvoir par la truie pain d'épice. Elle prit conscience de son arrivée récente dans la petite lune, par rapport à celle de Paula des siècles auparavant. Sa récompense consistait dans la résurrection des poèmes, et dans l'œil d'opale, non pas à guider et à élever une chose aussi complexe et enfantine, aussi vieille et jeune que cette entité.

— La fortunée ? cria Paula dont l'irritation frisait la panique. Je suis entrée dans ton créateur. J'ai provoqué ton existence.

— Zela a provoqué la tienne à zon tour. (Le zézaiement était sinistre maintenant, loin d'être séduisant. Ventriloquie de marionnette actionnée par la truie pain d'épice qui incarnait la petite lune ! Le charpentier rigola.) Ze peux faire apparaître une copie de n'importe qui. Z'ai rassemblé les filles défuntes pour ma décorazion, une guirlande pour les histoires que z'entends, une frise.

Décoration... Inga, Gretel, Gerda et Maria. Pas Paula, non. Paula était plus essentielle. Elle était l'extrémité d'un fil, l'autre étant la reine Fortunée.

— Qu'aurais-tu fait, demanda Solœil au charpentier nakki, si Minkie Kennan avait réussi à emmener Paula sur sa sauto ?

— Eh bien, z'en aurais fait sortir un autre exemplaire de ma mémoire.

Paula frissonna.

— Moi, c'est moi, marmonna-t-elle, les dents serrées.

Le froid parcourut l'échine de Solœil.

— Est-ce que je suis morte en venant ici ? soufflat-elle. Suis-je aussi une copie ?

Le charpentier sembla compatir.

— Non, non, tu es entrée en moi, Paula est entrée dans mon créateur.

— Si je pars, y aura-t-il une copie de moi qui restera ici pour toujours ?

Pauvre autre moi ! Comment saurait-elle quel moi elle était ?

— Tu es entrée en moi, répéta la marionnette. Zeulement deux gredins et un zeigneur des rêves ont fait za à part toi. Zusqu'à présent, zusqu'à bientôt...

Celle qui saurait prendre l'initiative piloterait la lune. Serait-ce la reine de Noroisie ? Lorsque Paula rencontrerait Paula, si cela se produisait, que se passerait-il entre le reflet et l'original dément ? Une lutte furieuse, que le reflet perdrait certainement ?

Solœil se tourna vers le feu chandelle. Sa nouvelle vision des profondeurs lui donna le vertige. Si elle se précipitait en avant, elle risquait de tomber de la lune et d'atterrir dans la scène en dessous. La lune planait au-dessus d'un village, grosse pomme de terre en suspension. Ou le temps s'était arrêté ou c'était la lune. Un engin spatial se dressait sur un large disque de terrain enneigé bordé par un étroit lac gelé. Des petites lumières luisaient dans une massive ziggourat en brique saupoudrée de neige. Un dôme était visible — et un immeuble présentant une sorte de parapluie inversé fixé sur le toit. La faucille céleste suivait son itinéraire arqué dans le ciel dégagé du midi. Le ciel était d'ailleurs presque entièrement dégagé... ici au-dessus de Finisterre. L'éclat de la faucille et la luminosité plus faible de la lune pourtant plus proche teintaient le décor d'une clarté mystérieuse. La perspective sphérique s'apparentait au relief interne de l'enfant lune. Oui, Solœil pouvait basculer sur cet orbe spectral, s'abîmer sur le sol impitoyable et devenir tache de merde sur la laine.

Une minuscule étoile traversait le ciel tout là-haut...

A Finisterre, quelqu'un s'était pris de panique. A Finisterre, quelqu'un avait cru que les Isis avaient amené un de leurs Ukkos à proximité du sol pour servir de vaisseau de guerre. Il se trouve que le satellite cartographe passait par là. A Finisterre, quelqu'un s'agrippait à une console.

Un filet de lumière brûlante fendit l'espace entre le haut de la lune et l'étoile filante. Un instant plus tard, un autre. Quelle en était la source : la lune ou l'étoile ? L'étoile avait-elle lancé le rayon ? La lune piquée suivait-elle sa direction à l'aide de lumière manéenne ?

Solœil connaissait assez bien la minuscule étoile véloce. Lorsqu'elle contemplait les étoiles, à Outo, elle avait remarqué le passage de cette petite lune artificielle de la forteresse terrienne. Elle disparaissait très rapidement. Elle ne réapparaissait pas vite. A quoi lui servait donc ce jet de lumière si elle ne parvenait pas à désintégrer une lune de pierre mille fois plus grosse qu'elle ?

Des éclairs jaillirent du ventre de la lune. Le parapluie sur le toit du bloc de briques se remplit d'un feu argenté. Sa lueur entourait tout le bâtiment d'un halo. Puis la bâtisse entra en éruption. Les briques volèrent partout comme une flopée de coprophages qui fuient un chat. La petite étoile avait disparu derrière l'horizon.

La lune avança. Le terrain sombre, laineux et incurvé se déformait de façon vertigineuse dans la semi-clarté, il apparaissait, disparaissait...

23 — Convergences

MENUISE AVAIT PERDU LA PLATE-FORME DE SA BOTTINE gauche lorsqu'elle s'était enfuie vers l'arboretum avec Osmo. Elle avait failli se fouler la cheville. Sam s'était acharné à lui retirer le soulier. Ainsi que l'autre. Sinon elle aurait été trop bancale.

Elle était donc en chaussettes de laine, trempées et boueuses. Mais elle ne risquait pas d'avoir froid ! L'air était étouffant au possible, le sol chaud sous le pied.

— Douce Mana, souffla Sam, regardez-moi ça...

Entre les rouleaux de vapeur, on voyait le puits infernal qu'était devenue la majeure partie de Kip'an'keep. Si la puanteur de mustoreum était déplaisante, que dire de celle des entrailles ouvertes de la terre — et de la ville incendiée ? Elle vous asphyxiait. La maigre clarté grise du jour aurait été lugubre sans l'éclat de la lave et des incendies qui maculaient la dense couverture de nuages et dégageaient des fumées d'un orangé hideux.

Petite dans ses chaussettes, Menuise fit sauter les boutons de son manteau pour ne pas étouffer, exhibant sa robe de satin ambré qui à présent semblait trop longue, comme si elle s'était habillée à la hâte, sans réfléchir. Au contraire, elle avait eu largement le temps de percher sa couronne de cuir et de perles sur ses bouclettes, et de compter la plupart des cabanes en rondins de Kip'an'keep sous l'affreuse clarté lunaire (si elle en avait eu envie) avant le début de la commotion. A présent, elle ressemblait à une enfant abandonnée. Tous les réfugiés du cataclysme étaient des égarés.

Osmo, aussi, désireux de s'éventer, ouvrit en grand son manteau renforcé.

— Faites attention, fit Sam, soucieux. Ces manteaux vous protègent bien.

— Il ne pleut plus de cailloux depuis un moment, rétorqua Menuise.

Plus tôt, il était tombé du gravier chaud, soufflé de la fosse au sud-ouest de la ville.

Des silhouettes se déplaçaient dans la brume capricieuse parmi les arbres sans feuilles, les arbustes et les persistants. Des rescapés de la forteresse et des forts s'étaient réfugiés dans l'arboretum parce que les arbres ont des racines. Le parc clos était un grand radeau tremblant. Jusqu'ici il avait tenu, à l'exception de quelques minces fissures. Il n'avait pas glissé dans le puits, comme la forteresse.

— Osmo, c'est vous... ?

Tilly Kippan et la créature dorée. Goldi tirait Tilly et la soutenait. Toutes deux étaient dépenaillées et sales. Tilly avait du sang séché sur son grand front, une mèche collée à sa peau. L'épagneule aboyait sur les talons de sa maîtresse, sans rien prononcer, terrifiée. La chienne enfoncerait peut-être ses crocs dans la jambe de Tilly pour se rassurer sur sa présence.

— Papa est resté dans la forteresse ! Trop drogué pour se rendre compte du danger. Il croyait que la lune descendait dans un rêve. Le percepteur Boris n'a pas voulu le tirer dehors. Et ma mère, eh bien, ma mère...

— Qu'est-il advenu de Dame Édith ? demanda Sam.

Tilly s'étrangla.

Goldi prit la parole :

— Dame Édith souhaiter regarder mourir Lord Kippan. Oui, c'est ce qu'elle désirait le plus au monde.

— Pour être avec lui, pour être réconciliée...

— Non, maîtresse Tilly, pour regarder sa longue vie se terminer brusquement, de façon plus soudaine qu'il ne l'aurait jamais cru. Mais peut-être survit-il.

La massive forteresse avait glissé dans le gouffre, perdant ses vérandas, se tordant de travers. L'épave s'était logée contre un flanc de la lune enfoncée là. La structure de tamisier avait résisté au feu, mais des panaches de fumée sortaient de l'intérieur, venant de poêles cassés et de meubles en feu. Les fortins désintégrés avaient basculé plus loin, dans la lave en ébullition, cramoisie et orange, où la lune était à moitié immergée. Un feu manéen tremblotait-il dans cette douve étroite ou s'agissait-il de plumets de gaz incandescent ?

— A moins qu'il ne soit mort asphyxié ou d'une crise

cardiaque, dit Sam. Qui gouverne maintenant, miss Kippan, si le seigneur des forêts n'est plus ? Les percepteurs rivaux ? Vous ?

Tilly décolla sa mèche de son front, rouvrant sa blessure.

— Personne... Cette chose-là gouverne. Ce terrible Ukko ! Pareil à un énorme verrin rocheux ! La ville est détruite. Elle ne gouverne rien. Rien du tout.

L'épagneule aboyait de façon insensée, le même bruit répété. Goldi appela dans un courant de vapeur :

— Ambré, où es-tu ? Où es-tu, mon Ambré ?

— De toute évidence, vous êtes le chef, mon prince et proclamateur, déclara Sam à Osmo.

Osmo fit un geste vide vers la lune dans la fosse.

— Proclamer pour ça ? On dirait un gros œil de pierre dans une orbite congestionnée...

— J'ai eu le dessus sur une magicienne mutante, marmonna Menuise avec hésitation. (Elle frappa son petit poing dans sa paume.) C'est ma mère qui nous a envoyé cette chose pour nous écraser ? C'est elle qui gouverne ça, maintenant ? A-t-elle réussi ? Quand ? Comment ? Où ?

C'était la question qu'elle et Osmo s'étaient déjà posée, sans trouver de réponse.

Osmo l'enferma quasiment dans son manteau et lui murmura :

— N'oublie pas notre bébé.

Menuise s'esquiva.

— Je suis sûre que tout de suite c'est très important, marmonna-t-elle à sa propre intention. Un demi-gramme de bébé. Même pas. Un homoncule. Peut-être devrions-nous nous sauver avant que ces arbres ne dégringolent dans la fosse... Je peux vivre ma grossesse dans une hutte comme Jatta — mais chassée par les troupes de maman. (Elle serra les dents.) J'ai bien vaincu une magicienne ! Oh, merde. J'ai laissé la harpe dans le trône... Flûte et flûte, mon trône !

Le manoir de Menuise s'était effondré dans la fosse, avec le manoir des jeunes filles, et bien d'autres choses encore. Beaucoup trop...

Quand la lune folle était apparue, tel un nuage de lucioles, elle apportait avec elle un doux rayonnement que la neige et la glace avaient réverbéré. Dans les fortins et dans la ville, les sentinelles et la milice avaient assez vite fait retentir le chœur de leurs sifflets stridents, accueil perçant pour cette fausse aube d'hiver. Personne à Kip'an'keep ne dormait ou n'était rentré chez soi quand la lune se stabilisa au-dessus de la ville : colline lumineuse dans le ciel, dont la base clignotait d'éclairs.

— Ukko, Ukko ! hurla-t-on ici et là.

Aucun Ukko n'était encore descendu s'établir ainsi au-dessus du sol. Aucun Ukko n'avait jamais brillé de sa luminosité intrinsèque. Les Ukkos croisaient en altitude dans l'espace, minuscules au loin, leur éclat venait en grande partie du soleil, ou de la faucille céleste. Celui-ci en était un, à coup sûr, pesant et pourtant aérien, en suspens au-dessus des têtes, un peu trop proche.

Que pouvait bien être ce prodige sinon la petite Ukko ? Celle que recherchait la reine Fortunée, selon le seigneur Osmo. Heureusement, elle flottait hors d'atteinte — à moins de posséder une de ces sautos qui étaient toutes sur le front...

La nouvelle de l'arrivée de la lune serait un appât pour Fortunée, de même qu'une lanterne pour un insecte. Elle serait obligée de venir à Kip'an'keep le plus tôt possible, et par n'importe quel moyen, unissant sa haine de van Maanen à l'objet de son désir.

Au-dessus des têtes, la petite lune planait, lumineuse.

Qu'attendait-elle ?

Que les hommes du seigneur des forêts élèvent pour l'atteindre une tour bancale en troncs d'arbres et en planches qu'ils auraient arrachées aux trottoirs ? Que les hommes de bois démontent les fortins et les érigent à nouveau à la verticale ?

Les pasteurs manéens de l'église sur pilotis suppliaient la petite Ukko de bénir la ville de sa présence, d'y accomplir un miracle, de leur confier une révélation sur la nature du mystère. Ils pourraient tous devenir évêques manéens à Tumio, épiscopat collectif proche du triumvirat de percepteurs qui administrait le domaine de Tapper Kippan. Pour l'instant, Kip'an'keep faisait l'objet d'une étude manéenne.

Les citoyens qui ne purent supporter la vue d'une colline en suspens au-dessus de leur tête s'enfuirent dans la forêt gelée avec leurs balluchons. Ceux-là eurent de la chance. Beaucoup d'autres restèrent pour regarder de tous leurs yeux, bouche bée.

Bientôt la température commença à monter — de glacée elle devint douce, puis chaude. La neige et la glace se mirent à fondre. La glace du lac froid mincit, disparut. Dans le lac chaud, toujours parfumé et dépourvu de glace, le geyser jaillit — puis quelques minutes plus tard, il recommença. Il ne cessa alors de lancer son jet d'eau bouillante.

Dans les rues, les planches fumaient à mesure que, dessous, le sol et la pierre se réchauffaient. Des tremblements ébranlèrent la ville et la forteresse. Les arbres des jardins inclinèrent leur cime. Les vitres volèrent en éclats.

Peu après, les maisons et les rues de planches flottaient sur une soupe chaude et tumultueuse à mesure qu'en dessous le sol s'émulsionnait. L'église, au milieu des arbres, dansait la gigue.

Et ensuite, les quais du lac chaud et ses vannes cédèrent. L'eau surchauffée inonda les rues déformées. Les habitants pataugeaient là-dedans avec une hâte désordonnée et inutile. Ils trébuchaient, tombaient, hurlaient. Les vannes du lac froid cédèrent aussi, libérant un flot plus important.

On vit des rouleaux d'embruns. Le gravier explosa de la fosse.

Le grondement majeur fut un paroxysme souterrain. On aurait dit que la terre vidait ses entrailles — pour engloutir ensuite autre chose.

L'absorption se fit par étapes.

Sous la lune, une bande de ville détrempée et tremblante s'enfonça de plusieurs mètres. Le fond boueux du lac chaud céda. Dix minutes plus tard, la surface fut aspirée de façon abrupte. Le grondement se fit hurlement déchirant. Peu après, la ville, les flots et le lit du lac s'effondraient dans une cuvette à pic. Des nuées de vapeur surgirent du fond et cachèrent même la lune.

Lorsque le gros de la vapeur monta rejoindre les nuages, on vit un cratère de laves rouges bouillonnantes. Les fortins avaient basculé dedans. La forteresse de Kippan avait suivi. La lune elle-même s'y trouvait.

Les survivants auraient besoin d'arranger un abri. Sur l'heure, l'arboretum était embaumé, presque étouffant ; mais quand même. Ils devraient organiser leur approvisionnement en nourriture — se la procurer dans l'un des villages enneigés des environs ? Il ne restait rien de Kip'an'keep sinon quelques huttes extérieures comme celles qui flanquaient les grilles de l'arboretum. Aucune fusée ne défendait la zone maintenant. Il n'y avait plus rien à défendre. *Au contraire : l'enfant Ukko, là dans la fosse infernale !* Empêcher à tout prix ce trésor fatal de tomber aux mains de Fortunée.

Les défenseurs étaient rares ; les armes aussi.

Elmer et Eva se joignirent au groupe. Puis une vingtaine de soldats de bois, certains charbonneux, leur uniforme d'écorce carbonisé. Quelques Gardes Bleus vinrent les rejoindre, l'un d'eux se plaignait d'une main brûlée. Wex, derrière les palissades, fixait intensément la lune logée dans le cratère bouillant. Il avait toujours la main bandée, après sa brûlure par la bûche de menthier. L'un des percepteurs du seigneur des forêts arriva, le solide Boris au nez fraise, transpirant dans des fourrures. Celui-là même qui avait refusé de sortir son seigneur de son sanctuaire. L'un de ses collègues était absent de la ville, il organisait le ravitaillement du front. L'autre avait dû mourir.

Il était naturel de se diriger vers l'arboretum. Le parc se trouvait près du danger, mais il constituait le dernier vestige du règne de Tapper Kippan à part l'épave fumante et tordue de la forteresse logée dans le puits torride. Wex continuait à couver la scène du regard. Il était impossible que Kippan soit en vie. Il avait dû rôtir. Édith Kippan aussi. Même chose pour tous les fous qui tenteraient une descente sur les débris en contact avec l'enfant Ukko. Wex avança. Wex recula.

— Venez ici, Roger ! cria Menuise. Ici ! C'est un ordre !

Traînant les pieds, Wex s'exécuta. Contournant la palissade, il entra dans le parc embrumé de vapeurs. Son visage était noir de fumée. Sa perruque poudrée de cendres.

— A quoi pensez-vous, Roger ?

Ce fut son wetware qui répondit :

— *L'Ukko ne semble pas trop chaud pour qu'on marche dessus. On pourrait atteindre sa surface en passant par les restes de la forteresse. Ils forment un pont, voyez-vous ? Une personne adéquate devrait parvenir à y entrer. Sinon, pourquoi serait-il là ?*

— De toute évidence pour écraser Kip'an'keep, cria Eva. (Elle demanda à sa sœur cadette :) Maman n'est-elle pas déjà à l'intérieur de cette horreur, à lui dire ce qu'il faut faire ?

— Ma foi, s'il en est ainsi, il n'y a plus rien à faire, je suppose !

— Tu ne crois pas qu'elle y est ?

Une voix rauque pépia une réponse :

La vieille reine est à Maananfors,
Où elle s'est réveillée après un rêve agité !

Bruissement de feuillage rouille dans les hautes branches nues : un coucou regardait la scène.

— Oiseau cancanier, cria Osmo, ois, écoute : es-tu la voix de l'Ukko ?

Le coucou prêta l'ouïe, tendit ses félines oreilles et continua à écouter sans piper.

— Si elle est vraiment à Maananfors, dit Sam, elle n'a pas encore pris les rênes de tout.

Son ton intimait que son prince des proclamateurs fasse quelque chose.

Le percepteur Boris regarda Osmo puis Tilly. Il prit la parole en tremblant :

— Il semble que je sois l'administrateur des forces de cette région, qui sont pour la plupart assez loin d'ici...

Sam s'éclaircit la gorge.

— Puis-je vous rappeler que vous parlez devant la véritable nouvelle reine et son général, c'est-à-dire moi-même ?

— Vous n'êtes pas avec ces forces en ce moment, monsieur Peller... (Le percepteur agita la main d'un geste incisif.) Comment peut-on être indemnisé de ce désastre ?

— Exactement, dit Sam à Osmo.

Si Boris avait abandonné Tapper Kippan dans l'espoir d'un avantage personnel, le spectacle de la lune posée dans le cratère qui avait jadis été une ville le dégrisait.

— Je pleure vos parents, demoiselle Tilly, dit-il.

— Vraiment ? fit-elle.

Son épagneule gronda contre le percepteur.

Il reculait, l'œil sur Osmo plutôt que sur la chienne. Soudain, il fit demi-tour et s'enfuit.

— Attendez ! cria Menuise. Contrains-le, Oz !

Osmo ne fut pas assez rapide. Un tourbillon de brume avala Boris. Les soldats de bois remuèrent, mal à l'aise, et semblèrent sur le point de se carapater mais Osmo leur ordonna de ne pas bouger.

— Restez, les hommes de bois ! *C'est prononcé.*

— Il aura du chemin à parcourir, dit Sam, s'il veut organiser la retraite et se mettre dans les bonnes grâces de Fortunée. Des lieues et des lieues, de jour et de nuit, une fois qu'il aura trouvé une monture. Elle accourra ici par les airs dès qu'elle apprendra la nouvelle. (Il fit un signe de tête vers le coucou attentif.) Elle ne pourra pas s'en empêcher. Je suppose qu'elle s'arrêtera auprès de son armée pour prendre quelques hommes. Ensuite elle survolera les combats. Nous ne sommes plus très nombreux maintenant. Plus de forts, plus de fusées, plus rien. Juste quelques fusils. (Il se frotta les mains.) D'une certaine façon, nous tenons notre chance de l'attirer dans un piège. Elle ne sera pas la seule à se précipiter ici, si vous voulez mon avis.

— Alors il serait plus malin d'entrer dans ce morceau de roche... murmura Menuise.

— Tout à fait !

Les longs doigts osseux d'Elmer semblaient jongler.

— Toutes ces tonnes. Et ça flottait. Ça défiait la gravité...

— Les Tavelés nous ont aidés jusqu'ici, suggéra Eva. Je suppose que ça ne continuera pas...

— Les Tavelés, les Airains et les Velours se précipiteront ici, lui assura Sam. Avec tous les Juttahats qu'ils pourront amener.

— Ça ressemble vraiment à un globe oculaire, fit songeusement Menuise. Si on y pense comme à un œil, Oz, cela en réduit un peu l'échelle ! Pas vrai ? se demanda-t-elle.

De la main, Wex se protégea les yeux.

— Trop de vapeur pour voir clairement une entrée. C'est trop flou ! Quelle chaleur fait-il là-bas en bas, à l'intérieur de l'Ukko ?

Il faisait plutôt chaud dans l'arboretum pour un jour d'hiver.

Comment la petite lune aurait-elle pu se creuser un nid toute seule sans la poussée de chaleur qui l'avait accompagnée ? Aurait-elle dû se poser en équilibre sur le sol ? Wex frissonna.

— *Ce corps peut affronter la chaleur sans ressentir de douleur. Tout de même, une descente dans le cratère sans protection pourrait nous abîmer au point d'empêcher notre corps de fonctionner.*

— Wetware ! hurla Menuise. Vous n'allez pas escorter Roger dans ce trou tout seul !

— *Si mon hôte échoue, comment survivrai-je ? Il se pourrait pourtant que la sécurité de la Terre requière cet exploit.*

Que c'était dit avec onctuosité, de manière fruitée !

— Wetware, essayons de considérer les sentiments de Roger.

— *Les sentiments ?*

— Pensez à votre propre survie, voilà ce que je voulais dire.

— *Ah oui ! je suis un individu à part entière, n'est-ce pas ? J'ai un visage que vous ne pouvez voir.*

— Roger risque de n'en plus avoir si vous le forcez à descendre là-dedans.

— *Il perdrait la face ? Peut-être que la mienne la remplacerait... Peut-être qu'un masque de moutapou nous protégerait.*

— Et changerait son visage pour le vôtre ? A quoi pensez-vous ? Je ne vois pas traîner de masque de moutapou par ici.

— Peut-être, fit Tilly avec aigreur, qu'il s'imagine en sculpter un dans l'un des arbres d'ici.

Une silhouette souple sortit de la brume. Uniforme olive chiffonné ; pimpante moustache ; pupilles brillantes ; teint brun.

— Ah ! monsieur Wex, s'écria le pilote tamoul, vous êtes vivant...

Mathavan Gurrukal contempla la perruque de Wex comme une preuve. Il avait le bras gauche raide, enveloppé dans un chiffon déchiré qui le maintenait au gourdin de tamisier devenu attelle.

— *Où est l'aérocolombe ?* demanda le wetware de Wex.

Gurrukal considéra le spectacle.

— J'ai vu des choses, oh ciel...

— *Où est l'aérocolombe ?*

Avec une grimace de douleur, Gurrukal leva son bras

blessé avant de le replacer contre son flanc. Il devait être déboîté ou cassé au niveau du coude. Ou fracturé au radius ou au cubitus.

— J'ai fait décoller notre aérocolombe mais j'ai subi un petit revers. J'ai cassé.

Le bras ou l'appareil ?

Les deux !

— L'enfant Ukko m'a fait dévier, voyez-vous ?

— Zut et flûte ! jura Roger. (Chagriné, son wetware avait relâché son emprise.) Nous aurions pu nous poser sur la lune.

— Comme le fera Fortunée, dit Sam. Et les Isis avec leurs Juttahats.

— Je ne suis pas responsable de l'accident, protesta Gurrukal.

— Avez-vous envoyé un message radio à Pen, à Finisterre, pour lui dire ce qui se passait ici ?

Gurrukal fut vexé.

— Pour informer les Isis de la situation ? Après avoir réparé mon bras d'une seule main, avec l'aide de mes dents ?

D'un ton cassant :

— *Vous avez bien fait de ne pas utiliser la radio. Jusqu'ici je ne me suis pas servi du communicateur qui se trouve dans notre manteau. Monsieur Peller, comment pouvez-vous être sûr que les Isis savent déjà ?*

Sam fit un signe de tête impatient vers le coucou squameux et glauque.

— *Il faudra plusieurs heures avant que d'autres aérocolombes et uniformes olive arrivent ici de Finisterre... Pareil, à peu de chose près, pour les aéronefs des nids tavelés et airain — s'ils sont au courant, bien sûr, s'ils savent ! Il faudra un peu plus longtemps du nid des Velours... La reine Fortunée sera ici la première, si elle sait.*

— L'ex-reine Fortunée, corrigea Menuise sans enthousiasme.

— Prendrons-nous le risque de télégraphier ? se demanda Roger, s'efforçant de reprendre possession de lui. (Sans doute espérait-il éviter une descente sans protection dans le cratère.) Je crois que nous le devrions.

Il sortit d'une poche intérieure de son manteau un communicateur trapu dont il tira la fine antenne. Il s'écarta pour être seul. Gurrukal se hâta de le rejoindre.

(— Au fait, monsieur Gurrukal, que voulez-vous dire par « il m'a fait dévier » ?)

(— C'est l'impression que j'ai eue. D'accord, j'étais distrait ! J'étais dans les vapes...)

(— Ainsi d'autres aérocolombes et aéronefs pourraient atterrir sans danger sur l'Ukko...)

(— Si la surface bombée ne les gêne pas...)

Un parfum de fleur, de levure et d'essence de chocolat envahit l'atmosphère.

— Ambré ! Mon Ambré !

L'étrangère se précipita pour accueillir le nu doré dont le ventre renfermait un fœtus. Voyant ce personnage pour la première fois, Osmo en resta bouche bée, et Menuise aussi. Les visites d'Ambré au manoir des jeunes filles avaient toujours été discrètes.

— Fichtre ! couina Menuise.

D'un geste ample et gauche, Elmer enlaça son épouse et Eva reposa ses boucles sur son épaule, avec un soupir.

Ambré étreignit Goldi. Il regardait déjà le puits infernal, derrière elle.

— Résine des rochers, chanta-t-il. (Son ton était d'une simplicité enchanteresse.) Résine de la terre. Profusion d'ambre.

Une véritable douve. De toute évidence, Ambré éprouvait une grande affinité pour la lave. Son fœtus remuait. Goldi s'agrippa à son amant, laissant échapper de douces bouffées de senteur amoureuse, calmantes aussi, un surplus de joie pour tranquilliser le destinataire ravi, si bien qu'Ambré trembla légèrement.

Le coucou fut aussi affecté. Là-haut, dans son arbre, l'oiseau croassa comme une cloche fêlée.

Celle qui voudrait me guider cherche
Le nom de la fleur
Qu'une bonne femme de pain d'épice porte
Dans ses cheveux roux.
Ses paroles fondront comme la cire d'une chandelle ;
Se reformeront pour moduler ce nom.
Oh, Noirs de Pootara,
Pourquoi n'écoutez-vous point les coucous
Quand une ville fond à la chaleur des cierges ?

L'oiseau cancanier tanguait. Soudain, il tomba de sa branche. Il tomba, tomba, battant des ailes pour retarder sa chute. Il rebondit presque en touchant terre. L'épagneule de Tilly jappa et fonça sur lui. Couinant avec indignation, le coucou battit en retraite à tire-d'aile et s'éleva par-dessus la palissade avant d'aller survoler le puits. Ensuite il piqua sur la grosse bosse de pierre, rapetissa et disparut dans les vapeurs.

— Poésie, fit Osmo d'un ton caustique. Serais-je poète moi aussi ? Quand un coucou atterrit sur une lune, oh il croasse de folles runes.

— La meilleure façon de descendre là-bas pourrait bien être par les airs (Wex rejoignait le groupe), mais Finisterre ne répond pas.

Ambré cherchait en vain à gagner la palissade, tandis que Goldi chantait doucement à son oreille.

— *Une phalange de soldats de bois pourrait nous abriter pendant la descente,* déclara l'alter ego de Wex à Osmo. *Un champion proclamateur ne peut-il nous protéger de la chaleur et du danger s'il vient avec nous ?* Jack Vif-Argent sait assurément refroidir l'atmosphère, ajouta Wex.

Son wetware et lui semblaient parler chacun à leur tour avec de plus en plus de facilité. Menuise posa sur Wex un regard soucieux.

— Ma foi, j'ai berné une magicienne manéenne, marmonna-t-elle.

Elmer était à nouveau occupé à jongler à vide.

— J'ai fait démarrer la machine à tout faire...

— Ah oui ? rétorqua Osmo. Cette créature lunaire n'est pas une machine. C'est une entité aussi instable que Fortunée en personne. Qui a rayé Kip'an'keep de la carte, qui a tué des milliers de gens ! Des milliers ! Pas vingt ni cent, mais des milliers. Toutes ces vies, dont Goldi nous parlerait jusqu'à la saint-glinglin si elle les connaissait, nous empêchant de faire quoi que ce soit d'autre que de l'écouter. Quel terrible gâchis !

— C'est vous qui avez déclaré la guerre, protesta Eva. Vous avez attaqué notre bâtisse en H.

— Attention à ce que vous dites ! Vos hommes ont massacré ma garnison.

— Si cette chose s'est nourrie de la mort, pas étonnant qu'elle ait écrasé une ville !

— Les récits tournent autour des conflits, dit Wex,

389

sauf dans la société harmonieuse, et se terminent en désastre ou en réintégration, *ou les deux, hésitant jusqu'au dernier moment*, au gré du hasard et des choix *[bien que le hasard soit en réalité le nom mal approprié des choix spontanés].*

— Vraiment ? (La reine Menuise se grandit, rajusta sa couronne de fouets et de perles.) Ne nous chamaillons pas. Nous devrons simplement essayer de contrôler cette chose, là-bas.

Osmo tripota sa moustache, puis il inspira timidement.

— Si je dois proclamer pour écarter le danger pendant notre descente, je ferais mieux de commencer par un bon petit déjeuner.

Il se tourna vers Sam comme si celui-ci devait y pourvoir le plus facilement, mais ce fut Goldi qui prit la parole.

— Il devrait y avoir à manger dans les cabanes des grands-mères près des grilles...

— A moins que d'autres survivants ne se soient déjà rempli la panse. (La voix de Tilly tremblait.) A mon avis, ils doivent être encore trop choqués pour penser à manger.

— Manger ! jappa l'épagneule. J'ai faim !

Au son du mot bien-aimé, Dehors avait retrouvé son vocabulaire.

Précieuse magicienne Vipère reculer son énorme tête contre le plafond bleu ciel de sa tanière. Mues tendues sur les parois transformer décor en une enveloppe au lumineux cloisonné. Étant donné qu'elle avoir absorbé récemment esclave qui enlevait sa livrée beige et se tortillait donc nécessairement en descendant dans sa gorge, Vipère être gavée.

Son corps s'enfler et se dégonfler sur cette bosse d'esclave étouffé pendant les trois jours de la digestion. Pourtant, Vipère lancer les écailles de sa tête vers le plafond. Lever le crochet pointu sortant sous sa lèvre supérieure, et déchirer le revêtement de peaux.

Juttahat avec chiffon pour lustrer ses splendides écailles être écarté soudain par cette armure ocre à rayures iridescentes décorée de runes sépia. Juttahat porteur de la fleur d'Ukko dans un calice rempli du venin des crochets de Vipère reculer contre mur azur, se réfugier dans le couloir.

Vipère trancher membrane bleue du toit, dent grincer contre le roc. Comme si, à cause de cette friction, lumière pastel sortir des cornes de la magicienne. Odeur grasse de vanille emplir l'atmosphère.

Temps de sortir de cette grotte-œuf ! Petite Ukko s'être levée, avoir révélé la nacelle rocheuse de son identité arc-en-ciel, arc-en-ciel maculé du sang de sa naissance, du sang des humains, de la lave incandescente. Précieuse magicienne bientôt sortir de la grotte matrice pour affirmer affinité, flatter et diriger. Dent creuser roc, chercher fissure pour faire craquer tanière-coquille.

Envoyer avec force : *Parents tavelés, parents tavelés, venir. Apporter vos plus gros aéronefs ici dans labyrinthe manéen de magicienne Vipère. Vider nid pour former escorte. Hisser Précieuse-ci dans nacelle sous l'aéronef. Transporter Précieuse-ci pour prendre place dans petite Ukko où flamme de chandelle brûler avec chaleur dans l'hiver. Envoyer aussi toutes les sautos.* Images incroyablement puissantes après gestation monstrueuse. Magicienne avoir été prise en défaut seulement une fois — par princesse ablette qui un jour avoir noué sa longue langue épaisse et rose comme anguille dépouillée. *Rejeter image de princesse ablette !*

Lumière pastel jaillir. Rocher éclater. Terre descendre en filet, terre descendre en cataracte. Arriver, arriver. Grande narration imminente : magicienne exaltée dompter le stellaire Arc-en-ciel-en-rocher pour les Tavelés, parangons des Isis, puis prendre contrôle des esprits des humains débridés.

Arriver. Arriver.

Attendre un moment ! Pourquoi précieuse magicienne avoir ingéré pesant esclave avant de jaillir de la tanière ?

Pourquoi magicienne avoir alourdi sa personne impeccable quand pressentir imminence d'événements importants ? Succomber à une telle faim soudaine ne faire aucun sens !

A moins que...

Magicienne évaluer sa personne. Certaines sensations et senteurs récentes avoir été négligées comme distraction des courants manéens l'alertant sur les événements imminents ! Se rappeler ces indices sensoriels que le récent repas gommait. S'examiner elle-même !

Vérité stupéfiante devenir évidente. Précieuse magicienne être enceinte ! Grossesse provoquer fringale frénétique.

Comment elle être enceinte ?

Comment comment comment comment ?

Aucun visiteur mâle isi dans la tanière de Vipère depuis des années. Sperme pouvoir rester stocké dans corps de serpents pendant des années. Pourtant magicienne depuis longtemps dépasser taille de tout soupirant serpent. Depuis très longtemps ! Nul soupirant venir visiter sa tanière. Aucun Isi pouvoir envisager séduire cette monstrueuse magicienne manéenne mutante.

Juttahates pouvoir pareillement stocker sperme mâle... Juttahate pouvoir aussi conserver sperme isi ? Vipère avoir mangé servante réceptacle du sperme de serpent ? Elle être envoyée dans tanière de Vipère par malice ?

Ridicule ! Impossible !

D'où alors venir mystérieuse fécondation de Vipère ? Parthénogenèse ? Immaculée conception ? Accès de passion intime ?

Vipère ne pas être encline à frénésies érotiques solitaires ! Serviteur juttahat avec chiffon à polir ne jamais dépasser cloaque, ne jamais frotter une certaine partie du cou ! Vipère poursuivre importante mission manéenne.

Pourtant frénésie érotique avoir eu lieu. Un an auparavant : pendant déplorable visite de la princesse ablette ! Vipère envoûter princesse et seigneur proclamateur pour les faire copuler. Sortilège mal dirigé. Princesse bâillonner bouche et esprit de magicienne.

Là avoir lieu parthénogenèse manéenne ! Conséquences être retardées ; devenir aujourd'hui visibles !

Visualiser file tortueuse d'embryons devenant chaîne de fœtus, cinquante peut-être pour serpent de la taille de l'éminente Vipère, même cent. Grande gloutonnerie à satisfaire. La plupart des fœtus devoir naître morts par manque d'oxygène quand placenta se déchirer pendant le travail. Sinon, trop d'Isis !

Magicienne être enceinte !

A cause de princesse ablette !

Cela être agaçant et aussi gratifiant. A la fois satisfaisant et irritant. Grossesse être intrinsèquement plaisante.

Airain essayer hybridation entre humains fous et Juttahats loyaux... Magnifique Vipère accomplir étrange fusion d'aura humaine et d'espèce serpentine à l'intérieur de ses entrailles fécondes, de façon que ses rejetons (les survivants, vu la myriade de ses œufs fécondés) puissent facilement manipuler les humains comme des serviteurs dociles ?

Magicienne être future maman après décennies dans la tanière ! Grâce à princesse ablette !

A la fois fâchée et euphorique, Vipère taper sa tête au plafond. Avalanche de mottes de terre froides et triangulaires. Puissante magicienne éviter cela, corps onduler, creuser avec écailles de tête. Serviteur avalé pousser sur ses côtes. Armure d'écailles être plus solide que celle des autres Isis. Une écaille de tête casser, hélas. Sol gelé être dur. Bouffées manéennes diminuer résistance. Appeler serviteurs avec outils pour creuser ? Non. Vigoureuse Vipère enceinte se donner naissance en sortant de sa grotte.

A bord de l'aéronef isi de velours, odeur citrique d'étonnement s'entremêler avec poivre de détermination et huile onctueuse de réalisation imminente. Engin avoir atterri à la lumière des phares et de la faucille céleste sur prairie gelée pour résoudre énigme du prisonnier « Minkie Kennan ». Cela, sur l'insistance du tacticien Pekular. Amour-propre de Pekular avoir été blessé par invasion du nid par personnes de bois en uniforme menées par Jack-Démon. Donc, Pekular insister particulièrement : examen hâtif ne pas devoir compromettre mission capitale.

Estimée magicienne Muskular faire caprice et avoir amené honoré otage airain Imbriqué pour être témoin de cette mère de toutes les aventures. Muskular ne pas se cacher de placer sa personne et son nid de velours au-dessus des ambitieux rivaux airain. Quand même ! Imbriqué ensorceler défenseurs juttahats de velours pendant déplorable assaut, après quoi magicien d'airain avoir été rapporté.

Légère odeur de curieuse complicité érotique et équivoque entre Muskular et Imbriqué. Pekular sensible à cette bizarrerie. Beaucoup trop de choses étranges à bord de cet aéronef. Imbriqué en premier. Prisonnier décharné et épuisé Juke-Nurmi en deuxième — bien que très acceptable en tant que témoin du lever de la petite Ukko et frère de la poétesse borgne qui s'y trouvait, elle étant sensibilisée à la petite Ukko depuis longtemps.

Mâle humain « Minkie Kennan » en troisième. Hébété et ahuri pendant sa capture, confus et terrifié après, ce « Minkie Kennan » supplier Juke-Nurmi hagard que lui être en réalité elle, Sal de son nom ; et voyeur Imbriqué être d'accord...

Se rappeler : dans le nid de velours Ukkoscope clignoter indications, urgentes et enfin cohérentes, d'imminente émergence — malgré la perte d'une floreille au profit des attaquants. Sonnerie impérative. Nid galvanisé. Aéronefs décoller vers le sud, vrombir et pétarader, manches à air gémir sous labeur. Aéronefs arriver au-dessus du chaos, peu avant lac au pied de falaises. Falaises être deux fois plus hautes, maintenant, lac avoir coulé en profondeur. Restes de luminosité, montée de vapeurs. Phares fouiller environs, trouver témoin humain sur les hauteurs, abruti par l'effroi et la faim. Atterrir. Juttahats ramasser témoin sans résistance. Témoin s'avérer être frère de la poétesse !

Lui donner biscuits vitaminés et eau ; le rassurer, le questionner. Témoin proclamateur regagner quelque vigueur lasse et humeur sombre. Malgré nourriture, psalmodier (si mémoire fidèle) :

> Mon dîner ne pas me manquer
> Non, mais ma sœur me manquer,
> Ses soyeux cheveux jaunes,
> Ses récits longs d'une aune,
> Son œil bleu inviter
> Une prière et non un baiser
> De son frère : pardonner
> L'épine dans le cœur
> La piqûre dans les reins
> Vierge pourtant violeur.
> Lune posée sous un lac
> N'être point un reflet,
> N'être point lune dans notre ciel.
> Dans une lune qui s'en va,

Une lune, une lune de pierre !
Ukko, Ukko, pourquoi ?

Juke-Nurmi se contraindre à l'effroi. Proclamateur
devenir poète ?

Me castrer, faucille du ciel
Couper mes paroles pour me corriger,
Me tondre, me confesser...

Proclamateur abandonner pouvoir ?
Après capture de Juke-Nurmi, Ukkoscope révéler sillage manéen à l'ouest. Non pas en orbite, mais à travers
forêts givrées et lacs gelés. Une masse énorme suspendue dans l'air ! Juke-Nurmi s'animer à la nouvelle.
Chance de suivre la petite Ukko. Chance de pénétrer
dans citadelle de sa sœur.

Aéronef accompagné d'escortes suivre le sillage
manéen. Bientôt instruments détecter légère résonance
irrégulière et étouffée de sauto au ralenti. Bruit intri-
guer Pekular. Pourquoi engin être si loin de tout ? Avoir
émergé de la petite Ukko ? Pekular ordonner petit
détour et atterrissage malgré protestations de Muskular.

Juttahats enlever « Minkie Kennan » du cabanon au
bord du lac tandis que femelle aux cheveux roux s'enfuir à toutes jambes dans forêt. Juttahat déclarer reconnaître « Minkie Kennan » d'après bagarres passées.
Imbriqué confirmer ; aucune erreur sur odeurs ! Isi
commun se rappeler deux mille senteurs à la perfection, magicien prophète environ quatre mille. Juke-
Nurmi râler contre captif « Minkie Kennan » — révéler
que « Minkie Kennan » être entré dans petite Ukko sous
lac à présent asséché ! « Minkie Kennan » connaître
l'intérieur petite Ukko ! Donc être prisonnier très
important. Détour de Pekular pleinement justifié.

Voyage continuer. Odeurs mêlées de Juttahats berçant armes à rayons lumineux et arbalètes, serrés sur
selles en saillie sur parois, ou debout accrochés aux poignées de cuir. Magiciens lovés dans bacs à sable. Fragrance piquante, douceâtre, ambiguë des prophètes,
puanteur émanant des aisselles et de l'entrejambe de
Juke-Nurmi barbu et sale. Lumières pastel éclairer doucement décor du plafond : dunes et lunes, vagues

sinueuses et disques. Fredonner pensées consciencieuses des Juttahats, grandes narrations inspirer serviteurs.

Ensuite : « Minkie Kennan » perturbé se mettre à protester que lui être femelle nommée Sal. Malgré odeurs corporelles de « Minkie Kennan », prophète Imbriqué commencer à en convenir : son corps abriter esprit d'un autre. Découverte capitale si vérifiée. Atterrissage nécessaire pour estimation complète. Petite Ukko être responsable pour échange d'esprits ?

Retourner au voisinage du cabanon afin de pourchasser l'évadée dans la forêt ? Non, cela être tout à fait intolérable.

Néanmoins : discuter, retarder.

— J'suis pas Minkie, c'est vrai ! Faut persuader ces monstres de me croire, monsieur... !

Fortunée avait dormi dans l'ancienne chambre de la mère d'Osmo. Une légère odeur fruitée imprégnait la pièce. Cela n'avait rien à voir avec la mort de Johanna, mais tout avec sa passion pour la puanteur des fruits en décomposition. Malgré le nettoyage des coupes de cristal et de la literie après le trépas de Johanna, l'odeur restait dans le parquet, les lambris, les meubles. Fortunée trouva l'odeur tourmentante ; c'est donc là qu'elle passerait ses nuits.

Jatta fut obligée d'y coucher aussi, sur le divan près de la fenêtre. Mère et fille ensemble.

Jatta fut réveillée la première par les cris d'un coucou dehors, sur le perchoir gelé. Sa mère, confortablement installée dans le lit spacieux, se réveilla un moment plus tard. Le lit aurait été assez large pour la mère et la fille. Dormir côte à côte était impensable.

— Allume la lampe ! Éclaire-nous, Jatta !

Que l'oiseau cancanier entre vite pour que Fortunée entende ce qu'il avait à dire à cette heure matinale — ou dans l'espoir que personne d'autre n'entende ? Il n'y avait pas si longtemps, un coucou avait rapporté que le robuste Osmo pissait dans la neige devant le manoir de Menuise à Kip'an'keep, contrairement à toute attente, et que la vilaine ablette lui faisait un bébé.

Jatta faillit renverser une des lampes de cuivre en cherchant à tâtons les allumettes. Une odeur d'huile de poisson brûlée se mêla au léger parfum de moisi, douceâtre et écœurant, des fruits depuis longtemps décomposés. Des guirlandes florales sur les corniches, en haut des murs, faisaient de la chambre un triste berceau. Par la fenêtre enneigée, elles virent une boule de plumes vertes et squameuses, des oreilles félines tendues, de grands yeux jaunes, un bec qui s'ouvrait et se fermait.

— Lambine, fais-le entrer !

Fortunée se dressa brusquement sur son séant, ses cheveux de geai en désordre, enveloppée dans la courte-pointe de soie.

Serrant une couverture autour d'elle, Jatta laissa entrer le froid arctique de la cour obscure.

L'oiseau regarda dans la chambre.

— Oyez, oyez, croassa-t-il. Kip'an'keep est détruite. La ville du seigneur des forêts est noyée, brûlée, écrabouillée...

— Quoi ?

Sautant de son lit, Fortunée s'entortilla dans la soie.

— Ukko-ukkou, elle est coulée, enterrée, oblitérée.

Fortunée trembla d'excitation.

— Oh, Jack, oh, Viktor, oh, Bekker... !

— Mère, il est impossible que ton armée ait fait cela !

— Comment oses-tu gâcher... ! (Fortunée s'affaissa.) Non, ce n'est pas possible... pas aussi soudainement, ni aussi rapidement. Mensonges, affreux mensonges ! Affreux mensonges stupides ! Comme si j'allais les croire. Comme si mon armée allait se désister. Ou se laisser détourner aussi naïvement. La résistance faiblit, et hop ! mon armée se rue dans un piège...

— Mère, l'armée sait parfaitement qu'elle n'a pas atteint la ville de Kippan, sans parler...

— Tu as raison. Alors le message est destiné à me déstabiliser. A me tromper, comme si je ne faisais pas attention à la réalité. La folle reine crie : « J'ai gagné, rentrons chez nous. Kip'an'keep n'existe plus. »

— Kip'an'keep n'existe plus, caqueta l'oiseau.

— C'est à cause de van Maanen. N'est-ce pas, Jatta, n'est-ce pas ? (Comment Jatta pouvait-elle le savoir ?) Remercions Mana que tu sois ici avec moi, ma fille. Mes filles sont toutes pareilles, n'est-ce pas ? Elles détestent leur mère même si elles font semblant de l'aimer.

Quand Jatta avait-elle prétendu une telle chose ? Quand elle était petite. Par peur. Peur qu'elle avait chassée de son cœur... sauf en ce qui concernait sa chère Anni qui pouvait être blessée.

— Coucou, dit Jatta à l'oiseau tout près d'elle.

Elle n'avait jamais regardé d'aussi près dans les yeux d'un coucou. A l'intérieur d'un de ses yeux, la lumière de la lampe se reflétait comme une flamme intérieure. Malgré la couverture qu'elle avait jetée sur ses épaules, elle frissonnait convulsivement.

— Chante toute l'histoire, raconte le récit en entier.

L'oiseau pencha la tête. Il chia sur l'appui de fenêtre glacé.

— Ukko, dit-il. Ukkou. L'enfant lune s'est levée. D'un lac très lointain... (Fortunée se fit un bâillon de soie pour s'empêcher d'interrompre le coucou.) L'enfant lune a survolé la Kaleva. Elle s'est posée sur Kip'an' keep, l'a fait fondre, l'a écrasée...

La soie se déchira. Fortunée dansait comme une marionnette, gémissant derrière son bâillon comme en proie à la détresse. Un moment, une folle suspicion hanta ses yeux gris fumée. Puis l'exultation noya le doute. Elle tressautait, tremblait. Elle dut s'asseoir sur le lit. Haletante, elle se tint la poitrine. Le tampon de soie sortit de sa bouche.

— Un incendie pour brûler Kip'an'keep, pantela-t-elle. Cruelle Ukko : c'est ce que j'ai ordonné. Ma petite Ukko, enfin. Enfin ! Avec mon double qui m'attend...

— Qui attend, répéta le coucou en écho.

— Et elle a détruit la ville entière, murmura Jatta.

L'oiseau lorgna la jeune femme.

— Pour prétendre à quelque soze de grand, il faut beaucoup de peine, zozota-t-il.

Quelle voix imitait-il ? Une voix déformée par la distance, entendue à travers une couverture.

— Une ville entière...

— Une ville ennemie, ma Jatta ! Mais tout de même, une ville à moi. Toutes les villes m'appartiennent. (Fortunée se balança d'avant en arrière comme si elle enfantait.) Pourquoi l'enfant Ukko est-elle allée là-bas ? C'est ce que je souhaitais. Van Maanen et son ablette sont morts. (Elle fut prise de panique.) Si les coucous caquettent, alors les Isis vont se ruer vers ma petite Ukko ! Nous sommes les plus près, n'est-ce pas, Jatta ? Bien sûr. C'est pourquoi elle y est allée. C'est évident. Maintenant, les missiles sont détruits. Et l'imprimerie.

Mon enfant Ukko est une vigoureuse petite, braillarde, et batailleuse, une gosse qui donne des coups de pied à ses jouets. Mon double et moi, nous la dompterons. Nous lui raconterons de nouvelles histoires. Des récits de serpents étrangers, de leurs esclaves, de filles baisées par les étrangers. Nous l'emmènerons dans les mondes des Isis. Nous serons la plus grande magicienne manéenne. Nous serons la sereine reine des serpents, moi-même et moi. (Elle parlait d'une voix de folle.) Nous vivrons encore quatre cents ans, longtemps après ta mort, ma perruchette.

— Douce Mana ! murmura Jatta.

— Te prendrai-je avec moi ? Ton Jack, oui, bien sûr ; et les filles... Toute ta famille, ma Jatta ! Jack — il faut qu'il soit avec moi à Kip'an'keep pour geler la gueule des serpents !

Fortunée se précipitait vers la porte.

Elle hurla dans les ténèbres du couloir :

— Gardes, gardes, debout ! Paavo, où êtes-vous ? Les aéronefs sont-ils prêts ? Lumière, lumière ! Nous partons !

24 — Alunissage

Horrifiée et écœurée, Solœil pleura les morts de Kip'an'keep.

Ses compagnons et elle avaient vu la ville éclairée par la lune et la neige dans une perspective sphérique. Très vite, de minuscules réfugiés décampèrent à l'approche de la petite Ukko. La plupart des habitants auraient eu le temps d'évacuer leur maison, mais des masses de gens ne saisirent pas assez tôt cette unique chance. Ensuite étaient venus la fonte des glaces, le tremblement de terre et le déchaînement des eaux, puis les flots de vapeur qui avaient caché le désastre de l'anéantissement.

Vu de l'intérieur de l'enfant lune, le processus de destruction avait été d'une extrême rapidité.

— Arrête, arrête ! avait-elle supplié le nakki charpentier.

C'était déjà presque trop tard. Presque ! C'était l'horreur. Si seulement elle avait pu vaincre son vertige ! Si seulement le nom de la fleur lui était venu ! Si seulement elle s'était jetée dans le palais-chandelle en criant ce nom, peut-être que l'extermination aurait marqué une pause.

Pourquoi l'enfant lune l'avait-elle gratifiée d'une nouvelle perspective si cela lui faisait tourner la tête ? La destruction infligée à Kip'an'keep était sûrement en partie la sienne aussi. *Lune plongeant dans la chaleur du monde.* Coquelicot, fleur de sang, legs de la guerre contre les Snowy. Volcan de noms. Son orbite blessée : un cratère qui élance. Oui, oui. Et des pensées creuses associées à Kip'an'keep, l'endroit où l'on imprimait les livres qu'elle ne pouvait plus lire !

Maintenant que l'enfant lune était descendue dans le cratère qu'elle avait créé, la vue de l'intérieur du palais-chandelle était d'une furieuse et folle abstraction : langues de feu, arabesques de lave en ébullition, colimaçons de chaos.

— Qui voudra de moi ? demanda le charpentier, oscillant. Et qui est-ze que ze voudrai pour moi ?

Lorsque Osmo et Menuise arrivèrent dans le monde gris et glacé, à l'intérieur de l'enfant lune, ils furent rudement contents de leur manteau molletonné ! L'air était d'un froid ! Ça vous coupait les narines. La neige couvrait de sinistres espaces boisés et des terrains vagues. Panorama blême, privé de lumière — sauf à l'endroit où un rayonnement trouait l'obscurité. Assez loin, les pâles rayons d'une sorte de soleil luttaient avec l'étrange éclat d'un édifice fantomatique qui semblait fait de gaz en combustion.

Ils voyaient cet endroit lointain par-delà les cimes des arbres givrés car le terrain s'incurvait vers le haut. Certes, il en était de même dans toutes les directions, en pente douce d'abord, puis plus raide. De leur poste d'observation, ils ne voyaient que jusqu'à un certain point parce que les rouleaux de nuages cendreux s'incurvaient, parallèles au terrain. Ces nuages faisaient penser à une antique perruque portée sur l'envers ou aux circonvolutions d'un cerveau, du côté interne. L'intérieur de l'enfant lune était très vaste, d'un type différent d'espace...

Menuise se félicitait de porter des bottines. On les avait réquisitionnées auprès du plus petit des Gardes Bleus. Même avec les chaussettes du gars par-dessus les siennes, elles étaient encore trop grandes.

Goldi se serrait dans un manteau emprunté à un autre garde. Ces hommes étaient trop contents de louper l'occasion de les accompagner. L'escorte se composait finalement de quatre hommes de bois, dont l'un était tombé dans la lave du pont dangereux et pourtant costaud de l'épave de la forteresse. Ambré serrait Goldi contre lui comme si son corps doré pouvait lui communiquer sa chaleur.

Pendant la descente dans la fosse elle l'avait serré contre elle afin que son affinité à la matière ne le conduise pas à un plongeon fatal. Ambré était presque malléable alors — amolli. Manipulable. Une trop longue traversée de l'épave de tamisier, et son amant risquait d'y adhérer. A présent le froid de loup raidissait son anatomie d'ambre sans apparemment le gêner.

Sam Peller examinait l'austère paysage d'un côté à l'autre. Comme si, en réponse à ses craintes, une créature invisible hurlait, abandonnée, affamée. Une autre. Une troisième.

Wex agita sa main bandée.

— Cette tour de lumière ! Ça ressemble à la lumière manéenne sur laquelle je suis tombé et qui m'a emporté à Finisterre et m'a torturé...

Oui, jusqu'à ce que son wetware déconnecte son système nerveux.

— Le volume intérieur du ferry Ukko, de l'Ukko de Fortunée, n'est pas aussi important... ?

L'air arctique sentait le gras. Après les vapeurs étourdissantes de l'intérieur de la fosse, cette odeur glacée semblait rafraîchissante. Plus tôt, la puanteur les avait presque suffoqués ; la chaleur les avait presque anéantis...

Elmer était resté avec sa femme, parce que Eva ne voyait pas assez bien d'un seul œil pour accompagner sa sœur cadette. C'était l'excuse. Jongler à vide n'avait point donné la moindre idée au fabre ingénieur Elmer sur la façon de manipuler une chose aussi énorme et puissante que l'enfant Ukko. Elle échappait à sa compréhension.

Quant à Mathavan Gurrukal, eh bien, il avait le bras cassé.

Tilly aussi était restée à la cabane de la vieille où ils avaient mangé des biscottes, du fromage et des saucisses. La course désordonnée des nakkis sur le tapis en train de se ballonner, dans sa salle de jeux — tapis qui, à un moment, avait donné l'impression d'un lac en ébullition — cette course avait dû annoncer la catastrophe imminente. Elle n'y avait pas prêté attention parce qu'elle n'avait pas compris. Comment aurait-elle pu interpréter un tel présage ? Malgré tout ce que pouvait penser sa pauvre mère, Tilly n'était pas une chamanesse cachée. Heureusement, elle avait encore son épagneule qui parlait.

Le groupe s'était frayé un chemin malaisé et glissant dans les éboulis jusqu'à la ruine de la forteresse. L'épave craquait et grognait. Des chevrons des vérandas tombaient encore, basculaient au fond du gouffre, flottaient et commençaient lentement à se consumer, même s'il s'agissait de tamisier. Les aventuriers devaient progresser le plus vite possible dans les couloirs penchés et fracassés, dans des salles aplaties, à quatre pattes, en se halant tant bien que mal. Difficile d'aller vite. La carcasse effondrée les protégeait un peu du rayonnement de chaleur qui montait, mais pas des gaz brûlants. Osmo s'était échiné à proclamer une protection pour eux tous. Par une crevasse dans le plancher ils avaient vu les corps immobiles d'Édith et de Tapper Kippan enlacés sous une poutre. Impossible de se dérouter pour aller voir. Le couple devait reposer là depuis longtemps, au milieu des vapeurs brûlantes ; la longue vie de Tapper Kippan s'était sûrement achevée.

Ils avaient fini par se retrouver accrochés à un flanc de colline rocheux et accidenté assez près d'une ouverture conduisant à l'intérieur...

Aux yeux de Wex, les arbres givrés, au loin, semblaient des éruptions de fer magnétisé attiré vers le haut plutôt que des végétaux poussant de façon organique.

— L'Ukko réduit l'échelle à l'intérieur, dit-il d'un ton songeur. L'échelle, c'est cela, l'échelle...

— *Et un arbre lointain est en réalité plus petit qu'un arbre proche. Quand on arrive au loin, on est soi-même devenu plus petit. Il s'applique peut-être là une sorte de relativité. En regardant derrière soi, on verra que l'arbre laissé là-bas est aussi petit proportionnellement à l'emplacement du spectateur...*

— Est-ce à dire qu'il nous faudra aller plus loin que là où semble être le phare manéen ? demanda Menuise.

— Nous aurions dû emporter des rations, dit Sam d'un ton sinistre.

— La cabane de la vieille ne craquait pas vraiment aux coutures ! C'est ce que cela veut dire, wetware ?

— *C'est précisément ainsi que les Ukkos traversent les vastes distances entre les étoiles, en changeant d'échelle dans l'espace manéen, vers le haut, puis vers le bas — mais vers le bas, ailleurs. J'ai une déclaration à faire. Vous devrez en faire part à Finisterre si Roger était victime d'un accident mortel. L'univers entier doit en un sens être un Ukko du temps spatial — dont nous sommes tous des reflets à une échelle minuscule, et compliquée. L'univers entier est à l'intérieur d'un Ukko, pourtant sa limite extérieure — qui n'est nulle part définissable — en est aussi le noyau. Nous sommes à l'intérieur de l'univers mais l'univers est à l'intérieur de nous. Ajustons notre perception de l'échelle, et nous pourrons déplacer une lune à travers une galaxie...*

— Cela signifie-t-il que nous avons davantage à marcher ?

— *Un Ukko peut ainsi se déplacer au moyen d'énergie manéenne. Il y a une puissance potentielle immense dans tout ce qui existe. L'énergie est enfermée en masse. Pourtant, il y a une puissance encore plus grande dans ce que nous appelons le « néant » — dans le vide actif, la mer manéenne qu'un univers entier peut faire exploser pour lui donner naissance. Notre univers n'est qu'une bulle dans l'espace manéen. Il y a très probablement plusieurs univers : des groupes de bulles qui bourgeonnent de nouvelles bulles...*

— Wetware, combien de lieues devons-nous marcher ?

— *Dissimulées à l'intérieur du puissant (omnipuissant) néant originel, se trouvent des arabesques de temps spatial virtuel dans lequel naviguent les Ukkos. De simples tortillons minuscules et pourtant titanesques en essence ! Le voyage est une question d'échelle — de navigation dans le minuscule, qui est si similaire au très grand, et donc qui équivaut à cet infini !*

— De toute évidence, le wetware est devenu chaman, observa Osmo. Ça doit être les effets manéens des parages.

— Roger, faites-le taire et répondez-moi !

Mais le wetware poursuivit ses grands discours.

— *De l'infiniment petit à l'infiniment grand la transition est racontée. Les récits et le verbe sont les agents de transition — car les récits sont tous des métaphores par lesquelles une chose en devient une autre, de manière significative. Créatrice, transformationnelle. Les mots sont tous des métaphores immobiles, reflets de choses réelles devenues arbitraires et qui pourtant obéissent à une structure. Nous sommes récit incarné, mon Roger,* insista l'alter ego de Wex. *Ce qui semble arbitraire à propos des événements est en fait une structure dynamique en mouvement. Un univers émerge de façon arbitraire. A cause de cet arbitraire, et pas autrement, il évolue rapidement en structure. Si les conditions n'étaient pas arbitraires au moment de son apparition, la narration ne se produirait pas. Un élément en appelle un autre qui a sa place dans l'ensemble, et isolé. C'est ce que l'Ukko absorbe en se repaissant de récits d'événements : la dynamique de l'être, la transformation des événements par lesquels le désir devient réel, et le rêve devient un fait. Les degrés de liberté accordée par Mana imposent des modèles d'événements et l'interaction des gens. Il était capricieux et pourtant essentiel que nous utilisions un satellite pour nous débarrasser d'un certain oiseau sur notre épaule. J'ai le sentiment d'une magnitude cosmique en progrès, reflétée dans les tours des événements...*

Wex fit un effort.

— C'est toi qui as perdu la boule, wetware, pas moi.

— *... et donc je suis devenu... une identité. Cet Ukko comprime l'espace à l'intérieur de lui. Il peut comprimer à l'intérieur de lui l'espace qu'il parcourt d'une étoile à l'autre. Souvent des « dieux » apparaissent aux êtres, et sont capricieux dans leur conduite — reflétant les manies des êtres sans lesquelles il n'y aurait ni récits ni transformations. Le récit de l'univers parle de vastes créations et destructions permanentes, au fil de temps et de distances trop grandes pour que le ciel semble autrement que paisible. Ah oui, je deviens un être à part. Serai-je incarné ou sans corps ? Vais-je m'attacher au cerveau de cet Ukko*

*pour le piloter au nom de la société harmonieuse — ou
va-t-il me procurer un corps et un visage ?*

Wex se donna une bonne gifle même s'il ne la sentit
pas personnellement. Sa tête ballotta.

— Est-ce que cette créature Ukko est en contact avec
vos circuits protoplasmiques en ce moment, wetware ?
Vous pouvez le piloter ?

— *Je sens, je sens...*

— Pas moi en tout cas ! (Wex trembla et murmura :)
Si tu me quittes... est-ce que je souffrirai ? Peux-tu te
procurer un corps ici ?

— On veut s'emparer de nos corps, couina Menuise
en montrant quelque chose du doigt.

Trois verrins avaient surgi d'un bosquet d'arbres
givrés. Les carnassiers bruns tavelés se dressèrent sur
leurs pattes arrière pour mieux voir, leur longue queue
en balancier. Les bêtes étaient aussi hautes que l'aurait
été Osmo avec Menuise sur ses épaules.

Chacun se laissa tomber sur ses quatre pattes. Chacun bondit dans la neige, mufle en avant, sauvage,
affamé.

Tenant son pistolet à rayons des deux mains, Sam
visa. Les soldats de bois pointèrent leurs fusils à
lumière et leurs arbalètes. Les rayons lumineux palpitè-
rent. Une balle explosive siffla. Trois verrins basculèrent... Ils disparurent dans la couche laineuse.

A côté de l'endroit où avaient disparu les bêtes, surgirent trois féroces verrins qui se précipitèrent vers le
groupe, crocs dénudés.

La lumière chaude palpita de nouveau. Deux verrins
basculèrent et disparurent. Deux nouveaux les rempla-
cèrent, foncèrent en avant. Deux encore surgirent de la
neige comme s'ils s'y étaient tenus cachés. Cinq bêtes
galopaient vers leur proie. Goldi gémit.

— Souviens-toi du labyrinthe de Vipère, Oz ! s'écria
Menuise. Rapetisse-les ! Réduis leur échelle, comme dit
Wex ! Ne leur tirez pas dessus, Sam. Ne tirez pas,
soldats...

Osmo laissa échapper un long souffle.

Des plumes firent des vagues dans le froid — comme
si ses paroles étaient plus substantielles que jamais —
il brailla :

> Rétrécissez et réduisez,
> Raccourcissez et rapetissez, verrins !
> *C'est prononcé.*

Plus que prononcé : claironné.

> Réduisez et rapetissez,
> Rétrécissez et raccourcissez !
> *C'est reprononcé.*

En approchant, les bêtes devenaient de plus en plus petites. Elles avançaient toujours. Voilà qu'il leur fallait à présent progresser par bonds dans la neige. La rage de tuer et de manger les poussait à avancer.

D'un mutuel accord, elles convergèrent vers Menuise. Elles étaient maintenant réduites à la longueur d'un doigt de fourrure. Elles se jetèrent sur ses bottes. Menuise sautilla. Elle en écrasa une, puis deux. Finalement les cinq se retrouvèrent l'échine rompue et le ventre éclaté.

Le nuage des paroles d'Osmo s'éloigna, compact, dans l'air. Le seigneur souffla dans ses mains. Il frotta sa moustache pour y ôter des cristaux. Comment pouvait-il reconstituer son pouvoir sans rations ? D'un autre côté, en aurait-il besoin dans cet endroit saturé de courant manéen ?

— Ne pas faire attention à la faim ni à la fatigue, annonça-t-il. Ni au froid, ajouta-t-il à l'adresse de Goldi surtout, et on vit une rougeur sur sa peau.

Des senteurs parfumées s'échappèrent de l'étrangère et adoucirent l'air gras.

Ambré se tenait le ventre, ses entrailles translucides, sanctuaire de son âme et de son énergie.

— J'ai besoin de pisser, dit Osmo.

— Moi aussi, enchérit Menuise.

Elle n'avait aucune envie de se retirer dans la grotte où ils étaient arrivés. Les soldats de bois s'assirent sur leurs talons autour d'elle, de dos, et elle s'accroupit, manteau et robe de satin relevés, pour maculer la neige d'un jet jaune et bienvenu.

Plus d'un tunnel avoir été ouvert en haut de la coquille de petite Ukko d'après les clignotements de l'Ukkoscope. Vapeurs voiler observation précise.

Ciel bas luire orange lave. Particules de fumée de ville incendiée en suspension dans l'atmosphère. Conduite d'aération aspirer importante pollution tandis qu'aéronef décrire cercle avec appareils accompagnateurs. Oblitération totale de la ville, creuser fosse chaude pour nicher petite Ukko, évoquer horribles images de nid isi subissant sort similaire.

Ces dégâts impliquer rejet par petite Ukko d'association avec humains tapageurs ? Alternative être *grand dommage — grande offrande* ?

Équilibre et contre-équilibre être principe central. Juttahats — ceux de la main — porter poids de servitude pour équilibrer avantage de discours, de technologie vu par Isis d'antan, de voix dans la tête guidant bonne conduite au lieu de sauvagerie originelle. Humains de la main pareillement bénéficier à l'avenir grâce à direction rayonnante de splendides Isis éclairés ! Isis au cerveau manipulateur avoir besoin de mains esclaves. Comment cerveaux devenir manipulateurs si eux avoir mains ? Mains devoir servir cerveau.

Quand même : *grand dommage causé aux humains ; donc grande offrande ?* Anéantissement être excessif sinon ?

Examen aérien et instruments ne détecter (sauf erreur) aucun aéronef sur petite Ukko. Malgré retard (dû en aucun cas à solution de l'énigme « Minkie Kennan ») dû à avertissement précoce par Ukkoscope, Velours apparemment premiers sur la scène.

Oui mais écho d'aéronef cinglant de région derrière immense parc. Guetteur juttahat identifier aérocolombe, carlingue blanche sur neige parmi les arbres, apparemment salement amochée.

Aérocolombe de forteresse terrienne !

Agents du monde humain déjà là ? Morts dans l'accident ou survivants ? Ruines de forteresse du seigneur des forêts, salles, couloirs, vérandas coincées entre paroi du cratère et flanc d'Ukko près de ligne de lave au milieu de vapeurs brûlantes : tamisier incombustible former pont dangereux. Négociable par humains ? En portant manteau mouillé et en retenant respiration ? Apporter combinaisons spatiales dans aérocolombe ? Utiliser parapluie manéen ?

Bombarder le pont pour le supprimer !

Pekular hésiter. Explosions choquer petite Ukko.

Déclencher vigoureuse réponse. Seulement résulter en anéantissement incombustible logé plus bas en petits morceaux.

Ruines rester donc sans être bombardées.

Ainsi : aéronef et escorte descendre périlleusement sur bosse de petite Ukko. Avec aide des magiciens, pneus noirs mollir en colle à prise rapide. (S'accrocher dur, rester à la verticale !) Nez des appareils pointer vers le haut pour éviter qu'aéronefs ne basculent dans la lave. Capots s'ouvrir, laisser entrer puanteur horrible.

Plus d'une entrée dans un Ukko être nouveauté intrigante... autant qu'un Ukko posé sur la surface de la planète ! Imbriqué se demander si Ukko inviter plus d'un groupe à bord. Serviteur devoir porter Imbriqué à une entrée à part pour équilibre, comme délégué des Airains ?

Peu vraisemblable ! Partie être presque gagnée. Convergence d'œufs bleus et de silhouettes juttahates. Pièce serpent descendre de la place-tour sur échiquier inférieur. Façon de parler.

Pekular insister pour laisser un quart des Juttahats armés de garde à l'entrée et pour surveiller aéronef abritant Ukkoscope ainsi qu'appareils accompagnateurs. Deux quarts se déployer à la surface de petite Ukko pour trouver autres accès et les interdire.

Deux autres magiciens de Velours accompagner Muskular dans sa quête à l'intérieur. Muskular insister pour inclure Imbriqué dans pénétration en tant que témoin d'Airain du triomphe des Velours. Juttahats velours escorter prisonnier Juke-Nurmi en cas de problème avec poétesse. Escorter aussi « Minkie Kennan » comme témoin d'intérieur de petite Ukko et intriguant à l'intérieur — bien que « Minkie Kennan » toujours protester avec énergie pathétique être Sal, tendre fille de fermier à longue chevelure rousse (maintenant raccourcie en boucles châtaines)...

Sentinelles juttahates vraisemblablement devenir abruties par vapeurs et émanations gazeuses ? Deux magiciens rester dans aéronefs pour encourager vigilance des sentinelles.

Aéronefs adhérer étroitement à roche. Juttahats soulever magiciens. Juttahats propulser Juke-Nurmi et « Minkie Kennan ». Autres Juttahats porter nombreuses armes. Muskular prendre la tête, lovée au-dessus de porteur. Grande narration culminer très bientôt, victorieusement.

Jack siffla.
— Regardez, la voilà et ils se battent pour l'avoir !
Une lune pomme de terre fumante se trouvait enchâssée dans un cratère. Ici et là, sur sa surface, de minuscules Juttahats luttaient. Livrées noires des Velours, livrées beiges des Tavelés. Sur un flanc de la lune, trois aéronefs étaient posés côte à côte selon un angle aigu près de ce qui semblait être un trou. Plus haut, sur le flanc opposé, un plus grand appareil penchait sur le côté de façon précaire, attaché à une curieuse... ancre flottante ? Sûrement pas une ancre, plutôt une attelle, une manche qui devait pendre sous l'appareil pour lui permettre de convoyer une charge impossible à entrer à l'intérieur. Au sol, plusieurs petits aéronefs formaient un cordon protecteur abritant cette manche vide et un orifice à la surface...
Jack frotta ses mains sur ses genoux gainés de tissu cuivré.
— Au moins les Airains ne sont pas encore là !
— Nous arrivons trop tard, jeta Fortunée. Trop tard, trop tard !

Dégager Jack, le capitaine Bekker et Prut du front avait demandé du temps. Les rebelles projetaient peut-être une attaque matinale, à skis, pour tâcher d'endommager ou de capturer le chariot de guerre ; car le véhicule blindé avait fini par atteindre les forces de Fortunée. Une fois que l'aéronef royal et la forteresse volante avaient atterri près du campement — après avoir quadrillé la forêt à sa recherche — l'attaque devenait peut-être inévitable...
Dans sa hâte, Fortunée avait traîné Jatta dehors dans la neige avec elle.
Quelle multitude de gardes royaux, soldats de Jaeger, hommes de la bâtisse en H ! On les distinguait mal les uns des autres avec leurs lunettes, leurs moufles, leur culotte de lainage, leur manteau doublé, tenue moins efficace peut-être pour les préserver du froid que pour leur permettre des efforts vigoureux sans trop transpirer. D'où le nombre de feux de camp. Où l'on faisait réchauffer le porridge.

Que de poneys, de charrettes et de traîneaux ! Des faisceaux de skis piqués sur la pointe.

Oh ! et le véhicule blindé ! Mais cela n'avait aucune importance maintenant.

Le général Aleksonis avait abandonné son splendide uniforme. Il portait une culotte au lieu de ses excellentes chausses très ajustées que Fortunée avait tant admirées. Sa Majesté devait pardonner cette adaptation à la situation hivernale. Enfiler des chausses mouillées risquait de vous donner une pneumonie. Le général ne pouvait recourir à l'artifice de Jack. Quel artifice ? Eh bien voilà, la livrée juttahate de Jack avait fini par perdre sa qualité anti-saleté et commençait à sentir. June l'avait laissée bouillir toute une nuit à petits bouillons dans de la neige fondue et du savon.

En ce moment, Jack était assis dans une tente glaciale et séchait sur lui la livrée en faisant appel à une augmentation de sa chaleur corporelle, qui faisait office de brasier de sauna personnel. Les quatre fillettes, enveloppées dans d'épais manteaux et chaussées de bottines fourrées, jouaient à l'extérieur de cette tente, lançant des boules de neige au lieu des mouches à peste. A l'approche de Fortunée, escortée par le général, les fillettes les bombardèrent elle et Jatta, en criant en chœur :

— Nous avez-vous...

    Apporté...

        Des bonbons...

            Des sucettes ?

Fortunée n'en avait point. (Et Jatta repensa à l'œuf en nougat...)

— Grand-mère... ! Maman... !

Toujours occupé à faire sécher sa livrée par la force de sa volonté, Jack était aussi très préoccupé par un nom que lui avait confié une vieille dans un village envahi par les forces royales, en échange de la promesse de ne pas piller sa maison. Il submergea aussitôt Fortunée sous une avalanche verbale.

Le nom : progérie.

Progérie était le nom d'une maladie rare caractérisée par un développement extrêmement précoce, un vieillissement prématuré et une mort jeune. Les désastreux détails de la condition de Jack et de ses filles avaient précédé l'armée, rapportés par les coucous. La sorcière avait été confrontée à un cas similaire au leur trente ans auparavant...

Un garçon était né chez des immigrés de fraîche date que, par sa divination au fer-blanc, le pasteur manéen de Finisterre avait dirigés vers cette partie du domaine de Kippan. Ces gens étaient médecins sur leur lointaine Terre. Alors qu'ils rêvaient, pendant leur traversée de l'espace manéen à bord du ferry Ukko, celui-ci avait pillé leur cerveau et les avait laissés en désarroi et dominés par la notion de cette étrange maladie de la durée qu'ils avaient par hasard rencontrée sur la Terre. Par un malin caprice de l'Ukko, leur premier-né en Kaleva eut le destin de renouveler leur expérience de la progérie. A trois mois, il avait sa deuxième dentition. A six mois ses dents jaunissaient et se gâtaient. Il eut les cheveux blancs à deux ans.

Progérie : dysfonctionnement de l'hypophyse. Affectant l'hypothalamus, qui fait partie du système gérant le temps. Par conséquent, leur fils vécut à un rythme hors du commun, mourut de vieillesse à dix ans, sans toutefois avoir atteint la taille adulte — au contraire de Jack, mais assez pareil aux filles.

Jack avait échappé à la malédiction de la progérie en la passant à ses filles. Maintenant que l'on connaissait le terme exact identifiant la maladie — grâce à la sorcière des bois, grâce au couple de médecins —, Nils, le jeune proclamateur, avait commencé à l'utiliser pour stabiliser les fillettes, afin qu'elles puissent grandir plus normalement. Ces garces fantasques représentaient pour lui un défi.

— N'est-ce pas merveilleux, grand-mère ? N'est-ce pas formidable, Jatta ?

A la suite de ces soins, il semblait que les fillettes risquaient de ne plus produire de mouches pestifères.

Il s'écoula plusieurs minutes d'intense bavardage avant que Fortunée ne prenne la parole.

Petite Ukko levée ! Kip'an'keep oblitérée. Mouches à peste désormais inutiles. Pareil pour les hostilités...

Ben Prut était arrivé. Bekker aussi. Le capitaine des soldats de bois avait gardé son bel uniforme étant donné qu'il ne sentait pas le froid. De nombreux autres soldats s'étaient assemblés à l'extérieur de la tente de Jack. Bientôt il y eut une foule derrière la foule.

(— Notre reine va nous conduire...)

(— Non, elle vient juste de crier que la guerre est finie...)

(— Comment ça se pourrait ?)

(— Chut, elle braille que Kip'an'keep est détruite...)

(— La guerre c'est une perte de temps...)

(— La védelle d'acier ! On l'a traînée ici depuis Sariolinna... !)

(— Tapper Kippan doit être mort, et cet affreux van Maanen et sa garce...)

(— Nos vrais ennemis, c'est les Isis, à ce qu'elle dit. Ce seraient ses rivaux pour l'Ukko...)

(— L'Ukko qui a écrabouillé Kip'an'keep...)

(— Elle est vachement pressée de nous quitter, pas de nous conduire, espèce d'imbécile, t'as les portugaises ensablées...)

(— Elle emmène démon Jack avec elle...)

(— Et les gars de bois de Bekker, et aussi le jeune proclamateur...)

Agitation au loin, cris et sonneries de corne aux postes de guet, début de tumulte... On se bouscule, on se disperse. Le porridge se renverse sur les feux. La védelle s'ébranle et gronde pour s'interposer derrière les aéronefs parqués, elle crache des rayons de feu dans la forêt. Langue de lumière brûlante, jet de balles. Les soldats de bois forment un cordon autour de Fortunée. Non, ce ne serait pas une bonne idée de courir à l'aéronef royal.

Et si l'engin et la forteresse volante se faisaient estropier ? Quelle affreuse perte de temps quand la guerre n'avait plus d'objet !

Fortunée bouillait de frustration. Comment pouvait-elle prélever des officiers et des soldats au milieu de ces troubles ? Il fallait proclamer une trêve, la paix.

Où étaient Aleksonis, Prut, le jeune proclamateur, Jack ? Occupés, occupés.

Comment les rebelles pouvaient-ils prétendre avoir rayé Kip'an'keep de la carte ? Cela semblait un trop gros mensonge.

Enfin le calme revint. Le dernier tireur avait pris la poudre d'escampette ou avait été abattu. On soigna les blessés. On compta les cadavres. Un soldat de bois sortait une balle de son bras.

C'est alors que se produisit la dispute avec Jatta, qui impliqua vite Jack de retour de l'action. Nils Carlson devait rester avec June et ses garces la menace pour conti-

nuer à contrôler leur progérie. Fortunée ne devait pas chercher à l'emmener avec elle. Sinon Jack n'accompagnerait pas sa grand-mère ! A qui tenait-elle le plus ?

Bon sang, maudit retard !

Résultat, les Juttahats des Velours et des Tavelés se bagarraient paresseusement sur toute la surface grêlée de l'enfant Ukko. Noirs et Beiges se battaient de façon inepte, comme s'ils étaient drogués. Un étranger trébuchait, un autre vacillait. Un autre encore roulait en bas de la pente et tombait dans la douve de lave. Quand l'aéronef royal décrivit un cercle au-dessus de la zone, les passagers aperçurent les restes d'une forteresse logés au fond du cratère. En haut du flanc rocheux de la petite lune où se battaient les Juttahats, apparut un orifice.

— Trop tard, trop tard, trop tard !

— Chut, grand-mère, chut...

Fortunée fourra un pan de sa robe dans sa bouche. Se balançant d'avant en arrière, Jack brilla en conjurant un calme frais et des moments gelés. Serlachius psalmodia doucement : les mots du mystère. Les pilotes conversaient par radio. La paresse sembla paralyser les Juttahats, en bas. Dans une immobilité suspendue, les deux appareils descendirent de chaque côté de l'orifice, l'engin royal grognant et vibrant. Fortunée tremblait, de curiosité et d'inquiétude.

25 — Intégrations

— Oyez, oyez, braves zens ! Zézaya le charpentier Nakki, ils zarrivent.

A l'intérieur du palais spectral, les volutes du feu s'étaient consumées elles-mêmes en résidu noir moulé comme un gros cul constellé de loupiotes rousses. Sur ce cul d'encre fendu siégeait une tête noire et lisse surmontée d'un petit chignon. La silhouette de la bonne femme de pain d'épice ! Une gerbe d'étincelles jaillit, suggérant une scintillante sylphide stellaire, une image qui ne cessait de se former et de se dissoudre.

413

— Qui arrive ? demanda Paula, la fleur d'âme.
— Qui ? demanda Inga, gracile fleur-cheminée.
— Qui ? demanda Solœil à l'œil d'opale.

Une monstrueuse magicienne mutante rampait dans le paysage enneigé sans s'occuper du volume du serviteur qui se résorbait lentement dans son ventre. Juttahats à peau ambrée trottiner à côté d'elle. Manquer de sautards, sautos être tombées en panne peu après entrée dans petite Ukko.

Vipère être trop volumineuse pour pouvoir être aisément portée sur épaules d'une douzaine de serviteurs soit en file indienne, soit de front. Lumière manéenne pastel graisser son trajet, laisser tortueux sillage rosé comme mince filet de sang suintant de sous son corps tendu par l'effort.

Trois magiciens pourpres ordinaires portés comme d'enveloppants tubas par Juttahats à peau noire en livrée sable, et un magicien d'airain porté par serviteur en livrée cuivrée. Avec eux humain à boucles châtaines, yeux noisette, front et bouche larges, espiègle petit nez en trompette et barbe de plusieurs jours au menton étonnante pour lui. (Comment puis-je reconnaître quoi que ce soit ici ? Je ne suis qu'une fille ! Je m'appelle Sal !) Pareillement traîné : un énergumène hagard, barbu, aux yeux bleus féroces et aux cheveux gras et fauves rejetés en arrière :

— Je vous dis que ma sœur sera entourée de monstres ! Minkie me l'a dit.

— Pas vrai. C'est pas moi ! Jamais, je le jure. Minkie a pris mon corps et m'a donné le sien ! C'est un cauchemar. Je l'aimais tant. Quand je vais m'endormir, est-ce que je me réveillerai dans mon corps à moi ? Sa chose tout le temps entre mes jambes, qui gonfle et qui fait mal...

Un monstre avoir déjà jailli d'un buisson enneigé, mi-humain, mi-verrin, hurlant « manger, manger », se diriger vers Juke-Nurmi et son gardien juttahat avec intention carnassière, cauchemar incarné. Armes à lumière faillir, pourtant avoir été essayées juste après entrée dans petite Ukko. Cartouches dans fusil ne pas détoner. Balles d'arbalète ne pas exploser en touchant cible, pourtant homme-verrin être percé et avoir virevolté

414

avant de reprendre course folle. Carreau ordinaire d'arbalète (avoir été demandé par mots de magiciens) pénétrer dans le front de la bête humaine. Attaquant à terre.

Armes être utiles uniquement en tant que des gourdins, maintenant ? Armes utiles pour lutte corps à corps ?

Le capitaine Bekker avait fait la même découverte. Pourtant, lui et ses soldats de bois — en uniforme bleu foncé et shakos à visière — étaient solides comme des gourdins. Le myope Ben Prut et son détachement de gardes royaux, en culotte et manteau doublé, étaient plus désavantagés. Jack Démon se précipitait ici et là, soucieux de Fortunée qui avançait résolument dans l'obscurité glaciale vers la zone de lumière, vers ce village ensoleillé et son épouvantable forteresse luisante. Jack se préoccupait aussi de Jatta. Pour entretenir son énergie, il se gavait de petits friands au chou et à la viande.

— Prends un cochon en croûte, Jatta maman, exhorta-t-il sa mère. Ils sont délicieux.

Elle secoua la tête.

— Tu vas éclater, mon Vif-Argent.

— C'est comme quand j'étais petit et qu'on fuyait Maananfors, pas vrai, Jatta maman ? Toujours courir, courir. (Il y avait longtemps pour lui, mais ce n'était pas si lointain.) Toi et moi et Juke, tu te souviens ?

— Satané Juke ! jura Fortunée. Il aurait pu m'aider. Je lui avais pardonné. Je l'ai protégé.

Ses dents claquaient de froid, de rage et de nervosité.

— Je t'aide, grand-mère. Je suis davantage que Juke. Je suis le maître du vent, de la lumière et du froid. La lumière qui aveugle, le froid qui pétrifie.

— Et tu m'as amené ma chère Anni, murmura Jatta avec une certaine tristesse, mais pas assez fort pour que sa mère entende.

— Réchauffe-toi, grand-mère. Prends un cochon en croûte...

— Non ! Il faisait un froid glacial dans l'espace quand j'ai trouvé mon Ukko. C'est pour cela qu'on gèle tant maintenant. Le froid, l'obscurité... C'est si grand ici ! Tellement plus grand. Où sont les labyrinthes, les cochlées et les chambres ? Peut-être que nous ne sommes que dans l'une d'elles. Peut-être est-ce la mauvaise.

Ah, cet endroit lumineux est la prairie aux fleurs cireuses ! Pourquoi l'air n'est-il pas parfumé ? Ça sent le gaz. Gras comme ce que tu bouffes en ce moment, Jack ! Où sont les squelettes des serpents et des non-hommes ? Oh, mais ils ne seraient pas ici. Où est Paula ? Où suis-je ? Ne m'appelle pas grand-mère. Je suis jeune. Je suis vieille, si vieille, d'avoir eu tant de filles idiotes et garces. Je ne te compte pas, Jatta perruchette. Tu es ici avec moi à la fin, et au nouveau commencement.

— Tu parles si j'en ai envie ! (De façon que sa mère n'entende pas.)

Sam Peller découvrit lui aussi la trahison des armes. Il avait tiré sur un pilier de neige qui soudain se décolla d'un tronc d'arbre et s'écrasa en avant. Le pilier perdit des poignées de la couche laineuse qui le recouvrait, révélant des plaques de cuir rouge et un visage grimaçant taché de rouge. Sans avoir été touché par un rayon de lumière brûlante, le personnage tomba raide et resta immobile. Sam secoua son pistolet et tira une deuxième fois, sans effet. Son arme avait rendu l'âme.

Wex se pencha sur le corps gelé. Il brossa la laine froide collée au visage. Les cheveux étaient aussi blancs que ceux de Sam.

— C'est Snowy... le copain de Minkie Kennan. De la forteresse de Niemi. (Les mains de Wex continuèrent à le brosser.) Il a une longue flèche en travers de la poitrine. Elle l'épinglait à l'arbre...

— Hommes de bois, commanda Sam à son escorte, essayez vos fusils à lumière.

Ce qu'ils firent. Aucune arme ne fonctionna.

Mana pouvait certes avoir cet effet sur les armes, mais jamais à cette échelle. On était en plein chaudron manéen, même froid.

— Nous utiliserons nos couteaux si besoin est, dit Sam d'un ton sinistre. Ce ne sont pas nos armes qui ont arrêté les bêtes humaines, n'est-ce pas ? Nos armes ne nous ont pas servi. (Il regarda Osmo.) Mon prince et proclamateur, vous allez faire que nous passions.

— Bien sûr, dit Menuise. Ou je ne m'appelle pas Menuise van Maanen.

Wex se pencha sur le cadavre.

— Ce doit être un faux, fabriqué par l'enfant Ukko et

sorti de la tête de Kennan pendant qu'il était ici... Une manafestation.

— *Un psychoclone.*

Ses mains se promenèrent sur le corps roide, mais que pouvait-il sentir ?

— Mon Ambré être aussi une manafestation, dit Goldi avec fierté. Lui (ou elle) et moi, chacun être unique.

— Si nous tombons sur des Juttahats, lui demanda Sam avec circonspection, vous sentirez-vous aussi unique ?

La créature émit une bouffée rassurante.

— Ne suis-je pas la seule Juttahate capable d'ensorceler par mes odeurs et mes chants ? Craignez-vous de me voir succomber à une ancienne allégeance ?

Son Ambré se balançait, se tenant le ventre.

— Goldi, je suis... (Il ou elle siffla un chant d'oiseau comme pour récupérer son souffle.) Je ne peux dire...

— Que se passe-t-il ? (Goldi s'agenouilla devant lui dans la neige et posa les mains sur les siennes.) Tu es le produit d'une fausse couche dans une flaque de résine au creux d'un moutapou, lui dit-elle. Ton oncle a chanté, mâché, craché. L'ambre a formé tes magnifiques membres, fermes, souples, sans aucune fragilité.

Doucement mais fermement, elle lui desserra les mains ; et souffla — ou bien haleta-t-elle imperceptiblement ?

Vision double dans un miroir manéen embrumé d'ambre couleur miel ! Les entrailles floues, l'habitacle du fœtus brumeux, contenaient une autre forme occupant le même espace : une silhouette gingembre au torse rond, à tête lisse, orangée, surmontée d'une brioche, ondulant comme sous l'effet d'une centaine de petits doigts qui se pliaient. Le fœtus tournait à l'intérieur de ce fantôme.

— Est-ze que ze vais naître de moi-même ? zézaya Ambré. Est-ze que ze vais me donner le jour ? Est-ze que ze vais enfanter mon cocon d'ambre, zambes ouvertes ?

— C'est impossible ! (Goldi fixa ses bourses dorées, son pénis, si proches d'elle, si sculpturaux.) Tu es un mâle, tu n'as pas de vagin !

— Mon ventre va éclater alors ?

Le ventre d'Ambré se souleva. Comme il vacillait, la

créature dorée empoigna les hanches de son amant pour le stabiliser. Il émana d'elle une fragrance d'anxiété.

— Est-ze que ze vais me déssarzer pour te donner un alevin, une véloce ablette, qui se pendra à ton zein ?

— Non, non, c'est toi que j'aime ! Toi !

— Mais z'est moi, tout le reste z'est mon emballaze.

— Ma harpe, ma harpe...

— ... elle est perdue, gémit Menuise. J'en suis désolée. Aide-la, Oz, exhorta-t-elle. Aide Goldi. Proclame ! Contrôle la situation ! Noue un œuf dans un nœud, ce genre de sortilège. Empêche le bébé de naître. Fais qu'il reste là où il est.

— Non, ne dis pas cela ! Sinon notre propre bébé risque...

— *Contrôle*, déclara le wetware. *Un test de contrôle : voilà ce que c'est.*

Osmo lambina.

Wex avança vers Ambré. Il écarta Goldi d'un geste brusque. Elle s'étala dans la neige. Il y avait une telle convoitise et une telle aspiration dans sa voix fruitée :

— *Après le départ du bébé, est-ce que je prends ce corps ambré pour moi ? Qui portera mon visage caché. Sera conforme à ma conception de moi. Deviendra ma peau naturelle, bronzée, mes muscles, mes os. Avec mon cerveau à l'intérieur. Enfante, Ambré, abandonne ton enveloppe dorée. Accepte le bébé, créature dorée, le sage et aimant bébé qui parle, sœur de ton âme...*

Menuise donna une gifle féroce à Wex.

Et il cria. Ce hurlement ! On aurait dit qu'on l'avait plongé dans le feu. La puissance de son cri le jeta sur la neige. Il se tordait et beuglait.

— Ne me quitte pas ! couina Wex.

Ses paroles étaient muscle à vif sous la torture, chat écorché écartelé entre deux chiens.

Menuise détourna son attention de lui.

— Si mon Oz ne peut proclamer, je le ferai. Ambré, oyez, oyez ! Enfant de résine, homme d'ambre à l'essence de femme : reste toi-même. Ombre, soumets-toi à moi !

Elle dut vociférer pour concurrencer les hurlements de Wex. Arrachant la couronne de ses bouclettes, elle la déchira, projetant une grêle de perles sur la neige.

Elle libéra une poignée de serpents de cuir noir, petits fouets qu'elle agitait furieusement.

— Laisse Ambré tranquille, j'ai dit. C'est prononcé et reprononcé et rereprononcé. Ombre s'en aller, ne plus se montrer. Bébé point ne naîtra, ventre point déchiré ne sera.

Ambré se détendit — et lentement appuya ses mains à plat contre la fenêtre embrumée de ses entrailles.

— Je vais... bien, dit-il de sa voix normale — rauque, mais légèrement sifflante comme passant entre des dents dorées un peu trop écartées.

Goldi se leva pour enserrer son exotique amant libéré, et soupira une émanation de douceur.

— Mon Ambré !

— Ma délicieuse oiselle !

Menuise se tourna vers Wex. Il se tordait toujours, couinant à s'en couper le souffle. Se baissant, elle le laboura de ses poings remplis de fouets.

— Taisez-vous, taisez-vous donc !

Ce faible chatouillement sembla atténuer sa crise de douleur. S'apaisant, il serra faiblement les poings sur la neige. Menuise sourit à Osmo. Elle laissa tomber les lanières de cuir.

— Plus de plates-formes, et voilà que j'ai déglingué ma couronne.

— Tu n'en as pas besoin, si ? fit-il, perplexe.

— Espérer, lança Goldi, espérer vous pas avoir fait du mal au bébé.

— Allons, ne me parle pas à l'infinitif, plaisanta Menuise, même si tu es troublée, sinon Sam te soupçonnera d'être encore une Juttahate dans l'âme.

— Ma reine, fit Sam, interdit.

Wex avait roulé sur le flanc. Il s'assit, se prit dans ses bras.

— Vous m'avez frappé, Menuise...

— *La tentation. Le désir dépassait le devoir, si bien que je ne faisais pas assez attention. Tu m'as pris par surprise...*

— Et ensuite je vous ai encore frappés. Tous les deux, Roger.

— Tous les deux... (Wex se serra plus fort comme s'il tremblait à cause du choc.)

— *La chance s'est envolée... Nous devons nous partager l'un l'autre... à jamais. Nous partager l'un l'autre. Je ne porterai mon visage intérieur que dans les rêves de Roger.*

— Regardons les choses en face, Wetware, dit Menuise, si vous étiez entré dans le corps d'Ambré, vous ressembleriez à... à un de ces robots de cuivre fabriqués par Elmer. Oui, à un robot, pas du tout à un type hâlé et érotique. Ambré est magnifique. (Oh oui, soupira la créature.) Mais vous, vous auriez été un peu ridicule.

— Un monstre mutant, renchérit Osmo. (Immédiatement il secoua la tête, se faisant des reproches.) Je suis désolé, Ambré. Pardon, Goldi. Et je regrette de ne pas avoir proclamé assez vite. Non, je ne le regrette pas vraiment, parce que ça a donné à Menuise l'occasion de le faire. Elle a eu le dessus sur cette ombre, elle l'a domptée.

Pendant l'intermède de sa passion, la perruque de Wex était restée en place. Il vérifia la position de ses disques sur sa boîte crânienne avant de se relever.

— Pourquoi la voix de l'ombre zozotait-elle ainsi ? demanda-t-il.

Osmo réfléchit un moment.

— Les mots ne sont pas encore exacts. Ils ont besoin d'être clarifiés. De se mettre au point.

Et voilà qu'ils arrivent dans le radiant et lumineux village aux blanches maisons de bois, pâquerettes, poules pailletées et boulangerie. Ils arrivent des quatre vents, ou du moins des trois vents et demi (un groupe contournant le palais de gaz incandescents).

La scène ressemble presque à un gala de Yulistalax, vision hallucinatoire d'un chaman. Des nakkis courent ici et là. De jeunes réfugiées s'émerveillent : devant une gargantuesque magicienne isie, dont l'armure d'écailles d'un iridescent ocre zébré s'orne de runes sépia. Des bulles de lumière rosée montent de ses cornes plantées sur sa tête grosse comme celle d'un bœuf. Elle se soulève et avance, laissant une grande tache, luisante, qui s'estompe. Des Juttahats à la peau ambrée, en livrée beige, l'assistent.

D'autres filles contemplent bouche bée les trois magiciens lovés autour de leurs serviteurs d'ébène en livrées assorties, et un autre magicien cuivré et son serviteur d'airain. Les mentons reposent sur les tignasses frisées des Juttahats : duos étrangers à tête de serpent sur humanoïde. Un prisonnier humain à chevelure bouclée cabriole et supplie, sous la poigne de mains noires. Un type barbu et décharné s'efforce d'avancer, l'air dément.

Regardez ! Voici une reine clopinante et grotesque portant un chapelet ambré sur sa chevelure noir de jais en bataille. Elle possède les mêmes traits que toutes les spectatrices comme si elle avait un jour été leur modèle. Une fille l'accompagne, l'air morose, ainsi qu'un robuste pasteur et un jeune homme à maigre moustache, lumineux dans sa livrée cuivre. Autour de sa tête tourbillonnent des flocons de neige, telles des lucioles phosphorescentes (au crépuscule, mais nous sommes en plein jour). Une escorte de gardes de chair et d'os, craintifs, et de soldats résolus et voyants, au visage de bois.

Regardez encore ! Un jeune nu au corps d'ambre flexible au bras d'une magnifique créature dorée (en robe de servante, lin et dentelle — elle s'est débarrassée du manteau à cause de la chaleur). Ces deux-là cheminent aux côtés d'un seigneur moustachu et de sa va-nu-pieds de princesse, d'un vigilant esclave aux cheveux blancs, d'un type en long manteau dont la coiffure semble anormalement soignée, et d'un trio d'hommes de bois.

Ces quatre groupes ont encore à converger vers la pelouse où se trouvent la mare et la grande balançoire. Des diverses maisons ici et là, des nakkis en uniforme de musicien sortent pour les accueillir. Ils portent qui un trombone, qui une trompette, un cor, un bugle, un tuba. Les nakkis entonnent une joyeuse marche de carnaval. Pour remonter le moral de tout le monde ? Pour apaiser les hostilités ? Les musiciens de la fanfare ne sont pas tous près les uns des autres, et pourtant ils jouent à l'unisson.

Au moment où les quatre groupes foulent la pelouse, une femme aux cheveux jaunes soyeux et libres arrive en courant ; une femme dont un œil est bleu, l'autre d'opale. Elle porte des chausses, une ceinture à boucle de cuivre et une chemise blanche à jabot. Une gracile jeune fille la suit. Une autre, avec des couettes blondes, traîne à son approche.

— Arrêtez de jouer ! hurle Solœil aux musiciens ici et là. Arrêtez, je vous dis !

Le carnaval de Minkie ne doit pas recommencer — sinon des flèches enflammées risquent de s'envoler des bouches des trompettes.

Ce serpent monstrueux qui rampe sur la pelouse... D'autres Isis sont portés comme des tubas. Que de Juttahats — et de soldats de bois ! Un nu, tout d'ambre. Et Osmo van Maanen, proclamateur de son exil et de sa noyade !

Et cette silhouette barbue et pourtant si familière entre les griffes de ces Juttahats noirs qui lui ont jadis façonné un œil...

Juke, aperçu sur un éperon rocheux au-dessus de ce lac lointain. Et soudain le voici ici !

Avec Juke... Minkie Kennan !

L'atmosphère est électrique de courant manéen, là tempête semble près d'éclater, les quatre vents de se battre. Les magiciens lancent des bouffées de lumière pastel, les Juttahats font rouler leurs muscles, touchent le pommeau de leur couteau, Jack Démon se place. Les arbalètes se tendent.

Les chances de Solœil ont glissé, loin, loin, faute d'un nom de fleur.

Vipère flairer ablette et se redresser.

— Elle est monstrueuse, elle est mutante, et elle est là... !

Menuise ne recule pas. Elle campe sur ses positions. Vipère s'arrête. Relève une tête énorme. Ouvre une gueule assez vaste pour contenir Menuise ; ses venins gouttent.

Menuise être dans la tête de cette précieuse-ci ! (Ainsi tu as fini par éclore. Mangé de succulents serviteurs ces derniers temps ? La Juttahate sauvage dit : De nous tu ne feras pas ton repas.) *Juttahate sauvage ? Oh ! l'ablette se désigne ainsi. Pourtant tout près se trouver une Juttahate modifiée, fruit d'une folle expérience des Airains. Elle n'écouter aucune voix, émettre ses propres émanations autonomes ensorcelantes, sembler partager amitié de l'ablette. Cette précieuse-ci flairer sans même prendre la peine de voir : magiciens rivaux moins importants portés par serviteurs, y compris un Airain, l'Airain échouer dans contrôle de créature dorée. Choc : compagnon étrange et mutant de créature avoir fœtus à l'intérieur du corps. Cette précieuse-ci être enceinte aussi, tout cela à cause de...!* (Je t'ai fécondée ? Par la gueule ? J'ai provoqué ta grossesse ? Oh, que c'est précieux !) *Grossesse être précieuse, envoûter même une Éclairée.* (Je crois que je mérite un peu de gratitude. Et si on faisait un marché, toutes les deux, pour ne pas essayer de nous dominer l'une l'autre ? On trouvera quelque chose à propos de cette Ukko. Je suis la nouvelle reine de Kaleva, après tout. Je peux faire des marchés. Et si nous avions l'aide de ces magiciens de moindre importance ? Peut-être d'autres personnes aussi. Qu'en penses-tu, Précieuse-ci enceinte et éclairée... ?)

Ablette être impertinente et avoir langue affilée. Cependant : ablette nicher dans esprit de Vipère, et pas l'inverse. Jeter sortilège d'harmonie limitée, ou au moins de non-désastre.

D'autres personnes !

La mère de Menuise avance vers son modèle réduit de fille, chassant presque l'air à coups de griffes. Le volume même de Vipère est prohibitif. Parmi les badauds se trouvent tant d'échos de ses défuntes filles que Fortunée en a le vertige. Ces fantômes vont-ils soudain se jeter sur leur mère comme des charognards sur un cadavre ? Où, mais où donc est sa vraie identité ? Quelle importance ont Menuise ou cet affreux van Maanen ? Ils ne sont là que pour la distraire, lui gâcher ses retrouvailles si elle les laisse faire. Difficile de ne pas en tenir compte pourtant.

— Garce ! crie-t-elle. Salaud !

— Calmez-vous, mère, supplie Jatta.

Oui, du calme, du calme. Sinon comment retrouvera-t-elle son alter ego ?

— Mystère des mystères ! s'exclame Serlachius en regardant tous ces visages similaires, et il lorgne la magicienne géante, les nakkis et la femme à l'œil d'opale.

— Solœil Nurmi ! (Osmo met ses mains en porte-voix pour être entendu de l'autre côté de la mare aux canards.) Je t'ai traitée de façon disgracieuse...

Osmo ne peut guère succomber au remords à un tel moment. Ses excuses se raccourcissent en un geste qui englobe Ambré : *Vois, je me suis lié d'amitié avec un*

423

monstre. Menuise lui donne un coup de coude dans les côtes :

— Toi aussi, Jatta Sariola, je t'ai traitée d'une façon honteuse... !

Son Vif-Argent, adulte, danse pour protéger Jatta. Il regarde Osmo. Les gestes d'Osmo intègrent la créature dorée : *Regardez, je respecte toutes sortes de femmes, même les étrangères*. Gesticulations diplomatiques, même si elles sont sincères. Osmo ne peut se permettre de demander pardon de façon plus excessive. Fortunée déchire de nouveau l'atmosphère. Griffer Osmo et Menuise ensemble. Démasquer le désir de son cœur. Acquérir le pouvoir de la petite Ukko. Son attention vire vers Minkie Kennan, prisonnier d'un Juttahat. Elle découvre ses dents :

— Tu as tué mon Bertie !

Non, c'est faux. Il n'a pas fait ça. Il est une elle. Qui s'appelle Sal. Sal n'a rien à voir avec un meurtre, ni avec une folle, ni — comme il ou elle se rétrécit sous le regard accusateur de la poétesse ! —, ni avec ces musiciens nakkis non plus.

Protestations de « Minkie Kennan » élever suspicions chez un magicien dont la voix claironne : Comment « Minkie Kennan » peut-il reconnaître Solœil-Nurmi ou la reine Fortunée ou les musiciens nakkis (cela être évident, provoqué par choc de proximité de poétesse) à moins d'être véritablement Minkie-Kennan ? Lui avoir réussi à s'envoûter au point de se croire quelqu'un d'autre, d'un autre sexe, pour se cacher, se protéger ! Quel sortilège !

L'attention de Fortunée se concentre sur Juke, qui s'efforce toujours d'aller vers sa sœur, mais avec moins de vigueur.

— Tu m'as trahie ! crie la reine.

Solœil regarde son frère de son regard bleu clair et de son opale opaque et vide tandis que Juke module sur ses lèvres... rien de puissant, de simples expressions plaintives, étranglées.

— Pas besoin de mon dîner ! Non, pas besoin de ma sœur ! Besoin des poèmes qu'elle récite...

Que signifient ces jolis sentiments pour Solœil à présent ? Le désir ambivalent de Juke pour elle a-t-il évolué au stade de l'imitation — grâce auquel il concevrait une image mentale de l'âme de Solœil, posséderait son esprit, l'usurperait ?

— Éclaire-moi, faucille du ciel... !

Oui, en renonçant à sa virilité et à sa rage de mâle. Cette rage n'est plus dirigée contre Osmo qui a fait tant de mal à sa sœur.

Osmo ne peut que se méfier d'un mutant qui a provoqué la mort horrible de sa maîtresse de jadis, qui a descendu son aéronef — même si le résultat lui a valu son bonheur avec Menuise.

Magicien Imbriqué être amèrement conscient de présence de l'homme à perruque qui a abîmé sa belle mue neuve de l'empreinte de sa main...

Que de récriminations réciproques ! Seul le sortilège d'harmonie limitée jeté par Vipère empêche cette mêlée de tourner au désastre, de perdre l'équilibre.

C'est un sortilège qu'appuie Menuise ; ainsi que Goldi avec ses parfums.

Sûr que le chaos doit arriver, lançant les Velours contre les Tavelés, les hommes de bois et les soldats de chair et d'os contre les Juttahats, et les uns contre les autres — sur quoi les nakkis redeviendront bestiaux.

Elle, qui avance d'un pas incertain dans la foule, porte une queue-de-cheval blonde. Son teint de pêche, ses joues rondes, son visage ovale et ses yeux rapprochés, gris fumée, sont le parfait reflet des traits de Fortunée (mis à part la couleur des cheveux et leur coiffure). Peut-être pas parfait. Plusieurs siècles de passions ont travaillé la physionomie de Fortunée par des modes et humeurs que Paula n'a pas connues et qu'elle n'a que récemment commencé à imiter. Presque parfaite, leur ressemblance. Presque. A l'exception des cheveux, les cheveux blonds qu'avait jadis Fortunée.

Les deux femmes hésitent.

Tel un canard qui va se poser sur son reflet montant de la mare — et devenant au dernier moment une créature fondue —, Fortunée va-t-elle courir vers Paula et Paula vers Fortunée, pour se fondre l'une à l'autre, la main glissant dans le gant de chevreau, le gant enveloppant la main ? La femme qui en résultera aura-t-elle les cheveux blonds ou noirs ? Ou blancs d'une vieillesse instantanée ?

Quel est l'avantage pour Paula d'étreindre une inconnue, elle-même ?

Obtenir davantage de souvenirs, hériter d'un royaume dont elle a été tenue écartée, en exil, entourée innocemment par les échos de toutes ses filles ?

Frissonnant, Paula regarde un instant les serpents qui ont envahi le domaine. L'un d'eux est colossal. Les étrangers. Obligatoirement elle doit croiser le regard fervent, tremblant et scrutateur de Fortunée, ce regard rempli d'un désir exigeant et pourtant terrifié. Terrifié, oui, par cette confrontation d'elle-même perdue depuis tant de siècles, mais conservée.

La reine qui porte une couronne d'ambre avance vers sa jumelle, et sa jumelle à queue-de-cheval vers elle. Paula, en proie à une curiosité intense. Osmo devrait-il proclamer pour empêcher la réunion ? Jack gesticule et conjure une bourrasque qui rapproche les deux femmes. La situation est inévitable. Même si elles s'approchent lentement l'une de l'autre, les deux femmes semblent voler, bras tendus, ailes déployées dans ce vent d'attraction mutuelle.

Elles se rencontrent.

Elles se cognent.

Et le monde sursaute — comme si l'Ukko avait basculé dans son berceau-cratère. La vision se trouble ; l'œil ne parvient plus à accommoder. Une grande partie du village rétrécit, disparaît, s'enfuit. Le monde intérieur change d'échelle et de perspective. Tous les témoins de la scène deviennent-ils des géants ? Les forêts lointaines et les lacs gelés rapetissent et deviennent simple décor des murs. Les marées de nuages sont de simples vapeurs tenaces.

A mesure que la vue revient, rétrécie, on voit ici une prairie, quelques maisonnettes et un étang à l'intérieur d'une vaste grotte lumineuse. La foule a rétréci elle aussi. Pendant cet accident visuel, les nakkis ont disparu...

... et les filles-échos aussi !

Toutes ces joyeuses réfugiées — où sont-elles ?

Parties, évanouies, dans la mémoire de la petite Ukko.

Toutes ces filles de Fortunée ont disparu. Poussées dehors par la collision des jumelles blonde et brune — qui, entre elles, englobaient l'existence des filles.

Où sont Gretel, Gerda et Maria ? Disparues, enfuies.

426

Où est la douce et souple Inga, la tentation de Solœil ? Seule Inga traîne à l'orée du monde des vivants. Son regard exprime prière et inquiétude quand elle fait signe à Solœil, derrière les gardes et les Juttahats : *Reste avec moi. Moi avec toi.* Déjà Inga semble vague. Un chant semble s'estomper : *Oh, qu'est-ce que ça peut nous faire ? Nous laverons nos cheveux. Et cacherons nos visages dans la soie...*

Les Juttahats jouent des coudes un instant, cachant Inga, et ce moment est éternel. On ne la voit plus.

— Reste avec moi, dit Fortunée à Paula. Moi avec toi. Ma conscience, ma compagne. J'ai aimé un homme. Il m'a quittée. Il m'a préféré la mort. Il devait savoir qu'il n'y avait pas de place pour lui entre toi et moi. Que peut-il y avoir de mieux que de se retrouver unifiée, fraîche, jeune et sans les tourments de la mémoire ?

— Sans souvenirs ? répond Paula. Je me souviens parfaitement de la *Katarina* ! Le froid et l'obscurité de l'espace, et la peur qu'il nous fallait aimer. Il y a eu une guerre ici, tu sais... ma sœur. Je ne suis pas naïve.

— Je n'ai jamais eu de sœur, de double. (Fortunée appuie sa tête sur l'épaule de Paula.) Aide-moi à oublier... Non, pas à oublier ! Pense avec moi, respire avec moi, vibre avec moi, pleure avec moi.

— Tu aurais pu avoir une centaine de sœurs, interrompt Jatta.

Maintenant ils étaient tous très près les uns des autres.

— Toutes mes filles, oui. La pression... L'influence aliénante de l'Ukko... le sortilège me forçant à concevoir et à voir ma moisson moissonnée, toujours et toujours... Quelle cruauté ! Et c'est encore plus cruel de me hanter avec leurs fantômes.

— C'étaient mes amies.

Les joues rondes de Paula sont mouillées.

Fortunée embrasse ses larmes.

— Je suis sûre que l'Ukko continuera à se les rappeler. Ne se souvient-elle pas de presque tout ?

Des fleurs crème cireuses poussent dans la prairie — et des ornithogales, des floricœurs et une svelte fleur-cheminée azur. Solœil s'empresse de cueillir l'une des corolles cireuses. Les Juttahats remuent. Les magiciens regardent, langue sortie pour tout goûter. Des vaguelettes ondulent sur la massive carcasse de Vipère.

— Comment dire à l'Ukko ce que nous voulons ? demande Paula. Que désirons-nous ? Tu es une femme d'un monde bruyant. Je suis une femme d'ici, et d'espoir. Il y a eu une guerre... Est-ce la paix que nous voulons ? La paix, comme dans le néant de l'espace ? La paix comme dans le vide, dans l'obscurité caressante et assassine ? La paix comme dans un pâturage ?

De la mare s'élève une lueur aveuglante.

Très diminué, le palais-chandelle s'étend sur l'eau. Aucune silhouette pâle ne s'y trouve plus. De l'eau monte un corps obèse, poilu, brun orangé. Cul lunaire, ventre pneu, poitrine débordante, cuve de chairs démunie de jambes, globe en guise de tête.

Un mufle retroussé, une fente pour la bouche, des yeux creux et rouges, des oreilles en anses de jarre. Des cheveux henné qui se répandent d'un petit chignon. Des poils hérissés sur tout le corps. Des mains sans bras gigotent. Sur l'une des épaules tombantes perche une petite sylphide d'étoiles.

Les magiciens émettent des bouffées de lumière pastel. Jack brille, et des pâquerettes ornent sa livrée avant de tomber comme de la neige. Minkie bave en voyant les poils roux de la manafestation. Un garde se pâme. Ben Prut, mystifié, écarquille ses yeux myopes. Sam Peller secoue la tête comme si lui seul était victime d'une hallucination. Ému, Serlachius se tord les mains et tombe à genoux.

Une voix gronde :

— QUEL EST MON NOM ? QUI LE PRONONZERA ? QUI ME CONTRAINDRA DE LA BONNE FAZON ?

Solœil brandit la fleur cireuse qu'elle a cueillie.

— C'est elle, c'est elle...

Elle inspire le parfum et récite :

Je fleuris dans les prairies de l'enfant lune
Je peux survivre aux années.
Je m'appelle...

Elle s'arrête.

Juke lui crie :

— Floreille — c'est ça ! Ou : florœil !

Œil ou eille, eille ou œil ?

— Comment l'appelle-t-on ici ? demande Fortunée à Paula. Sous quel nom la connais-tu ?

Paula ne lui connaît aucun nom particulier.

Une voix juttahate lance un sifflant cliquetis de syllabes étrangères.

Le wetware de Wex fredonne des permutations possibles :

— *Korvakukkavahakukkavoïdekukkasilmakukkakorvavaha...*

— Taisez-vous ! intime Menuise à Wex.

Resplendissante Vipère être très consciente qu'au moins cinquante synonymes de la fleur d'Ukko être utilisés dans une myriade de situations (— Vraiment ? Eh bien, énoncez-les un par un ! Et n'utilisez pas votre voix.)

A quelle distance une ablette doit-elle être d'une magicienne pour rester accordée à elle si tel est son choix ? Un jour, Vipère a extrait le mot qui ouvrait la ceinture de chasteté de Menuise, le nom secret connu de la seule ceinture. Aujourd'hui, Menuise arrachera les sournois synonymes d'une précieuse éclairée pendant qu'elle nouera la langue de Vipère. Cela fait partie du marché. D'accord ? Tirant Osmo par la main, elle se hâte vers Solœil.

(Mais tous ces synonymes être évasions, ruses verbales. Après longue méditation, évidence être qu'aucun mot unique être propre, tous noms être arbitraires bien que métaphoriques, signification être transmise par volonté, déterminée par désir. Ainsi nom pouvoir être Arc-en-ciel blanc *ou* Calice de récits *!)*

Allons, le nom peut être celui que choisira Menuise ! Du moment qu'elle le choisit de façon efficace. Pourquoi Solœil ne le comprend-elle pas ?

Solœil est trop perturbée par la responsabilité, par la violence qui s'est produite ici, par l'anéantissement de Kip'an'keep, par la présence de Minkie et de Juke, par la disparition des filles défuntes de Fortunée.

Tandis que les voix des magiciens lancent des noms étrangers, et que Wex reprend son cliquetant babil, Menuise tire un Osmo peu enthousiaste pour une confrontation face à face avec Solœil.

Blonde chevelure soyeuse ; jolis petits grains de beauté sur la joue et le cou, plus charmants que n'importe quel ornithogale tatoué, un peu comme la constellation des nakkis perchés sur une chanterelle...

— Tu ne veux pas nous présenter, Oz ? N'ai-je point le droit de connaître celle qui jadis t'enflamma ?

Se rehaussant sur la pointe des pieds, Menuise, intriguée, incline sa tête frisottée et louche vers l'œil d'opale, l'œil bleu.

Osmo est au comble de l'embarras. Au supplice, Juke hurle :

— Laissez-la, laissez-la !

Osmo réussit à marmonner :

— Solœil Nurmi, je vous présente ma reine, Menuise.

— Reine, répète la poétesse. Reine...

Menuise a levé sa main, alors Solœil tend la sienne pour l'effleurer du bout des doigts, la fleur d'Ukko dans l'autre.

— Eh bien, salut, Solœil ! J'espère que nous serons amies, malgré vous savez quoi...

Solœil passe sa langue sur sa lèvre supérieure. Elle ne tient aucun compte d'Osmo.

— Ce doit être la proposition d'amitié la plus absurde qu'on ait jamais faite.

Menuise rayonne.

— Ça, je ne sais pas. Osmo m'a kidnappée. Et regardez-nous aujourd'hui. Votre œil me plaît beaucoup, au fait.

Malgré elle, Solœil sourit presque.

— Vous n'auriez guère aimé la besogne pour l'obtenir. Depuis mon enfance je semblais chercher un œil...

— Celui-ci vous va très bien, croyez-moi. Prenez-le de quelqu'un qui a eu le dessus sur une monstrueuse magicienne et qui peut lire ses pensées, raison pour laquelle je voulais bavarder avec vous.

— Maintenant ? Vous voulez bavarder ?

— Cela ne peut guère attendre. (Dans un murmure.) Vous pouvez simplement choisir le nom, voyez-vous.

— J'essaie... Il faut que ça vienne. Peut-être que c'est fleureine, pour tout ce que j'en sais — et peut-être est-ce pour cela que vous me harcelez. Je n'ai plus droit qu'à un seul essai, voyez-vous, Menuise.

— Mais écoutez, Solœil. C'est vraiment très important... Votre fleur peut avoir le nom que nous choisirons, quel qu'il soit. Il faut que ce soit un choix convenable, pas un choix égoïste, je pense. Fleureine prêterait à confusion — étant donné qu'il y a deux reines ici en cet instant, moi et maman. Un nom tel que Œil de Solœil serait mal venu, si vous le choisissiez vous-même. Je réfléchis ! Ma foi, il me semble que vous avez le pouvoir de proclamer le nom ! Oz ici présent vous donnera un coup de pouce, n'est-ce pas, Oz ?

— Y a-t-il deux reines ou trois ? demande Solœil. Il y a aussi Paula !

Fortunée, le bras autour de la taille de sa jumelle, se fraye un chemin d'un pas résolu.

— Ne te mêle pas de ça, sorcière ! (Qui est la sorcière, Menuise ou Solœil ?) Cet Ukko est à nous.

Mais oui, en vertu de sa rencontre avec sa jumelle. Paula n'avait-elle pas attendu quatre siècles à l'intérieur de l'enfant lune que Fortunée vienne la chercher ?

Fortunée ne peut griffer l'air plus longtemps. Ayant trouvé son identité originelle, comment pourrait-elle la laisser s'échapper ? Jatta s'interpose, et elle essaie de calmer son enfant miracle qui tremble.

La véritable menace vient-elle de la poétesse ? Du proclamateur rebelle, de la petite reine ? De cet énorme serpent étranger apparemment si passif et indécis ? Ou du magicien Airain, amené par son porteur et accompagné d'une magicienne de velours ?

Odeur de caramel, de fumée de bois et de cumin. Claquement et sifflement de paroles juttahates criées en direction de la créature dorée, et ensuite en kalevan :

— Toi être notre créature, notre création. Aider moi !

Goldi libère de joyeuses fragrances.

— Être moi-même ! Seule ! Plus seule à présent.

Elle a son Ambré, aussi unique qu'elle.

Libérant des petits nuages pastel, Vipère imposer son ego resplendissant sur les magiciens de moindre importance. Être enceinte grâce à princesse ablette.

Dans la mare illuminée, la monstruosité attend toujours une réponse.

— Menuise, comment oses-tu t'immiscer à ce point dans tout ça ! Je veux... je veux ceci.

L'Ukko dans sa totalité, tout.

— Maman, tu ne crois pas que tu as peut-être déjà ta récompense ?

— Je ne suis pas une récompense ! proteste Paula.

Fortunée verse presque des larmes de frustration.

— Il me le faut. Tu ne vois pas ? Si Paula et moi ne pouvons rester ici. Enfin, dehors elle pourrait devenir — comme Anna Beck !

— Anna ! (Solœil doit savoir.) Qu'est-il arrivé à Anna ?

— Elle est devenue zombie. Les culs-terreux l'ont mise au bûcher.

Le responsable du destin d'Anna se tortille entre les griffes d'un Juttahat, il tremble comme une feuille, regarde les poils gingembre de la présence dans la mare, essaie de ne pas fixer cette chose qui lui rappelle nécessairement la crinière de Sal, mais il y jette quand même un coup d'œil de temps en temps.

— Pauvre Anna chérie... (Solœil froisse presque la fleur d'Ukko. Presque.) Et le nom de la fleur est...

— Non ! s'interpose Menuise. Ne le dites pas, peu importe qui était Anna ! Sinon les serpents saisiront leur chance.

— Je dois rester ici. (Fortunée en appelle en fait à sa petite fille lutine.) Tu ne vois pas ? Sinon... Menuise, je te donnerai mon royaume si c'est ce que tu veux. Tu pourras être reine. Il faut que quelqu'un le soit. Ce n'est pas une sinécure. Osmo est-il vraiment longue-vie, maintenant ?

Osmo rit.

— Est-ce que je pisse sur l'herbe ?

— Si tu es vraiment longue-vie, mon pays aura un roi immortel, qui ne cessera de se marier...

— Ne sois pas méchante, maman. Peut-être que tu as besoin d'un rôle dans tout ceci. Peut-être que les serpents aussi.

Osmo est plutôt surpris.

— Que dis-tu, Menuise ?

— Simplement que les Isis méritent peut-être une part...

— De notre cerveau ? De notre volonté ?

— Vipère est enceinte à cause de moi. Je suis enceinte aussi ! Nous avons des intérêts communs, elle et moi. (Elle tape dans ses mains.) Je connais le nom de la fleur.

Wex s'arrête alors de psalmodier comme un malade.

— Ne faites pas de bêtises, je vous en supplie ! Démontez des statues, mais ne laissez pas cette entité nous échapper ! Je vous en supplie, chère enfant ! Elle est prête à décoller. Elle est prête pour son premier voyage vers les étoiles.

— Vers les étoiles isies.

Menuise lui fait un clin d'œil.

— Mais oui, dit Fortunée. Oui. C'est la destination. Bien sûr.

Et Menuise chuchote à l'oreille de Solœil (qui doit se pencher pour entendre). Solœil réfléchit un instant, puis elle récite à la bonne femme de pain d'épice de la mare :

> Je fleuris dans les prairies de la petite lune,
> Je peux survivre aux années,
> Mon nom est Moisson de Fortunée,
> Je suis les yeux et les oreilles d'Ukko.

— Dis-le plus fort, exige l'être qui ne zézaye plus.

Poussé par Menuise, Osmo proclame les vers en même temps que Solœil. Voilà donc le nom de la fleur moissonnée. Ce n'est pas un nom égoïste. Ni partial.

Et, de temps en temps, cette fleur s'épanouira dans les combes ici et là, dans tout le pays, où elle n'a jamais poussé naturellement auparavant. Quelques spécimens apparaîtront-ils à Pootara ? Pour être déracinés par les rationalistes ?

Certains l'appelleront peut-être fleureine, ou fleur de lune. Baptisée d'après la seule lune que la plupart des Kalevans aient jamais vue et qui, de sa cachette, avait apporté frénésies et manies pour se nourrir, et une fois hors de sa cachette apportait la destruction de la ville où l'on avait imprimé le *Livre du Pays des Héros*. Ou baptisée d'après une reine aussi frénétique et maniaque jusqu'à ce qu'elle retrouve son identité volée (et qui risquait encore, devait-on le dire ? d'être bizarre).

Le parfum capiteux de la Moisson de Fortunée donnera du pouvoir à ceux qui la trouveront. Ou il les rendra fous. En d'autres termes, Mana ne se manifestera plus aussi fréquemment une fois que l'enfant lune aura quitté Kaleva, laissant derrière elle ces rares boutons. Les coucous caquetteront rarement. Les rationalistes se réjouiront. Les pasteurs manéens et les chamans s'adonneront à la nostalgie.

La seule lune qu'ils aient jamais vue... ! Certains, du moins, pendant le transit de la petite lune du lac de la Création à Kip'an'keep !

Pourtant, l'enfant Ukko va offrir une vraie lune à Solœil, pour le ciel kalevan. La lune de Solœil.

C'est la promesse : d'autres Ukkos viendront en cavalcade. Ils aspireront tous les débris de la faucille céleste pour former une sphère qui tournera en orbite au-delà de la zone où un afflux de forces peut fracasser une lune.

Ce sera d'abord une sphère fondue. Plus tard, elle refroidira, durcira et honorera le ciel de ses mouvements croissant et décroissant, et de sa forme pleine, comme l'œil d'opale.

La lune de Solœil sera-t-elle aussi brillante que la faucille céleste ? Non. Et les marées... Les gens se ferontils mouiller les pieds ? La mer passera-t-elle par-dessus les quais peu élevés de Tumio et de Portti ? Inonderat-elle chaque jour les rues ? La perte d'une ville, en l'occurrence, Kip'an'keep, est déjà assez malheureuse !

Malheureuse. Diabolique. Il n'y aura pas de nouvelle lune.

Pourtant, dans l'esprit de l'enfant lune, le mal fait partie de la vie elle-même. Un jour, la conscience s'éveilla. Suivit une dynamique de désir, de concupiscence autant que d'amour, de vanité et aussi d'orgueil bien placé, de fierté parfaite et imparfaite, de loyauté et aussi de revenche pourtant — spirale menant aussitôt aux étoiles et pourtant aussi à un abîme, à la bigoterie aussi bien qu'à la connaissance suprême, à la volonté sublime mais aussi à l'obsession. Sans ce flot, la vie n'aurait aucune histoire, ni le cosmos la révélation de soi par l'intermédiaire des oreilles de ses Ukkos. Conscience : une cage — dont les barreaux définissent l'au-delà infini, même si les captifs se bagarrent pour des miettes et des appétits... engendrant ainsi des récits, expression bavarde de l'existence.

Comme il était plus complexe de s'allier avec la petite lune que lorsque Fortunée était entrée dans la sienne jadis ! Cette Ukko veut une nouvelle épopée pour une nouvelle époque : un récit sur des serpents et des gens, des gens parmi les serpents ; finalement ses clients ont découvert cela eux-mêmes, sinon la décision ne vaudrait rien. Car ils arrivent à cette décision, l'Ukko aussi.

Oui, oui, reine des serpents, toi et moi, Paula...

Pourtant, Fortunée avait abdiqué, non ?

Ou être un récit de serpents parmi les gens dans le monde des humains... ?

Cette allusion coquine de Goldi fait redresser la tête à Vipère ; et Wex est pris de panique. La société harmonieuse ne doit pas être ébranlée, elle se raconte ses récits de réciprocité. Wex doit rentrer à Finisterre pour rapporter un échec, une folie débridée. D'une voix à la fois normale et fruitée il proteste.

D'étonnement il se touche les lèvres, le visage. Il arrive à sentir.

— Qui suis-je ? se demande-t-il. Qui suis-je ? demande-t-il à Menuise.

— Roger l'andouille, lui dit-elle.

Et là-dessus, il prend conscience de sa personne plus accomplie. Qui était cet imbécile difficile avec des grelots dans la tête ? Et qui était le contremaître ? Pourtant il ne se sent pas coupé du passé. Il glousse. Il ricane avec délices — poussant Jack à sourire et à faire le clown, et Ambré, l'enfant de la nature, à fredonner un air sans fin. Immense et minuscule, proche et lointain : Roger l'andouille comprend presque les échelles de l'existence à la manière d'un Ukko.

Et puis il comprend bien davantage.

— Les squelettes ! s'exclame-t-il, et il se hâte vers la magicienne de velours dans les bras de son serviteur.

Au fil des ans, Finisterre a vendu presque tous les squelettes d'Isis et de Juttahats trouvés à bord de l'Ukko originel de Fortunée dans la ceinture d'astéroïdes de la Terre. L'Ukko a détruit ses passagers étrangers afin qu'il n'y ait pas de rencontre prématurée entre les espèces. Il a effacé le récit relatant comment arriver à la Terre. Les Velours ont essayé de découvrir le récit perdu, d'envelopper les os de chair.

Pourtant, il fallut jouer une longue partie avant que la Terre et les étoiles isies ne se rencontrent directement. Aujourd'hui enfin, les vraies rencontres peuvent commencer, dans l'espace isi. La race des Isis est plus répandue, plus puissante, en vérité. Meilleurs matériaux, meilleurs jouets technologiques — tributaires d'une symbiose avec les esclaves qui possèdent des mains, qui poussent les serpents à penser en termes d'esclavage. Et en termes d'équilibre. A la fin, les cultures esclavagistes sont toujours vulnérables devant des cultures autres moins statiques. Toutes les grandes narrations des Isis, qui dictent des modèles, comme le *Livre du Pays des Héros*, ont imposé des modèles à la Kaleva — modèles de folie ! De magie manéenne.

Les Isis sont hypnotisés par leurs modèles. La vieille planète Terre est statique, aussi... Maintenant, la Terre a presque acquis ses propres voix intérieures, celles de la raison douce. La Terre risque de bientôt les posséder sous forme de wetwares, dont Wex est un prototype.

Les gens et les Isis sont des prisonniers d'eux-mêmes, ils sont leurs propres Juttahats. Vulnérables devant des étrangers plus dynamiques, où qu'ils soient.

Pour Osmo, Jack et Wex, pour Fortunée et sa jumelle, pour Solœil, Menuise et Goldi, la Juttahate libre, partir dans un monde isi sera lui injecter un virus de folie qui sauvera une société de son inertie absolue — et ensuite la Terre —, non pas de façon impitoyable, envahissante et dominatrice, mais à la manière espiègle, inconstante, prestidigitatrice.

Inspiré, Roger l'andouille débite tout cela à la magicienne de velours — et au magicien d'airain, et à Vipère.

La resplendissante Vipère redresse la tête, ses crochets gouttent, des odeurs de musc et de camphre sortent de sa gueule ouverte. Ce n'est qu'en Kaleva, sous l'influence de l'enfant lune, que Vipère a pu ainsi muter. Pas dans un monde isi où les mages ressemblent davantage aux pasteurs manéens humains, absorbés par le mystère même s'ils n'en ressentent pas souvent d'effet puissant.

Amener magiciens inférieurs (en particulier l'intelligent Imbriqué) à percevoir valeur surprenante des paroles de l'humain à perruque. Isis tavelés vouloir donner vaisseau spatial pour rencontre en orbite lune nouvelle.

Ablette être dans tête de Vipère. Ablette regarder par grands yeux de Vipère, propres yeux de Menuise être fermés, effet d'optique communicable à Imbriqué.

Esclave d'Imbriqué avancer pour abandonner son fardeau, de façon temporaire au moins, devant ablette.

Imbriqué se dérober. Refuser d'être tenu par mains humaines ! Avoir été abîmé une fois déjà !

— Oh, mais je vois exactement comment vous tenir, petit mage... !

— Petit ! se plaindre sa voix.

Menuise se gonfler.

— Petit comparé à ma monstrueuse magicienne mutante. Il y a une prise, juste ici ! Comme ça !

Fragrance de créature dorée inonder l'atmosphère, tirer soupirs de presque tous. Imbriqué céder. Osmo proclamer force et légèreté du fardeau.

Vacillante, Menuise accepte le magicien d'airain. Imbriqué se love autour de sa poitrine et de ses épaules, formant un tuba tordu, et repose sa tête sur ses bouclettes. Elle ferme de nouveau les yeux. Imbriqué lève la tête presque vexé.

— Oh la la ! s'exclame Menuise, on voit nettement mieux de haut ! A quoi bon les bottines à plates-formes ? Tout d'un coup, je me sens aussi grande que Solœil.

Et Solœil rit, enfin. Et Solœil cligne de son œil d'opale.

Oyez, oyez !

Épilogue — Lettre à Ben

Épilogue — Lettre à Pen

J'espère que vous arriverez à déchiffrer mon écriture économique ! Je ne crois pas avoir jamais envoyé de lettre à qui que ce soit, pour la simple et bonne raison que la plupart des destinataires seraient tout à fait incapables de les lire. Trois fois déjà, j'ai essayé de vous contacter à Finisterre par communicateur. C'est toujours la voix de votre assistante qui répond. Je pense que c'est votre assistante — la Chinoise nommée Yu. Elle tergiverse pour vous appeler, miss Conway. Je n'ai aucune confiance dans le ton de sa voix. Trois fois suffisent. D'où cette missive que j'enverrai par coursier à skis.

Il vaut mieux que je m'arrange avec vous pour l'impression de mon histoire, maintenant que Kip'an'keep est rayée de la carte ! A supposer que je finisse par la mettre en forme. La fin se précise nécessairement maintenant que la petite Ukko est partie et que les coucous ont pratiquement cessé de potiner.

Cette Ukko reviendra-t-elle jamais des étoiles isies, de sa mission maléfique ? Oh, le dernier flot de potins avant que les oiseaux ne se taisent ! Ce fut difficile de noter tout ce que j'ai entendu personnellement, sans compter les témoignages des autres.

Maintenant au moins, je n'ai plus à me soucier de reprendre le rôle de seigneur de Maananfors, heureusement débarrassée de la peste, même si elle souffre toujours des conséquences de la guerre. Elmer et Eva en ont pris la charge, soutenus par les troupes qui continuent de rentrer, et par les autres survivants qui n'ont jamais admiré Hans Werner ou Per Villanen.

Lyle Melator pose problème, bien sûr, de l'autre côté du lac ! Il retient les Loxmith en otages, Nikki entre tous. La reine Jatta parviendra peut-être à remettre de l'ordre dans cette maison une fois qu'elle se sera établie à Sariolinna, *avec son Anni à ses côtés. Haute et basse naissances ensemble.*

Si seulement la nouvelle reine s'était arrêtée ici en chemin au lieu de se précipiter au palais de Pohjola dans l'aéronef royal comme si elle était sous influence ! Ici, la forteresse représente sans doute de mauvais souvenirs pour elle. La paix a été décrétée par communicateur (comme vous le savez, je présume). Le bruit court qu'elle portera le maillot en mue de serpent sous sa tunique pour divertir des serpents dans son palais.

J'ai bien failli perdre mes Chroniques, miss Conway. *Elles auraient si facilement pu être brûlées. Fortunée était sur le point de le faire par malveillance. J'imagine une demi-douzaine d'autres façons dont la guerre aurait pu détruire mon travail. C'est pourquoi je vous demande d'envoyer ici une aérocolombe, avec une sorte de copieur de données tel que celui que vous m'avez décrit quand je vous ai rendu visite — il y a combien ? cinq ans ? Peut-être six. Voilà l'objet de cette lettre, écrite les doigts gelés un midi sinistre et glacial. Je vous prie de bien vouloir envoyer une aérocolombe à Maananfors, à Alvar van Maanen.*

Maintenant que j'ai commencé à griffonner, mes doigts me démangent de noter ce que j'ai recueilli sur le fait que Juke Nurmi et Minkie Kennan sont partis ensemble de Kip'an'keep vers Niemi — s'ils y arrivent au bout de leur randonnée hivernale. Quel malheureux lien de pénitence s'est lié entre ces deux-là ! Ben Prut est passé ici — il est responsable de la logistique du retour des Noroisiens chez eux, des troupes de Jaeger à Luolalla et de ce genre de choses (mais les hommes de la bâtisse en H se débrouillent seuls). Il était dans l'Ukko et m'a confié que Juke Nurmi avait hurlé : « Emmène-moi avec toi ! », mais Solœil a refusé, même si son œil a pleuré d'abondance. A son retour, si jamais elle revient, il aura coulé assez d'eau sous les ponts. Kennan, qui prétendait toujours par moments être une femme qu'il avait trompée, restait collé à Juke. Devront-ils passer par Castlebeck, tous les deux ? Lord Beck et Cully ne le toléreront pas ! Minkie devra se faire passer pour une fille enfermée dans le mauvais corps. Fortunée s'est lassée de son désir de revanche dans l'euphorie de ses retrouvailles et la joie d'un nouveau but. Solœil a bien dû tolérer Osmo, surtout que mon fils est

*tellement charmant — et adoré de Menuise. Ah !
Menuise, la porteuse de serpent !*

*Bien sûr, la reine Jatta et Anni ne concevront pas d'en-
fants. Mais il y a les petites-filles : les quatre garces, ce
qui, à mon avis, est une situation délicate...*

*Sans parler de la princesse Ester et des cadettes dont la
reine Jatta a maintenant la garde ! Je me demande si
Jatta continuera la tradition des courtisans à l'affût de la
longue vie ? Jusqu'à ce que ces six jeunes filles soient en
âge de convoler ? Elle qui préfère les femmes !*

*Votre pilote à peau brune, celui qui s'était cassé le bras,
est-il à présent arrivé à Finisterre après avoir visité plus
de régions de Kaleva sous la neige qu'on ne saurait souhaiter en voir ?*

*Mais je m'étends. Miss Conway : Peter Vaara, le drama-
turge, passe l'hiver avec sa troupe dans notre pauvre ville
où de nombreuses maisons sont vides, ce qui lui inspire
une pièce spectaculaire pour le printemps. Vaara déclare
que vous vous entendiez très amicalement avec le consul
noir de Pootara. J'espère que vous n'allez pas quitter
Finisterre pour l'île rationaliste ; du moins pas encore. Je
vous en prie, envoyez-moi une aérocolombe pour sauvegarder mes* Chroniques.

*Vaara et sa troupe sont arrivés ici assez périlleusement
à la suite d'une série de mésaventures — mais je divague !
Je vous en prie, aidez-moi. Pen à peine.*

Et maintenant : j'ai terminé,

De la part d'Alvar van Maanen,
ex-seigneur de Maananfors,
Chroniqueur de Kaleva.

Composition Nord Compo
Achevé d'imprimer en Europe (France)
par Brodard et Taupin à La Flèche (Sarthe)
le 15 juin 1998. 1905U-5
Dépôt légal juin 1998. ISBN 2-290-04738-4

Éditions J'ai lu
84, rue de Grenelle, 75007 Paris
Diffusion France et étranger : Flammarion

4738